P9-DNH-226

Das Buch

Der Berufskiller Nikolai Hel, Sohn einer russischen Adeligen, wuchs in Shanghai und Japan auf, wo er nicht nur lernte, das Go-Spiel meisterhaft zu beherrschen, sondern auch in ebenso tödliche wie lautlose Kampftechniken eingeweiht wurde. Nach einer Laufbahn als Profikiller hat er sich in ein Pyrenäenschloss zurückgezogen. Da erhält er überraschend Besuch: Die junge Hannah ist auf der Flucht vor einer übermächtigen Geheimbehörde, Hel ist ihre letzte Hoffnung. Gegen seinen Willen muss Nikolai erneut in die Welt des internationalen Terrorismus eintauchen und ein letztes Mal alle Register seines Könnens ziehen.

Mit Nikolai Hel erschuf der Bestsellerautor Trevanian 1979 eine der schillerndsten und beliebtesten Figuren der Thrillerliteratur und begeisterte ein Millionenpublikum. Am Ende dieses Buches finden Sie eine Leseprobe aus dem Roman *Satori*, in dem die Vorgeschichte zu *Shibumi* erzählt wird. Bestsellerautor Don Winslow wurde von der Erbengemeinschaft von Trevanian offiziell für diesen Roman als Autor ausgewählt.

Der Autor

Trevanian war das Pseudonym des 1931 geborenen New Yorkers Dr. Rodney William Whitaker. Schon sein Thrillerdebüt *Im Auftrag des Drachen* sorgte für Aufsehen. Da seine Bücher so erfolgreich waren und die verschiedensten Genres abdeckten, vermutete man bald, dass mehrere Autoren hinter diesem Alias steckten – spätestens seit dem Erscheinen seines Meisterwerks *Shibumi* wurde spekuliert, dass entweder Ian Fleming, Henry Kissinger, Robert Ludlum oder Tom Wolfe unter dem Namen Trevanian veröffentlichten. Dr. Whitaker dagegen lebte – wie auch viele seiner Romanhelden – zurückgezogen im Baskenland und begeisterte bis zu seinem Tod im Jahre 2005 seine Fans mit seinen meisterhaft komponierten Romanen.

TREVANIAN

SHIBUMI

THRILLER

Aus dem Amerikanischen
von Gisela Stege

WILHELM HEYNE VERLAG
MÜNCHEN

Die Originalausgabe *Shibumi* erschien 1979 bei Crown Publishers, New York.

Verlagsgruppe Random House
FSC-DEU-0100
Das für dieses Buch verwendete
FSC®-zertifizierte Papier *Holmen Book Cream*
liefert Holmen Paper, Hallstavik, Schweden.

3. Auflage
Vollständig überarbeitete Neuausgabe 06/2011

Printed in Germany 2011
Redaktion: Florian Oppermann
Umschlaggestaltung: Johannes Frick, Neusäß unter Verwendung eines
Motivs von © Jaunty Junto/Getty Images
Satz: Fotosatz Amann, Aichstetten
Druck und Bindung: GGP Media GmbH, Pößneck
ISBN: 978-3-453-40809-8

www.heyne.de

Jenen Männern zum Gedenken,
die hier auftreten als:
Kishikawa
Otake
de Lhandes
Le Cagot

Alle übrigen in diesem Buch genannten Personen und Organisationen entbehren jeglicher realen Grundlage – obwohl einige von ihnen sich darüber nicht im Klaren sind.

Spielphasen von Shibumi

Erster Teil: **Fuseki**
Eröffnungsstadium eines Spiels, bei dem das gesamte Spielbrett einbezogen wird.

Zweiter Teil: **Sabaki**
Der Versuch, eine widrige Situation rasch und flexibel aufzulösen.

Dritter Teil: **Seki**
Neutrale Position, bei der kein Spieler im Vorteil ist. Ein Patt.

Vierter Teil: **Uttegae**
Aufopferungszug, ein Gambit.

Fünfter Teil: **Shicho**
Sturmangriff

Sechster Teil: **Tsuru no Sugomori**
»Das Einfangen der Kraniche in ihrem Nest.« Ein elegantes Manöver, bei dem die feindlichen Steine erobert werden.

Erster Teil ▪ Fuseki

WASHINGTON

Über die Leinwand flimmerten in rascher Folge die Ziffern 9, 8, 7, 6, 5, 4, 3 ... Dann wurde der Projektor abgeschaltet, und in den Wandvertiefungen des privaten Vorführraums flammten die Lichter auf.

Über die Sprechanlage kam dünn und metallisch die Stimme des Filmvorführers. »Wir können dann, Mr. Starr.«

Darryl Starr, der einzige Zuschauer, drückte seine Sprechtaste. »He, Freundchen, sagen Sie mal, was sollen eigentlich diese Zahlen, die immer vor einem Film ablaufen?«

»Das ist das Startband, Sir«, antwortete der Filmvorführer. »Das hab ich selber davorgeklebt. Als kleinen Scherz, sozusagen.«

»Als Scherz?«

»Jawohl, Sir. Ich meine ... Na ja, bei so 'nem Film ... Ich finde das komisch, wenn da ein Profi-Startband vorherläuft. Sie nicht?«

»Was soll daran komisch sein?«

»Na ja, ich meine ... Wo sich doch alle immer über Brutalität auf der Leinwand aufregen, und so ...«

T. Darryl Starr knurrte nur vor sich hin und rieb sich mit dem Handrücken die Nase; dann zog er die Pilotenbrille herab, die er sich ins kurz geschorene Haar geschoben hatte, als das Licht ausgegangen war.

Ein Scherz? Verdammt noch mal, wenn sich das hier tatsächlich als schlechter Scherz entpuppen sollte, dann gnade uns Gott! Wenn da irgendwas schiefgelaufen ist, kann ich einpacken. Und sollte auch nur der kleinste Schnitzer passiert sein, dann wette ich meinen Arsch, dass Mr. Diamond und sein Team auch drauf stoßen. Diese Korinthenkacker! Seit die die Aufsicht über die CIA-Operationen im Nahen Osten übernommen hatten, war es anscheinend ihr Hauptvergnügen, jeden kleinsten Patzer aufs Korn zu nehmen.

Starr biss ein Ende seiner Zigarre ab, spuckte es auf den Teppichboden, befeuchtete mit gespitzten Lippen die Bruchstelle und setzte die Zigarre mit einem Streichholz, das er am Daumennagel anriss, in Brand. Als »Most Senior Field Operative« – dienstältester Außenagent – hatte er seine Quelle für kubanische Zigarren. Na ja, schließlich war er RHIP, eine *right honorable important person.*

Er rutschte tief in seinen Sitz hinein und hängte die Beine über die Lehne des Sessels vor sich; wie früher als Kind, wenn er sich im Lone Star Theater einen Film anschaute. Und wenn dann der Junge vor ihm protestierte, hatte sich Starr gerne bereiterklärt, ihm einen Fußtritt zu verpassen, dass ihm der Arsch zwischen die Schulterblätter rutschte. Und der andere hatte unweigerlich einen Rückzieher gemacht, denn wer in Fiat Rock wohnte, wusste genau, dass T. Darryl Starr ein ziemlicher Rowdy war, der einem die Rippen brechen konnte wie Streichhölzer.

Das war nun schon viele Jahre und Fußtritte her, doch Starr war ein Rowdy geblieben. Das musste man auch sein, wenn man Most Senior Field Operative der CIA werden wollte. Und Erfahrung brauchte man dazu. Und mit allen Wassern gewaschen musste man sein.

Und natürlich ein Patriot.

Starr sah auf seine Armbanduhr: zwei Minuten vor vier. Mr. Diamond hatte diese Vorführung auf vier Uhr angesetzt und würde Punkt vier erscheinen – auf die Sekunde genau. Und wenn Starrs Uhr nicht exakt vier Uhr anzeigte, sobald Diamond den Raum betrat, musste sie wahrscheinlich zum Uhrmacher.

Abermals drückte er auf die Sprechtaste. »Wie ist der Film geworden?«

»Gar nicht so schlecht, wenn man bedenkt, unter welchen Bedingungen wir gedreht haben«, antwortete der Vorführer. »Das Licht im Flughafen Rom ist schwierig ... Eine Mischung aus natürlicher Beleuchtung und Leuchtstoffröhren. Ich musste eine Kombination von CC-Filtern benutzen, die für die Stillstandprojektion ungünstig ist und die Scharfeinstellung problematisch macht. Und was die Farbqualität betrifft ...«

»Ich habe keine Lust, mir Ihre läppischen technischen Problemchen anzuhören.«

»Verzeihung, Sir. Ich wollte nur Ihre Frage beantworten.«

»Lassen Sie's bleiben!«

»Sir?«

Die Tür im Hintergrund des Vorführraums flog auf. Starr warf einen kurzen Blick auf seine Uhr: der Sekundenzeiger stand auf fünf Sekunden vor vier. Mit schnellem Schritt kamen drei Herren den Mittelgang herunter. Voran Mr. Diamond, ein drahtiger Endvierziger mit raschen, geschmeidigen Bewegungen, dessen erstklassig geschnittener Maßanzug seine akkuraten Denkgewohnheiten spiegelte. Dicht hinter ihm folgte Mr. Diamonds Erster Assistent, ein hochgewachsener, schlaksiger Mann, der ein wenig an einen Professor erinnerte. Mr. Diamond, der keine Minute seiner Zeit verschwendete, diktierte seine Memos sogar unterwegs zwischen zwei Besprechungen. Der Erste Assistent trug deshalb ein Diktiergerät am Gürtel, dessen kleines Mikrofon am Metallgestell seiner Brille befestigt war. Er hielt sich immer dicht neben Mr. Diamond und setzte sich überall in seine Nähe, den Kopf stets geneigt, damit ihm keine der knappen, monotonen Anweisungen seines Vorgesetzten entging.

Es entsprach der sprichwörtlichen Steifheit der CIA-Mentalität, dass die Mitarbeiter es als humorvoll betrachteten, auf ein homosexuelles Verhältnis zwischen Diamond und seinem dienstfertigen Assistenten anzuspielen. Zum größten Teil jedoch beschäftigten sich die Witzeleien mit der Frage, was wohl aus der Nase des Assistenten würde, wenn Mr. Diamond plötzlich einmal stehen bliebe.

Bei dem dritten, der hinterdreintrottete und anscheinend völlig verwirrt war von dem Tempo, mit dem hier gedacht und agiert wurde, handelte es sich um einen Araber, dessen westlich geschnittener dunkler Anzug teuer aussah, aber schlecht saß. Das lag allerdings weniger am Schneider als an der Figur des Arabers, die sich einfach nicht für Kleidung eignete, in der man Haltung und Disziplin wahren musste.

Diamond wählte einen Sessel am Gang, durch die ganze Breite des Zuschauerraums von Starr getrennt; der Erste Assistent setzte sich unmittelbar hinter ihn, und der Palästinenser, in der Erwartung enttäuscht, man werde ihm einen Platz anweisen, ließ sich schließlich unbeholfen in einer der hinteren Reihen nieder.

Diamond wandte den Kopf ein wenig, damit das Mikro des Assistenten den Schluss seines schnell gemurmelten Diktats aufnehmen konnte, und richtete seine Gedanken sofort wieder auf neue Probleme. »Erstatten Sie mir innerhalb der nächsten drei Stunden Bericht über den Stand folgender Projekte. Erstens: der Unfall auf der Nordsee-Bohrinsel – Verhinderung der Verbreitung des Vorfalls durch die Medien. Zweitens: dieser Professor, der den ökologischen Schaden entlang der Alaska-Pipeline untersucht – Beendigung seiner Arbeiten durch Scheinunfall.«

Beide Aufträge befanden sich in der Endphase, und Mr. Diamond freute sich auf ein bisschen Tennis am Wochenende. Vorausgesetzt natürlich, die CIA-Hornochsen hatten das Unternehmen auf dem Flughafen Rom nicht vermasselt. Es war ein unkomplizierter Präventivschlag, der absolut keine Probleme bot; in den vergangenen sechs Monaten, seit ihm die Muttergesellschaft die Aufsicht über die CIA-Aktivitäten im Nahen Osten übertragen hatte, war er jedoch zu der Einsicht gelangt, dass keine Angelegenheit so problemlos sein konnte, dass es den CIA-Leuten nicht doch gelang, einen kapitalen Bock zu schießen.

Diamond hatte Verständnis dafür, dass die Muttergesellschaft unauffällig im Hintergrund bleiben wollte und daher unter dem Deckmantel von CIA und NSA arbeitete, doch das machte seine Aufgabe nicht leichter. Auch hatte es ihn nicht besonders amüsiert, als der Vorsitzende ihm unbekümmert riet, er solle doch die Beschäftigung der CIA-Agenten durch die Muttergesellschaft als ihren Beitrag zur Arbeitsbeschaffung für geistig Behinderte betrachten.

Da Diamond Starrs Arbeitsbericht noch nicht gelesen hatte, streckte er jetzt die Hand nach hinten aus. Der Erste Assistent hatte das vorausgesehen und hielt die Papiere für ihn bereit. Während er die erste Seite überflog, sagte Diamond, ohne die Stimme zu heben: »Starr, machen Sie die Zigarre aus.« Dann hob er kaum merklich die Hand, und die Wandleuchten erloschen.

Als es im Vorführraum dunkel wurde, schob Darryl Starr die Sonnenbrille wieder ins Haar zurück. Der Projektionsstrahl durchschnitt blauen Tabakqualm. Die Leinwand zeigte einen zittrigen Kameraschwenk durch die Halle eines großen, belebten Flughafens.

»Das ist der Flughafen Rom«, erklärte Starr mit schleppendem Akzent. »Zeit: dreizehn Uhr vierunddreißig GMT. Flug 414 aus Tel Aviv ist soeben gelandet. Es dauert ein bisschen, bis sich was tut. Die italienischen Kameraden vom Zoll halten nicht viel von Schnellarbeit.«

»Starr?«, sagte Diamond missmutig.

»Sir?«

»Warum haben Sie die Zigarre nicht ausgemacht?«

»Also, ganz ehrlich, Sir, ich hab gar nicht gehört, dass Sie mich darum gebeten haben.«

»Ich habe Sie nicht darum *gebeten.*«

Peinlich berührt, weil er in Gegenwart eines Fremden derart herumkommandiert wurde, nahm Starr ein Bein von der Rückenlehne des Vordersitzes und trat die fast noch frische Zigarre auf dem Teppichboden aus. Um sein Gesicht zu wahren, berichtete er weiter, als wäre nichts geschehen. »Unser arabischer Freund hier wird sicher sehr beeindruckt sein von der Art und Weise, wie wir diesen Auftrag erledigt haben. War alles so glatt wie Katzendreck auf Linoleum.«

Totale: Zoll- und Einwanderungskontrolle. Eine Schlange von Passagieren wartet mehr oder weniger ungeduldig auf die Erledigung der Formalitäten. Angesichts der Inkompetenz und Gleichgültigkeit der Beamten lächeln nur noch jene Fluggäste freundlich, die Probleme mit ihrem Pass oder Gepäck befürchten. Ein alter Herr mit schneeweißem Spitzbart beugt sich über den Schalter, um dem Zollbeamten irgendetwas zum dritten Mal zu erklären. Hinter ihm warten zwei junge Männer Mitte zwanzig, braungebrannt, in Khakishorts und offenen Hemden. Als sie im Weitergehen ihre Rucksäcke mit den Füßen vorwärtsschieben, fährt die Kamera heran und holt die beiden in Halbtotale aus der umstehenden Menge heraus.

»Das sind unsere Zielpersonen«, erklärte Starr überflüssigerweise.

»Genau«, stimmte der Araber mit brüchiger Falsettstimme zu. »Den einen kenne ich; in seiner Organisation wird er Avrim genannt.«

Mit komisch übertriebener, galanter Verbeugung bietet der erste junge Mann einem hübschen rothaarigen Mädchen den Vortritt an. Sie lächelt dankend, schüttelt aber den Kopf. Der italienische Beamte mit seiner lächerlich kleinen Schirmmütze nimmt mit gelangweilter Geste den Pass des ersten jungen Mannes entgegen und klappt ihn auf, wobei sein Blick immer wieder zum Busen des jungen Mädchens abschweift, der unter der Baumwollbluse offensichtlich von keinem BH eingezwängt wird. Jetzt vergleicht er stirnrunzelnd das Gesicht des jungen Mannes mit seinem Foto.

»Das Passbild der Zielperson wurde aufgenommen, bevor er sich diesen albernen Bart wachsen ließ«, erklärte Starr.

Achselzuckend stempelt der Einwanderungsbeamte den Pass. Der zweite junge Mann wird mit derselben Mischung aus Misstrauen und Inkompetenz behandelt. Sein Pass wird sogar zweimal gestempelt, weil der italienische Beamte so sehr in die Bluse der Rothaarigen vertieft ist, dass er beim ersten Mal vergisst, das Stempelkissen zu benutzen. Die jungen Männer nehmen ihre Rucksäcke und werfen sie sich über die Schulter. Entschuldigungen murmelnd, drücken sie sich seitlich durch eine Gruppe aufgeregter Italiener, eine große Familie, die eng aneinandergedrängt auf Zehenspitzen stehen, um einen ankommenden Verwandten zu begrüßen.

»Okay! Langsamer!«, befahl Starr über die Sprechanlage. »Jetzt ist gleich die Kacke am Dampfen.«

Der Projektor reduziert seine Geschwindigkeit auf ein Viertel.

Von einem flackernden Bild zum nächsten bewegen sich die jungen Männer, als wäre die Luft aus Gelatine. Als sich der Erste umdreht, um jemandem in der wartenden Schlange zuzulächeln, wirkt die Bewegung wie ein Ballett bei Mondschwerkraft. Der Zweite blickt über die Menge hinweg. Sein nonchalantes Lächeln gefriert. Er öffnet den Mund und stößt einen lautlosen Schrei aus, während aus seinem Khakihemd Blut herausschießt. Bevor er in die Knie brechen kann, reißt ihm ein zweiter Schuss die Wange fort. Die Kamera schwankt wie verrückt, ehe sie den anderen jungen Mann einfängt, der den Rucksack fallen gelassen hat und in albtraumhaftem Zeitlupentempo auf die Schließfächer zuläuft. Als ihn ein Schuss in die Schulter trifft, vollführt er in der Luft eine Pirouette.

Graziös sinkt er gegen die Schließfächer und prallt wieder ab. Seine Hüfte speit Blut, und er rutscht seitwärts auf den blankgescheuerten Granitboden. Eine dritte Kugel reißt ihm den Hinterkopf weg.

Die Kamera schwenkt über die Flughafenhalle, sucht, verliert und findet von neuem zwei – verschwommen erkennbare – Männer, die auf die Glastüren am Eingang zurennen. Das Bild wird scharf und zeigt, dass es sich um Asiaten handelt. Einer trägt eine automatische Waffe. Plötzlich krümmt er den Rücken, wirft die Arme empor und rutscht sekundenlang auf den Zehenspitzen vorwärts, bis er vornüber aufs Gesicht schlägt. Die Waffe fällt lautlos neben ihm zu Boden. Der zweite Mann hat die Glastüren erreicht, deren milchiges Licht seine dunkle Silhouette wie ein Heiligenschein umgibt. Er duckt sich, als eine Kugel das Glas neben seinem Kopf zerschlägt; er wirft sich herum und läuft auf einen offenen Fahrstuhl zu, aus dem eine Schar Kinder strömt. Ein kleines Mädchen sinkt in sich zusammen; ihr Haar weht, als wäre sie unter Wasser. Eine verirrte Kugel hat sie in den Magen getroffen. Der nächste Schuss trifft den Asiaten zwischen den Schulterblättern und wirft ihn langsam gegen die Wand neben dem Lift. Ein schmerzliches Lächeln auf den Lippen, greift er sich mit der Hand an den Rücken, als wolle er die Kugel herausholen. Die nächste durchschlägt seinen Handteller und dringt ihm ins Rückgrat. Er rutscht an der Wand herab und fällt mit dem Kopf in die Fahrstuhlkabine. Die Tür schließt sich, geht aber wieder auf, weil sein Kopf den Mechanismus behindert. Sie schließt sich, geht wieder auf. Schließt sich, geht auf. Ein langer Schwenk durch die Halle. Von oben.

… Eine Gruppe entsetzter, verstörter Kinder umringt das getroffene Mädchen. Ein kleiner Junge schreit lautlos …

… Zwei Flughafenpolizisten, ihre kleinen italienischen Pistolen im Anschlag, laufen auf die am Boden liegenden Asiaten zu. Einer von ihnen schießt noch …

... Der alte Herr mit dem schneeweißen Spitzbart sitzt benommen in einer Blutlache, die Beine ausgestreckt wie ein Kind, das im Sandkasten spielt. Seine Miene drückt fassungsloses Staunen aus. Er war überzeugt, den Zollbeamten alles genau erklärt zu haben ...

... Einer der jungen Männer liegt auf seiner zerfetzten Wange, den Rucksack noch am Riemen über der Schulter ...

... Die Gruppe Italiener, die ihren Verwandten erwartet, vollführt ein getragenes Menuett grotesker Stellungen. Drei von ihnen liegen am Boden. Andere jammern, manche knien, und ein Junge dreht sich auf dem Absatz immer wieder rundherum, sucht eine Richtung, in die er fliehen oder laufen kann, um Hilfe zu holen ...

... Das rothaarige junge Mädchen steht wie erstarrt, die Augen vor Entsetzen geweitet, während sie auf den am Boden liegenden Israeli hinabstarrt, der ihr noch Sekunden zuvor höflich den Vortritt lassen wollte ...

... Die Kamera verweilt auf dem jungen Mann, der vor den Schließfächern am Boden liegt; er hat keinen Hinterkopf mehr ...

»Das – äh ... Das – äh ... Das – äh ... ist alles, Leute«, sagte Starr. Der Projektorstrahl erlosch, die Wandbeleuchtung flammte auf.

Starr drehte sich im Sessel, um Fragen von Mr. Diamond oder dem Araber entgegenzunehmen. »Nun?«

Diamond starrte noch immer auf die leere Leinwand. Drei Finger hatte er leicht an die Lippen gelegt, der Arbeitsbericht ruhte auf seinen Knien. Er ließ die Finger vom Mund zum Kinn gleiten. »Wie viele?«, fragte er dann sehr ruhig.

»Sir?«

»Wie viele Tote hat es bei der Aktion gegeben?«

»Ich weiß, was Sie meinen, Sir. Das Ganze ist ein bisschen blutiger geworden als erwartet. Wir hatten es eigentlich so arrangiert, dass die italienische Polizei sich abseits halten sollte, aber die haben ihre Instruktionen wohl falsch verstanden – wie immer. Ich habe sogar selbst Schwierigkeiten gehabt. Ich musste eine Beretta benutzen, damit die Kugeln zu den italienischen Waffen passten. Und als Handfeuerwaffe ist die Beretta ungefähr so viel wert wie ein Furz im Wirbelsturm, wie mein alter Herr gesagt hätte. Mit einer S & W hätte ich die Japsen mit zwei Schüssen erledigt und auf keinen Fall die arme Kleine getroffen, die zufällig in meine Schusslinie geriet. Gewiss, unsere Nisei-Boys hatten Anweisung, den ersten Teil der Aktion ruhig ein bisschen wüst zu gestalten, damit es aussähe wie ein Überfall des Schwarzen September. Aber diese hysterischen italienischen Polypen haben dann mit den Kugeln nur so in der Gegend rumgespritzt; wie eine Kuh, die auf nackten Fels pisst, wie mein alter Herr gesagt hätte …«

»Starr?« Diamonds Ton verriet tiefsten Abscheu. »Wie lautete die Frage, die ich Ihnen gestellt habe?«

»Sie haben gefragt, wie viele Tote es gegeben hat.« Starrs Ton wurde lebhafter, und er legte die kumpelhafte Attitüde ab, hinter der er sich für gewöhnlich versteckte, um bei seinem Gesprächspartner den Eindruck zu erwecken, er habe es mit einem beschränkten Bauern zu tun. »Neun insgesamt.« Ein flüchtiges Grinsen, und das Näseln war wieder da. »Warten Sie mal. Da waren natürlich zuerst die beiden jüdischen Zielpersonen. Dann unsere beiden Nisei-Agenten, die ich maximal degradieren musste. Und dann das arme Mädchen, das einfach in eine von meinen Kugeln reinlief. Und dieser alte Knabe, den eine verirrte Kugel erwischte. Und drei von dieser einheimischen Familie, die da rumlungerte, als der zweite Jude an ihnen vorbeilief. Rumlungern birgt eben seine Gefahren. Sollte von Rechts wegen verboten werden.«

»Neun? Neun Tote, um zwei zu eliminieren?«

»Nun ja, Sir, Sie dürfen nicht vergessen, dass es wie ein Überfall des Schwarzen September aussehen sollte. Und diese Jungs neigen nun mal dazu, alles zu übertreiben. Die nehmen den Vorschlaghammer, wenn sie ’n Ei aufklopfen wollen – nichts für ungut, Mr. Haman.«

Diamond hob den Blick von dem Bericht, den er überflogen hatte. Haman? Dann fiel ihm ein, dass die ewig einfallsreiche CIA dem arabischen Beobachter, der hinter ihm saß, diesen Decknamen verpasst hatte.

»Schon gut, Mr. Starr«, entgegnete der Araber. »Wir sind hier, um zu lernen. Deswegen arbeiten einige unserer Rekruten im Rahmen eines Stipendiums laut Paragraf siebzehn des Kulturaustauschabkommens mit Ihren Leuten in der Reitschule zusammen. Um ehrlich zu sein, ich finde es bemerkenswert, dass sich ein Mann in Ihrer Position die Zeit nimmt, diesen Auftrag persönlich zu erledigen.«

Erfreut, aber um Bescheidenheit bemüht, wehrte Starr ab. »Nichts weiter dabei. Wenn man will, dass ein Auftrag tadellos ausgeführt wird, muss man ihn einem vielbeschäftigten Mann überlassen.«

»Pflegte das auch Ihr alter Herr zu sagen?«, fragte Mr. Diamond, ohne den Blick von dem Bericht zu heben, den er nach der Schnelllesemethode senkrecht die Mitte der Seite entlang überflog.

»Jetzt, da Sie es erwähnen – das war allerdings einer seiner Sprüche.«

»Ein richtiger Volksphilosoph, nicht wahr?«

»Ich hielt ihn eher für einen verdammten Mistkerl, Sir. Aber er hatte tatsächlich eine Begabung fürs Reden.«

Diamond seufzte durch die Nase und widmete sich wieder dem Bericht. Im Laufe der Monate, während der er im Auftrag der Muttergesellschaft alle CIA-Aktivitäten im Zusammenhang mit den Interessen der ölproduzierenden Länder überwachte, hatte er erfahren müssen, dass Männer wie Starr trotz ihrer institutionalisierten Unfähigkeit keineswegs wirklich dumm waren. Im Gegenteil, sie waren sogar erstaunlich intelligent – im mechanischen, problemlösenden Sinne des

Wortes. In den schriftlichen Berichten über seine illegalen Aufträge ließ Starr niemals etwas von dieser primitiven Grammatik, von diesen obszönen Wortspielereien einfließen, sondern verwandte eine knappe, nüchterne Prosa, dazu bestimmt, der Fantasie die Flügel zu stutzen.

Aus seiner Kurzbiografie hatte Diamond ersehen, dass Starr für die jüngeren CIA-Agenten so etwas wie eine Heldenfigur darstellte – der letzte der alten Garde aus Vorcomputerzeiten, aus den Tagen also, da die Aktionen der Gesellschaft mehr mit dem Austausch von Schüssen über die Berliner Mauer hinweg zu tun hatten als mit dem Manipulieren von Abgeordnetenstimmen durch das Sammeln von Beweisen für ihre fiskalischen und sexuellen Vergehen.

T. Darryl Starr war vom selben Schlag wie jener abgehalfterte Zeitgenosse, der die Gesellschaft verließ, um unverständliche Spionageromane zu schreiben und außerdem in politischer Kriminalität seinen Kopf zu riskieren. Als seine groben Fehler dazu führten, dass er gefasst wurde, bewahrte er trotziges Stillschweigen, während seine Kohorten grandiose *mea-culpa*-Choräle anstimmten und mit enormem Profit veröffentlichten. Nachdem er in einem komfortablen Gefängnis eine kurze Strafe abgesessen hatte, suchte er sein verängstigtes Schweigen zu vergolden, indem er auf jenes ungeschriebene Gesetz zurückgriff, das da besagt: »Du sollst niemanden verpfeifen – es sei denn, gedruckt.« Die Welt stöhnte auf wie über einen uralten Witz, doch Starr bewunderte diesen tollpatschigen Stümper. Sie vereinigten beide die Mischung von Pfadfinder und Straßenräuber in ihrem Wesen, die typisch ist für die alten CIA-Hasen. Diamond sagte: »Den Ausführungen hier zufolge, Mr. … Haman, sind Sie bei diesem Präventivschlag als Beobachter zugegen gewesen.«

»Ganz recht. Das stimmt. Als Rekrut und Beobachter.«

»Warum aber wollten Sie dann diesen Film sehen, bevor Sie Ihren Vorgesetzten Bericht erstatten?«

»Äh … Nun ja … Es ist nämlich so, dass ich …«

»Er konnte keinen Augenzeugenbericht liefern, Sir«, mischte sich Starr ungefragt ein. »Er war zwar oben bei uns im Mezzanin, als alles anfing, aber nach zehn Sekunden war von ihm schon nichts mehr zu sehen. Ein Mann, den wir zurückließen, um aufzuräumen, entdeckte ihn schließlich in der hintersten Kabine der öffentlichen Toilette.«

Der Araber lachte verlegen. »Das stimmt. Der Ruf der Natur kommt oft ebenso ungelegen wie empirisch.«

Der Erste Assistent runzelte verblüfft die Stirn. Empirisch? Meinte er vielleicht imperativ? Zwingend?

»Ich verstehe.« Diamond kehrte zum Studium des fünfundsiebzig Seiten langen Berichts zurück.

Voller Unbehagen ob des Schweigens setzte der Araber hastig hinzu: »Ich möchte ja nicht neugierig sein, Mr. Starr, aber es gibt da etwas, das ich nicht verstehe.«

»Schießen Sie los, Kumpel.«

»Warum haben wir bei dieser Aktion Asiaten eingesetzt?«

»Was? Ach so! Nun, Sie werden sich erinnern, dass wir übereinkamen, es solle so aussehen, als hätten Ihre eigenen Leute den Überfall inszeniert. Aber wir haben keine Araber in der Organisation, und die Jungens, die wir in der Reitschule ausbilden, werden mit solchen Situationen noch nicht fertig.« Starr hielt es für taktlos, hinzuzufügen, dass sie mit ihren angeborenen Unzulänglichkeiten wahrscheinlich niemals damit fertigwerden würden. »Aber Ihre Leute vom Schwarzen September haben bei den Operationen der japanischen Roten Armee mitgemacht … und Japaner haben wir.«

Der Araber krauste verwirrt die Stirn. »Wollen Sie etwa behaupten, dass diese Japaner Ihre eigenen Leute waren?«

»Sie sagen es. Zwei Nisei-Agenten von der CIA Hawaii. Und zwar gute. Wirklich schade, dass wir sie exterminieren mussten, aber ihr Tod verleiht Ihrem sonst etwas dürftigen und wenig überzeugenden Bericht den Anschein der Wahrscheinlichkeit. Die Kugeln, die man aus ihnen rausholen wird, stammen aus einer Beretta, und die einheimischen Polizisten werden das Lob für ihre Eliminierung einstreichen. Die Papiere, die sie bei sich tragen, werden sie als Mitglieder der Roten Armee ausweisen, die ihren arabischen Brüdern in eurem sogenannten niemals ruhenden Kampf gegen die kapitalistischen Was-weiß-ichs zur Seite standen.«

»Ihre *eigenen* Leute?«, wiederholte der Araber verblüfft.

»Keine Angst. Papiere, Kleidung, sogar die Essensreste, die man in ihrem Magen finden wird ... alles echt japanisch. Tatsächlich sind sie nur zwei Stunden vor dem *hit* – oder *slap,* wie wir derlei Aktionen manchmal nennen – von Tokio herübergeflogen.«

Die Augen des Arabers leuchteten vor Bewunderung. Dies war genau die Art Organisation, die zu studieren ihn sein Onkel – und Präsident – in die Vereinigten Staaten geschickt hatte, mit dem Ziel, zu Hause eine ähnliche aufzubauen und damit ihre Abhängigkeit von den neu gewonnenen Verbündeten zu beenden. »Aber Ihre japanischen Agenten haben doch sicher nicht *gewusst,* dass sie ... Wie nannten Sie das doch gleich?«

»Maximal degradiert werden sollten? Nein, das haben sie nicht gewusst. Es gibt eine Faustregel in unserer Arbeit: Die Aktiven sollen nicht mehr erfahren, als sie unbedingt wissen müssen, um ihren Auftrag auszuführen. Es waren gute Agenten, gewiss, doch wenn sie gewusst hätten, was ihnen bevorsteht, so hätte das ihrer Begeisterung möglicherweise Abbruch getan, wenn Sie verstehen, was ich meine.«

Diamond fuhr fort zu lesen; sein vertikal wandernder Blick eilte der verbindenden und analysierenden Tätigkeit seines Verstandes voraus, der die Daten in einer Weise aufnahm, sortierte und prüfte, die man am besten als intellektuelles peripheres Sehen beschreiben könnte. Sobald eine Information nicht zu den vorherigen passte oder falsch klang, hielt er inne, kehrte zurück und fahndete nach dem Anstoß erregenden Detail.

Als er auf der letzten Seite angekommen war, begann seine innere Alarmglocke zu schrillen. Er hielt inne, kehrte zur vorhergehenden Seite zurück und las konzentriert – diesmal horizontal. Seine Kinnmuskeln spielten. Er hob den Blick und tat etwas für ihn Charakteristisches: Er hielt den Atem an.

Der Erste Assistent blickte auf. Er kannte das Zeichen. Es gab Ärger.

Mit einem tiefen Seufzer reichte ihm Diamond den Bericht zurück. Ehe er das Problem nicht genau überprüft hatte, wollte er den arabischen Beobachter nicht informieren. Die Erfahrung hatte ihn gelehrt, dass es unklug und sinnlos ist, Arabern unnötige Informationen zu geben. Sie sind eine Belastung, die von diesen Leuten mit nicht sehr großem Anstand getragen wird.

»Nun?«, erkundigte er sich, indem er den Kopf ein wenig nach hinten wandte. »Sind Sie zufrieden, Mr. Haman?«

Sekundenlang reagierte der Araber nicht auf seinen Decknamen; dann zuckte er zusammen und kicherte. »Ach so, ja. Nun, sagen wir, dass mich das Beweismaterial Ihres Films beeindruckt hat.«

»Sie meinen, beeindruckt, aber *nicht* zufriedengestellt?«

Der Araber zog den Hals ein, legte den Kopf schräg, hob die Handflächen und grinste schief wie ein verschlagener Teppichhändler. »Meine lieben Freunde, es ist nicht an mir, zufrieden oder unzufrieden zu sein. Ich bin lediglich ein Bote, ein Kontaktmann, das, was Sie vielleicht bezeichnen würden als ... einen ...«

»Laufburschen?«, half Diamond ihm zuvorkommend aus.

»Mag sein. Ich kenne diesen Ausdruck nicht. Vor kurzem erfuhren unsere Geheimdienstagenten von dem Plan, die letzten beiden Helden des Vergeltungsschlages bei der Münchner Olympiade zu ermorden. Mein Onkel – und Präsident –

sprach den Wunsch aus, diesen Plan vereitelt zu sehen ... Ist dieser Ausdruck richtig?«

»Es ist *ein* Ausdruck«, gab Diamond gelangweilt zu. Er verlor langsam die Geduld mit diesem Esel. »Wie Sie sich erinnern werden, war die Vereitelung dieses gemeinen Anschlags eine Bedingung für die Fortsetzung unserer freundschaftlichen Beziehungen zur Muttergesellschaft im Hinblick auf die Ölversorgung. Die Muttergesellschaft in ihrer Weisheit beschloss, die Angelegenheit durch die CIA erledigen zu lassen – unter Ihrer persönlichen Aufsicht, Mr. Diamond. Ich möchte meinen tapferen Freund, Mr. Starr, nicht kränken, aber man muss doch verstehen, dass unser Vertrauen in diese Organisation, seit gewisse Schnitzer einiger von der CIA ausgebildeter Männer zum Sturz eines überaus freundlichen und hilfsbereiten Präsidenten geführt haben, nicht mehr unbegrenzt ist.« Der Araber legte den Kopf schief und grinste entschuldigend zu Starr hinüber, der konzentriert seine Nagelhaut betrachtete.

»Unser Geheimdienst sah sich in der Lage, der CIA die Namen der zwei zionistischen Gangster zu übermitteln, die mit diesem verbrecherischen Anschlag beauftragt waren, sowie das ungefähre Datum ihres Abflugs aus Tel Aviv«, fuhr der Araber fort. »Hinzu kamen ganz zweifellos noch Mr. Starrs eigene Informationsquellen, und er beschloss, die Tragödie mithilfe einer Technik abzuwenden, die Sie als Präventivschlag bezeichnen, das heißt, dafür zu sorgen, dass die Verbrecher exekutiert wurden, bevor sie ihre Untat begehen konnten – ein äußerst ökonomisches Verfahren. Nun haben Sie mir gerade gewisse audiovisuelle Beweise für den Erfolg der Aktion gezeigt. Das werde ich meinen Vorgesetzten berichten. An ihnen ist es dann, zufrieden oder unzufrieden zu sein – nicht an mir.«

Diamond, dessen Gedanken während Mr. Hamans wortreichem Monolog zumeist woanders gewesen waren, erhob sich.

»Das wär's dann also.« Und ohne ein weiteres Wort schritt er, gefolgt von seinem Ersten Assistenten, den Gang zwischen den Sitzreihen hinauf.

Starr hängte ein Bein über die Sitzlehne vor sich und holte eine Zigarre heraus. »Wollen Sie's vielleicht noch einmal sehen?«, fragte er den Araber über die Schulter.

»Das wäre mir angenehm.«

Starr drückte auf die Sprechtaste. »Hallo, Kumpel! Lass nochmal laufen.« Das Licht wurde gedimmt, und er schob die Sonnenbrille in das kurz geschorene Haar hinauf. »Dann mal los. 'ne Wiederholung. Und zur besten Sendezeit«, deklamierte er in seinem breitesten Akzent.

Als er mit raschen Schritten den weiß gestrichenen Korridor des Centers entlangging, manifestierte sich Diamonds Wut einzig im scharfen Knallen seiner Lederabsätze auf den Fliesen. Er hatte sich dazu erzogen, seinen Gefühlen nur im minimalsten Rahmen Ausdruck zu verleihen, aber die leichte Spannung um seinen Mund und sein etwas abwesender Blick genügten dem Ersten Assistenten, um zu erkennen, dass in ihm der Zorn wühlte.

Nachdem sie den Aufzug betreten hatten, schob der Erste Assistent eine Magnetkarte in den Schlitz, der den Platz des Knopfes für den fünfzehnten Stock einnahm. Die Kabine sank schnell von der Haupthalle des Erdgeschosses in das Kellergeschoss, das die Tarnbezeichnung fünfzehnter Stock trug. Als Diamond die Leitung der CIA-Aktivitäten im Interesse der Muttergesellschaft übernahm, hatte er sich zuallererst ein Arbeitsareal mitten im Herzen des Centers eingerichtet. Das CIA-Personal hatte keinen Zutritt zum fünfzehnten Stock; die ganze Büroflucht war von Bleiplatten mit Wanzendetektoren umgeben, um die CIA in ihrem üblichen Zustand völliger Unwissenheit zu erhalten. Zum weiteren Schutz vor der Neugier der Regierung war Diamonds Büro mit einer direkten Computerverbindung zur Muttergesellschaft versehen, und zwar durch Kabel, die gegen die *parallel-line/incidental capacitance*-Abhörmethode gesichert waren, mit deren Hilfe die NSA Telefonverbindungen in den Vereinigten Staaten überwacht.

Diamond, in ständigem Kontakt mit den Ermittlungs- und Kommunikationseinrichtungen der Muttergesellschaft, brauchte nicht mehr als ein zweiköpfiges Team: seinen Ersten Assistenten, einen begnadeten Künstler auf dem Gebiet der Computerrecherche, und Miss Swivven, seine Sekretärin.

Sie betraten einen weiten, offenen Arbeitsraum, dessen Wände und Teppiche in mattem Weiß gehalten waren. In der Mitte war eine Gesprächsinsel mit fünf leicht gepolsterten Sesseln geschaffen worden; der Tisch hatte eine Mattglasplatte, in die ein Computerbildschirm integriert war. Von den fünf Sesseln war nur ein einziger drehbar: der von Mr. Diamond. Die anderen waren fest mit dem Fußboden verschraubt und so konzipiert, dass sie nur minimalste Bequemlichkeit boten. Der Raum sollte der schnellen, konzentrierten Diskussion dienen und nicht dem unverbindlichen Geplauder.

In die Wand hinter dem Konferenzbereich war ein Server eingebaut worden, der den Computer hier mit dem Hauptsystem der Muttergesellschaft verband: Fat Boy. Er ermöglichte den Zugriff auf sämtliche Daten des Zentralsystems sowie auf dessen Rechenkapazität, um komplexere Suchanfragen bearbeiten zu können. Der Platz des Ersten Assistenten war hier, vor diesem Rechner, dem Instrument, auf dem er mit unnachahmlicher Meisterschaft und großer Hingabe zu spielen verstand.

Ein wenig erhöht, auf einem Podium, stand Diamonds persönlicher Schreibtisch: auffallend bescheiden, mit weißer Plastikplatte, nicht größer als fünfzig mal fünfundsechzig Zentimeter. Er besaß weder Schubladen noch Ablagefächer, keinerlei Möglichkeit, Material aus den Augen zu verlieren, also einen

Vorgang zu verzögern, indem man ihn unter dem Vorwand, etwas anderes erledigen zu müssen, beiseitelegte. Ein nach einem komplizierten Satz strenger Kriterien geordnetes Prioritätensystem beförderte jedes Problem erst dann auf seinen Schreibtisch, wenn genügend Unterlagen für eine Entscheidung vorhanden waren, die dann sehr schnell getroffen und der Fall somit erledigt wurde. Diamond verabscheute sowohl physisches wie emotionales Chaos.

Er ging zu seinem Schreibtischsessel (von einem Orthopäden so konstruiert, dass er der Ermüdung vorbeugte, ohne einschläfernden Komfort zu bieten) und setzte sich mit dem Rücken zu dem breiten, vom Fußboden bis zur Decke reichenden Fenster, durch das man auf ein Stück sauber gepflegten Parks blickte, in dessen Mitte der Finger des Washington Monuments aufragte. Einen Augenblick blieb er still sitzen, die Handflächen wie zum Gebet zusammengelegt und mit den Zeigefingern ganz leicht die Lippen berührend. Der Erste Assistent hatte automatisch vor dem Rechner Platz genommen und wartete auf Instruktionen.

Miss Swivven, die sie gehört hatte, kam aus dem Vorzimmer und nahm mit gezücktem Notizblock neben Diamonds Schreibtisch Platz. Sie war Ende zwanzig, üppig gebaut und hatte dichtes, honigfarbenes Haar, das sie zu einem praktischen Knoten aufgesteckt trug. Ihr auffallendster Zug war eine extrem helle Haut, unter der sich die Adern als bläuliches Muster abzeichneten.

Ohne den Blick zu heben, löste Diamond die Hände von seinen Lippen und deutete mit den Fingerspitzen auf den Ersten Assistenten. »Diese beiden Israelis. Die gehörten doch zu einer Organisation. Name?«

»Die Munich Five, Sir.«

»Funktion?«

»Rache für die Ermordung der israelischen Sportler bei der Münchner Olympiade. Speziell Auffindung und Liquidierung der beteiligten palästinensischen Terroristen. Inoffizielle Organisation. Hat nichts mit der Regierung von Israel zu tun.«

»Aha.« Diamond deutete mit dem Finger auf Miss Swivven. »Ich werde heute Abend hier essen. Irgendwas Schnelles, Leichtes, aber ich brauche einen Proteinstoß. Sagen wir Bierhefe, flüssige Vitamine, Eigelb und ein halbes Pfund rohe Kalbsleber. Geben Sie's durch den Mixer.«

Miss Swivven nickte. Es würde eine lange Nacht werden.

Diamond drehte sich im Schreibtischsessel um und starrte abwesend zum Washington Monument hinüber. Über den Rasen am Fuß des Denkmals marschierte dieselbe Gruppe Schulkinder, die jeden Tag um dieselbe Zeit dort vorbeikam. Ohne sich vom Fenster abzuwenden, sagte er über die Schulter: »Geben Sie mir einen Datenauszug über die Munich Five.«

»Welche Indices, Sir?«, fragte der Erste Assistent.

»Es handelt sich um eine kleine Organisation. Eine, die erst seit kurzem besteht. Beginnen wir mit ihrer Geschichte und ihren Mitgliedern.«

»Wie tief soll ich gehen?«

»Das überlasse ich Ihnen. Sie verstehen mehr davon.«

Der Erste Assistent drehte sich im Sessel und begann Fat Boy zu füttern. Seine Miene war starr, aber die Augen hinter den runden Brillengläsern funkelten vor Begeisterung. Fat Boy enthielt eine Sammlung von Informationen aus allen Computern der westlichen Welt sowie eine Fülle von Aufnahmen, die den Satelliten der Ostblockländer gestohlen worden waren. Die Daten reichten von streng geheimen militärischen Informationen und CIA-Erpressungsmaterial bis hin zu Telefonrechnungen, von französischen Führerscheinen und den Namen hinter Schweizer Nummernkonten bis zu Adressenlisten von australischen Werbeagenturen. Sie enthielten die brisantesten Informationen, aber auch die banalsten. Wer immer im industrialisierten Westen lebte, war von Fat Boy erfasst. Fat Boy kannte seine Kreditwürdigkeit, seine Blutgruppe, seinen politischen Hintergrund, seine sexuellen Neigungen, seine Krankengeschichte, seine Schulnoten und Universitätsleistungen, besaß Proben seiner Telefongespräche, eine Kopie aller Telegramme, die er je abgeschickt oder erhalten hatte, Unterlagen über jeden Kreditkauf, über Militärdienst und Vorstrafen, über sämtliche Zeitungsabonnements, alle Steuerbescheide, Führerscheine, Fingerabdrücke, Geburtsurkunden – all das bei einem durchschnittlichen Bürger, an dem die Muttergesellschaft kein besonderes Interesse hatte. Richtete jedoch die Muttergesellschaft oder eine ihrer Input-Zweigstellen wie CIA oder NSA und die entsprechenden Dienste in den anderen demokratischen Ländern ihr besonderes Augenmerk auf eine Person, dann wusste Fat Boy mehr, sehr viel mehr über sie.

Fat Boy mit Daten zu füttern war die ständige Arbeit einer Armee von Mechanikern und Technikern, doch verwertbare Informationen aus ihm herauszuholen war Aufgabe eines Künstlers, eines Fachmanns mit erstklassiger Ausbildung, mit Fingerspitzengefühl und Inspiration. Das Problem lag darin, dass Fat Boy zu viel wusste. Tastete man ein bestimmtes Thema zu oberflächlich ab, erfuhr man möglicherweise nicht, was man wissen wollte. Ging man dagegen zu tief, wurde man mit einer nicht auswertbaren Unmenge winzigster Details überschüttet: Ergebnisse ehemaliger Urinproben, errungene Pfadfinderauszeichnungen, Erwähnungen in den Jahrbüchern der Highschool, Bevorzugung eines bestimmten Toilettenpapiers. Die einzigartige Begabung des Ersten Assistenten lag in seinem hervorragenden Gespür für die richtigen Fragen an Fat Boy und für das Abrufen von Informationen auf der erforderlichen Ebene. Erfahrung und Instinkt ließen ihn die richtigen Indices, die richtigen Permutationen, die richtigen Rubriken, die richtigen Ebenen finden. Er beherrschte sein Instrument, den Computer, meisterhaft, und er liebte es. An seiner Datenbank zu sitzen und zu arbeiten war für ihn, was anderen Männern der Sex bedeutete, oder vielmehr, was nach seiner Vermutung der Sex für andere Männer war.

Über die Schulter sagte Diamond zu Miss Swivven: »Wenn ich fertig bin, möchte ich mit diesem Starr sprechen und mit dem Araber, der Mr. Haman genannt wird. Sie sollen sich zur Verfügung halten.«

Unter den Fingern des Ersten Assistenten wurde der Rechner warm und begann leise zu summen. Schon kamen die ersten Antworten herein; Fragmente wurden abgespeichert; der Dialog hatte begonnen. Kein Gespräch mit Fat Boy glich dem anderen; ein jedes hatte sein eigenes Idiom, und der Reiz des gestellten Problems begann den beträchtlichen, wenn auch recht vordergründigen Intellekt des Ersten Assistenten zu delektieren.

Bis ein umfassendes Bild entstand, würden zwanzig Minuten vergehen. Diamond beschloss, diese Zeit zu nutzen. Er würde ein bisschen Gymnastik treiben, Sonne tanken, seinen Körper auf die lange Nacht vorbereiten und seinen Kopf frei machen. Mit einem Finger winkte er Miss Swivven, die ihm in das kleine Fitnesszimmer neben dem Hauptarbeitsraum folgte.

Während er sich bis auf die Unterhose auszog, legte Miss Swivven ein Paar Augenschützer an, reichte ihm ein zweites Paar und schaltete die Reihen der Solarien ein, die entlang der Wände installiert waren. Auf einem schräggestellten Brett begann Diamond mit einer Folge von Rumpfbeugen, wobei seine Füße von samtüberzogenen Seilschlingen gehalten wurden, während Miss Swivven sich eng an die Wand presste, um ihre empfindliche helle Haut so weit wie möglich vor den intensiven ultravioletten Lichtstrahlen zu schützen. Diamond verrichtete seine Rumpfbeugen langsam, um aus einer möglichst kleinen Anzahl möglichst viel Wirkung herauszuholen. Für einen Mann seines Alters besaß er eine ausgezeichnete Kondition, aber auf seinen Bauch musste er ständig achtgeben. »Passen Sie auf«, sagte er mit gepresster Stimme, während er sich aufrichtete, mit dem linken Ellenbogen das rechte Knie berührte und ein angestrengtes Grunzen unterdrückte, »ich muss einen der CIA-Gewaltigen hier zuziehen. Alarmieren Sie also irgendjemanden von ganz oben, der die letzte Säuberung auf der Verwaltungsebene überlebt hat.«

Der ranghöchste Verwaltungsbeamte unterhalb der politischen Marktschreier, die einer nach dem anderen immer wieder neu ins Amt kamen und als Opferlämmer der erbosten öffentlichen Meinung bald wieder abtraten, war der Deputy International Liaison Duty Officer, ein internationaler Verbindungsmann, der meist nach den Anfangsbuchstaben seines Titels »Dildo« genannt wurde. Miss Swivven berichtete ihrem Chef, dass er sich noch im Haus befinde.

»Der reicht mir. Geben Sie Anweisung, dass er sich zur Verfügung hält. Ach ja – und streichen Sie meine Tennisverabredung für dieses Wochenende.«

Miss Swivvens Augenbrauen erschienen über dem Rand der dunklen Augenschützer. Diesmal musste es sich um etwas sehr Wichtiges handeln. Diamond begann mit den Hanteln zu arbeiten. »Außerdem brauche ich für heute Nachmittag, vielleicht auch noch länger, die Priorität für einen Q-Programmsprung auf Fat Boy.«

»Jawohl, Sir.«

»Okay. Was haben Sie bis jetzt notiert?«

»Proteinstoß in flüssiger Form. Mr. Starr und Mr. Haman aufhalten. Den Deputy aufhalten. Q-Sprung-Priorität auf Fat Boy beantragen.«

»Gut. Und setzen Sie an die erste Stelle eine Nachricht an den Vorsitzenden.« Vor Anstrengung ging Diamonds Atem stoßweise. »Text: Präventivschlag Flughafen Rom möglicherweise unvollständig. Werde Alternativen prüfen, auswählen und berichten.«

Als Miss Swivven sieben Minuten später zurückkam, trug

sie ein großes Glas mit einer dicklich-schaumigen, purpurnen Flüssigkeit, deren Farbe von der pürierten rohen Leber stammte. Diamond hatte die letzte Phase seiner Gymnastik begonnen und machte an einer festen Stahlstange isometrische Übungen. Jetzt hielt er inne und nahm seine Mahlzeit entgegen, während sie sich eng an die Wand presste, um dem UV-Licht zu entgehen, obwohl sie wusste, dass sie den Strahlen schon zu lange ausgesetzt gewesen und ihre empfindliche Haut bereits verbrannt war. Der Job bei der Muttergesellschaft bot unzweifelhaft viele Vorteile – bezahlte Überstunden, eine großzügige Pension, Krankenversicherung, Urlaubsmöglichkeit in der Ferienanlage der Firma in den kanadischen Rockies, Weihnachtsferien –, doch zwei Aspekte ihrer Stellung fand Miss Swivven höchst unangenehm: dass sie ungefähr einmal pro Woche einen Sonnenbrand bekam und dass Mr. Diamond sie gelegentlich auf sehr unpersönliche Weise dazu benutzte, seine Spannungen abzubauen. Aber sie sagte sich mit philosophischem Gleichmut, einen perfekten Job gebe es nicht.

»Alles erledigt?«, erkundigte sich Diamond, der sich schüttelte, als er das Glas ausgetrunken hatte.

»Jawohl, Sir.«

Ohne sich an ihrer Gegenwart zu stören, entledigte sich Diamond der Unterhose und betrat eine gläserne Duschkabine. Nachdem er das kalte Wasser voll aufgedreht hatte, fragte er über das Rauschen hinweg: »Hat der Vorsitzende etwas auf meine Nachricht geantwortet?«

»Jawohl, Sir.«

Nach kurzem Schweigen sagte Diamond: »Scheuen Sie sich bitte nicht, mir seine Worte zu wiederholen, Miss Swivven.«

»Verzeihung, Sir?«

Diamond stellte die Dusche ab, kam heraus und trocknete sich mit rauen Handtüchern ab, die den Kreislauf anregen sollten.

»Möchten Sie, dass ich Ihnen vorlese, was der Vorsitzende auf Ihre Nachricht geantwortet hat, Sir?«

Diamond seufzte tief. Wenn dieses Schaf nicht das einzige einigermaßen attraktive weibliche Wesen in der Gruppe der Spitzenklasse-Stenotypistinnen gewesen wäre … »Das wäre nett von Ihnen, Miss Swivven.«

Sie konsultierte ihren Notizblock, wobei sie die Augen unter dem grellen Licht der Solarien zusammenkniff. »Antwort: Vorsitzender an Diamond, J.O.: ›Fehlschlag bei dieser Operation nicht akzeptabel.‹«

Diamond, der sich zwischen den Beinen trockenrieb, nickte nachdenklich. Genau das hatte er erwartet.

Als er in den Arbeitsraum zurückkehrte, war sein Kopf klar und frisch für die bevorstehenden Entscheidungen; er hatte sich umgezogen und trug seine übliche Arbeitskleidung, einen blassgelben Trainingsanzug, der locker und bequem saß und seine Grillhähnchenbräune vorteilhaft zur Geltung brachte.

Der Erste Assistent werkelte konzentriert und begeistert an seinem Computer und entlockte Fat Boy ein hieb- und stichfestes Dossier über die Munich Five.

Diamond saß in seinem Drehsessel und blickte auf die Mattglasplatte des Tisches. »Fangen Sie an«, forderte er. »Ablaufgeschwindigkeit fünfhundert Wörter pro Minute.« Schneller konnte er die Informationen nicht aufnehmen, denn die Daten kamen aus einem halben Dutzend internationaler Quellen, und Fat Boys mechanische Übersetzung ins Englische war so gestelzt und ungeschliffen wie das Idiom eines Clint-Eastwood-Films.

MUNICH FIVE, DIE …
ORGANISATION … INOFFIZIELL … SPLITTERGRUPPE … ZIEL GLEICH ELIMINIERUNG MITGLIEDER SCHWARZER SEPTEMBER DIE BETEILIGT AN MORD ISRAELISCHER SPORTLER BEI MÜNCHNER OLYMPIADE … AN-

FÜHRER UND SCHLÜSSELFIGUR GLEICH STERN, ASA ... MITGLIEDER UND ANHÄNGER GLEICH LEVITSON, JOEL ... JARIV, CHAIM ... ZARMI, NEHEMIAH ... STERN, HANNAH ...

»Moment mal!«, unterbrach Diamond. »Sehen wir sie uns doch mal der Reihe nach an. Geben Sie mir die Lebensläufe.«

STERN, ASA
GEBOREN 13 APRIL 1909 ... BROOKLYN, NEW YORK, USA ... CLINTON AVENUE ... APARTMENT 3B ...

Der Erste Assistent biss sich auf die Lippe. »Verzeihung, Sir.« Er hatte um eine Ebene zu tief gegriffen. Niemand fragte nach der Nummer der Wohnung, in der Asa Stern geboren war. Jedenfalls jetzt noch nicht. Er setzte die Suche um ein Mikron höher an.

STERN EMIGRIERT INS PROTEKTORAT PALÄSTINA ... 1931 ... BERUF UND/ODER TARNUNG ... LANDWIRT, JOURNALIST, DICHTER, HISTORIKER ...
BETEILIGT AN UNABHÄNGIGKEITSKAMPF ... 1945-1947 (nähere Angaben verfügbar) ... GEFANGENNAHME DURCH BRITISCHE BESATZUNGSMACHT (nähere Angaben verfügbar) ... WIRD NACH FREILASSUNG KONTAKTMANN FÜR STERN-ORGANISATION UND NAHESTEHENDE SYMPATHISANTENGRUPPEN (nähere Angaben verfügbar) ...
SETZT SICH AUF FARM ZUR RUHE ... 1956 ...
REAKTIVIERT BEI MÜNCHNER OLYMPIADE-AFFÄRE (nähere Angaben verfügbar) ...
GEGENWÄRTIGER STÖRFAKTOR FÜR MUTTERGESELLSCHAFT GLEICH KOEFFIZIENT .001 ...
GRUND FÜR NIEDRIGEN KOEFFIZIENTEN GLEICH: DIESERMANN JETZT TOT, sub KREBS, sub KEHLKOPF

»Das ist nur an der Oberfläche gekratzt, Sir«, erklärte der Assistent. »Soll ich tiefer gehen? Er ist offensichtlich die Zentralfigur.«

»Anscheinend. Aber tot. Nein, speichern Sie den Rest einfach in der Datenbank. Ich werde später darauf zurückkommen. Sehen wir uns lieber die übrigen Gruppenmitglieder an.«

»Sind schon auf Ihrem Schirm, Sir.«

LEVITSON, JOEL
GEBOREN 25 DEZEMBER 1954 ... NEGEV, ISRAEL ...
VATER GEFALLEN ... SECHSTAGEKRIEG ... 1967 ...
ANSCHLUSS AN MUNICH FIVE ... OKTOBER 1972 ...
GESTORBEN ... 25 DEZEMBER 1976 ... (ÜBEREINSTIMMUNG ZWISCHEN GEBURTS- UND TODESTAG REGISTRIERT UND ALS ZUFALL EINGESTUFT)

»Stopp!«, befahl Diamond. »Gehen Sie, was den Tod dieses Jungen betrifft, mal ein bisschen tiefer.«

»Jawohl. Sir.«

GESTORBEN ... 25 DEZEMBER 1976 ...
OPFER (VERMUTLICH HAUPTZIELPERSON) EINER TERRORISTENBOMBE ...
SCHAUPLATZ GLEICH CAFÉ IN JERUSALEM ... BOMBE TÖTETE AUSSERDEM SECHS UNBETEILIGTE ARABER. ZWEI KINDER ERBLINDET ...

»Okay, lassen wir das. Unwichtig. Schalten Sie wieder auf Oberflächenabruf.«

GEGENWÄRTIGER STÖRFAKTOR FÜR MUTTERGESELLSCHAFT GLEICH KOEFFIZIENT .001 ...
GRUND FÜR NIEDRIGEN KOEFFIZIENTEN GLEICH:
DIESERMANN JETZT TOT, sub MULTIPLE FRAKTUREN, sub KOLLABIERTE LUNGE ...

JARIV, CHAIM
GEBOREN 11 OKTOBER 1952 ... EILAT, ISRAEL ...
WAISE IN KIBBUZ AUFGEWACHSEN (nähere Angaben verfügbar) ...
ANSCHLUSS AN MUNICH FIVE ... 7 SEPTEMBER 1972 ...
GEGENWÄRTIGER STÖRFAKTOR FÜR MUTTERGESELLSCHAFT GLEICH KOEFFIZIENT .64 ± ...
GRUND FÜR MITTLEREN KOEFFIZIENTEN GLEICH:
DIESERMANN DER SACHE VERSCHRIEBEN, ABER KEINE FÜHRERPERSÖNLICHKEIT ...

ZARMI, NEHEMIAH
GEBOREN 11 JUNI 1948 ... ASHDOD, ISRAEL ...
KIBBUZ/UNIVERSITÄT/MILITÄR (nähere Angaben verfügbar) ...
AKTIVER GUERILLERO, sub NICHTGEFÖRDERT (nähere Angaben über bekannte/wahrscheinliche/mutmaßliche Aktionen verfügbar) ...
ANSCHLUSS AN MUNICH FIVE ... 7 SEPTEMBER 1972 ...
GEGENWÄRTIGER STÖRFAKTOR FÜR MUTTERGESELLSCHAFT GLEICH KOEFFIZIENT .96 ±
GRUND FÜR HOHEN KOEFFIZIENTEN GLEICH:
DIESERMANN DER SACHE VERSCHRIEBEN UND FÜHRERPERSÖNLICHKEIT ...
ACHTUNG! ACHTUNG! ACHTUNG! ACHTUNG! DIESERMANN DARF OHNE VORWARNUNG ELIMINIERT WERDEN!

STERN, HANNAH
GEBOREN 1 APRIL 1952 ... SKOKIE, ILLINOIS, USA ...
UNIVERSITÄT/SOZIOLOGIE UND ROMANISCHE SPRACHEN/AKTIVE CAMPUS-RADIKALE (NSA/CIA-DOSSIERS VERFÜGBAR) ...
WIEDERHOLE! WIEDERHOLE! WIEDERHOLE!

Diamond blickte von der Bildschirm-Tischplatte auf. »Was ist los?«

»Etwas stimmt nicht, Sir. Fat Boy korrigiert sich.«

»Und?«

»Wir werden's gleich erfahren, Sir. Fat Boy ist an der Arbeit.«

Miss Swivven kam aus dem Druckerraum. »Sir? Ich habe die angeforderten Bilder der Mitglieder der Munich Five.«

»Bringen Sie sie herein, sobald sie ausgedruckt sind.«

»Jawohl, Sir.«

Der Erste Assistent hob Aufmerksamkeit heischend die Hand. »Hier haben wir's. Fat Boy korrigiert sich im Zusammenhang mit Starrs Bericht über den Präventivschlag in Rom. Er hat die Information gerade erst verarbeitet.«

Diamond las die Meldung auf dem Bildschirm.

ANNULLIERUNG TEXT BEZÜGLICH: JARIV, CHAIM sub GEGENWÄRTIGER STÖRFAKTOR FÜR MUTTERGESELLSCHAFT ... KORRIGIERTER KOEFFIZIENT GLEICH .001 ...

GRUND FÜR NIEDRIGEN KOEFFIZIENTEN GLEICH: DIESEPERSON ELIMINIERT ...

ANNULLIERUNG TEXT BEZÜGLICH: ZARMI, NEHEMIAH sub GEGENWÄRTIGER STÖRFAKTOR FÜR MUTTERGESELLSCHAFT ... KORRIGIERTER KOEFFIZIENT GLEICH .001 ...

GRUND FÜR NIEDRIGEN KOEFFIZIENTEN GLEICH: DIESEPERSON ELIMINIERT ...

Diamond lehnte sich zurück und schüttelte den Kopf. »Acht Stunden Verzögerung. Das könnte uns eines Tages mal in Schwierigkeiten bringen.«

»An Fat Boy liegt's nicht, Sir. Es liegt an der wachsenden Weltbevölkerung und an unserer eigenen Informationsexplosion. Manchmal denke ich, wir wissen zu viel über die Leute.« Bei dieser Vorstellung lachte der Erste Assistent. »Übrigens, Sir, haben Sie die veränderte Ausdrucksweise bemerkt?«

»Welche veränderte Ausdrucksweise?«

»DIESERMANN wurde durch DIESEPERSON ersetzt. Anscheinend hat Fat Boy die Tatsache verarbeitet, dass die Muttergesellschaft ein Arbeitgeber ist, der die Gleichberechtigung fördert.« Der Erste Assistent konnte den Stolz in seiner Stimme nicht unterdrücken.

»Na, wunderbar!«, antwortete Diamond wenig begeistert.

Miss Swivven kam aus dem Druckerraum und legte fünf Bilder auf Diamonds Schreibtisch; dann nahm sie ihre anfängliche Position neben seinem Podest wieder ein und hielt ihren Stenoblock bereit.

Diamond suchte unter den Fotos nach der Aufnahme des einzigen Mitglieds der Munich Five, von dem man wusste, dass es nicht tot war: Hannah Stern. Er betrachtete ihr Gesicht, nickte und seufzte dann ergeben. Diese Schwachköpfe bei der CIA!

Der Erste Assistent wandte sich ihm zu und rückte nervös seine Brille zurecht. »Stimmt etwas nicht, Sir?«

Mit halb geschlossenen Augen blickte Diamond durch das zimmerhohe Fenster zum Washington Monument hinüber, das die weiße Wolke, die jeden Abend um diese Zeit am Himmel aufzog, zu vergewaltigen drohte, und tippte mit dem Knöchel an seine Oberlippe. »Haben Sie Starrs Arbeitsbericht gelesen?«

»Überflogen, Sir. Hauptsächlich, um die Rechtschreibung zu korrigieren.«

»Was war das angebliche Reiseziel der jungen Israelis?«

Dem Ersten Assistenten hatte dieses rhetorische Mittel Mr. Diamonds, laut zu denken, schon immer Unbehagen bereitet. Er beantwortete nicht gern Fragen, ohne auf Fat Boy zurückzugreifen. »Wenn ich mich recht erinnere, waren sie nach London unterwegs.«

»Genau. Angeblich, um gewisse palästinensische Terroristen auf dem Flughafen Heathrow abzufangen, die eine Maschine nach Montreal entführen sollten. Nun gut. Wenn dieses Team der Munich Five nach London wollte, warum sind sie dann in Rom ausgestiegen? Flug 414 von Tel Aviv ist ein Direktflug nach London mit Zwischenlandung in Rom und Paris.«

»Tja, also, Sir, da könnte es mehrere ...«

»Und warum sollten sie schon sechs Tage, bevor ihre Zielpersonen vom Schwarzen September nach Montreal fliegen wollten, nach England reisen? Warum sollten sie die ganze Zeit exponiert in London sitzen, wenn sie zu Hause in Sicherheit hätten abwarten können?«

»Nun ja, vielleicht hatten sie ...«

»Und warum besaßen sie Tickets nach Pau?«

»Pau, Sir?«

»Starrs Arbeitsbericht. Seite zweiunddreißig unten bis Seite vierunddreißig Mitte. Beschreibung des Inhalts der Rucksäcke der Toten und ihrer Kleidung. Die Liste stammt von der italienischen Polizei. Unter anderem werden zwei Flugtickets nach Pau aufgeführt.«

Der Erste Assistent verschwieg, dass er keine Ahnung hatte, wo Pau überhaupt lag. Er nahm sich vor, bei nächster Gelegenheit Fat Boy danach zu fragen. »Was hat das alles zu bedeuten, Sir?«

»Es bedeutet, dass die CIA wieder einmal der Schweinebucht- und Watergate-Tradition gerecht geworden ist. Wieder einmal haben sie ins Klo gegriffen.« Diamonds Kinnmuskeln spannten sich an. »Die hirnlosen Bürger dieses Landes sind auf dem Holzweg, wenn sie sich vor den Gefahren interner Korruption bei der CIA fürchten. Wenn die unser Volk in die Katastrophe stürzt, dann keineswegs aus bösem Willen, sondern aus schierer Pfuscherei.« Er kehrte an seinen schlichten Schreibtisch zurück und griff nach dem Bild von Hannah Stern. »Fat Boy hat sich mit dieser Korrektur unterbrochen, während er sich mit Hannah Stern befasste. Fangen wir doch da noch mal an. Und zwar etwas weniger oberflächlich.«

Aufgrund der vorliegenden Daten und der Lücken stufte Diamond Miss Stern als eine der relativ häufigen Randfiguren des Terrorismus ein. Junge intelligente Durchschnittsamerikanerin, der Sache verschrieben. Er kannte den Typ. Wäre das noch Mode gewesen, wäre sie eine Liberale geworden. Sie gehörte zu der Art, die überall nach »Relevanz« suchte; die ihren Mangel an kritischer Urteilsfähigkeit als Vorurteilslosigkeit darstellte, die sich Gedanken über den Hunger in der Welt machte, jedoch mit einem riesigen, proteinverschlingenden Hund auf dem Campus herumspazierte – Symbol ihrer Liebe zu allen Lebewesen.

Nach Israel war sie zum ersten Mal auf einer Sommerreise gekommen, um dort ihren Onkel in einem Kibbuz zu besuchen und – nach ihren eigenen Worten, von der NSA aus einem ihrer Briefe nach Hause zitiert – »um mein Judentum zu entdecken«.

Als Diamond diesen Satz las, konnte er einen Seufzer nicht unterdrücken. Miss Stern litt offensichtlich unter dem demokratischen Wahn, alle Menschen seien interessante Geschöpfe.

Fat Boy schrieb dieser Miss Stern als Störfaktor einen relativ niedrigen Koeffizienten zu; er hielt sie für eine typische junge intellektuelle Amerikanerin, die eine Rechtfertigung für ihr Dasein suchte, bis die Ehe, der Beruf oder ein künstlerisches Hobby ihre Ambitionen verwässerten. Ihre Persönlichkeitsanalyse ergab keine jener psychotischen Macken, wie sie der Stadtguerillero aufweist, der seine sexuellen Bedürfnisse durch Gewalttaten befriedigt. Ebenso wenig war sie von der verzweifelten Sucht nach Popularität besessen, die Schauspieler und Entertainer, denen es nicht gelingt, die Aufmerksamkeit der Öffentlichkeit aufgrund ihres Talents zu fesseln, veranlasst, plötzlich bis dato unbemerkte soziale Überzeugungen in sich zu entdecken.

Nein, in Hannah Sterns Lebenslauf gab es nichts, was ihr besondere Aufmerksamkeit gesichert hätte – bis auf zwei Faktoren: Sie war Asa Sterns Nichte; und sie war das einzige überlebende Mitglied der Munich Five.

Diamond wandte sich an Miss Swivven. »Sorgen Sie dafür, dass Starr und dieser Araber … Mr. Haman … in zehn Minuten im Vorführraum sind.«

»Jawohl, Sir.«

»Und lassen Sie den Deputy ebenfalls kommen.« Er wandte sich an den Ersten Assistenten. »Sie arbeiten mit Fat Boy weiter. Ich wünsche eine nochmalige gründliche Überprüfung des Anführers Asa Stern. Sein Einfluss ist für uns der entscheidende Ansatzpunkt. Geben Sie mir eine Liste seiner Kontakte ersten Grades: Familie, Freunde, Komplizen, Mitarbeiter, Bekannte, Affären und so weiter.«

»Einen Moment noch, Sir.« Der Erste Assistent fütterte zwei Fragen in den Computer und dann einen Modifikator. »Äh … Sir? Die Liste ersten Grades wird … äh … dreihundertsiebenundzwanzig Namen und Kurzbiografien enthalten. Und wenn wir zum zweiten Grad übergehen – Freunde von Freunden etc. –, erhöht sich diese Zahl nochmals beträchtlich. Dann hätten wir nahezu fünfunddreißig Millionen Namen. Sie sehen also, Sir, wir brauchen irgendein Prioritätskriterium.«

Der Erste Assistent hatte Recht; eine schwierige Entscheidung, denn es gab buchstäblich Tausende von Möglichkeiten, eine Liste aufzustellen.

Diamond ließ sich die Auskunft über Asa Stern noch einmal durch den Kopf gehen. Eine ganz bestimmte Zeile reizte seine Intuition: Beruf und/oder Tarnung … Landwirt, Journalist, Dichter, Historiker. Also kein typischer Terrorist, sondern etwas viel Schlimmeres – ein romantischer Patriot.

»Ordnen Sie die Liste nach Emotionen. Gehen Sie nach den Indices, die auf Liebe, Freundschaft, Vertrauen schließen lassen. Verfolgen Sie die von den engsten bis zu den entferntesten.«

Mit leuchtenden Augen tat der Erste Assistent einen tiefen Atemzug und rieb sich ganz leicht die Fingerspitzen. Das war eine Herausforderung nach seinem Geschmack, die Virtuosität an der Datenbank verlangte! Liebe, Freundschaft, Vertrauen – solch feinen Unterschieden und Schattierungen konnte man mit Methoden wie der Schliemann-*Backbit-and-Nonbit*-Theorie nicht beikommen. Kein Computer, nicht einmal Fat Boy, vermag unmittelbar auf derartige Rubriken zu antworten. Die Fragen müssen in Form von *non-frequency*-Zählern und *non-sequitur*-Austauschbeziehungen gestellt werden. In ihrer simpelsten Form *könnten* Handlungen, die aus keinem messbaren Grund bzw. der linearen Logik widersprechend begangen werden, *vielleicht* auf unterliegende Motivationen wie Liebe, Freundschaft und Vertrauen hindeuten. Aber es musste mit größter Behutsamkeit vorgegangen werden, denn dieselben Handlungen konnten ebenso gut auch auf Hass, Geisteskrankheit oder Erpressung zurückzuführen sein. Darüber hinaus lässt im Fall Liebe die betreffende Handlungsweise nur selten Rückschlüsse auf ihren motivierenden Impuls zu. Besonders schwierig ist es, Liebe von Erpressung als Motiv zu unterscheiden.

Es war ein wunderbarer Auftrag, unendlich kompliziert. Als er die ersten Sondierungen einzufüttern begann, bewegten sich die Schultern des Ersten Assistenten rhythmisch vor und zurück, als manipuliere er mittels Körpersprache einen Spielautomaten.

Miss Swivven kehrte ins Zimmer zurück. »Sie werden im Vorführraum erwartet, Sir.«

»Gut. Bringen Sie diese Bilder mit. Was in aller Welt ist los mit Ihnen, Miss Swivven?«

»Gar nichts, Sir. Mein Rücken juckt, das ist alles.«

»Gott im Himmel!«

Als Darryl Starr den knappen Befehl erhielt, sich sofort mit dem Araber in den Vorführraum zu begeben, witterte er Ärger. Seine Befürchtung verstärkte sich, als er seinen unmittelbaren Vorgesetzten mit finsterer Miene im Zuschauerraum vorfand. Der Deputy International Liaison Duty Officer nickte Starr einmal kurz zu und widmete dem Araber ein unverständliches Knurren. Er gab den ölreichen arabischen Scheichtümern die Schuld an vielen seiner gegenwärtigen Probleme, von denen die störende Gegenwart Mr. Diamonds in den Tiefen des CIA-Gebäudes nicht das geringste war, vor allem wegen seiner beißenden Kritik an jedem kleinen Ausrutscher bei der Arbeit.

Als die ölproduzierenden Araber zum ersten Mal einen Ölboykott gegen den industrialisierten Westen veranstalteten, um ihn zu zwingen, seine moralischen und juristischen Versprechungen Israel gegenüber zu widerrufen, hatten der Deputy und andere CIA-Führer den Vorschlag gemacht, den Notfallplan NE385/8 (Unternehmen Sechs Zweiter Krieg) in Anwendung zu bringen. Nach diesem Plan sollten die von der CIA unterstützten Truppen der Orthodoxen Islamisch-Maoistischen Falange die arabischen Staaten vor der Versuchung der Habgier bewahren, indem sie über achtzig Prozent ihrer Ölverarbeitungsanlagen in einer Aktion besetzten, die weniger als eine Minute tatsächlichen Kampfes erforderte, wenn man sich auch darüber einig war, dass weitere drei Monate vergehen würden, bis man auch jene arabischen und ägyptischen Truppen überwältigt hätte, die in panischer Angst bis nach Rhodesien und Skandinavien fliehen würden.

Man war übereingekommen, das Unternehmen Sechs Zweiter Krieg anlaufen zu lassen, ohne den Präsidenten oder den Kongress mit jenen schwierigen Entscheidungen zu belasten, die in einem Wahljahr so störend sind. Phase eins wurde eingeleitet, und die politischen Führer Schwarzafrikas und des muslimischen Nordafrika erlebten eine Epidemie von Morden, einer oder zwei sogar von Familienmitgliedern der Opfer ausgeführt. Für Phase zwei lief bereits der Countdown, als plötzlich alles wieder gestoppt wurde. Beweise für CIA-Unternehmungen waren an Untersuchungsausschüsse des Kongresses durchgesickert; Listen von CIA-Agenten gelangten an linke Zeitungen in Frankreich, Italien und im Nahen Osten; die interne CIA-Kommunikation versagte; in den CIA-Datenbanken tauchten umfassende Löschungen auf, die sie der biografischen Ansatzpunkte beraubten, mit denen sie normalerweise gewählte Mitglieder der US-Regierung unter Kontrolle hielten.

Und dann, eines Nachmittags, erschien Mr. Diamond mit seinem bescheidenen Mitarbeiterstab im Center; er brachte Befehle und Direktiven, die der Muttergesellschaft absolute Kontrolle über alle Aktionen verliehen, welche die ölproduzierenden Länder entweder direkt betrafen oder sie tangierten. Weder der Deputy noch seine Kollegen hatten je von dieser »Muttergesellschaft« gehört, daher wurde eine kurze Einführung gegeben. Wie sie erfuhren, war die Muttergesellschaft ein Konsortium der großen internationalen Öl-, Kommunikations- und Transportkonzerne, das die Energiewirtschaft und das Informationsnetz der westlichen Welt kontrollierte. Nach einiger Überlegung hatte die Muttergesellschaft entschieden, sie könne nicht dulden, dass die CIA sich weiterhin in Angelegenheiten einmische, die ihren ölproduzierenden Freunden, mit deren Hilfe sie ihre Profite innerhalb von zwei Jahren hatte verdreifachen können, eventuell schaden oder sie verärgern würden.

Niemand bei der CIA dachte ernsthaft daran, gegen Mr. Diamond zu opponieren oder gar gegen die Muttergesellschaft, die die Karriere der meisten wichtigen Regierungsbeamten in Händen hielt – nicht nur durch direkte Unterstützung, sondern auch durch den Einsatz der ihr zur Verfügung stehenden Medien zu dem Zweck, potenzielle Kandidaten anzuschwärzen und zu demoralisieren, kurz, um das zu verbreiten, was die amerikanische Masse für die Wahrheit hielt.

Welche Chance hatte die skandalumwitterte CIA also gegen eine Institution, die so mächtig war, dass sie Pipelines durch eine Tundra bauen konnte, die nachweislich ökologisch anfällig war? Wer vermochte sich gegen eine Organisation aufzulehnen, die die Regierungsausgaben für Forschung über Sonnen-, Wind-, Gezeiten- und geothermische Energie auf ein symbolisches Rinnsal hatte reduzieren können, um die Konkurrenz ihrer eigenen Atom- und Erdölgenossen auszuschalten? Wie konnte die CIA wirksam gegen eine Gruppe vorgehen, die so mächtig war, dass sie gemeinsam mit ihren Pentagon-Laufburschen die amerikanische Öffentlichkeit dazu brachte, die Lagerung von hochradioaktivem Atommüll mit endlosen Halbwertszeiten hinzunehmen, und zwar so lange, bis die physikalischen Gesetze Fehlschlag und Katastrophe garantierten?

Bei der Übernahme der CIA brauchte die Muttergesellschaft keinerlei Intervention seitens der Regierung zu befürchten, denn es war Wahljahr, und während dieser Zeit der Menschenschacherei liegen die öffentlichen Angelegenheiten gänzlich brach. Und auch wegen der dreijährigen Nachwahlpause bis zur nächsten demokratischen Konvulsion machte sie sich keine großen Sorgen, denn die amerikanische Version der parlamentarischen Regierungsform sorgt dafür, dass die Eigenschaften des Intellekts und des Gewissens, die einen Mann für die verantwortungsvolle Führung einer mächtigen Nation geeignet machen, gleichzeitig genau jene sind, die ihn daran hindern, sich der demütigenden Aufgabe des Stimmensammelns zu unterziehen. Es ist eine Binsenweisheit der amerikanischen Politik, dass der Mann, der eine Wahl zu gewinnen versteht, diesen Sieg nicht verdient.

Es gab einen einzigen peinlichen Moment für die Muttergesellschaft, als nämlich eine Gruppe naiver junger Senatoren beschloss, sich einmal näher mit den arabischen Millionen in

Gestalt von Kurzfristanleihen zu befassen, die es ihnen gestatteten, die amerikanischen Banken zu manipulieren und die Wirtschaft des Landes als Sicherheit gegen die – wenn auch verschwindend geringe – Möglichkeit zu benutzen, dass die Vereinigten Staaten versuchten, ihre moralischen Verpflichtungen gegenüber Israel einzulösen.

Doch diesen Untersuchungen wurde durch Kuwaits Drohung, sein Geld zurückzuziehen und die Banken zusammenbrechen zu lassen, falls der Senat auf seinen Nachforschungen bestehe, Einhalt geboten. Mit beispiellosem rhetorischem Geschick berichtete der Ausschuss, er könne nicht mit Sicherheit sagen, ob die Nation erpressbar sei, da man ihm nicht gestattet habe, die diesbezügliche Untersuchung fortzusetzen.

Bei dieser Vorgeschichte verweilten die missmutigen Gedanken des Deputys über den Verlust seiner Kontrolle über die Organisation, als er hörte, dass die Türen des Vorführraums aufgestoßen wurden. Er erhob sich, während Diamond energischen Schrittes eintrat, gefolgt von Miss Swivven, die mehrere Ausdrucke von Fat Boy und die Fotos der Mitglieder der Munich Five in der Hand hielt.

Als kleinstmögliche Reaktion auf Diamonds Erscheinen hob Starr um ein Geringes das Hinterteil und ließ sich mit einem Stöhnen sofort wieder zurücksinken. Der Araber sprang bei Miss Swivvens Herannahen auf, grinste und widmete ihr mit einer hastigen Verbeugung die ungeschickte Imitation europäischer Höflichkeit. Hübsches Weib, dachte er. Schön rund. Haut wie Schnee. Und üppig ausgestattet mit dem, was man hier als Vorbau bezeichnet.

»Ist der Vorführer da?«, erkundigte sich Diamond, der abseits von den anderen Platz nahm.

»Jawohl, Sir«, antwortete Starr träge. »Wollen Sie sich den Film noch mal ansehen?«

»Ich will, dass ihr Idioten ihn euch noch mal anseht.«

Der Deputy war wenig erfreut darüber, mit einem einfachen

Agenten in einen Topf geworfen zu werden, geschweige denn mit einem Araber, aber er hatte gelernt, zu leiden, ohne zu klagen. Das war seine hervorstechendste Eigenschaft als Verwaltungsbeamter.

»Dass Sie sich den Film ansehen wollen, haben Sie uns nicht gesagt«, erwiderte Starr. »Der Vorführer hat ihn, glaube ich, noch nicht zurückgespult.«

»Dann soll er ihn rückwärts laufen lassen. Spielt keine Rolle.«

Starr gab seine Anweisungen über die Sprechanlage, und die Lichter an den Wänden erloschen.

»Starr?«

»Sir?«

»Machen Sie die Zigarre aus.«

... *Die Aufzugtür kracht mehrmals an den Kopf des toten japanischen Killers. Der Mann erwacht wieder zum Leben und gleitet an der Wand hinauf. Das Loch in seiner Handfläche verschwindet; er zieht sich die Kugel aus dem Rücken. Er läuft rückwärts durch eine Gruppe Schulkinder, von denen ein kleines Mädchen vom Fußboden aufspringt, während ein roter Fleck auf ihrem Kleidchen in ihren Magen zurückgesaugt wird. Als er den vom Gegenlicht verschleierten Haupteingang erreicht, duckt sich der Japaner, während Glasscherben sich zu einer Fensterscheibe zusammensetzen. Der zweite Killer springt vom Fußboden auf, fängt eine fliegende automatische Waffe ein und läuft mit ihr rückwärts, bis ein Schwenk ihn sich selbst überlässt und bei einem jungen Israeli haltmacht, der auf dem Fußboden liegt. Ein Vakuum zieht seine Schädeldecke wieder an Ort und Stelle; der Blutstrom kehrt in die Hüfte zurück. Er springt auf, läuft rückwärts und hebt im Vorbeilaufen seinen Rucksack auf. Die Kamera schwenkt weiter und findet den zweiten Israeli genau in dem Augenblick, als seine Wange sich wieder in sein Gesicht einfügt. Er erhebt sich von den Knien; Blut dringt in seine Brust zurück, und das Khakihemd flickt sich von selbst. Die beiden jungen Männer gehen rückwärts. Einer von ihnen dreht sich um und lächelt. Sie schlendern rückwärts durch eine Gruppe Italiener, die sich drängeln und auf Zehenspitzen stehen, um einen ankommenden Verwandten zu begrüßen. Die beiden ziehen sich zum Einreiseschalter zurück, und der italienische Beamte saugt mit dem Stempel die Einreisegenehmigung aus ihren Pässen. Ein rothaariges Mädchen schüttelt den Kopf, lächelt dankend …*

»Halt!«, rief Mr. Diamond laut und jagte Miss Swivven einen Schrecken ein, die bisher noch niemals gehört hatte, dass er seine Stimme erhob.

Das junge Mädchen auf dem Bildschirm erstarrte; ein Wärmefilter dämpfte die Helligkeit, damit der Film nicht verbrannte.

»Sehen Sie das Mädchen, Starr?«

»Natürlich.«

»Können Sie mir etwas über sie sagen?«

Starr wunderte sich über diese scheinbar willkürliche Forderung. Er wusste, dass er irgendwie in der Tinte saß, und suchte Zuflucht hinter seiner tölpelhaften Kumpelmaske.

»Tja, also … Warten Sie mal. Sie hat ’n paar ganz schöne Dinger da, das steht mal fest. Einen knackigen, kleinen Hintern. Ein bisschen mager an den Armen und in der Taille für meinen Geschmack, aber, wie mein alter Herr zu sagen pflegte: je dichter am Knochen, desto zarter das Fleisch!« Er zwang sich zu einem rauen Lachen, in das der Araber einstimmte, um zu beweisen, dass er den Scherz verstanden hatte.

»Starr?« Diamonds Stimme klang monoton und fest. »Ich bitte Sie um einen Gefallen. Ich möchte, dass Sie sich bemühen, während der nächsten paar Stunden nicht mehr den Narren zu spielen. Ich will nicht von Ihnen unterhalten werden, und ich verbitte mir, dass Sie Ihre Antworten mit volkstümlichen Kommentaren ausschmücken. An dem, was hier vorgeht, ist wahrhaftig nichts lustig. Der Tradition der CIA getreu, haben Sie wieder mal Mist gebaut, Starr. Haben Sie das begriffen?«

Während des nun folgenden Schweigens überlegte der Deputy, ob er sich gegen diese Diffamierung verwahren sollte, besann sich aber eines Besseren.

»Haben Sie mich verstanden, Starr?«

Ein Seufzer. Dann leise: »Jawohl, Sir.«

Der Deputy räusperte sich und sagte in seinem energischsten Ton: »Wenn die Agency irgendwie behilflich ...«

»Starr? Erkennen Sie dieses junge Mädchen?«, fuhr Diamond fort.

Miss Swivven nahm das Bild aus der Mappe und trug es zu Starr und dem Araber hinüber.

Starr hielt das Bild ein wenig schräg, damit er es im Dämmerlicht besser erkennen konnte. »Jawohl, Sir.«

»Und wer ist es?«

»Das junge Mädchen auf der Leinwand.«

»Ganz recht. Sie heißt Hannah Stern. Ihr Onkel war Asa Stern, Gründer der Munich Five. Sie war das dritte Mitglied des Kommandoteams.«

»Das dritte?«, fragte Starr zurück. »Aber ... uns hat man gesagt, es säßen nur zwei von ihnen in der Maschine.«

»Wer hat Ihnen das gesagt?«

»Es stand in einer Geheimdienstmeldung, die wir von diesem Herrn hier bekommen haben.«

»Das stimmt, Mr. Diamond«, warf der Araber ein. »Unsere Agenten ...«

Aber Diamond hatte die Augen geschlossen und schüttelte den Kopf. »Starr? Wollen Sie mir erzählen, dass Sie aufgrund von Informationen aus *arabischen* Quellen eine Aktion angesetzt haben?«

»Nun ja, wir ... Jawohl, Sir.« Starrs Stimme war kaum noch vernehmlich. So gesehen war das Ganze wirklich eine Dummheit. Es war, als überlasse jemand den Italienern die Organisation seiner Politik oder den Briten die Handhabung seiner Wirtschaftsbeziehungen.

»Ich finde«, meldete sich der Deputy, »wenn wir aufgrund unzulänglicher Informationen Ihrer arabischen Freunde einen Fehler gemacht haben, müssen die einen beträchtlichen Teil der Verantwortung dafür übernehmen.«

»Sie irren sich«, erwiderte Diamond. »Aber an diesen Zustand haben Sie sich vermutlich schon gewöhnt. Die Araber brauchen gar nichts zu tun. Die haben das Öl.«

Der arabische Vertreter nickte lächelnd. »Genau die Ansicht meines Onkels und Präsidenten, der oft genug gesagt hat, dass …«

»Na schön.« Diamond erhob sich. »Sie drei halten sich zur Verfügung. Ich werde Sie in einer knappen Stunde rufen lassen. Es kommen gerade Hintergrundinformationen herein. Möglicherweise kann ich Ihren Patzer wieder ausbügeln.« Dicht gefolgt von Miss Swivven schritt er den Mittelgang hinauf.

Der Deputy räusperte sich, als wolle er etwas sagen, entschied dann aber, dass Schweigen eine wirksamere Demonstration der Stärke war. Er fixierte Starr mit einem langen Blick, verabschiedete sich von dem Araber und verließ den Vorführraum.

»Na, Kumpel«, sagte Starr und stemmte sich aus dem Sessel hoch, »ich glaube, wir holen uns was zu essen, solange uns noch Zeit dazu bleibt. Sieht aus, als wäre die Kacke schon wieder am Dampfen.«

Der Araber nickte kichernd.

Eine Zeit lang wurde der Zuschauerraum von dem erstarrten Bild Hannah Sterns beherrscht, das von der Leinwand herablächelte. Als der Vorführer den Film ablaufen lassen wollte, blieb das Band stecken. Eine Amöbe aus braunem, blasenwerfendem Grind verbreitete sich über das junge Mädchen und verschlang es.

ETCHEBAR

Hannah Stern saß unter der Arkade, die den Marktplatz von Tardets umgab, an einem Cafétischchen. Stumpf starrte sie auf den dicken, körnigen Kaffeesatz in ihrer Tasse. Das Sonnenlicht lag grell auf den weißen Gebäuden rund um den Platz; die Schatten unter den Arkaden waren schwarz und kühl. Aus dem Innern des Cafés hinter ihr kamen die Stimmen vier alter Basken, die dort *mousse* spielten, eine endlose Litanei von *bai … passo … passo … alla Jainkoa! … passo … alla Jainkoa …* wobei dieser letzte Ausdruck alle erdenklichen Variationen von Nachdruck und Betonung durchlief, während die Spieler blufften, signalisierten, mogelten und Gott zum Zeugen dafür anriefen, dass sie nur Mist in der Hand hielten, oder IHN baten, diesen Schafskopf von Partner zu strafen, mit dem ER sie geschlagen hatte.

Während der letzten sieben Stunden hatte sich Hannah abwechselnd durch eine alptraumhafte Wirklichkeit gequält und sich von eskapistischen Fantasien treiben lassen, hin und her gezerrt zwischen Desorientierung und einem immer wiederkehrenden Schwindelgefühl. Der emotionale Schock hatte sie benommen gemacht, eine geistige Leere in ihr erzeugt. Doch jetzt, da sie unsicher am Rand eines Nervenzusammenbruchs balancierte, empfand sie eine unendliche Ruhe, ja sogar ein bisschen Müdigkeit.

Das Wirkliche, das Unwirkliche; das Wichtige, das Unbedeutende; die Gegenwart, das Vergangene; die Kühle der Arkaden, die flimmernde Hitze des leeren Platzes; die Stimmen, die Europas älteste Sprache sprachen – das alles war unterschiedslos miteinander verschmolzen. Die es erlebte, war eine andere, eine, für die sie tiefstes Mitleid empfand, der sie aber nicht helfen konnte; eine, für die jede Hilfe zu spät kam.

Nach dem Massaker auf dem Internationalen Flughafen

von Rom war sie irgendwie aus Italien heraus und zu diesem Café in einem baskischen Marktflecken gelangt. Betäubt, wie abwesend, hatte sie in neun Stunden eintausendfünfhundert Kilometer zurückgelegt. Doch nun, da nur noch vier bis fünf weitere Kilometer vor ihr lagen, hatte sie ihre letzten Nervenkräfte verbraucht. Ihre Adrenalinreserven waren erschöpft, und es schien, als müsse sie hier in letzter Minute vor den Launen eines wichtigtuerischen Cafébesitzers kapitulieren.

Zuerst, als sie hatte zusehen müssen, wie ihre Kameraden abgeknallt wurden, war sie von Entsetzen und Fassungslosigkeit gepackt worden, von einer neurasthenischen Verwirrung, die bewirkte, dass sie wie erstarrt stehen blieb, während die Menschen an ihr vorbeihasteten, sie beinahe umrannten. Immer wieder Schüsse. Lautes Jammern der italienischen Familie, die einen Verwandten erwartete. Dann war sie in Panik geraten; blindlings hatte sie sich in Bewegung gesetzt, auf den Haupteingang des Flughafens, auf den warmen Sonnenschein zu. Keuchend, in flachen Stößen atmete sie durch den Mund. Polizisten liefen an ihr vorbei. Sie zwang sich weiterzugehen. Dann merkte sie, dass sich ihre Rückenmuskeln in Erwartung der Kugel, die nicht kam, schmerzhaft verkrampften. Sie kam an einem alten Mann mit weißem Spitzbart vorbei, der wie ein spielendes Kind mit ausgestreckten Beinen auf dem Fußboden saß. Eine Wunde war nicht zu sehen, aber die dunkle Blutlache, in der er hockte, wurde langsam immer größer. Er schien keine Schmerzen zu leiden, schaute nur fragend zu ihr empor. Sie brachte es nicht über sich, stehen zu bleiben. Als sie weiterging, trafen sich ihre Blicke. Sinnlos murmelte sie vor sich hin: »Verzeihung. Ich bitte Sie um Verzeihung.«

Eine dicke Frau aus der wartenden Familie war hysterisch geworden; sie klagte und schluchzte hemmungslos. Dabei widmete man ihr mehr Aufmerksamkeit als den verwundeten Familienmitgliedern. Sie war schließlich *la Mamma*.

Inmitten all dieses Durcheinanders, des Rennens und Schreiens, meldete sich eine ruhige, monotone Stimme mit dem ersten Aufruf für die Passagiere des Air-France-Fluges 470 nach Toulouse, Tarbes und Pau. Die Tonbandsprecherin ahnte nichts von dem Chaos unterhalb der Lautsprecher. Als die Ansage auf Französisch wiederholt wurde, blieben die letzten Worte in Hannahs Bewusstsein haften. Flugsteig elf. Flugsteig elf.

Die Stewardess ermahnte Hannah, ihre Sessellehne senkrecht zu stellen. »Ach ja. Verzeihung.« Als sie nach einer Minute wiederkam, bat sie Hannah, den Sicherheitsgurt anzulegen. »Was? Ach ja. Verzeihung.«

Die Maschine stieg in die dünne Wolkendecke hinauf und weiter ins frische, unendliche Blau. Die Motoren dröhnten; der Rumpf vibrierte. Hannah erschauerte vor Hilflosigkeit und Verlassenheit. Neben ihr saß ein Mann mittleren Alters, der in einer Zeitschrift blätterte. Von Zeit zu Zeit wanderte sein Blick über den Rand des Magazins hinweg zu ihren sonnengebräunten Beinen unter den kurzen Khakihosen. Sie spürte seinen Blick und schloss die beiden obersten Blusenknöpfe. Der Mann lächelte und räusperte sich. Gleich würde er sie ansprechen! Dieser Scheißkerl wollte mit ihr flirten! O Gott!

Und plötzlich wurde ihr schlecht.

Sie schaffte es noch bis zur Toilette, wo sie in dem engen Raum niederkniete und sich in die Klosettschüssel übergab. Als sie, bleich und erschöpft, den Abdruck der Fliesen auf ihren Knien, wieder herauskam, gab die Stewardess sich fürsorglich, aber ein wenig überheblich, weil sie annahm, sie habe Flugangst.

Beim Anflug auf Pau zog die Maschine eine Schleife, und Hannah sah durchs Fenster das Panorama der schneebedeckten Pyrenäen, die sich scharf gegen die kristallklare Luft abzeichneten wie ein Meer im Sturm gefrorener Schaumkronen, wunderschön und majestätisch.

Irgendwo dort unten, auf der baskischen Seite der Gebirgskette, lebte Nikolai Hel. Wenn sie nur Mr. Hel erreichen könnte ...

Erst als sie den Flugplatz verlassen hatte und draußen in der kühlen Luft stand, fiel ihr ein, dass sie kein Geld hatte. Das Geld hatte Avrim bei sich getragen. Sie würde per Anhalter reisen müssen, und dabei kannte sie nicht einmal den Weg. Nun gut, sie konnte die Fahrer fragen. Dass es ihr nicht schwerfallen würde, mitgenommen zu werden, wusste sie. Wenn man hübsch ist und jung ... und vollbusig ...

Der erste Wagen brachte sie bis nach Pau, und der Fahrer erbot sich noch, ihr eine Übernachtungsmöglichkeit zu besorgen. Stattdessen überredete sie ihn, sie am Ortsende abzusetzen und ihr den Weg nach Tardets zu erklären. Die Gangschaltung schien sehr schwer zu bedienen zu sein, denn seine Hand rutschte zweimal vom Schalthebel ab und streifte ihr Knie. Fast unmittelbar nachdem er sie abgesetzt hatte, wurde sie abermals mitgenommen. Nein, er fahre nicht nach Tardets. Nur bis Oléron. Aber er könne ihr dort eine Übernachtungsmöglichkeit besorgen ...

Ein dritter Wagen, ein dritter zudringlicher Fahrer, und Hannah hatte das Dörfchen Tardets erreicht, wo sie sich im Café nach dem Weg erkundigte. Das erste Hindernis, auf das sie stieß, war der einheimische Dialekt, die *langue d'oc* mit einer starken Beimischung von Souletin-Baskisch, in dem der Ausdruck *une petite cuillère* acht Silben hat.

»Was suchen Sie denn?«, fragte der Cafébesitzer, während sein Blick von ihren Brüsten zu ihren Beinen hinabwanderte.

»Das Château d'Etchebar. Den Wohnsitz von Monsieur Nikolai Hel.«

Der Cafébesitzer runzelte die Stirn, schaute blinzelnd zu den Arkaden hinauf und kratzte sich mit einem Finger unter der Mütze, jener obligaten Kopfbedeckung der Basken, die sie nur im Bett, im Sarg oder als Schiedsrichter beim *Rebot-*

Spiel abnehmen. Nein, diesen Namen habe er noch nie gehört. Hel, sagen Sie? (Er konnte das *h* aussprechen, weil es ein baskischer Laut ist.) Vielleicht wisse seine Frau etwas. Er werde sie fragen. Ob Mademoiselle inzwischen eine Erfrischung wünsche? Sie bestellte Kaffee, der bitter war, stark und mehrmals aufgewärmt und in einer Blechkanne gebracht wurde, deren Gewicht zur Hälfte aus dem Lötzinn des Kesselflickers bestand, die aber trotzdem noch undicht war. Der Cafébesitzer schien diesen Umstand zu bedauern, ihn jedoch mit dumpfer Schicksalsergebenheit hinzunehmen. Er hoffe, sie habe sich an dem Kaffee, der ihr aufs Bein getropft sei, nicht verbrannt. Er sei nicht heiß genug, um sich daran zu verbrennen? Gut. Gut. Er verschwand im Hintergrund des Cafés, angeblich, um sich nach Monsieur Hel zu erkundigen.

Das war vor einer Viertelstunde gewesen.

Mit vor Erschöpfung geweiteten Augen starrte Hannah auf den sonnenbeschienenen Platz hinaus, der leer war bis auf ein paar verbeulte Autos, zumeist 2CVs mit 64er Nummernschildern, die achtlos jeweils dort abgestellt waren, wo ihre Fahrer gerade gehalten hatten.

Mit ohrenbetäubendem Motorenlärm, knirschender Gangschaltung und einer stinkenden Auspuffwolke bog ein riesiger deutscher Laster um die Ecke; zwischen ihm und den Fassaden der Häuser blieb kaum eine Handbreit Abstand. Schwitzend, am Lenkrad kurbelnd, gelang es dem Deutschen, das Monstrum mit zischenden Luftdruckbremsen auf den Platz zu manövrieren, wo er allerdings auf ein besonders hartnäckiges Hindernis stieß: Zwei Baskinnen beanspruchten stur die Straßenmitte und tauschten mit unbewegter Miene, nur aus den Mundwinkeln zischelnd, den neuesten Dorfklatsch aus. Sie waren mittleren Alters, schwerfällig und breit gebaut und stapften auf stämmigen, krummen Beinen einher, ohne sich von der Frustration und der Wut des Lkw-Fahrers beeindrucken zu lassen, der hinter ihnen herkriechen musste, wobei er erbitterte Verwünschungen ausstieß und hilflos mit der Faust aufs Lenkrad hämmerte.

Hannah Stern jedoch hatte jetzt keinen Sinn für dieses bildhafte Beispiel französisch-deutscher Beziehungen in der EG, außerdem tauchte eben der Cafébesitzer wieder auf; sein dreieckiges Baskengesicht strahlte.

»Ach so, Monsieur Hel suchen Sie!«, rief er aus.

»Das sagte ich.«

»Ja, wenn ich gewusst hätte, dass Sie Monsieur *Hel* meinen …« Er hob die Schultern und breitete die Hände in einer Geste aus, die andeuten sollte, eine etwas klarere Ausdrucksweise von Hannahs Seite hätte ihnen beiden zweifellos viel Mühe erspart.

Dann beschrieb er ihr den Weg zum Château d'Etchebar: zuerst, von Tardets aus (das *r* gerollt, *t* und *s* mitgesprochen), über den *gave,* dann durch das Dorf Abense-de-Haut (fünf Silben, *h* und *t* mitgesprochen), weiter durch Lichans (ohne Nasallaut, *s* mitgesprochen), dann die rechte Abzweigung nehmen, die in die Berge führt; aber auf gar keinen Fall die linke, sonst käme sie nach Licq.

»Ist das weit?«

»Nein, nicht sehr weit. Aber Sie wollen doch gar nicht nach Licq.«

»Ich meine, nach Etchebar. Ist es weit nach Etchebar?« Erschöpft und nervlich am Ende, fühlte sich Hannah der überaus schwierigen Aufgabe, von einem Basken eine einfache Information zu bekommen, nicht mehr gewachsen.

»Nein, nicht sehr weit. Von Lichans aus vielleicht noch zwei Kilometer.«

»Und wie weit ist es bis Lichans?«

Er zuckte mit den Achseln. »Von Abense-de-Haut ungefähr zwei Kilometer. Sie können es nicht verfehlen. Wenn Sie sich bei der Gabelung nicht links halten. Denn *dann* verfehlen Sie es bestimmt. Weil Sie nämlich dann nach Licq kommen, wissen Sie.«

Die alten *mousse*-Spieler hatten ihre Partie unterbrochen und sich, angelockt von der Unruhe, die diese ausländische Touristin auslöste, zu dem Cafébesitzer gesellt. Sie berieten kurz auf Baskisch und wurden sich schließlich einig, dass die junge Dame wirklich nach Licq kommen würde, wenn sie die linke Abzweigung nähme. Doch Licq sei schließlich auch kein übler Ort. Gab es da nicht die berühmte Geschichte von der Brücke bei Licq, die mithilfe des kleinen Volkes aus den Bergen gebaut worden war, das dann …

»Hören Sie!«, flehte Hannah. »Könnte mich vielleicht jemand zum Château d'Etchebar fahren?«

Kurze Konferenz zwischen dem Cafébesitzer und den *mousse*-Spielern. Meinungsverschiedenheiten, ausführliche Erklärungen, Bekundungen von Standpunkten. Dann übermittelte der Cafébesitzer das gemeinsam erarbeitete Verdikt.

»Nein.«

Man hatte sich darauf geeinigt, dass die Shorts tragende junge Ausländerin mit ihrem Rucksack zu jener Gruppe sportlicher Touristen zu zählen sei, die zwar meist sehr freundlich war, aber nur sehr wenig Trinkgeld gab. Daher fand sich niemand, der sie nach Etchebar fahren wollte, und einzig der älteste *mousse*-Spieler wäre bereit gewesen, auf ihre Großzügigkeit zu spekulieren, aber der besaß leider keinen Wagen. Und außerdem konnte er nicht fahren.

Seufzend griff Hannah nach ihrem Rucksack. Doch der Cafébesitzer erinnerte sie an die Tasse Kaffee, die sie getrunken hatte, und da fiel ihr wieder ein, dass sie kein französisches Geld besaß. Sie erklärte ihm die Sachlage mit komisch gespielter Zerknirschung, versuchte sich mit einem Lachen über die Absurdität der Situation hinwegzuretten. Er aber starrte unbeirrt auf die unbezahlte Tasse Kaffee und verharrte in vorwurfsvollem Schweigen. Die *mousse*-Spieler diskutierten diese neue Wendung der Dinge lebhaft. Was? Diese Touristin bestellte sich Kaffee, ohne dafür bezahlen zu können? Vielleicht war das ein Fall für die Polizei!

Schließlich stieß der Cafébesitzer einen zitternden Seufzer aus und sah mit einem Blick voller Tragik in den feuchten Augen zu ihr empor. Wollte sie tatsächlich behaupten, sie habe nicht mal die zwei Francs für den Kaffee – vergessen wir das Trinkgeld vorläufig –, bloß diese armseligen zwei Francs für den Kaffee? Hier ging es ums Prinzip. Schließlich hatte er den Kaffee ja auch bezahlt; und *er* musste das Gas bezahlen, mit dem das Wasser heiß gemacht wurde; und alle paar Jahre musste er den Kesselflicker bezahlen, der die Kanne reparierte. *Er* war ein Mann, der seine Schulden bezahlte. Im Gegensatz zu gewissen anderen Leuten.

Hannah schwankte zwischen Zorn und Lachen. Sie konnte nicht fassen, dass so viel Theater um zwei Francs gemacht wurde. (Sie ahnte nicht, dass eine Tasse Kaffee in Wirklichkeit nur *einen* Franc kostete.) Niemals zuvor war sie dieser spezifisch französischen Version des Geizes begegnet, bei der das Geld – die Münze an sich – im Mittelpunkt aller Erwägungen steht und wichtiger ist als Waren, Komfort und Würde. Ja, wichtiger als wirklicher Reichtum. Sie konnte nicht wissen, dass diese Dörfler, obwohl sie baskische Namen trugen, durch und durch französisch geworden waren unter dem korrumpierenden kulturellen Druck von Rundfunk, Fernsehen und staatlich gelenktem Schulwesen, dieser Medien, in denen die moderne Geschichte so interpretiert wird, dass jenes vielzitierte nationale Analgetikum entsteht: *la vérité à la Cinquième République.*

Beherrscht von der Mentalität des *petit commerçant* teilten diese bäuerlichen Basken die gallische Auffassung vom Erwerb, nach der das Vergnügen, einhundert Francs zu verdienen, nichts ist im Vergleich zu der unerträglichen Qual beim Verlust eines Centimes.

Der Cafébesitzer, der schließlich einsah, dass seine stumme Zurschaustellung von Schmerz und Enttäuschung die zwei Francs auch nicht herbeizaubern konnte, entschuldigte sich mit ironischer Höflichkeit bei dem jungen Mädchen und sagte, er komme sofort zurück.

Als er zwanzig Minuten später, nach einer erregten Konferenz mit seiner Frau im Hinterzimmer, wieder zum Vorschein kam, fragte er sie: »Ist Monsieur Hel ein Freund von Ihnen?«

»Ja«, schwindelte Hannah, die sich nicht näher über den Zweck ihres Besuches auslassen wollte.

»Ach so! Nun ja, dann wird Monsieur Hel wohl Ihre Schulden begleichen, falls Sie selber es nicht können.« Er riss ein Blatt von seinem Block, den eine Reklame der Firma Byrrh zierte, und schrieb etwas darauf; dann faltete er den Zettel zweimal und glättete die Falze mit dem Daumennagel. »Bitte geben Sie das Monsieur Hel«, sagte er kalt.

Jetzt wurde sein Blick nicht mehr von ihren Brüsten und Beinen abgelenkt. Es gibt Dinge im Leben, die wichtiger sind als ein Flirt.

Hannah wanderte schon über eine Stunde, über den Pont d'Abense und den glitzernden Gave de Saison, dann langsam hinauf in die baskischen Berge und eine schmale, von der Sonne aufgeweichte Teerstraße entlang, gesäumt von uralten Steinmauern voller Eidechsen, die davonhuschten, wenn sie sich näherte. Auf den Wiesen weideten Schafe, die Lämmer auf unsicheren Füßen neben den Müttern, und rotbraune *vaches des Pyrénées* im Schatten knorriger Apfelbäume sahen ihr mit unendlich sanften, unendlich dummen Augen nach. Runde, mit üppigem Farn bewachsene Hügel umgaben und schützten das enge Tal, und hinter den Hügelkuppen ragten die schneebedeckten Berge empor, deren wild zerklüftete Grate sich scharf gegen den weitgespannten blauen Himmel abzeichneten. Hoch oben schwebte auf einer Thermik ein Habicht, dessen wie Finger gespreizte Schwungfedern den Wind abtasteten, während er den Boden nach Beute absuchte.

Die Hitze braute ein verwirrendes Potpourri von Düften: der Sopran wilder Blumen mischte sich mit den Mitteltönen geschnittenen Grases und frischen Schafdungs, und alles wurde untermalt vom aufdringlichen Basso profundo des weichen Teers.

Vor Müdigkeit unempfänglich für Landschaft und Gerüche, trottete Hannah mit gesenktem Kopf dahin, ganz auf die Spitzen ihrer Wanderschuhe konzentriert. Ihr Geist, von der sensorischen Überlastung der letzten zehn Stunden geschockt, fand Zuflucht in einer Trübung des Bewusstseins. Sie wagte nicht nachzudenken, sich vorzustellen, sich zu erinnern; denn dort, unmittelbar hinter der Barriere des Hier-und-Jetzt, lauerten Bilder, die ihr wehtun würden, wenn sie sie hereinließe. Nur nicht denken. Einfach weitergehen und die Schuhspitzen fixieren. Das Ziel ist Château d'Etchebar. Das Ziel ist, Nikolai Hel zu finden. Darüber hinaus existiert nichts.

An einer Weggabelung machte sie halt. Die Straße rechts stieg steil zu dem auf einem Hügel gelegenen Dorf Etchebar empor, und hinter der Gruppe von Stein- und *crépi*-Häusern lugte zwischen großen Kiefern, umgeben von einer hohen Steinmauer, die ausladende Fassade eines Gebäudes hervor, in dem sie das Schloss vermutete.

Sie seufzte tief auf und marschierte weiter; ihre Müdigkeit war eins geworden mit dem sie schützenden emotionalen Dämmerzustand. Wenn sie nur noch das Schloss erreichte … Wenn sie nur zu Nikolai Hel gelangte … Zwei Bauersfrauen in schwarzen Kleidern unterbrachen ihren Schwatz über eine niedrige Steinmauer hinweg und musterten die junge Fremde mit unverhohlener Neugier und offenem Misstrauen. Wo wollte sie hin, dieses Flittchen, das seine Beine zeigte? Zum Schloss? Ach ja, das erklärte alles! Seit dieser Fremde das Château gekauft hatte, tauchten hier alle möglichen seltsamen Gestalten auf! Zugegeben, Monsieur Hel war kein übler Mensch. Im Gegenteil, ihre Männer hatten ihnen erzählt, dass die baskische Freiheitsbewegung ihn außerordentlich schätzte. Und doch – er war ein Fremder. Das war nicht abzustreiten. Er lebte erst seit vierzehn Jahren im Schloss, während alle anderen Dorfbewohner (dreiundneunzig an der Zahl) ihre Namen auf Dutzenden von Grabsteinen rings um die Kirche finden konnten, hier frisch in Pyrenäengranit geschnitten, dort kaum noch zu entziffern auf uralten Steinen, die von Wind und Regen in fünfhundert Jahren glattgeschliffen worden waren. Sieh nur! Das Flittchen hat nicht mal die Brüste geschnürt! Sie will, dass die Männer sie anstarren, das ist es! Wenn sie nicht aufpasst, wird sie mit einem vaterlosen Kind dasitzen! Und wer wird sie dann noch heiraten wollen? Sie wird im Haus ihrer Schwester Gemüse putzen und Böden scheuern müssen. Und der Mann ihrer Schwester wird sie belästigen, wenn er getrunken hat. Und eines Tages, wenn die Schwester so hochschwanger ist, dass sie es nicht mehr tun kann, wird die da dem Ehemann nachgeben! Wahrscheinlich in der Scheune. So geht es immer. Und die Schwester wird davon erfahren, und dann wird sie die da aus dem Haus jagen! Wo soll sie dann hin? Sie wird nach Bayonne gehen und eine Hure werden, so wird es enden!

Eine dritte Frau gesellte sich zu ihnen. Wer ist denn das Mädchen, das seine Beine zeigt? Wir wissen nur, dass sie eine Hure aus Bayonne ist. Und nicht mal Baskin! Glaubst du, sie ist vielleicht Protestantin? Aber nein, so weit würde ich nun doch nicht gehen. Nur eine armselige *putain,* die mit dem Mann ihrer Schwester geschlafen hat. So geht es immer, wenn man sich die Brüste nicht schnürt.

Ja, ja.

Als Hannah an ihnen vorbeikam, blickte sie auf und bemerkte die drei Frauen. »*Bonjour, Mesdames*«, grüßte sie höflich.

»*Bonjour, Mademoiselle*«, antworteten sie im Chor und

zeigten ihr offenes baskisches Lächeln. »Machen Sie einen Spaziergang?«, fragte die eine.

»Ja, Madame.«

»Wie schön! Sie haben's gut, dass Sie so viel Zeit haben.«

Ein Rippenstoß, der sofort erwidert wurde. Wie gewagt und gescheit, *es* beinahe offen auszusprechen!

»Suchen Sie das Château, Mademoiselle?«

»Ja.«

»Gehen Sie nur geradeaus weiter, dann finden Sie, was Sie suchen.«

Ein neuerlicher Rippenstoß, und eine prompte Antwort. Es war gefährlich, aber so köstlich aufregend, *es* beinahe offen auszusprechen!

Hannah stand vor dem schweren Eisentor. Kein Mensch war zu sehen, und es gab anscheinend keine Möglichkeit, zu klopfen oder zu klingeln. Das Schloss lag etwa hundert Meter weit zurück, am Ende einer langen gewundenen Allee. Gerade hatte sie sich entschlossen, es an einer der kleinen Pforten ein Stück weiter die Straße entlang zu versuchen, da fragte hinter ihr eine heisere Stimme: »Mademoiselle?«

Sie kehrte ans große Tor zurück, durch dessen Gitterstäbe ein alter Gärtner in blauer Arbeitsschürze sie prüfend musterte. »Ich möchte zu Monsieur Hel«, erklärte sie.

»Ja«, antwortete der Gärtner mit jenem eingeatmeten *oui,* das nahezu alles bedeuten kann, nur nicht Ja. Er hieß sie warten und verschwand zwischen den Alleebäumen. Kurz darauf hörte sie die Angeln eines Seitentors quietschen, und er winkte ihr mit einer ausholenden Armbewegung und einer tiefen Verbeugung, die ihn beinahe das Gleichgewicht gekostet hätte. Als sie an ihm vorbeiging, merkte sie, dass er angetrunken war. Tatsächlich war Pierre nie richtig betrunken. Aber er war auch nie völlig nüchtern. Die in regelmäßigen Abständen genossenen zwölf Glas Rotwein pro Tag bewahrten ihn vor beiden Exzessen.

Pierre wies ihr den Weg, begleitete sie aber nicht zum Haus, sondern kehrte an seine Arbeit zurück. Er beschnitt eine Buchsbaumhecke, die ein künstliches Labyrinth bildete. Pierre arbeitete niemals hastig, aber er scheute die Arbeit auch nicht, unterbrach, belebte und verwischte er sich doch seinen Tag ungefähr alle halbe Stunde durch ein Glas Roten.

Hannah hörte das Klipp-Klapp der Heckenschere, das immer leiser wurde, je weiter sie die Allee zwischen den hohen, blaugrünen Zedern entlangschritt, deren tief herabhängende Äste ihr trauernd zuwinkten und mit wiegenden, rhythmischen Bewegungen die Schatten streiften. Ein leichter Wind flüsterte hoch in den Wipfeln wie die Flut über den Strand, und die tiefen Schatten spendeten Kühle. Sie fröstelte. Ihr war schwindlig nach dem langen Marsch, denn sie hatte den ganzen Tag nichts zu sich genommen als jenen Kaffee. Ihre Empfindungen waren zuerst vor Angst erstarrt und dann vor Verzweiflung zerschmolzen. Erstarrt, dann zerschmolzen. Die Wirklichkeit drohte ihr zu entgleiten.

Als sie den Fuß einer Marmorfreitreppe erreichte, die zur Terrasse emporführte, hielt sie inne, unsicher, ob sie sich weiter vorwagen solle.

»Kann ich Ihnen helfen?«, erkundigte sich eine Frauenstimme von oben. Die Hand über die Augen gelegt, blinzelte Hannah zu der sonnenbeschienenen Terrasse hinauf. »Hallo! Ich bin Hannah Stern.«

»Kommen Sie nur herauf, Hannah Stern.« Da die Frau die Sonne im Rücken hatte, konnte Hannah ihr Gesicht nicht erkennen, nach ihrer Kleidung und ihren Bewegungen jedoch schien sie Asiatin zu sein, obwohl ihre weiche, modulierte Stimme nichts von dem stereotypen Zwitschern der Asiatinnen hatte. »Das ist einer jener Zufälle, die angeblich Glück bringen. Mein Name ist nämlich Hana – beinahe genau wie der Ihre. Auf Japanisch heißt *hana* Blume. Und was bedeutet Hannah in Ihrer Sprache? Wahrscheinlich gar nichts, wie so viele westliche Namen. Wie schön, dass Sie gerade zur Teezeit kommen!«

Sie reichten sich nach europäischer Art die Hand, und Hannah staunte über die stille Schönheit dieser Frau, die sie mit einer Mischung aus Freundlichkeit und Humor zu mustern schien und deren Verhalten Hannah ein seltsames Gefühl des Beschütztseins und der Ruhe verlieh. Als sie nebeneinander über die breite Terrasse auf das Haus mit seiner klassischen Fassade und den vier *portes-fenêtres* zu beiden Seiten des Hauptportals zugingen, wählte die Frau die schönste Blüte aus dem Strauß, den sie geschnitten hatte, und überreichte sie Hannah mit einer Geste, die ebenso spontan wie liebenswürdig wirkte. »Ich muss nur die Blumen ins Wasser stellen«, sagte sie. »Dann trinken wir Tee. Sind Sie eine Freundin von Nikolai?«

»Nein, eigentlich nicht. Mein Onkel war mit ihm befreundet.«

»Und Sie besuchen ihn auf Ihrer Reise. Wie reizend von Ihnen!« Sie öffnete die Glastüren, und sie betraten einen hellen Salon, wo auf einem niedrigen Tischchen vor einem Marmorkamin mit Kupferschirm der Tee bereitstand. Bei ihrem Kommen schloss sich im Hintergrund behutsam eine Tür. Während der wenigen Tage, die sie im Château d'Etchebar verbringen sollte, sah und hörte Hannah kein einziges Mal mehr von der Dienerschaft als Türen, die geschlossen wurden, sobald sie eintrat, lautlose Schritte am anderen Ende des Korridors oder das unbemerkte Erscheinen von Kaffee oder Blumen auf ihrem Nachttisch. Die Mahlzeiten wurden so vorbereitet, dass die Hausherrin sie persönlich servieren konnte. Eine Gelegenheit für sie, Gastfreundschaft und Fürsorge zu beweisen.

»Ihren Rucksack lassen Sie einfach dort in der Ecke stehen, Hannah«, sagte die Frau. »Und würden Sie bitte so gut sein und den Tee einschenken, während ich die Blumen in eine Vase stelle?«

Mit dem Sonnenlicht, das durch die Terrassentür hereinflutete, den mattblauen Wänden, den vergoldeten Zierleisten, den Möbeln – einer Mischung aus Louis-XV.-Stil und orientalischer Einlegearbeit –, mit dem Dampf, der sich aus der Teekanne durch einen Sonnenstrahl emporringelte, und den Spiegeln überall, die aufhellten, reflektierten, verdoppelten, verdreifachten – mit all dem gehörte dieser Salon in eine andere Welt als die, in der junge Männer auf Flughäfen erschossen wurden. Als Hannah aus einer silbernen Kanne Tee in Limoges-Porzellan mit leicht chinesischem Einschlag füllte, wurde sie von einem Schwindelgefühl erfasst. Zu viel war in diesen letzten Stunden geschehen. Sie befürchtete, ohnmächtig zu werden.

Ohne besonderen Grund erinnerte sie sich an das Gefühl der Orientierungslosigkeit, das sie als Kind in der Schule bisweilen gehabt hatte ... Es war Sommer, sie langweilte sich, und ringsumher summten die leisen Geräusche der Außenwelt. Sie starrte ins Leere, bis die Gegenstände vor ihren Augen verschwammen. Und fragte sich: »Bin ich ich? Bin ich hier? Bin ich das wirklich, die diese Gedanken denkt? Ich? Ich selbst?«

Und als sie jetzt die graziösen, sicheren Bewegungen dieser schlanken Asiatin beobachtete, die zurücktrat, um ihr Blumenarrangement zu mustern und hier und da eine kleine Korrektur anzubringen, versuchte Hannah verzweifelt, einen Halt in dieser Flut von Konfusion und Erschöpfung zu finden, die sie fortzuschwemmen drohte.

Wie seltsam, dachte sie. Von allem, was heute geschehen war: dem entsetzlichen Überfall auf dem Flughafen, dem traumähnlichen Flug nach Pau, dem anzüglichen Gerede der Fahrer, die sie mitgenommen hatten, dem idiotischen Cafébesitzer in Tardets, dem langen Marsch über die flimmernde Straße nach Etchebar – von all den Bildern hatte sich ihr am tiefsten der Weg durch die zederngesäumte Allee eingeprägt, das Frösteln in den tiefen Schatten, als der Wind wie Meeresrauschen durch die Baumwipfel strich. Es war eine andere Welt. Eine fremdartige.

War es denn möglich, dass sie hier saß und Tee in Limoges-Tassen füllte, hier, wo sie in ihren engen Wandershorts und den schweren, eisenbeschlagenen Schuhen wahrscheinlich wie ein ausgemachter Tollpatsch wirkte?

War es wirklich erst wenige Stunden her, dass sie wie betäubt an dem alten Mann vorübergegangen war, der auf dem Fußboden im Flughafen Rom gesessen hatte? »Verzeihung«, hatte sie idiotischerweise zu ihm gesagt.

»Verzeihung«, sagte sie auch jetzt. Die schöne Frau hatte eine Bemerkung gemacht, die nicht durch die Schichten ihrer Gedanken zu ihr vorgedrungen war.

Lächelnd nahm die Frau neben ihr Platz. »Ich sagte, es ist wirklich sehr schade, dass Nikolai im Moment nicht hier ist. Er ist seit einigen Tagen in den Bergen und kriecht in seinen geliebten Höhlen herum. Schreckliches Hobby! Aber ich erwarte ihn heute Abend oder morgen früh zurück. So haben Sie Zeit genug, zu baden und vielleicht auch ein bisschen zu schlafen. Das wäre doch schön, nicht wahr, Hannah?«

Der Gedanke an ein heißes Bad und kühle Laken erschien Hannah wunderbar verlockend.

Die Frau zog lächelnd ihren Sessel näher an das Marmortischchen heran. »Wie nehmen Sie Ihren Tee?« Ihr Blick war offen und ruhig. Der Schnitt ihrer Augen war asiatisch, doch sie waren von haselnussbrauner Farbe mit goldenen Tupfen. Es gelang Hannah nicht, ihre Herkunft zu erraten. Ihre Bewegungen waren eindeutig orientalisch, graziös und beherrscht; ihre Haut hatte die Farbe von *café au lait*, der Körper in dem hochgeschlossenen Kleid aus grüner chinesischer Seide verriet an Busen und Hüften weiche Züge, Mund und Nase dagegen wirkten europäisch. Und ihre Stimme, genau wie ihr Lachen, klang kultiviert, leise und sanft, als sie jetzt sagte: »Ja, ja, ich weiß. Es ist verwirrend.«

»Wie bitte?« Hannah empfand es als sehr peinlich, dass ihre Gedanken so leicht zu erraten waren.

»Ich bin das, was freundliche Menschen als ›Kosmopolitin‹, andere dagegen wohl eher als ›Promenadenmischung‹ bezeichnen. Meine Mutter war Japanerin, mein Vater ein amerikanischer Soldat. Ich habe nie das Vergnügen gehabt, seine Bekanntschaft zu machen. Nehmen Sie Milch?«

»Wie bitte?«

»In den Tee.« Hana lächelte. »Möchten Sie lieber Englisch sprechen?«, fuhr sie in dieser Sprache fort.

»Offen gestanden, ja«, gab Hannah ebenfalls auf Englisch zu, allerdings mit amerikanischem Akzent.

»Das habe ich mir gedacht, als ich Ihre Aussprache hörte. Also gut, sprechen wir Englisch. Nikolai spricht es hier nur selten, und ich fürchte, dass mein Englisch allmählich einrostet.« In Wahrheit hatte sie einen kaum wahrnehmbaren Akzent; keine falsche Aussprache, sondern nur eine ganz leichte Überakzentuierung des britischen Englisch. Möglich, dass ihr Französisch ebenfalls nicht ganz akzentfrei war, aber das konnte Hannah nicht heraushören.

Doch etwas anderes fiel ihr auf. »Es ist ja für zwei gedeckt! Haben Sie mich erwartet, Mrs. Hel?«

»Bitte, nennen Sie mich Hana. Ja, ich habe Sie erwartet. Der Mann aus dem Café in Tardets rief an und fragte, ob er Ihnen den Weg hierher beschreiben dürfe. Einen zweiten Anruf erhielt ich, als Sie durch Abense-de-Haut kamen, und einen dritten aus Lichans.« Hana lächelte fröhlich auf. »Nikolai genießt hier jeden erdenklichen Schutz. Er hält nicht viel von Überraschungen.«

»Warten Sie, da fällt mir ein ... Ich habe ja eine Nachricht für Sie.« Hannah zog den Zettel aus der Tasche, den ihr der Cafébesitzer mitgegeben hatte.

Hana faltete ihn auseinander, warf einen Blick darauf und lachte mit ihrer weichen Mollstimme. »Eine Rechnung. Und genau aufgeschlüsselt. Ach, diese Franzosen! Ein Franc für das Telefongespräch. Ein Franc für Ihren Kaffee. Und dazu noch weitere anderthalb Francs – das Trinkgeld, das Sie seiner Schätzung nach gegeben hätten. Himmel, wir haben ein gutes Geschäft gemacht! Für nur dreieinhalb Francs haben wir das Vergnügen Ihrer Gesellschaft!« Lachend legte sie die Rechnung beiseite. Dann berührte sie Hannahs Arm mit ihrer warmen, trockenen Hand. »Mein Kind? Ich glaube, Sie merken gar nicht, dass Sie weinen.«

»Wie bitte?« Hannah hob die Hand an die Wange. Sie war nass von Tränen. Großer Gott, wie lange weinte sie wohl schon? »Verzeihung. Es ist nur ... Heute Morgen wurden meine Freunde ... Ich muss unbedingt Mr. Hel sprechen!«

»Ich weiß, mein Kind, ich weiß. Aber jetzt trinken Sie zuerst mal Ihren Tee. Ich habe etwas hineingetan, das Ihnen Ruhe verschaffen wird. Anschließend zeige ich Ihnen Ihr Zimmer, wo Sie baden und sich ausschlafen können. Damit Sie frisch und schön aussehen, wenn Nikolai kommt. Ihren Rucksack können Sie hierlassen. Eines der Mädchen wird sich darum kümmern.«

»Ich möchte Ihnen aber noch erklären ...«

Doch Hana hob abwehrend die Hand. »Erklärungen können Sie Nikolai geben. Und er sagt mir dann so viel, wie er für richtig hält.«

Als Hannah ihrer Gastgeberin die breite Marmortreppe hinauf folgte, die von der Halle nach oben führte, schluchzte sie immer noch und kam sich vor wie ein kleines Kind. Aber sie spürte, wie sich ein sanfter Friede in ihr ausbreitete. Was immer in dem Tee gewesen war, es nahm ihren Erinnerungen den Schmerz und schwemmte sie weit, weit fort. »Sie sind sehr liebenswürdig, Mrs. Hel«, sagte sie aufrichtig.

Hana antwortete mit leisem Lachen: »Nennen Sie mich doch bitte Hana. Wissen Sie, ich bin nämlich nicht Nikolais Frau. Ich bin seine Konkubine.«

WASHINGTON

Die Aufzugtüren öffneten sich lautlos, und Diamond betrat vor Miss Swivven die ganz in Weiß gehaltene Arbeitsflucht im fünfzehnten Stock.

»... und bitte mir aus, dass sie spätestens zehn Minuten nach der Aufforderung hier sind: Starr, der Deputy und dieser ... dieser Araber. Haben Sie das?«

»Ja, Sir.« Miss Swivven begab sich unverzüglich in ihr Zimmerchen, wo sie alles Nötige veranlasste, während der Erste Assistent sich von seinem Platz am Computer erhob.

»Ich habe Asa Sterns Kontakte ersten Grades, Sir. Sie kommen gerade herein.« Er empfand berechtigten Stolz. Es gab höchstens zehn Personen auf der Welt mit der Fähigkeit, aus Fat Boy eine auf so amorphen emotionalen Beziehungen beruhende Liste herauszuholen.

»Geben Sie mir die Liste auf den Tischbildschirm«, befahl Diamond und setzte sich in seinen Drehsessel am Kopf des Konferenztisches.

»Kommt sofort. Hoppla! Eine Sekunde noch, Sir. Die Liste ist um hundertachtzig Grad invertiert. Ich werde sie sofort umkehren.«

Es war typisch für die Unfähigkeit des Computers, zwischen Liebe und Hass, Zuneigung und Erpressung, Freundschaft und Schmarotzertum zu unterscheiden, so dass eine nach solchen emotionalen Rubriken geordnete Liste in fünfzig Prozent der Fälle invertiert herauskam. Der Erste Assistent hatte diese Gefahr vorausgesehen und der Liste die Namen Maurice Herzog und Heinrich Himmler (beide unter H) hinzugefügt. Als der Ausdruck angab, Himmler sei von Asa Stern zutiefst bewundert, Herzog dagegen verabscheut worden, wagte der Erste Assistent die Vermutung, Fat Boy habe mal wieder alles vertauscht.

»Es ist doch hoffentlich keine bloße Aufzählung, oder?«, erkundigte sich Diamond.

»Nein, Sir. Ich habe Punktdaten verlangt. Nur die markantesten Fakten zu jedem Namen, damit eine exakte Identifizierung ermöglicht wird.«

»Llewellyn, Sie sind ein verdammtes Genie.«

Der Erste Assistent nickte zerstreut, während er zusah, wie die Liste in IBM-Groteskschrift über den Bildschirm kroch.

STERN, DAVID
VERBINDUNG GLEICH SOHN ... KARTE WEISS ... STUDENT, AMATEURSPORTLER ... GETÖTET 1972 sub MÜNCHNER OLYMPIADE ...

STERN, JUDITH
VERBINDUNG GLEICH EHEFRAU ... KARTE ROSA ... WISSENSCHAFTLERIN, FORSCHERIN ... GESTORBEN 1956 sub NATÜRLICHE URSACHE ...

ROTHMANN, MOISHE
VERBINDUNG GLEICH FREUND ... KARTE WEISS ... PHILOSOPH, DICHTER ... GESTORBEN 1958 sub NATÜRLICHE URSACHE ...

KAUFMANN, S. L.
VERBINDUNG GLEICH FREUND ... KARTE ROT ... POLITISCHER AKTIVIST ... IM RUHESTAND ...

HEL, NIKOLAI ALEXANDROWITSCH
VERBINDUNG GLEICH FREUND ...

»Stopp!«, befahl Diamond. »Anhalten!«

Der Erste Assistent überflog die unmittelbar folgenden Informationen. »Allmächtiger!«

Diamond lehnte sich im Sessel zurück und schloss die Augen. Wenn die CIA was verpatzt, dann tut sie's gleich im großen Stil! »Nikolai Hel«, sagte Diamond tonlos.

»Sir?«, fragte der Erste Assistent behutsam; unwillkürlich musste er an den uralten Brauch denken, den Überbringer schlechter Nachrichten hinrichten zu lassen. »Dieser Nikolai Hel hat eine *violette* Karte.«

»Ich weiß ... Ich weiß.«

»Äh ... Sie wünschen wahrscheinlich den kompletten Datensatz über Hel, Nikolai Alexandrowitsch, Sir?«, erkundigte sich der Erste Assistent beinahe entschuldigend.

»Ja.« Diamond erhob sich und trat an das große Fenster, vor dem das angestrahlte Washington Monument sich vom dunklen Nachthimmel abhob, während mehrere Doppelreihen von Autoscheinwerfern die Avenue entlang auf die Stadtmitte zukrochen. »Sie werden feststellen, dass der Datensatz erstaunlich mager ausfällt.«

»Mager, Sir? Bei einer violetten Karte?«

»Bei *dieser* violetten Karte.«

Nach dem Farbcodiersystem kennzeichneten violette Lochkarten die am schwersten fassbaren, vom Standpunkt der Muttergesellschaft her gefährlichsten Personen: jene, die ohne nationalistische oder ideologische Motivation arbeiteten, freiberufliche Agenten und Killer, die durch keinen auf ihre Regierung ausgeübten Druck unter Kontrolle gebracht werden konnten, jene, die für beide Seiten töteten.

Ursprünglich war das Farbcodiersystem für Fat Boy eingeführt worden, um hervorstechende Merkmale privater oder beruflicher Natur bei einer Person auf den ersten Blick kenntlich zu machen. Doch Fat Boys systembedingte Unfähigkeit, mit Abstraktionen und Nuancen zu arbeiten, stellte den Nutzwert dieses Systems von Anfang an infrage. Das Problem erwuchs aus dem Umstand, dass Fat Boy nach bestimmten Inputprinzipien selbstständig farbcodieren konnte.

Das erste dieser Prinzipien ging davon aus, dass nur Personen, die eine erwiesene oder potenzielle Gefahr für die Muttergesellschaft und die von ihr kontrollierten Regierungen darstellten, mit farbcodierten Karten gekennzeichnet wurden, während alle anderen eine weiße Karte erhielten. Ein zweites Prinzip war, dass die Kartenfarbe die Natur der weltanschaulichen Bindungen der jeweiligen Person symbolisierte. In seiner simpelsten Form funktionierte dieses Prinzip auch einwandfrei: Linke Agitatoren und Terroristen waren durch rote Karten gekennzeichnet, rechte Politiker und Aktivisten bekamen blaue, Sympathisanten mit der Linken rosafarbene, Helfershelfer der Ultrakonservativen hellblaue Karten. (Vorübergehend waren überzeugten Liberalen, dem politischen Symbolismus der Briten entsprechend, gelbe Karten zugeteilt worden, doch als Fat Boy die Möglichkeit wirksamer Aktionen vonseiten der Liberalen errechnet hatte, erhielten sie wieder weiße Karten, das Kennzeichen politischer Machtlosigkeit.)

Das System der Farbcodierung erregte Kritik, als es auf kompliziertere Probleme angewandt wurde. Aktive Helfer der Provisorischen IRA und der verschiedenen Abwehrorganisationen von Ulster zum Beispiel bekamen aufs Geratewohl grüne oder orangefarbene Karten zugeteilt, denn Fat Boys Auffassung von Taktik, Philosophie und Effektivität der beiden Gruppen hatte zur Folge, dass er sie nicht unterscheiden konnte.

Ein weiteres schwerwiegendes Problem ergab sich aus Fat Boys blinder Logik bei der Zuteilung der verschiedenen Farben. Um zwischen chinesischen und europäischen kommunistischen Agenten unterscheiden zu können, erhielten die Chinesen gelbe Karten, die ihrer Herrschaft unterstehenden Europäer dagegen eine Mischung aus Rot und Gelb, woraus sich orangefarbene Karten ergaben – die aber waren identisch mit denen für die Nordiren. Solche willkürlichen Praktiken führten zu lästigen Missverständnissen, zu denen unter anderem Fat Boys beharrliche Behauptung gehörte, Ian Paisley sei Albaner.

Der gravierendste Fehler in diesem Zusammenhang betraf die afrikanischen Nationalisten und die Aktivisten der Black-Power-Bewegung. Mit einer gewissen, bornierten Logik wurden beiden Gruppen *schwarze* Karten zugeteilt.

Daraufhin konnten sie monatelang ungestört arbeiten, ohne von der Muttergesellschaft und ihren Filialen in den Regierungen beobachtet oder behindert zu werden – und zwar einfach deshalb, weil schwarze Schrift auf schwarzem Grund kaum zu entziffern ist.

Unter großem Bedauern wurde daher beschlossen, das Farbcodierungssystem aufzugeben – trotz der Millionen Dollar amerikanischer Steuergelder, die in das Projekt schon investiert worden waren.

Doch es ist leichter, Fat Boy ein System einzugeben, als es wieder zu löschen, denn SEIN Gedächtnis ist grenzenlos, und SEIN Beharren auf linearer Logik unerschütterlich. Daher blieb die Farbcodierung in rudimentärer Form erhalten. Die Agenten der Linken waren noch immer mit roten und rosafarbenen Karten gekennzeichnet, während Kryptofaschisten wie die Mitglieder des Ku-Klux-Klan blaue und die Angehörigen der American Legion hellblaue Karten hatten. Den Gesetzen der Logik folgend, wurden jene Personen, die für beide Seiten arbeiteten, mittels einer purpurfarbenen Karte identifiziert, doch Fat Boy hatte SEIN Problem mit den Plack-Power-Aktivisten nicht vergessen und mischte das Purpur mit Grau, bis es zu Violett wurde.

Im Übrigen reservierte Fat Boy die violetten Karten für Personen, deren Spezialgebiet das Töten war.

Der Erste Assistent blickte fragend von seinem Bildschirm auf. »Äh … Ich weiß nicht, was hier los ist, Sir. Fat Boy sendet fortwährend Statement/Korrektur/Statement/Korrektur-Schemata. Selbst bei den einfachsten Informationen stimmen seine verschiedenen Inputquellen nicht überein. Wir haben Altersangaben für Nikolai Hel von siebenundvierzig bis zweiundfünfzig. Und sehen Sie sich das an! Bei der Nationalität können wir zwischen russisch, deutsch, chinesisch, japanisch, französisch und costaricanisch wählen. Costaricanisch, Sir?«

»Die beiden letzten Auskünfte sind auf seine Pässe zurückzuführen; er besitzt einen französischen und einen costaricanischen Pass. Im Moment lebt er in Frankreich – jedenfalls war er vor kurzem noch dort. Die anderen Nationalitäten haben mit seiner Abstammung, seinem Geburtsort und seinen wichtigsten kulturellen Bezugspunkten zu tun.«

»Und was ist seine wahre Nationalität?«

Mr. Diamond fuhr fort, zum Fenster hinauszustarren. »Keine.«

»Sie scheinen einiges über den Mann zu wissen, Sir.« Der Ton des Ersten Assistenten klang forschend, aber vorsichtig. Er war neugierig, andererseits aber auch zu klug, um Fragen zu stellen.

Eine Weile gab Diamond keine Antwort. Dann sagte er: »Ja. Ich weiß einiges über ihn.« Er wandte sich vom Fenster ab und ließ sich schwer in seinen Schreibtischsessel sinken. »Machen Sie weiter mit den Nachforschungen. Graben Sie alles aus, was Sie finden können. Das meiste davon wird widersprüchlich, vage oder einfach falsch sein, aber wir müssen alles in Erfahrung bringen, was über ihn bekannt ist.«

»Dann glauben Sie, dass dieser Nikolai Hel etwas mit unserem Fall zu tun hat?«

»Bei unserem Pech? Höchstwahrscheinlich.«

»Inwiefern, Sir?«

»Das weiß ich nicht! Machen Sie weiter.«

»Jawohl, Sir.« Der Erste Assistent rief die nächsten Daten ab.

»Äh ... Sir? Wir haben hier drei infrage kommende Geburtsorte für ihn.«

»Shanghai.«

»Sind Sie sicher, Sir?«

»Ja!« Und nach einer Pause: »Das heißt, relativ sicher.«

SHANGHAI

Wie gewöhnlich um diese Jahreszeit werden von See her kühle Abendwinde über die Stadt hin bis auf die warme Landmasse von China getrieben; und die Gardinen vor den Glastüren zur Veranda der großen Villa in der Avenue Joffre in der französischen Niederlassung bauschen sich in der Brise.

General Kishikawa Takashi nimmt einen Go-Stein aus der Lackschale, dem *ke,* und hält ihn lässig zwischen der Spitze des Mittel- und dem Nagel des Zeigefingers. Einige Minuten vergehen schweigend, doch seine Gedanken sind nicht beim Spiel, das sich in der hundertsechsundsiebzigsten Phase befindet und anfängt, sich auf das Unvermeidliche hin zu konkretisieren. Der Blick des Generals ruht auf seinem Gegner, der seinerseits ganz in die Muster aus schwarzen und weißen Steinen auf dem mattgelben Brett vertieft ist. Kishikawa-san hat beschlossen, den Jungen nach Japan zu schicken und ihm diese Entscheidung noch heute Abend mitzuteilen. Aber nicht gleich. Das würde den Genuss an der Partie stören, und das wäre ziemlich rücksichtslos, weil nämlich der Junge zum ersten Mal gewinnt.

Die Sonne ist hinter der französischen Niederlassung über dem chinesischen Festland untergegangen. Innerhalb der alten Stadtmauern sind die Laternen entzündet worden, und der Geruch zahlloser Abendmahlzeiten erfüllt das Gewirr der engen Straßen. Auf dem Huangpu und dem Sutschou schimmern die matten Lichter der Wohnsampans, und alte Frauen mit an den Knöcheln zusammengebundenen Hosen schichten Steine auf, um die Kochfeuer in der Waage zu halten, denn der

Wasserstand des Flusses ist niedrig, und die Sampans, deren Holzbäuche im gelben Schlamm stecken, haben sich auf die Seite gelegt. Menschen, die sich zum Abendessen verspätet haben, trotten über die Stealing-Hen-Brücke. Ein berufsmäßiger Briefschreiber schwingt eilig seinen Pinsel, denn er möchte sein Tagewerk beenden, und das junge Mädchen, für das er nach einer seiner »Sechzehn Niemals Versagenden Formeln« einen Liebesbrief konzipiert, ist Analphabetin und wird seine kalligraphische Nachlässigkeit nicht bemerken. Der Bund, diese Prachtstraße voll imposanter Handelshäuser und Hotels, prunkvolles Symbol der Macht und Selbstsicherheit des Empires, liegt schweigend im Dunkeln, denn die britischen *taipans* sind geflohen; die *North China Daily News* druckt keinen Klatsch, keine salbungsvollen Ermahnungen, keine höflichen Kommentare zur Weltlage mehr. Selbst das Sasson House, die eleganteste Fassade am Bund, erbaut von den Profiten aus dem Opiumhandel, ist zum profanen Hauptquartier der Besatzungsmacht herabgewürdigt worden. Die habgierigen Franzosen, die überheblichen Briten, die großspurigen Deutschen, die opportunistischen Amerikaner – sie alle sind fort. Shanghai befindet sich in der Gewalt der Japaner.

General Kishikawa sinniert über die unheimliche Ähnlichkeit zwischen dem jungen Mann ihm gegenüber und dessen Mutter: beinahe, als hätte Alexandra Iwanowna ihren Sohn durch Parthenogenese hervorgebracht – ein Kunststück, das jeder, der ihre überwältigende gesellschaftliche Glanzzeit erlebt hatte, ihr durchaus zugetraut hätte. Der junge Mann besitzt das gleiche kantige Kinn wie sie, die gleiche breite Stirn, die gleichen hohen Wangenknochen und die gleiche aristokratische Nase, der jener Fluch mancher slawischen Gesichtszüge, dem Gesprächspartner das Gefühl zu verleihen, er blickte in die Zwillingsmündung einer Schrotflinte, erspart geblieben ist. Faszinierender als alles Übrige jedoch findet Kishikawa-san den Vergleich zwischen den Augen des Jungen und denen der Mutter. Da sind Ähnlichkeiten und Kontraste. Äußerlich gleichen sich beider Augen genau: sie sind groß, tiefliegend und von jenem erstaunlichen Flaschengrün, das der Familie der Gräfin eigen ist. Die krassen Gegensätze der Persönlichkeiten von Mutter und Sohn jedoch manifestieren sich in der Bestimmtheit und Intensität, der Weichheit und Härte der Blicke aus diesen smaragdgrünen Augen. Während der Blick der Mutter bezauberte, ist der des Sohnes kühl. Während die Mutter ihre Augen benutzte, um Menschen zu fesseln, gebraucht der Junge die seinen, um sie zu übersehen. Was in ihrem Blick Koketterie war, ist in dem seinen Arroganz. Das Licht, das aus ihren Augen strahlte, ist in den seinen still und nach innen gekehrt. Ihre Augen verrieten Humor; die seinen Geist. Sie bezauberte; er beunruhigte.

Alexandra Iwanowna war eine Egozentrikerin; Nikolai ist ein Egoist.

Obwohl der asiatisch geprägte Blick des Generals es nicht wahrnimmt, sieht Nikolai nach westlichen Kriterien sehr jung für seine fünfzehn Jahre aus. Nur die Kälte seiner allzu grünen Augen und ein energischer Zug um den Mund verhindern, dass sein Gesicht für einen Mann zu zart, zu fein geschnitten wirkt. Ein gewisses Unbehagen über seine auffallende Schönheit veranlasste Nikolai, sich von klein auf mit den härtesten Kampfsportarten zu befassen. Er übte sich im klassischen, eher altmodischen Jiu-Jitsu und spielte im internationalen Team gegen die Söhne der britischen *taipans* Rugby mit einer Wildheit, die an Brutalität grenzte. Obwohl Nikolai um das steife Ritual von Fair play und Sportsgeist wusste, mit dem sich die Briten vor einer ernsthaften Niederlage schützen, zog er den Sieg dem Trost, mit Anstand verlieren zu können, entschieden vor. Im Grunde jedoch lagen ihm Mannschaftssportarten nicht, und er gewann oder verlor lieber aufgrund seiner eigenen Geschicklichkeit und Härte. Und seine emotionale Härte war so groß, dass er eigentlich immer gewann – mit schierer Willenskraft.

Alexandra Iwanowna gewann ebenfalls praktisch immer, aber nicht mit Willenskraft, sondern aus angestammtem Recht. Als sie im Herbst 1922 mit einer erstaunlichen Menge Gepäck, doch offensichtlich mittellos in Shanghai auftauchte, verließ sie sich darauf, dass ihr früherer gesellschaftlicher Rang in St. Petersburg ihr eine führende Stellung in der wachsenden Gemeinde vertriebener Weißrussen sichern werde – die von den herrschenden Briten nicht etwa deshalb so genannt wurden, weil sie aus Weißrussland kamen, sondern weil sie eindeutig keine »Roten« waren. Unverzüglich schuf sie sich einen Hofstaat von Bewunderern, zu denen die interessantesten Männer der Kolonie gehörten. Um Alexandra Iwanownas Interesse zu erregen, musste man reich, gut aussehend oder geistreich sein; und es war die größte Enttäuschung ihres Lebens, dass sie nur höchst selten zwei dieser Eigenschaften in einem Mann vereint fand, und alle drei in keinem einzigen.

In ihrem engeren Kreis gab es außer ihr keine Frauen, denn die Gräfin fand Frauen langweilig und hielt sie außerdem für überflüssig, da sie allein den Verstand und die Aufmerksamkeit von einem Dutzend Männern auf einmal zu beschäftigen vermochte und für eine Soirée-Atmosphäre sorgte, die geistreich, flott und um genau die richtige Spur *risqué* war. Aus Rache erklärten die unerwünschten Damen der internationalen Kolonie, dass nichts auf der Welt sie dazu bringen könnte, sich mit der Gräfin in der Öffentlichkeit sehen zu lassen, und wünschten nichts sehnlicher, als dass ihre Ehemänner und Verlobten dieses edle Gefühl für Anstand und Sitte teilen möchten. Mit verstohlenem Achselzucken, vielsagendem Räuspern und geschürzten Lippen deuteten diese Damen an, dass sie einen ursächlichen Zusammenhang zwischen zwei gesellschaftlichen Paradoxien vermuteten: zwischen dem Umstand nämlich, dass die Gräfin ein großzügiges Haus führte, obwohl sie völlig mittellos gekommen war, und dem, dass sie ständig von den begehrtesten Männern der internationalen

Kolonie umschwärmt wurde, obwohl ihr doch all die Tugenden fehlten, die nach dem Urteil ihrer Mütter weitaus wichtiger und beständiger waren als Charme und Schönheit. Diese Frauen hätten die Gräfin mit Wonne zu jenen Weißrussinnen gezählt, die aus der Mandschurei nach China hereinkamen, alles verkauften, was sie an Wertgegenständen und Schmuck auf ihrer Flucht hatten mitnehmen können, und schließlich gezwungen waren, sich ihren Lebensunterhalt mit dem Verkauf ihres Körpers zu verdienen. Doch diese bequeme Lösung wurde den strengen, selbstgerechten Damen durch den Umstand verwehrt, dass die Gräfin eine der am Zarenhof keinesfalls außergewöhnlichen Anomalien war: eine russische Adelige ohne einen Tropfen slawisches Blut in ihrem allzu sehr ins Auge fallenden (und möglicherweise käuflichen) Körper. Alexandra Iwanowna (deren Vater eigentlich Johann geheißen hatte) war eine Habsburgerin mit Nebenverbindungen zu einer unbedeutenden deutschen Adelsfamilie, die nach England emigriert war, ohne eine andere Empfehlung mitzubringen als ihr Protestantentum, und die als patriotische Geste ihren Namen geändert hatte, damit er weniger germanisch klang. Dennoch behaupteten die tugendsamen Damen der Kolonie, dass selbst solch illustre Familienbande in diesen leichtlebigen Zeiten weder ein Beweis für korrekte Moral noch, entgegen der offensichtlichen Überzeugung der Gräfin, ein angemessener Ersatz dafür seien.

Während der dritten Saison ihrer Herrschaft über die feine Gesellschaft schien sich Alexandra Iwanownas Aufmerksamkeit auf einen hochmütigen jungen Preußen zu konzentrieren, der mit jener klaren, oberflächlichen, von jeglicher Sensibilität unbelasteten Intelligenz gesegnet war, die für seinen Menschenschlag typisch ist. Graf Helmut von Keitel zum Hel wurde ihr ständiger Begleiter – ihr Schoßhund und Spielzeug. Zehn Jahre jünger als sie selbst, erfreute sich der Graf außerordentlicher Schönheit und beachtlicher sportlicher Meisterschaft. Er war ein erstklassiger Reiter und ein Fechter von Rang. Sie sah in ihm einen dekorativen Hintergrund für ihre eigene Person, und die einzige Bemerkung, die sie jemals in der Öffentlichkeit über ihr Verhältnis zu ihm machte, lautete, er sei »adäquates Zuchtmaterial«.

Sie hatte es sich zur Gewohnheit gemacht, die drückend schwülen Sommermonate in einer Villa im Hochland zu verbringen. Einmal kehrte sie im Herbst später als sonst nach Shanghai zurück, und von dem Tag an gehörte ein Säugling zu ihrem Haushalt. Der Form halber bat der junge von Keitel zum Hel um ihre Hand. Sie lachte darauf ein bisschen ironisch und antwortete, sie hege nicht die geringste Lust, *zwei* Kinder im Haus zu haben. Er verbeugte sich mit jener steifen Verdrossenheit, die den Preußen als Ersatz für Würde dient, und kehrte noch im selben Monat nach Deutschland zurück.

Weit davon entfernt, den Jungen oder die Umstände seiner Geburt zu verbergen, machte sie ihn zum Paradestück ihres Salons. Als offizielle Aufforderungen es unumgänglich machten, dass sie ihm einen Namen gab, nannte sie ihn Nikolai Hel, wobei sie den Nachnamen von einem Flüsschen ausborgte, an das die Besitzungen derer von Keitel grenzten. Alexandra Iwanownas Auffassung ihrer eigenen Rolle bei der Produktion des Jungen aber manifestierte sich darin, dass er mit vollem Namen Nikolai Alexandrowitsch Hel hieß.

Im Haus löste ein englisches Kindermädchen das andere ab, so dass sich zu den Sprachen, die er von der Wiege auf lernte – Französisch, Russisch und Deutsch –, nun auch noch das Englische gesellte, wobei keines dieser Idiome bevorzugt wurde, es sei denn durch Alexandra Iwanownas Überzeugung, bestimmte Gedanken ließen sich am besten in einer bestimmten Sprache ausdrücken. So redete man von Liebe und anderen Trivialitäten auf Französisch; diskutierte Tragödien und Katastrophen auf Russisch; tätigte Geschäfte auf Deutsch; und sprach mit den Dienstboten Englisch.

Da Nikolais einzige Spielgefährten die Sprösslinge der Dienerschaft waren, lernte er auch Chinesisch, ja, er gewöhnte es sich sogar an, in dieser Sprache zu denken, weil die größte Angst seiner Kindheit in der Vorstellung bestand, seine Mutter könne Gedanken lesen – und die Gräfin verstand kein Chinesisch.

Da nach Alexandra Iwanownas Meinung Schulen höchstens für Kaufmannskinder taugten, wurde Nikolais Erziehung einer Reihe von Hauslehrern anvertraut, die allesamt sehr schmucke junge Männer und seiner Mutter treu ergeben waren. Als sich herausstellte, dass Nikolai ein Interesse an und eine beachtliche Begabung für theoretische Mathematik zeigte, war seine Mutter keineswegs begeistert. Da ihr der aktuelle Hauslehrer jedoch versicherte, die Mathematik sei ein Studienfach ohne jeden praktischen oder kommerziellen Nutzen, befand sie, die Beschäftigung damit sei seinem Stande angemessen.

Die praktischen Aspekte seiner sozialen Erziehung – und seine Vergnügungen – verdankte Nikolai der Gewohnheit, sich heimlich aus dem Haus zu stehlen und mit chinesischen Straßenjungen durch die Gassen und die verborgenen Winkel der wimmelnden, stinkenden und lärmenden Stadt zu streifen. Er erlebte, wie überhebliche britische Herrensöhnchen sich von ausgemergelten, tuberkulösen Rikscha-»Boys« ziehen ließen, die vor Anstrengung und Unterernährung schwitzten und Gazemasken trugen, um die europäischen Herren nicht mit ihrem Atem zu belästigen. Er sah *compradores* – eingeborene Handelsagenten –, fette, schleimige Mittelsmänner, die von der Ausbeutung ihres eigenen Volkes durch die Europäer profitierten und die westliche Lebensart und Moral nachäfften. Nachdem sie ihren Gewinn eingestrichen und sich mit exotischen Speisen vollgestopft hatten, war es das größte Vergnügen dieser *compradores,* zwölf- oder dreizehnjährige Mädchen zu entjungfern, die in Hangtschou oder Sutschou für die von den Franzosen lizenzierten Freudenhäuser gekauft worden waren. Ihre Praxis der Defloration war ... nun, ungewöhnlich. Rächen konnten sich die Mädchen nur, indem sie, sofern sie schauspielerisch begabt waren, den einträglichen Trick anwendeten, sich möglichst oft entjungfern zu lassen. Nikolai erfuhr, dass alle Bettler, die die Passanten mit ihren faulenden Gliedern zu berühren drohten, die Kleinkinder mit Nadeln stachen, damit sie mitleiderregend weinten, oder Touristen mit ihrer Forderung nach *kumshah* bedrängten und einschüchterten – dass sie alle, von dem Alten, der die Vorübergehenden verfluchte oder segnete, bis zu den halb verhungerten Kindern, die sich erboten, zum Vergnügen der Fremden unnatürliche Handlungen miteinander zu vollziehen, unter der Herrschaft seiner Allergefürchtetsten Majestät, des Königs der Bettler, standen, der eine merkwürdige Kombination von Gilde und Schutzorganisation leitete. Alles, was man in der City verlor, jeden, der sich in der City versteckte, jede Dienstleistung, die man in der City wünschte, konnte man mithilfe eines bescheidenen Beitrags für die Schatztruhe Seiner Majestät finden.

Unten am Hafen beobachtete Nikolai schwitzende Packer, wie sie die Laufplanken stählerner Schiffe und hölzerner Dschunken, deren Bug mit schielenden Augen bemalt war, auf und ab trotteten. Gegen Abend, wenn sie schon elf Stunden geschuftet und dabei ihr unaufhörliches, monotones *hei-ho, hei-ho* gesungen hatten, ließen die Kräfte der Lastträger nach, und zuweilen begann einer unter der Bürde zu stolpern. Dann griffen die Gurkhas mit ihren Totschlägern und Eisenstangen ein, und der Faulpelz kam plötzlich wieder zu Kräften – oder zur ewigen Ruhe.

Und Nikolai sah, wie die Polizei ganz offen Bestechungsgelder von verschrumpelten Amahs annahm, die halbwüchsige Prostituierte verkuppelten. Er lernte die Geheimzeichen der »Grünen« und »Roten« erkennen, die die größten Geheimgesellschaften der Welt bildeten und deren Schutz- und Mordorganisationen alles, vom Bettler bis zum Politiker, zu ihren Mitgliedern zählten. Chiang Kai-shek selbst war ein »Grüner« und hatte der Bande Gehorsam geschworen. Und die »Grünen« waren es, von denen junge Studenten, die das chinesische Proletariat organisieren wollten, ermordet und verstümmelt wurden. Nikolai war in der Lage, einen »Roten« oder »Grünen« an der Art zu erkennen, wie er ausspuckte oder seine Zigarette hielt.

Tagsüber lernte Nikolai von seinen Hauslehrern Mathematik, klassische Literatur und Philosophie. Abends lernte er auf der Straße Handel, Politik, aufgeklärten Imperialismus und Humanismus kennen.

Und bei Nacht hatte er seinen Platz neben der Mutter, bei der die erfolgreichsten Männer zu Gast waren, die Shanghai beherrschten und es von ihren Clubs und Handelshäusern am Bund aus ausbluten ließen. Was die meisten dieser Männer bei Nikolai für Schüchternheit und die klügsten unter ihnen für Zurückhaltung hielten, war in Wirklichkeit eiskalter Hass auf Kaufleute und Kaufmannsmentalität.

Die Zeit verging; Alexandra Iwanownas sorgfältig angelegte und von Experten verwaltete Investitionen gediehen, während der Rhythmus ihres Gesellschaftslebens sich ein wenig verlangsamte. Sie selbst wurde allmählich bequemer, träger, üppiger; doch ihr Feuer und ihre Schönheit reiften dabei, statt dahinzuwelken, denn sie hatte jenen Familienzug geerbt, dank dessen ihre Mutter und ihre Tanten noch wie Dreißigerinnen aussahen, als sie die fünfzig längst überschritten hatten. Ehemalige Liebhaber wurden zu guten Freunden, und das Leben in der Avenue Joffre wurde ruhiger.

Alexandra Iwanowna bekam jetzt bisweilen kleine Ohnmachtsanfälle, aber sie kümmerte sich nicht weiter darum, sondern akzeptierte die zuweilen willkommenen Schwächeanwandlungen als wesentliches Element im Flirtrepertoire einer Dame von Stand. Als ein Arzt ihres Zirkels, der schon seit Jahren darauf bestand, sie einmal gründlich zu untersuchen, die Anfälle auf ihr schwaches Herz zurückführte, machte sie dieser physischen Belästigung, wie sie es empfand, eine symbolische Konzession und reduzierte ihre Empfangstage auf einen pro Woche; darüber hinaus aber nahm sie keinerlei Rücksicht auf ihren Körper.

»... und man behauptet, junger Mann, ich hätte ein schwaches Herz. Das ist im Wesentlichen eine gefühlsbedingte Schwäche, und du musst mir versprechen, sie nicht allzu sehr auszunutzen. Außerdem musst du mir versprechen, dir einen besseren Schneider zu suchen. Nein, dieser Anzug!«

Am 7. Juli 1937 berichtete die *North China Daily News*, dass an der Marco-Polo-Brücke bei Peking Schüsse zwischen Japanern und Chinesen gefallen seien. Unten, am Bund Nr. 3 im Shanghai-Club, waren sich die britischen *taipans* darüber einig, dass diese neueste Entwicklung in dem unsinnigen Kampf zwischen den Asiaten außer Kontrolle geraten könnte, wenn man sie nicht unverzüglich in die Hand nähme. Sie ließen Generalissimus Chiang Kai-shek wissen, dass sie es begrüßen würden, wenn er im Eilmarsch nach Norden zöge und die Japaner entlang einer Front bekämpfte, die ihre Handelshäuser vor diesem verdammt lästigen Krieg bewahren würde.

Der Generalissimus jedoch beschloss, die Japaner bei Shanghai zu erwarten – in der Hoffnung, das Ausland werde zu seinen Gunsten intervenieren, sobald die internationale Kolonie gefährdet sei.

Als das nicht klappte, begann er mit einer systematischen Belästigung der japanischen Firmen und Zivilisten in Shanghai, die zum Eklat führte, als Lieutenant Isao Oyama und sein Fahrer, Vollmatrose Yozo Saito, die am Abend des 9. August um halb sieben mit ihrem Wagen die Stadt verließen, um japanische Baumwollspinnereien zu inspizieren, von chinesischen Soldaten angehalten wurden.

Man fand sie neben der Monument Road, von Kugeln durchsiebt und genital verstümmelt.

Zur Vergeltung fuhren japanische Kriegsschiffe den Huangho hinauf. Tausend japanische Soldaten landeten, um ihre Handelsniederlassung in Chapei am anderen Ufer des Sutschou zu schützen. Sie wurden von zehntausend chinesischen Elitesoldaten empfangen, die sich hinter Barrikaden eingegraben hatten.

Der Aufschrei der vom Wohlleben verwöhnten britischen *taipans* wurde unterstützt durch die schriftliche Forderung der europäischen und amerikanischen Botschafter in Nanking und Tokio, Shanghai aus der Kampfzone auszuklammern. Die Japaner gaben diesem Drängen nach, unter der Bedingung, dass die chinesischen Streitkräfte sich ebenfalls aus der entmilitarisierten Zone zurückzögen.

Am 12. August jedoch kappten die Chinesen sämtliche Telefonleitungen des japanischen Konsulats und der japanischen Handelsfirmen. Am folgenden Tag, Freitag, den 13., traf die chinesische achtundachtzigste Division auf dem Nordbahnhof ein und blockierte alle aus der Kolonie herausführenden Straßen. Sie wollten einen möglichst großen Puffer aus Zivilisten zwischen sich und die zahlenmäßig weit unterlegenen Japaner bringen.

Am 14. August flogen chinesische Piloten in von Amerikanern gebauten Northrops Shanghai an. Eine Sprengbombe durchschlug das Dach des Palace Hotel; eine andere explodierte vor dem Café Hotel. Es gab siebenhundertneunundzwanzig Tote und achthunderteinundsechzig Verwundete. Einunddreißig Minuten später bombardierte ein weiteres chinesisches Flugzeug den »Great World Amusement Park«, der als Flüchtlingslager für Frauen und Kinder diente. Man zählte eintausendundzwölf Tote und eintausendundsieben Verwundete.

Für die in der Falle sitzenden chinesischen Zivilisten gab es kein Entrinnen aus Shanghai; die Truppen des Generalissimus hatten alle Straßen gesperrt. Für die ausländischen *taipans* jedoch gab es natürlich Fluchtmöglichkeiten. Schwitzende Kulis ächzten und sangen *hei-ho, hei-ho,* während sie unter der Anleitung junger Herrensöhnchen in weißen Anzügen mit Kontrolllisten in der Hand und beaufsichtigt von Gurkhas mit ihren Totschlägern die Beute aus China die Laufplanken emporschleppten. Die Briten auf der »Raj Putana«, die Deutschen auf der »Oldenburg«, die Amerikaner auf der »President McKinley«, die Holländer auf der »Tasman« verabschiedeten sich voneinander, die Damen betupften mit winzigen Taschentüchlein ihre Augen, während die Herren Schmähreden gegen die unzuverlässigen und undankbaren Asiaten vom Stapel ließen und im Hintergrund die Schiffskapellen ein Durcheinander verschiedener Nationalhymnen ertönen ließen.

In jener Nacht eröffnete Chiang Kai-sheks Artillerie im Schutz der Barrikaden aus Sandsäcken und der Zivilbevölkerung das Feuer auf die im Fluss ankernden japanischen Schiffe. Die Japaner erwiderten das Feuer und zerstörten beide Arten von Barrikaden.

Während all dieser Vorgänge weigerte sich Alexandra Iwanowna, ihr Haus in der Avenue Joffre zu verlassen, einer inzwischen ausgestorbenen Straße, deren zerborstene Fenster dem Abendwind und den Plünderern offen standen. Da sie keiner Nationalität angehörte, weder der sowjetischen noch der chinesischen oder britischen, stand sie außerhalb aller offiziellen Schutzsysteme. Zudem hatte sie ohnehin nicht die Absicht, in ihrem Alter ihr Haus und ihre sorgfältig zusammengestellte Einrichtung zu verlassen und sich Gott weiß wo anzusiedeln. Schließlich, so argumentierte sie, seien die Japaner, die sie kenne, nicht langweiliger als andere Männer und könnten als Administratoren wohl kaum weniger tüchtig sein als die Engländer.

Ihren heftigsten Widerstand während des ganzen Krieges

leisteten die Chinesen in Shanghai; drei Monate dauerte es, bis die zahlenmäßig unterlegenen Japaner sie vertreiben konnten. Bei dem Versuch, eine Intervention des Auslands zu provozieren, duldeten die Chinesen, dass eine Anzahl von Bombardierungs-»Irrtümern« den Zoll an Todesopfern und Zerstörungen durch japanischen Beschuss noch erhöhte.

Und sie hielten ihre Barrikaden quer über die Straßen intakt, um den Schutz durch den Puffer Zehntausender von Zivilisten – ihrer eigenen Landsleute – nicht zu verlieren.

Während dieser schrecklichen Monate gingen die zähen Chinesen Shanghais trotz des Beschusses durch die Japaner und der Bombardierung durch die von Amerikanern produzierten chinesischen Flugzeuge so gut wie möglich ihren alltäglichen Beschäftigungen nach. Zuerst wurden die Medikamente, dann die Lebensmittel, dann die Unterkünfte und schließlich das Wasser knapp; aber das Leben in der wimmelnden, verängstigten Stadt ging weiter; und die Banden der Jungens in blauem Drillich, mit denen Nikolai Streifzüge durch die Straßen unternahm, erfanden neue, grausamere Spiele, in denen die einstürzenden Häuserruinen, die verzweifelte Flucht in improvisierte Luftschutzkeller und das Baden in Geysiren aus geborstenen Wasserleitungen eine bevorzugte Rolle spielten.

Einmal entrann Nikolai nur knapp dem Tod. Er befand sich mit anderen Straßenjungen in der Nähe der großen Warenhäuser, des »Wing On« und des »Sincere«, als einer der erwähnten »Irrtümer« chinesische Sturzkampfbomber über die belebte Nanking Road hinwegführte. Es war gerade Mittagspause, und so war eine dichte Menschenmenge auf der Straße, als das »Sincere« einen Volltreffer bekam und eine Hälfte des »Wing On« wegrasiert wurde. Schwere stuckverzierte Decken brachen auf die voller Entsetzen emporgewandten Gesichter der Menschen herab. Die Käufer in einem überfüllten Aufzug schrien auf, als ein Kabel riss und die Kabine in den Keller stürzte. Einer alten Frau, die vor einem explodierenden Fenster stand, wurde vorn das Fleisch vom Körper gefetzt, während sie von hinten unversehrt wirkte. Die Alten, die Lahmen, die Kinder wurden von Menschen, die in Panik gerieten, zertrampelt. Der Junge, der neben Nikolai stand, ächzte plötzlich und setzte sich auf die Straße. Er war tot; ein Splitter hatte seine Brust durchbohrt. Als das Krachen der Bomben und das Prasseln des einstürzenden Mauerwerks nachließ, stieg durch den verebbenden Lärm aus Tausenden von Kehlen schrilles Geschrei empor. Eine benommene Kundin suchte wimmernd in dem Scherbenhaufen, der kurz zuvor noch eine Vitrine gewesen war. Es war eine bezaubernde junge Frau, nach westlicher »Shanghai«-Mode in ein knöchellanges, bis übers Knie geschlitztes Gewand aus grüner Seide gekleidet, dessen kleiner Stehkragen den schlanken porzellanweißen Hals umrahmte. Ihre Blässe hätte man der Wirkung des Reispuders zuschreiben können, der bei den Töchtern der reichen chinesischen Kaufleute beliebt war, aber sie hatte einen anderen Grund. Die Frau suchte nach der Elfenbeinfigurine, die sie betrachtet hatte, als die Bombe fiel – und nach der Hand, in der sie sie gehalten hatte.

Nikolai lief davon.

Eine Viertelstunde später saß er auf einem Schutthaufen in einem ruhigen Viertel, in dem wochenlange Bombardements ganze Reihen von leeren, bröckelnden Hausruinen hinterlassen hatten. Trockenes Schluchzen schüttelte seinen Körper und schnitt in seine Lunge, aber er weinte nicht; keine Tränenspur durchzog den Trümmerstaub, der sein Gesicht bedeckte. In Gedanken wiederholte er immer wieder: »Northrop-Bomber. Amerikanische Bomber!«

Als die chinesischen Soldaten schließlich vertrieben und ihre Barrikaden niedergerissen waren, flohen Tausende von Zivilisten aus dieser Albtraumstadt mit den ausgebombten Häusern, an deren Innenwänden immer noch das Schachbrettmuster ehemaliger Wohnungen zu sehen war. In den Trümmern: ein zerrissener Kalender mit einem angekreuzten Datum, das verkohlte Foto einer jungen Frau, ein Selbstmordbrief und ein Lotterielos im selben Umschlag.

Durch eine grausame Ironie des Schicksals war der Bund, Monument des ausländischen Imperialismus, relativ unbeschädigt geblieben. Seine leeren Fensterhöhlen starrten hinaus auf die verwüstete Stadt, die von den *taipans* erbaut, ausgebeutet und dann verlassen worden war.

Nikolai gehörte zu der kleinen Schar blau gekleideter Chinesenkinder, die an den Straßenrändern standen, um sich die erste Parade der japanischen Besatzungstruppen anzusehen. Die Berichterstatter der Armee hatten klebriges Zuckerwerk und kleine *hinomaru*-Fähnchen mit dem Bild der aufgehenden Sonne verteilt, die die Kinder schwenken sollten, damit die Filmkameras den Jubel der Menge festhalten konnten. Ein wichtigtuerischer junger Offizier, der die Veranstaltung leitete, vergrößerte die allgemeine Verwirrung mit seinen barsch gebellten Kommandos in einem von starkem Akzent gefärbten Chinesisch. Unschlüssig darüber, was er von dem Jungen mit den blonden Haaren und den grünen Augen halten sollte, steckte er Nikolai in die hinterste Reihe.

Nikolai hatte noch nie solche Soldaten gesehen – hart und kampferprobt, aber nichts weniger als Paradekrieger. Sie marschierten nicht im roboterhaften Gleichschritt der Deutschen oder der Briten; sie defilierten in ordentlichen, aber ungleichmäßigen Reihen hinter ernsten, jungen Offizieren mit Schnauzbart und komischen langen Degen.

Trotz der Tatsache, dass in den Wohnvierteln nur wenige Gebäude unversehrt waren, als die Japaner die Stadt besetzten, war Alexandra Iwanowna überrascht und verärgert, als in ihrer Einfahrt ein Stabswagen mit kleinen Standarten an den Kotflügeln auftauchte und ein junger Offizier ihr in metallisch klingendem Französisch mitteilte, dass General Kishikawa Takashi, Gouverneur von Shanghai, bei ihr einquartiert werde. Ihr ausgeprägter Selbsterhaltungstrieb sagte ihr jedoch, es könnte von Vorteil sein, sich mit dem General auf freundschaftlichen Fuß zu stellen, vor allem, da so viele Annehmlichkeiten des Lebens inzwischen recht knapp geworden waren. Keine Sekunde lang zweifelte sie daran, dass der General sich automatisch in den Kreis ihrer Verehrer einfügen werde.

Sie irrte sich. Der General nahm sich zwar, obwohl er überaus beschäftigt war, die Zeit, ihr in seinem mit starkem Akzent behafteten, grammatisch aber einwandfreien Französisch zu versichern, er bedauere die kriegsbedingten Unbequemlichkeiten, die er ihrem Haushalt bereite, machte ihr aber unmissverständlich klar, dass sie in seinem und nicht er in ihrem Hause der Gast sei. Stets korrekt in seinem Verhalten ihr gegenüber, war der General jedoch viel zu vertieft in seine Arbeit, um Zeit auf einen Flirt zu verschwenden. Anfangs war Alexandra Iwanowna verblüfft, später verärgert und schließlich fasziniert von der höflichen Indifferenz dieses Japaners, eine Haltung, die sie nie zuvor bei einem heterosexuellen Mann erlebt hatte. Er wiederum fand sie interessant, aber überflüssig. Und ihre Herkunft, die selbst den hochnäsigen Damen von Shanghai wider Willen Ehrfurcht abgerungen hatte, beeindruckte ihn nicht im Geringsten. Gemessen an seinem tausendjährigen Samuraierbe war ihre Abstammung nichts weiter als ein paar Jahrhunderte europäischer Häuptlingstradition.

Dennoch arrangierte er aus Höflichkeit einmal in der Woche ein Abendessen im westlichen Stil, wobei er während der oberflächlichen Konversation eine Menge über die Gräfin und ihren zurückhaltenden, in sich gekehrten Sohn erfuhr, sie hingegen kaum etwas über den General. Er war Ende fünfzig – jung für einen japanischen General –, Witwer und hatte eine

Tochter in Tokio. Obwohl ein sehr patriotischer Mensch insofern, als er die Natur seines Landes liebte – die Seen, Berge und nebelverhangenen Täler –, hatte er die militärische Laufbahn niemals als seine wahre Berufung betrachtet. Als junger Mann hatte er davon geträumt, Schriftsteller zu werden, obgleich er im Grunde immer gewusst hatte, dass die Tradition seiner Familie ihn letztlich zu einer Militärlaufbahn führen würde. Sein Stolz und sein Pflichtbewusstsein hatten ihn zu einem fleißigen, gewissenhaften Verwaltungsbeamten gemacht, seine Denkgewohnheiten jedoch veranlassten ihn, das Militär als eine Nebenbeschäftigung zu betrachten, obwohl er mehr als die Hälfte seines Lebens in der Armee verbracht hatte. Seinen Verstand, nicht sein Herz, seine Zeit, nicht seine Leidenschaft widmete er seinem Beruf.

Infolge der unermüdlichen Bemühungen des Generals, die ihn häufig von frühmorgens bis Mitternacht in seinem Büro am Bund festhielten, begann sich die Stadt allmählich zu erholen. Die öffentlichen Dienste wurden wiederbelebt, die Fabriken instand gesetzt, und die chinesischen Bauern kamen wieder zum Markttag in die Stadt. Leben und Lärm kehrten in die Straßen zurück, und bisweilen hörte man sogar Lachen. Wenngleich nach zivilisiertem Maßstab noch keineswegs befriedigend, so waren die Lebensbedingungen für das chinesische Proletariat doch eindeutig besser als unter den Europäern. Es gab Arbeit, sauberes Wasser, sanitäre Anlagen, rudimentäre gesundheitliche Versorgung. Das Betteln wurde verboten, die Prostitution dagegen florierte natürlich, und es kamen zahlreiche Grausamkeiten vor, denn Shanghai war eine besetzte Stadt, und Soldaten sind nun mal brutalisiert.

Als General Kishikawas Gesundheit unter seiner selbstauferlegten Arbeitslast zu leiden begann, mäßigte er sein Tempo ein wenig und kam abends rechtzeitig zum Dinner nach Hause in die Avenue Joffre.

Eines Abends nach dem Essen erwähnte der General beiläufig, dass er besonders das Go-Spiel liebe. Nikolai, der sonst höchstens nur sprach, um direkte Fragen knapp zu beantworten, gestand ihm hierauf unaufgefordert, dass auch er in diesem Spiel bewandert sei. Der General vernahm belustigt, aber beeindruckt, dass der Junge dieses Geständnis in fehlerfreiem Japanisch vorbrachte. Als Nikolai dann erklärte, er habe Japanisch aus Büchern und unter Anleitung von Kishikawas Burschen gelernt, lachte er laut.

»Für ein Studium von nur sechs Monaten sprichst du sehr gut«, lobte der General.

»Es ist meine fünfte Sprache, Sir. Alle Sprachen sind einander mathematisch ähnlich. Daher erlernt man jede weitere ein wenig leichter als die vorhergehenden. Und außerdem«, sagte er achselzuckend, »habe ich eine Begabung für Sprachen.«

Kishikawa-san war erfreut über die Art, wie Nikolai Letzteres vorbrachte – ganz ohne Prahlerei, aber auch ohne britisches Understatement, sondern so, wie er etwa gesagt hätte, er sei Linkshänder oder habe grüne Augen. Zugleich musste der General heimlich lächeln, weil ihm klar wurde, dass der Junge den ersten Satz offensichtlich geübt hatte, denn während jener vollkommen korrekt gewesen war, hatten seine folgenden Bemerkungen mehrere idiomatische und Aussprachefehler enthalten. Der General ließ sich seine Belustigung jedoch nicht anmerken; er wusste, dass Nikolai sich in einem Alter befand, in dem man sich selber überaus ernst nimmt und leidet, wenn man in Verlegenheit gebracht wird.

»Wenn du willst, helfe ich dir bei deinem Japanischstudium«, schlug Kishikawa-san vor. »Zuerst aber wollen wir sehen, ob du ein interessanter Gegner beim Go-Spiel bist.«

Nikolai wurde eine Vorgabe von vier Steinen zugestanden, und da der General am folgenden Tag viel Arbeit hatte, spielten sie nur eine kurze Partie auf Zeit. Nicht lange, und sie waren so sehr darin vertieft, dass Alexandra Iwanowna, die noch nie viel von geselligen Betätigungen gehalten hatte, deren

Mittelpunkt sie nicht war, über einen Schwächezustand klagte und sich zurückzog. Der General gewann, doch nicht so mühelos, wie er es erwartet hatte. Da er ein talentierter Amateur war, der den Profis mit minimaler Vorgabe harte Kämpfe lieferte, war er von Nikolais außergewöhnlicher Spieltaktik tief beeindruckt.

»Wie lange spielst du schon Go?«, erkundigte er sich auf Französisch, um Nikolai der Mühe zu entheben, sich erneut im Japanischen versuchen zu müssen.

»Vier bis fünf Jahre, Sir.«

Der General runzelte die Stirn. »Fünf Jahre? Wie alt bist du denn?«

»Fünfzehn, Sir. Ich weiß, ich sehe jünger aus. Das ist eine Familieneigenschaft.«

Kishikawa-san nickte und lächelte, denn er dachte an Alexandra Iwanowna, die sich beim Ausfüllen ihrer Personalbögen für die Besatzungsmacht diese »Familieneigenschaft« zunutze gemacht und kühn ein Geburtsdatum eingesetzt hatte, nach dem sie im Alter von elf Jahren die Mätresse eines Generals der weißrussischen Armee gewesen sein und Nikolai zur Welt gebracht haben musste, als sie noch weit unter zwanzig war. Der Geheimdienst des Generals hatte ihn längst über das Vorleben der Gräfin unterrichtet, doch er ließ ihr diese kleine Koketterie durchgehen, vor allem mit Rücksicht auf das, was er über ihre traurige Krankengeschichte wusste.

»Selbst für einen Mann von fünfzehn Jahren spielst du bemerkenswert gut, Nikko.« Im Verlauf ihres Spiels hatte der General diesen Kurznamen erfunden, der es ihm gestattete, das für seine Zunge mühsame *l* zu vermeiden. Er sollte sein persönlicher Name für Nikolai bleiben. »Ich nehme an, du hast bisher keine richtige Ausbildung im Go-Spiel gehabt?«

»Nein, Sir. Ich habe überhaupt noch keine Ausbildung gehabt. Ich habe es aus Büchern gelernt.«

»Wirklich? Nun, das ist erstaunlich!«

»Mag sein, Sir. Aber ich bin sehr intelligent.«

Sekundenlang musterte der General das ausdruckslose Gesicht des Jungen, dessen absinthgrüne Augen seinen Blick frei und offen erwiderten. »Sag mal, Nikko, warum hast du dir ausgerechnet Go ausgesucht? Das ist doch ein fast ausschließlich japanisches Spiel. Von deinen Freunden kann es bestimmt keiner. Wahrscheinlich haben sie noch nicht mal davon gehört.«

»Eben darum habe ich es gewählt, Sir.«

»Aha.« Seltsamer Junge. Grenzenlos ehrlich und arrogant zugleich. »Hast du aus deinen Büchern auch gelernt, welche Eigenschaften erforderlich sind, um ein guter Go-Spieler zu werden?«

Nikolai überlegte einen Moment, ehe er antwortete. »Nun ja, Konzentrationsvermögen natürlich. Mut. Selbstbeherrschung. Das versteht sich von selbst. Aber noch wichtiger ist ein … Ich weiß nicht, wie ich es ausdrücken soll. Man muss sowohl ein guter Mathematiker sein als auch ein Poet. Als wäre die Poesie eine Naturwissenschaft oder die Mathematik eine Kunst. Wenn man ein guter Go-Spieler werden will, muss man ein Gefühl für Proportionen haben. Ich drücke mich nicht sehr gewandt aus, Sir. Es tut mir leid.«

»Im Gegenteil! Dein Versuch, das Unausdrückbare auszudrücken, ist sehr gut gelungen. Von diesen Eigenschaften, Nikko, die du aufgezählt hast – was glaubst du, in welchen davon deine Stärke liegt?«

»In der Mathematik, Sir. In Konzentration und Selbstbeherrschung.«

»Und deine Schwäche?«

»Das, was ich als Poesie bezeichnet habe.«

Stirnrunzelnd wandte der General den Blick von dem Jungen ab. Sonderbar, dass er das erkannt hatte! In seinem Alter hätte er noch nicht so viel Distanz zu sich selbst haben dürfen, dass er sich derart objektiv beobachten konnte. Es war zwar zu erwarten, dass Nikko die Erfordernisse bestimmter westlicher Eigenschaften für das Go-Spiel erfasste, Eigenschaften wie Konzentration, Selbstbeherrschung und Mut. Doch die Erkenntnis der Notwendigkeit jener rezeptiven, sensitiven Eigenschaften, die er als Poesie bezeichnete, lag außerhalb der linearen Logik, die die Stärke des westlich geschulten Verstandes ist … und seine Grenze. Andererseits aber, da Nikolai zwar aus bestem europäischem Adel stammte, jedoch im Schmelztiegel China aufgewachsen war, konnte man ihn da überhaupt als Westler bezeichnen? Nun, ein Asiate war er jedenfalls auch nicht. Er gehörte weder der europäischen noch der chinesischen Kultur an. Vielleicht war er der einzige Angehörige seiner ganz persönlichen Kultur?

»Sie und ich, Sir, wir teilen diese Schwäche.« Nikolais grüne Augen zwinkerten humorvoll. »Auf jenem Gebiet, das ich Poesie nenne, sind wir beide unzulänglich.«

Überrascht blickte der General auf. »Ach ja?«

»Jawohl, Sir. Meinem Spiel fehlt viel von dieser Eigenschaft. Und das Ihre besitzt zu viel davon. Dreimal während dieser Partie war Ihr Angriff nicht hart genug. Sie zogen das elegante Spiel dem konsequenten vor.«

Kishikawa-san lachte leise. »Woher willst du wissen, dass ich nicht auf dein Alter und deine relative Unerfahrenheit Rücksicht genommen habe?«

»Das wäre herablassend und unfreundlich gewesen, und beides sind Sie meiner Ansicht nach nicht.« Wieder lächelten Nikolais Augen. »Schade, Sir, dass es im Französischen keine Höflichkeitssilben gibt. Dadurch wirkt meine Redeweise wahrscheinlich abrupt und unziemlich.«

»Ja, ein wenig. Darüber hatte ich auch gerade nachgedacht.«

»Es tut mir leid, Sir.«

Der General nickte. »Ich nehme an, du beherrschst auch das westliche Schachspiel?«

Nikolai zuckte mit den Achseln. »Ein wenig. Aber es interessiert mich nicht.«

»Wie würdest du es mit Go vergleichen?«

Nikolai überlegte einen Moment. »Nun ... Was Go für Philosophen und Krieger ist, das ist Schach für Buchhalter und Kaufleute.«

»Aha! Die Bigotterie der Jugend! Es wäre freundlicher, Nikko, wenn du sagtest, dass Go den Philosophen im Menschen, Schach dagegen den Kaufmann in ihm anspricht.«

Nikolai blieb jedoch fest. »Jawohl, Sir. Freundlicher schon. Aber weniger zutreffend.«

Der General erhob sich von seinem Kissen; er überließ es Nikko, die Steine einzuräumen. »Es ist spät, und ich brauche meinen Schlaf. Wenn du Lust hast, spielen wir bald wieder eine Partie zusammen.«

»Sir?«, fragte Nikolai, als der General zur Tür ging.

»Ja?«

Nikolai hielt den Blick gesenkt, um sich vor der Demütigung einer möglichen Zurückweisung zu schützen. »Könnten wir Freunde werden, Sir?«

Der General schenkte der Frage die Beachtung, die ihr ernsthafter Ton verlangte. »Es wäre möglich, Nikko. Wir wollen's abwarten.«

In dieser Nacht entschied Alexandra Iwanowna endgültig, der General Kishikawa gehöre nicht zu der Sorte Männer, die sie bisher kennengelernt hatte, und klopfte an seine Schlafzimmertür.

Während der nächsten anderthalb Jahre lebten sie wie eine Familie zusammen. Alexandra Iwanowna wurde stiller, zufriedener, vielleicht auch ein bisschen rundlicher. Was sie an Lebhaftigkeit einbüßte, gewann sie jedoch an attraktiver Gelassenheit, so dass Nikolai seine Mutter zum ersten Mal in seinem Leben mochte. Ohne Übereilung bauten er und der General eine Freundschaft zueinander auf, die ebenso tief wie zurückhaltend war. Der eine hatte nie einen Vater gehabt, der andere niemals einen Sohn. Kishikawa-san bereitete es Freude, einen gelehrigen, gescheiten jungen Mann zu leiten und zu formen, wenn dieser auch zuweilen ein wenig zu kühne Meinungen vertrat und sich seiner Vorzüge ein wenig zu sicher war.

Alexandra Iwanowna fand im Schutz der starken, sanften Persönlichkeit des Generals emotionalen Halt. Ihm bereiteten ihr aufloderndes Temperament und ihre witzige Klugheit Abwechslung und Vergnügen. Zwischen dem General und der Gräfin herrschten Höflichkeit, Großzügigkeit, Sanftheit und körperliche Freuden. Zwischen dem General und dem Jungen bestanden Vertrauen, Aufrichtigkeit, Ausgeglichenheit, Zuneigung und Respekt.

Und dann, eines Abends nach dem Essen, scherzte Alexandra Iwanowna wie üblich über ihre lästigen Schwächezustände, zog sich zeitig zurück – und starb in derselben Nacht.

Der Himmel im Osten ist schwarz, doch über China leuchtet purpurne Abendröte. Draußen in der schwimmenden Stadt erlöschen die orangefarbenen und gelben Laternen, machen die Menschen auf den schrägen Decks der im Schlamm steckenden Sampans ihre Betten. Die Luft hat sich über den dunklen Ebenen des chinesischen Binnenlandes abgekühlt, die Brise vom Meer hat sich gelegt. Die Vorhänge blähen sich nicht mehr im Wind, als der General jetzt einen Stein auf dem Nagel des Zeigefingers balanciert, während seine Gedanken vom Spielbrett vor ihm abschweifen. Zwei Monate sind seit Alexandra Iwanownas Tod vergangen, und der General hat seinen Marschbefehl bekommen. Er kann Nikolai nicht mitnehmen, will ihn aber auch nicht in Shanghai zurücklassen, wo er keine Freunde hat und wo ihm als Staatenlosen selbst der rudimentärste diplomatische Schutz verwehrt ist. So hat er denn beschlossen, den Jungen nach Japan zu schicken.

Der General betrachtet prüfend die feinen Züge der Mutter, die ihm aus dem Gesicht des Jungen nüchterner, kantiger entgegentreten. Wo wird er Freunde finden, dieser junge Mann? Wo wird er einen Boden finden, in dem seine Wurzeln gedeihen, dieser Junge, der sechs Sprachen spricht und in fünfen denkt, dem aber jeglicher Grundstein einer nützlichen Ausbildung fehlt? Gibt es auf der Welt überhaupt einen Platz für ihn?

»Sir?«

»Ja? Ach so ... Hast du gesetzt, Nikko?«

»Schon lange, Sir.«

»Ah ja. Entschuldige. Würdest du mir bitte deinen Zug zeigen?« Nikolai deutete auf den Stein, und Kishikawa-san runzelte die Stirn, weil diese außergewöhnliche Platzierung eine Andeutung von *tenuki* verriet. Er zwang sich zur Konzentration, musterte sorgfältig das Spielbrett und überprüfte im Geist die Folgen jeder ihm zur Verfügung stehenden Platzierung. Als er aufblickte, waren Nikolais meergrüne Augen auf ihn gerichtet, und der Junge lächelte triumphierend. Das Spiel konnte noch stundenlang weitergehen, und das Ergebnis würde knapp ausfallen. Aber Nikolais Sieg war nicht mehr abzuwenden. Zum ersten Mal.

Der General sah Nikolai einige Sekunden lang abwägend an, dann lachte er auf. »Nikko, du bist ein Teufel!«

»Das stimmt, Sir«, gab Nikolai vergnügt zu, denn er war ungeheuer zufrieden mit sich. »Sie waren nicht bei der Sache.«

»Und das hast du ausgenutzt?«

»Selbstverständlich.«

Der General begann seine Steine einzusammeln und sie in sein Go-*ke* zu legen. »Ja«, wiederholte er bei sich. »Selbstverständlich.« Dann lachte er abermals. »Was hältst du von einer Tasse Tee, Nikko?« Kishikawa-sans größtes Laster war seine Gewohnheit, zu allen Tages- und Nachtzeiten starken, bitteren Tee zu trinken. In der Symbolsprache ihrer liebevollen, aber zurückhaltenden Freundschaft bedeutete die Einladung zu einer Tasse Tee die Aufforderung zu einem Plauderstündchen. Während der Bursche des Generals den Tee zubereitete, traten die beiden, in *yukatas* gehüllt, in die kühle Nachtluft der Veranda hinaus.

Nach einer Schweigepause, während der die Blicke des Generals über die Stadt schweiften, wo hier und da noch ein Licht innerhalb der ummauerten Altstadt blinkte und verriet, dass jemand feierte oder studierte oder starb oder sich verkaufte, fragte er Nikolai scheinbar zusammenhanglos: »Denkst du jemals über den Krieg nach, Nikko?«

»Nein, Sir. Er geht mich nichts an.«

Der Egoismus der Jugend. Der zuversichtliche Egoismus eines jungen Mannes, der in dem Bewusstsein aufgewachsen war, der Letzte und Beste eines sorgfältig gezüchteten Geschlechts zu sein, das seinen Anfang genommen hatte, lange bevor ein Kesselflicker Henry Ford wurde, ein Geldwechsler zum Rothschild und ein Kaufmann zum Medici aufstiegen.

»Ich fürchte, Nikko, dass unser kleiner Krieg dich jetzt doch etwas angehen wird.« Nach dieser Einleitung berichtete der General dem jungen Mann von dem Befehl, der ihn an die Front rief, und von seinem Plan, Nikolai nach Japan zu schicken, wo er im Hause eines berühmten Go-Spielers und -Lehrers wohnen sollte.

»... bei meinem ältesten und besten Freund, Otake-san, den du dem Namen nach als Otake vom Siebten *Dan* kennen wirst.«

Nikolai war dieser Name tatsächlich bekannt. Er hatte Otake-sans glänzende Kommentare über das Mittelspiel gelesen.

»Ich habe dafür gesorgt, dass du mit den anderen Schülern bei Otake-san und seiner Familie wohnen kannst. Das ist eine große Ehre für dich, Nikko.«

»Dessen bin ich mir bewusst, Sir. Und ich finde es aufregend, von Otake-san lernen zu dürfen. Aber wird er es nicht verächtlich von sich weisen, seine Lehren an einen Amateur zu verschwenden?«

Der General lachte. »Verachtung entspricht nicht dem Stil meines alten Freundes. Ah! Unser Tee ist fertig.«

Der Bursche hatte das Go-*ban* aus *kaya* fortgeräumt und an seinen Platz ein niedriges, für den Tee gedecktes Tischchen gestellt. Der General und Nikolai kehrten zu ihren Sitzkissen zurück. Nach der ersten Tasse lehnte sich Kishikawa-san ein wenig zurück und begann in sachlichem Ton zu sprechen. »Deine Mutter besaß, wie sich herausgestellt hat, sehr wenig Geld. Sie hatte ihre Investitionen auf kleine hiesige Firmen verteilt, die fast alle kurz vor unserem Einmarsch in Konkurs gingen. Die Besitzer dieser Firmen sind einfach mit dem Kapital in der Tasche nach England zurückgekehrt. Für Europäer macht die große moralische Krise des Krieges mindere ethische Überlegungen offensichtlich hinfällig. Es gibt noch das Haus ... doch darüber hinaus nur sehr wenig. Ich habe veranlasst, dass das Haus für dich verkauft wird. Der Erlös ist für deinen Unterhalt und den Unterricht in Japan bestimmt.«

»Wie Sie es für richtig halten, Sir.«

»Gut. Sage mir, Nikko – wirst du Shanghai vermissen?«

Nikolai überlegte nur eine Sekunde. »Nein.«

»Wirst du dich in Japan einsam fühlen?«

Nikolai zögerte einen Augenblick. »Ja.«

»Ich werde dir schreiben.«

»Oft?«

»Nein, nicht oft. Einmal im Monat. Aber du musst mir immer schreiben, wenn du das Bedürfnis danach hast. Vielleicht bist du dort weniger einsam, als du jetzt fürchtest. Bei Otake-san studieren noch einige andere junge Leute. Und wenn du Zweifel, Ideen, Fragen hast, wirst du feststellen, dass es sich lohnt, mit Otake-san darüber zu diskutieren. Er wird dir interessiert zuhören, aber er wird dich nicht mit seinen Ratschlägen belästigen.« Der General lächelte. »Obwohl ich glaube, dass du eine der Redegewohnheiten meines Freundes bisweilen ein wenig verwirrend finden wirst. Er spricht über alle Probleme in den Termini des Go-Spiels.«

»Das klingt, als könnte ich ihn gernhaben, Sir.«

»Ich bin sicher, dass du ihn gernhaben wirst. Ich zolle ihm den allergrößten Respekt. Er besitzt die Eigenschaft des ... wie soll ich es ausdrücken? ... des *shibumi.*«

»*Shibumi,* Sir?« Nikolai kannte das Wort, doch nur im Zusammenhang mit Gärten oder Architektur, wo es so viel bedeutete wie ein Understatement von Schönheit. »Wie verwenden Sie diesen Ausdruck hier, Sir?«

»Ach, eigentlich nicht fest umrissen. Und, wie ich fürchte, unzutreffend. Ein ungeschickter Versuch, eine unbeschreibbare Eigenschaft zu beschreiben. Wie du weißt, hat *shibumi* etwas zu tun mit größter Verfeinerung, die unter einer alltäglichen Erscheinung verborgen liegt. Es ist eine Aussage, so zutreffend, dass sie nicht deutlich definiert zu sein braucht, so genau, dass sie nicht außergewöhnlich zu sein braucht, so wahr, dass sie nicht real zu sein braucht. *Shibumi* ist eher Verstehen als Wissen. Sprechendes Schweigen. Im menschlichen Verhalten ist es Sittsamkeit ohne Prüderie. In der Kunst, in der das Wesen des *shibumi* die Form des *sabi* annimmt, ist es elegante Schlichtheit, ausdrucksvolle Kürze. In der Philosophie, in der *shibumi* als *wabi* erscheint, ist es geistige Gelassenheit, die nicht passiv ist, ist es Sein ohne die Angst des Werdens. Und in der Persönlichkeit des Menschen ist es ... Wie soll ich es sagen? Autorität ohne Herrschsucht. So etwas Ähnliches jedenfalls.«

Nikolais Fantasie war wie elektrisiert von diesem Konzept des *shibumi.* »Wie erreicht man dieses *shibumi,* Sir?«

»Man erreicht es nicht, man ... entdeckt es. Und nur sehr wenige, ganz und gar vergeistigte Menschen entdecken es je. Menschen wie mein Freund Otake-san.«

»Heißt das, man muss sehr viel lernen, um zum *shibumi* zu gelangen?«

»Es bedeutet eher, dass man den Zustand des Wissens durchmessen und zur Einfachheit gelangen muss.«

Von diesem Augenblick an war Nikolais Hauptziel im Leben, eine *shibumi*-Persönlichkeit zu werden; ein Mensch voll unerschütterlicher Ruhe. Dies war eine Berufung, die ihm offenstand, während die meisten anderen ihm aus Gründen der Herkunft, der Erziehung und der Veranlagung verschlossen blieben. Im Streben nach *shibumi* konnte er ungesehen brillieren, ohne die Aufmerksamkeit und Rachsucht der tyrannischen Massen auf sich zu ziehen.

Kishikawa-san zog ein kleines, in ein schlichtes Tuch gewickeltes Sandelholzkästchen unter dem Teetisch hervor und legte es in Nikolais Hände. »Ein kleines Abschiedsgeschenk, Nikko.«

Nikolai neigte gerührt den Kopf und empfing das Päckchen mit großer Bewegung; er versagte es sich, seiner Dankbarkeit mit unzulänglichen Worten Ausdruck zu verleihen. Und das war seine erste bewusste *shibumi*-Handlung.

Obwohl sie noch bis tief in die Nacht hinein über die fassbare und die potenzielle Bedeutung von *shibumi* sprachen, verstanden sie einander im Tiefsten, Wesentlichsten nicht. Für den General war *shibumi* eine Art Unterwerfung; für Nikolai war es eine Form der Macht.

Beide waren sie Gefangene ihrer Generation.

Nikolai reiste mit einem Schiff nach Japan, das verwundete Soldaten für einen Familienbesuch, eine Auszeichnung, einen Lazarettaufenthalt oder ein Leben unter der Last der Verstümmelung in die Heimat zurückbrachte. Der gelbe Schlamm des Jangtse folgte dem Schiff noch meilenweit hinaus aufs offene Meer, und erst als das Khakigelb in Schieferblau überging, entfaltete Nikolai das schlichte Tuch, in das Kishikawa-sans

Abschiedsgeschenk gehüllt war. In einem zierlichen Sandelholzkästchen lagen, in weiches Papier gewickelt, damit sie keinen Schaden litten, zwei Go-*ke* aus schwarzem, in Heidatsu-Arbeit mit Silber eingelegtem Lack. Auf den Deckeln der Schalen schmiegten sich dunstverhüllte Teehäuser an die Ufer ungenannter Seen. Die eine Schale enthielt schwarze Nichi-Steine aus Kishiu, die andere weiße Steine aus Miyazaki-Perlmutt ... glänzend, bei jedem Wetter erstaunlich kühl, wenn man sie anfasste.

Wer auch immer den zarten, jungen Mann beobachtete, der an der Reling des rostigen Frachters lehnte und dessen grüne Augen gedankenlos dem Auf und Ab der Wellen folgten, während er über die beiden Geschenke nachsann, die der General ihm gemacht hatte – die Go-*ke* und die Lebensaufgabe des *shibumi* –, niemand hätte vermutet, dass aus ihm der höchstbezahlte Profikiller der Welt werden sollte.

WASHINGTON

Der Erste Assistent richtete sich von seinem Computer auf, seufzte tief, schob die Brille auf die Stirn und rieb sich die roten Druckstellen auf dem Nasenrücken. »Es wird schwierig sein, zuverlässige Informationen von Fat Boy zu bekommen, Sir. Die Inputquellen liefern dauernd einander widersprechende oder unvollständige Daten. Sind Sie sicher, dass er in Shanghai geboren ist?«

»Ziemlich sicher.«

»Tja, darüber haben wir überhaupt nichts. Chronologisch gesehen lautet die erste Auskunft, die ich bekommen konnte, dass er in Japan gelebt hat.«

»Na schön. Dann fangen Sie eben damit an.«

Der Erste Assistent meinte, sich gegen die Verärgerung in Mr. Diamonds Ton wehren zu müssen. »So leicht, wie Sie sich das vorstellen, ist es nicht, Sir. Hören Sie nur eine Kostprobe von dem Unsinn, der mir vorgesetzt wird. Unter der Rubrik ›Sprachkenntnisse‹ habe ich Russisch, Französisch, Chinesisch, Deutsch, Englisch, Japanisch und Baskisch. *Baskisch?* Das kann doch nicht wahr sein, oder?«

»Es ist aber wahr.«

»Baskisch? Warum sollte jemand Baskisch lernen?«

»Ich weiß es nicht. Er hat es im Gefängnis studiert.«

»Im Gefängnis, Sir?«

»Darauf werden Sie später noch stoßen. Er hat drei Jahre in Einzelhaft verbracht.«

»Sie ... Sie scheinen erstaunlich gut über ihn informiert zu sein, Sir.«

»Ich habe ihn jahrelang im Auge behalten.«

Der Erste Assistent hätte gern gefragt, warum er diesem Nikolai Hel eine so besondere Aufmerksamkeit gewidmet hatte, besann sich aber eines Besseren. »Na schön, Sir. Baskisch stimmt also. Aber wie ist es hiermit? Unsere ersten sicheren Daten stammen aus der Zeit unmittelbar nach dem Krieg, als er offenbar als Dechiffrierer und Übersetzer für die Besatzungsmacht arbeitete. Wenn wir aber davon ausgehen, dass er Shanghai zu dem von uns angenommenen Zeitpunkt verlassen hat, bleiben noch fünf oder sechs ungeklärte Jahre. Die einzige Auskunft, die Fat Boy mir über diesen Zeitraum gibt, klingt absolut unlogisch. Es heißt, er habe diese Jahre mit dem Studium eines Brettspiels verbracht. Eines Brettspiels namens Go – was auch immer das sein mag.«

»Ich glaube, das stimmt.«

»Ist denn das möglich? Den ganzen Zweiten Weltkrieg hat er damit verbracht, ein Brettspiel zu erlernen?« Der Erste Assistent schüttelte den Kopf. Weder er noch Fat Boy konnten sich mit Schlussfolgerungen abfinden, die nicht solider linearer Logik entsprangen. Und es war einfach unlogisch, dass ein internationaler Profikiller mit violetter Karte fünf oder sechs

Jahre (großer Gott! Sie wussten ja nicht mal genau, wie viele!) damit verbracht haben sollte, ein albernes Brettspiel zu erlernen!

JAPAN

Nahezu fünf Jahre lang lebte Nikolai im Haus von Otake-san als Student und Familienmitglied. Otake vom Siebten *Dan* war ein Mann mit zwei gegensätzlichen Persönlichkeiten: Beim Wettkampf war er listig, kaltblütig, bekannt für unnachsichtiges Ausnutzen jeder kleinsten Schwäche oder geistigen Unbeweglichkeit im Spiel seines Gegners. Zu Hause jedoch, in seinem weitläufigen, eher desorganisierten Haushalt, inmitten seiner vielköpfigen Familie, zu der außer seinem Vater, seiner Frau und drei Kindern nie weniger als sechs Schüler gehörten, war Otake-san väterlich, großzügig, ja sogar bereit, zum Vergnügen seiner Kinder und Schüler den Clown zu spielen. Geld gab es niemals im Überfluss, aber sie lebten in einem kleinen Bergdorf, das kaum kostspielige Zerstreuungen bot, und so erwuchs daraus auch kein Problem. Hatten sie wenig, lebten sie bescheiden; hatten sie mehr, gaben sie das Geld großzügig aus.

Keines von Otake-sans Kindern besaß eine überdurchschnittliche Begabung für die Kunst des Go-Spiels. Und von seinen Schülern erfreute sich nur Nikolai jener unerklärlichen Konstellation von Talenten, die einen Spieler von Rang auszeichnen: Veranlagung zum Ersinnen abstrakter schematischer Möglichkeiten; Sinn für mathematische Poesie, in deren Licht das unendliche Chaos aus Wahrscheinlichkeiten und Permutationen sich unter dem Druck intensiver Konzentration zu geometrischen Blüten kristallisiert; Wille zum rücksichtslosen Krafteinsatz gegenüber den Schwächen des Opponenten.

Mit der Zeit entdeckte Otake-san bei Nikko jedoch eine zusätzliche Eigenschaft, die seinem Spiel zugutekam: Nikolai vermochte sich mitten in einer Partie für kurze Zeiträume in tiefster Ruhe zu entspannen, um anschließend geistig vollkommen erfrischt zum Spiel zurückzukehren.

Otake-san war es, der als Erster erkannte, dass Nikolai ein Mystiker war. Wie die meisten Mystiker ahnte auch Nikolai nichts von seiner Begabung und wollte zuerst gar nicht glauben, dass andere Menschen keine derartigen Erlebnisse hatten. Ein Leben ohne mystische Entrückung konnte er sich nicht vorstellen, und jene, die ohne solche Erfahrungen leben mussten, bemitleidete er nicht, sondern betrachtete sie als Wesen anderer Art. Nikolais mystische Begabung kam eines Nachmittags ans Licht, als er mit Otake-san eine Übungspartie spielte, eine streng klassische Partie, bei der sie nur in geringfügigen Nuancen der Spielentwicklung von den Modellen der Lehrbücher abwichen. Nach etwa zweieinhalb Stunden spürte Nikolai, dass sich ihm das Tor zur Ruhe und zum Einssein öffnete, und er gestattete sich, hindurchzugehen. Nach einer Weile verschwand das Gefühl wieder, und Nikolai saß regungslos, doch völlig entspannt da und fragte sich, warum sein Lehrer wohl zögerte, eine auf der Hand liegende Platzierung vorzunehmen. Als er aufschaute, sah er überrascht, dass Otake-sans Blick auf seinem Gesicht ruhte, statt auf dem *Goban.*

»Was ist, Lehrer? Habe ich einen Fehler gemacht?«

Otake-san musterte Nikolai aufmerksam. »Nein, Nikko. Deine beiden letzten Züge waren zwar nicht gerade brillant, aber falsch waren sie auch nicht. Nur ... wie kannst du spielen, während du vor dich hin träumst?«

»Ich – vor mich hin träumen? Ich habe nicht geträumt, Lehrer.«

»Wirklich nicht? Dein Blick war abwesend, dein Ausdruck leer. Du hast nicht mal auf das Brett geschaut, als du deine

Platzierungen vornahmst. Du hast die Steine gesetzt und dabei in den Garten hinausgeblickt.«

Nikolai nickte lächelnd. Jetzt begriff er. »Ach so. Ich war gerade vom Ausruhen zurückgekehrt. Deswegen habe ich natürlich nicht auf das Brett zu sehen brauchen.«

»Bitte, Nikko, erkläre mir, warum du nicht auf das Brett zu sehen brauchtest.«

»Ich ... nun ja, ich habe mich ausgeruht.« Nikolai sah, dass Otake-san ihn nicht verstand, und das verwirrte ihn, nahm er doch an, ein jeder Mensch habe mystische Erfahrungen.

Otake-san lehnte sich zurück und nahm noch eines von den Pfefferminzdrops, die er gewohnheitsmäßig lutschte, um die Schmerzen in seinem Magen zu lindern, die von den langen Jahren strenger Selbstbeherrschung unter dem Druck des professionellen Spielens herrührten. »Und jetzt erkläre mir, was du damit meinst, dass du dich ausgeruht hast.«

»Ich fürchte, ›ausruhen‹ ist nicht das richtige Wort dafür, Lehrer. Ich weiß nicht, wie man es nennt. Ich habe noch nie gehört, dass jemand eine Bezeichnung dafür gebraucht hätte. Aber Sie müssen dieses Gefühl, von dem ich spreche, doch kennen! Dieses Sichentfernen, ohne wegzugehen. Dieses ... Sie wissen schon ... Dieses Hinüberfließen in einen Gegenstand und ... dieses Begreifen aller Dinge.« Nikolai war verlegen. Die Erfahrung war zu selbstverständlich und zu elementar, um sie erklären zu können. Es war, als hätte der Lehrer ihn gebeten, ihm das Atmen zu erklären oder den Duft der Blumen. Nikolai war überzeugt, dass Otake-san genau wusste, was er meinte; schließlich brauchte er sich doch nur seine eigenen Ruhepausen zu vergegenwärtigen. Warum also stellte er ihm solche Fragen?

Otake-san streckte die Hand aus und berührte Nikolais Arm. »Ich verstehe, Nikko, dass es dir schwerfällt, es zu erklären. Und ich verstehe, glaube ich, ein wenig von dem, was du erlebst – nicht, weil ich es selbst erfahren, sondern weil ich darüber gelesen habe, denn es hat immer schon meine Neugier erregt. Man nennt so etwas Mystik.«

Nikolai lachte. »Mystik? Aber, Lehrer ...«

»Hast du jemals mit einem Menschen über dieses – wie hast du es noch genannt? – ›Sichentfernen, ohne wegzugehen‹ gesprochen?«

»Also ... Nein. Warum sollte man darüber sprechen?«

»Nicht mal mit unserem guten Freund Kishikawa-san?«

»Nein, Lehrer. Das Thema kam nie zur Sprache. Ich verstehe nicht, warum Sie mir diese Fragen stellen. Ich bin verwirrt. Und ich beginne mich zu schämen.«

Otake-san drückte seinen Arm. »Aber nein! Du brauchst dich nicht zu schämen. Hab keine Angst. Siehst du, Nikko, was du erlebst ... das, was du ›Ausruhen‹ nennst ... das erfahren nur sehr wenige Menschen, und wenn, dann höchstens andeutungsweise, solange sie noch sehr jung sind. Fromme Menschen versuchen ein solches Erlebnis durch Kasteiung und Meditation herbeizuführen, törichte mithilfe von Drogen. In allen Epochen und in allen Kulturkreisen war es nur wenigen Glücklichen vergönnt, diesen Zustand der Ruhe und des Einsseins mit der Natur (ich benutze diese Ausdrücke zur Beschreibung, weil es die sind, die ich gelesen habe) ohne jahrelange strenge Kasteiung zu erreichen. Anscheinend geschieht das bei diesen Auserwählten ganz selbstverständlich und leicht. Solche Menschen nennt man Mystiker. Das ist allerdings eine etwas unglückliche Bezeichnung, weil sie Anklänge an Religion und Magie in sich birgt. Im Übrigen wirken alle Beschreibungen dieser Erlebnisse recht theatralisch. Was du als ›Ausruhen‹ bezeichnest, nennen andere Ekstase.«

Bei diesem Wort grinste Nikolai voll Unbehagen. Wie konnte man die realste Sache der Welt als Mystik bezeichnen? Wie konnte man das stillste Gefühl der Welt Ekstase nennen?

»Du lächelst über das Wort, Nikko. Aber das Erlebnis ist doch sicherlich angenehm, oder?«

»Angenehm? So habe ich es noch nie gesehen. Es ist … es ist notwendig.«

»Notwendig?«

»Nun ja, wie könnte man tagein, tagaus leben, wenn es zwischendurch kein Ausruhen gäbe?«

Otake-san lächelte. »Wir anderen müssen uns ohne dieses Ausruhen durchs Leben plagen.«

»Ich bitte um Verzeihung, Lehrer. Aber ein solches Leben kann ich mir einfach nicht vorstellen. Wo läge der Sinn eines derartigen Lebens?«

Otake-san nickte. Er hatte bei seiner Lektüre festgestellt, dass kein Mystiker fähig war, die Menschen zu verstehen, die seine Gabe nicht besaßen. Voller Unbehagen erinnerte er sich daran, dass der Verlust dieser Gabe – und die meisten verlieren sie früher oder später – bei den Mystikern Panik und tiefe Depressionen auslöst. Manche suchen Zuflucht in der Religion, weil sie hoffen, ihre mystischen Erlebnisse mithilfe der Meditation wiederzufinden. Manche begehen sogar Selbstmord, weil ihnen ein Leben ohne mystische Entrückung sinnlos erscheint.

»Nikko? Ich bin, was die Mystik anbetrifft, schon immer überaus wissbegierig gewesen, deshalb gestatte mir bitte, dir ein paar Fragen über dieses ›Ausruhen‹ zu stellen. In meiner Lektüre benutzen die Mystiker, die über ihre Entrückungen berichten, immer sehr schwer fassliche Ausdrücke, viele scheinbare Widersprüche, viele poetische Paradoxa. Es ist, als versuchten sie etwas zu beschreiben, das zu kompliziert ist, um es in Worten auszudrücken.«

»Oder zu einfach, Sir.«

»Ja. Vielleicht ist es das. Zu einfach.« Otake-san presste die Faust auf seinen Magen, um den Druck ein wenig zu lindern, und nahm sich noch ein Pfefferminzbonbon. »Wie lange hast du diese Erlebnisse schon?«

»Schon immer.«

»Seit deiner Kindheit?«

»Schon immer.«

»Aha. Und wie lange dauern sie jedes Mal?«

»Das spielt keine Rolle, Lehrer. Dort existiert keine Zeit.«

»Das Erlebnis ist also zeitlos?«

»Nein. Es gibt weder Zeit noch Zeitlosigkeit.«

Otake-san schüttelte lächelnd den Kopf. »Willst du mir auch mit so schwer fasslichen Ausdrücken und so poetischen Paradoxa kommen?«

Nikolai erkannte, dass diese übergreifenden Widersprüche das, was so unendlich simpel war, chaotisch erscheinen ließen, aber er wusste nicht, wie er sich mit dem schwerfälligen Instrumentarium der Sprache ausdrücken sollte.

Otake-san kam ihm zu Hilfe. »Du willst also sagen, dass du während dieser Erlebnisse kein Gefühl für die Zeit hast? Dass du nicht weißt, wie lange sie dauern?«

»Ich weiß genau, wie lange sie dauern, Lehrer. Wenn ich mich entferne, gehe ich nicht weg. Ich bin, wo mein Körper ist, und gleichzeitig woanders. Ich träume nicht vor mich hin. Manchmal dauert eine Ruhepause ein bis zwei Minuten. Und manchmal dauert sie mehrere Stunden. Sie dauert eben genau so lange, wie es für mich notwendig ist.«

»Und kommen sie oft, diese ... Ruhepausen?«

»Das ist verschieden. Höchstens zwei- bis dreimal am Tag. Aber manchmal habe ich einen ganzen Monat lang keine Ruhepause. Dann fehlen sie mir wirklich sehr. Und ich fürchte, dass sie womöglich nie wiederkommen.«

»Kannst du diese Ruhepausen nach Belieben auslösen?«

»Nein. Aber ich kann sie abblocken. Und ich muss aufpassen, dass ich sie nicht blockiere, wenn ich sie brauche.«

»Wie blockierst du sie?«

»Indem ich wütend werde. Oder Hass empfinde.«

»Wenn du Hass empfindest, ist dir kein solches Erlebnis möglich?«

»Wie sollte es? Ausruhen ist das Gegenteil von Hass.«

»Also Liebe?«

»Es könnte Liebe sein, wenn es mit Menschen zu tun hätte. Aber es hat nichts mit Menschen zu tun.«

»Womit denn?«

»Mit allem. Mit mir. Das ist ein und dasselbe. Wenn ich mich ausruhe, ist alles und ich ... Ich weiß nicht, wie ich es erklären soll.«

»Wirst du eins mit allem?«

»Ja. Nein, nicht ganz. Ich *werde* nicht eins mit allem. Ich *bin wieder* eins mit allem. Verstehen Sie, was ich meine?«

»Ich versuche es. Nehmen wir diese ›Ruhepause‹, die du hattest, als wir vorhin spielten. Beschreib mir doch bitte, wie die verlief.«

Nikolai hob hilflos die Hände. »Wie kann ich das?«

»Versuch es. Fang an mit: Wir spielten, und Sie hatten soeben den Stein sechsundfünfzig platziert, und ... Mach du weiter.«

»Es war Stein achtundfünfzig, Lehrer.«

»Nun gut, dann eben achtundfünfzig. Was geschah dann?«

»Nun ja ... der Spielfluss war genau richtig, und da begann es mich zur Wiese zu führen. So fängt es immer an, mit einer Art Fließbewegung ... mit einem Fluss oder Strom oder mit dem Wind, der Wellen in einem reifen Reisfeld beschreibt, mit dem Glitzern von Blättern in einer Brise, mit vorüberziehenden Wolken. Und wenn die Struktur des Go-Spiels klassisch und schön fließt, kann mich auch das auf die Wiese führen.«

»Auf die Wiese?«

»Ja. Das ist der Ort, an den ich gelange. Daran erkenne ich, dass ich mich ausruhe.«

»Handelt es sich um eine wirkliche Wiese?«

»Selbstverständlich.«

»Um eine Wiese, auf der du einmal gewesen bist? Um einen Ort, an den du dich erinnerst?«

»Nein, in meiner Erinnerung gibt es sie nicht. Im reduzierten Zustand bin ich noch nie dort gewesen.«

»Reduziert?«

»Sie wissen schon ... Wenn ich in meinem Körper bin und nicht ausruhe.«

»Dann ist das normale Leben für dich ein reduzierter Zustand?«

»Für mich ist die Zeit, die ich in der Ruhe verbringe, normal. Während die Zeit hier ... begrenzt ist, und ... ja, eben reduziert.«

»Erzähl mir mehr von deiner Wiese, Nikko.«

»Sie ist dreieckig. Und steigt an, von mir fort. Das Gras ist hoch. Es gibt keine Tiere. Kein Wesen ist jemals über das Gras geschritten oder hat es gefressen. Es gibt Blumen, eine leichte Brise ... warm. Blassblauer Himmel! Ich freue mich immer sehr, wieder das Gras zu sein.«

»Du *bist* das Gras?«

»Wir sind einer das andere. Wie die Brise und das goldene Sonnenlicht. Wir sind alle ... miteinander vermischt.«

»Aha. Ich verstehe. Deine Beschreibung dieser mystischen Erlebnisse ist den anderen, von denen ich gelesen habe, sehr ähnlich. Und diese Wiese ist das, was die Autoren als den ›Einstieg‹ oder ›Weg‹ bezeichnen. Hast du sie schon einmal so betrachtet?«

»Nein.«

»Gut. Was geschieht dann?«

»Gar nichts. Ich ruhe. Ich bin überall zugleich. Und alles ist unwichtig und schön. Und dann ... fange ich an, mich zu reduzieren. Ich löse mich vom Sonnenlicht und von der Wiese und schrumpfe, kehre in mein körperliches Ich zurück. Die Ruhepause ist vorbei.« Nikolai lächelte unsicher. »Ich fürchte, ich habe es nicht sehr gut beschrieben, Lehrer. Es ist etwas, das ... das man einfach nicht beschreibt.«

»Nein, du hast es sehr gut beschrieben, Nikko. Du hast in

mir eine Erinnerung geweckt, die ich beinahe verloren hatte. Ein- oder zweimal als Kind – im Sommer, glaube ich – habe auch ich eine kurze Entrückung erlebt. Ich habe einmal gelesen, dass die meisten Menschen als Kinder zuweilen ein mystisches Erlebnis haben, dieser Zeit aber schon bald entwachsen. Und sie vergessen. Würdest du mir noch etwas erklären? Wie kommt es, dass du Go spielen kannst, während du entrückt bist, während du auf der Wiese weilst?«

»Also, ich bin hier und dort gleichzeitig. Ich entferne mich, aber ich gehe nicht weg. Ich bin Teil dieses Zimmers und des Gartens.«

»Und ich, Nikko? Bist du auch Teil von mir?«

Nikko schüttelte den Kopf. »An meinem Ruheplatz gibt es keine Lebewesen. Ich bin das einzige Wesen, das sehen kann. Ich sehe für uns alle, für das Sonnenlicht, für das Gras.«

»Aha. Und wie kannst du deine Steine setzen, ohne auf das Brett zu schauen? Woher weißt du, wo sich die Linien kreuzen? Woher weißt du, wo ich meinen letzten Stein platziert habe?«

Nikolai zuckte mit den Achseln. Das war zu offensichtlich, um erst erklärt werden zu müssen. »Ich bin Teil von allem, Lehrer. Ich teile ... nein ... Ich fließe mit allem. Mit dem Go*ban,* mit den Steinen. Das Brett und ich sind einer im anderen. Wie sollte ich da das Spielmuster nicht kennen?«

»Du siehst also vom Inneren des Brettes aus?«

»Innen und außen sind dasselbe. Aber ›sehen‹ ist auch nicht ganz richtig. Wenn man überall ist, braucht man nicht zu ›sehen‹.« Nikolai schüttelte den Kopf. »Ich kann es nicht erklären.«

Otake-san drückte ganz leicht Nikolais Arm, dann zog er seine Hand zurück. »Ich will dich nicht weiter ausfragen. Ich muss gestehen, dass ich dich um den mystischen Frieden, den du findest, beneide. Vor allem beneide ich dich darum, dass du deine Gabe so natürlich findest – ohne die Konzentration und die Übungen, die selbst heilige Männer bei der Suche danach aufwenden müssen. Aber wenn ich dich auch beneide, so habe ich doch auch Angst um dich. Wenn die Ekstase – wie ich es vermute – zu einem natürlichen und notwendigen Teil deines Innenlebens geworden ist, was soll dann aus dir werden, wenn diese Gabe einmal nachlässt, wenn dir diese Erlebnisse versagt werden?«

»Dass das geschieht, Lehrer, kann ich mir nicht vorstellen.«

»Ich weiß. Aber aus meiner Lektüre habe ich gelernt, dass diese Gabe verschwinden und man den Weg zur inneren Ruhe verlieren kann. Irgendetwas kann geschehen, das dich mit grenzenlosem, nie nachlassendem Hass erfüllt oder mit Angst, und dann verschwindet die Gabe plötzlich.«

Die Vorstellung, er könnte die natürlichste und wichtigste psychische Funktion seines Lebens verlieren, versetzte Nikolai in Unruhe. Von einer Welle der Panik ergriffen, erkannte er, dass schon die Angst, sie zu verlieren, den Verlust bewirken könnte. Er wollte weg von diesem Gespräch, weg von diesen neuen und unbegreiflichen Zweifeln. Er senkte den Blick auf das Go-*ban,* überlegte, wie er auf einen solchen Verlust reagieren würde.

»Was würdest du tun, Nikko?«, fragte Otake-san nach kurzem Schweigen.

Nikolai hob den Blick vom Spielbrett; seine grünen Augen waren ruhig und ausdruckslos. »Wenn mir jemand meine Ruhepausen nähme – ich würde ihn töten.«

Das sagte er mit einer fatalistischen Gelassenheit, und Otake-san erkannte, dass kein Zorn, sondern die schlichte Wahrheit aus seinen Worten sprach. Die ruhige Sicherheit dieser Antwort war es, die Otake-san am stärksten beunruhigte.

»Aber, Nikko, nehmen wir an, es sei kein Mensch, der dir diese Gabe wegnimmt. Nehmen wir an, es geschähe aufgrund einer Situation, eines Ereignisses, eines Lebensumstandes. Was tätest du dann?«

»Ich würde versuchen, die Ursache zu vernichten, ganz gleich, was es ist. Ich würde sie strafen.«

»Würde dir das den Weg zur Ruhe wieder öffnen?«

»Ich weiß es nicht, Lehrer. Aber es wäre die mindeste Rache, die ich für einen so schweren Verlust üben könnte.«

Otake-san seufzte, teils aus Kummer über diese ganz besondere Schwäche Nikkos, teils aus Mitleid mit dem, der eines Tages die Schuld am Verlust seiner Gabe tragen würde. Er bezweifelte nicht im Geringsten, dass der junge Mann tun würde, was er gesagt hatte. Nirgends verrät sich die Persönlichkeit eines Menschen so deutlich wie beim Go-Spiel, wenn seine Taktik von jemandem interpretiert wird, der Erfahrung und Intelligenz genug besitzt, sie richtig zu deuten. Und Nikolais Spiel, so brillant und wagemutig es auch sein mochte, barg den ästhetischen Makel der Gefühlskälte und einer beinahe unmenschlichen Konzentration auf das Ziel. Da er Nikolais Taktik studiert hatte, wusste Otake-san, dass sein Starschüler zu Ruhm gelangen und der erste Nichtjapaner werden konnte, der zu den höheren Dans emporstieg; aber er wusste ebenso, dass der Junge im weniger hochgeistigen Spiel des Lebens weder Ruhe noch Glück finden würde. Dass Nikko die Gabe besaß, sich in die mystische Entrückung zurückzuziehen, war ein Segen, ein Ausgleich. Aber es war auch ein Danaergeschenk.

Otake-san seufzte noch einmal auf und betrachtete das Mosaik der Steine. Ungefähr ein Drittel der Partie war beendet. »Ist es dir recht, Nikko, wenn wir jetzt nicht weiterspielen? Mein Magen macht mir wieder zu schaffen. Und die Entwicklung ist so klassisch, dass der Keim des Ergebnisses bereits Wurzel geschlagen hat. Ich glaube kaum, dass einer von uns noch einen schwerwiegenden Fehler begehen würde. Du etwa?«

»Nein, Meister.« Nikolai war froh, das Spielbrett und den kleinen Raum verlassen zu dürfen, in dem er zum ersten Mal gehört hatte, dass seine mystische Zuflucht nicht gegen alles gefeit war – dass etwas geschehen konnte, das ihm diesen wesentlichsten Teil seines Lebens entreißen würde. »Wie dem auch sei, Lehrer, ich glaube, Sie hätten um sieben oder acht Steine gewonnen.«

Otake-san warf einen letzten Blick auf das Brett. »Um so viele? Ich hätte eigentlich eher gedacht, es wären höchstens fünf oder sechs.« Lächelnd sah er Nikko an. Das war ihre Art zu scherzen. In Wirklichkeit hätte Otake-san um mindestens ein Dutzend Steine gewonnen, und sie wussten es beide.

Die Jahre vergingen, und die Jahreszeiten wechselten friedlich im Hause der Otakes, wo überlieferte Rollen, Loyalität, harte Arbeit und fleißiges Lernen durch Spiel, Übermut und Zuneigung aufgewogen wurden, wobei Letzterer es dadurch, dass man sie weitgehend geheim hielt, keineswegs an Aufrichtigkeit mangelte.

Selbst in ihrem kleinen Gebirgsdorf, wo das Leben im Rhythmus von Säen und Ernten verlief, bildete der Krieg eine stete Hintergrundmusik. Junge Männer, die jedermann kannte, gingen zum Militär, und einige von ihnen kehrten nie wieder zurück. Einschränkungen und noch härtere Arbeit wurden zum täglichen Brot der Daheimgebliebenen. Große Aufregung entstand, als am 8. Dezember 1941 die Nachricht vom Überfall auf Pearl Harbor kam; erfahrene Männer waren sich einig darin, dass der Krieg höchstens ein Jahr dauern würde. Sieg um Sieg wurde von begeisterten Stimmen über den Rundfunk verkündet, als die Armee den europäischen Imperialismus aus dem Pazifik vertrieb.

Dennoch murrten einige Bauern insgeheim über die unerträglich hohen Abgabequoten, die ihnen auferlegt wurden, und man spürte den zunehmenden Mangel an Konsumgütern. Otake-san beschäftigte sich jetzt hauptsächlich mit dem Verfassen von Kommentaren, denn als patriotische Reaktion auf den allgemeinen Ernst der Lage waren die Go-Turniere zahlenmäßig eingeschränkt worden. Gelegentlich berührte der Krieg den Otake-Haushalt auch etwas unmittelbarer. An einem Winterabend kam der mittlere Sohn der Familie zerknirscht und zutiefst beschämt nach Hause, weil er von seinen Klassenkameraden als *yowamushi,* als schwächlicher Wurm, verspottet worden war: Während der anstrengenden nachmittäglichen Freiübungen, bei denen alle Jungen auf dem schneebedeckten Schulhof nackt bis zur Taille turnen mussten, um physische Härte und »Samurai-Geist« zu beweisen, hatte er Fausthandschuhe an den empfindlichen Händen getragen.

Und Nikolai hörte von Zeit zu Zeit, dass man ihn als Fremden, als *gaijin*, als Rotkopf bezeichnete, und zwar in einem Ton, dessen misstrauischer Beigeschmack den von chauvinistischen Lehrern gepredigten Fremdenhass spiegelte. Im Grunde hatte er jedoch kaum unter seinem Außenseiterstatus zu leiden. General Kishikawa hatte dafür gesorgt, dass in seinen Papieren die Mutter als Russin (neutral) und der Vater als Deutscher (Verbündeter) ausgewiesen wurde. Außerdem stand Nikolai unter dem Schutz des Respekts, den man im Dorf für Otake-san hegte, den berühmten Go-Spieler, der dem Dorf die Ehre erwiesen hatte, es zu seinem Wohnsitz zu erwählen.

Als Nikolais Spielkunst so große Fortschritte gemacht hatte, dass er an Vorrunden teilnehmen und Otake-san als Schüler zu den großen Meisterschaftsturnieren begleiten durfte – die in abgelegenen Erholungsorten stattfanden, wo die Spieler vor den Ablenkungen der Außenwelt geschützt werden konnten –, hatte er zum ersten Mal Gelegenheit, den Kampfgeist, mit dem Japan in den Krieg zog, aus erster Hand mitzuerleben. Auf den Bahnhöfen wurden lärmende Abschiedsfeiern für die Rekruten gegeben, und auf großen Transparenten stand zu lesen:

HERZLICHEN GLÜCKWUNSCH ZUR EINBERUFUNG
und
WIR BETEN UM SCHLACHTENGLÜCK FÜR EUCH.

Er hörte von einem Jungen aus dem Nachbardorf, der bei der Musterung durchgefallen war und darum gebettelt hatte, trotzdem auf irgendeinen Posten gestellt zu werden, damit er die *haji*, die unaussprechliche Schande der Wehruntauglichkeit, nicht auf sich nehmen musste. Seine Bitten wurden ignoriert, und man schickte ihn mit der Bahn nach Hause. Am Fenster stehend, starrte er hinaus und murmelte immer wieder vor sich hin: *Haji desu, haji desu.* Zwei Tage später wurde sein Leichnam an der Bahnstrecke gefunden. Er hatte es vorgezogen, sich der Schande zu entziehen, statt zu den Verwandten und Freunden zurückzukehren, die ihn mit so großem Stolz und Jubel verabschiedet hatten.

Für das japanische Volk war dieser Krieg wie für seine Feinde ein gerechter Krieg, ein Krieg, zu dem man sie gezwungen hatte. Es lag ein gewisser Stolz der Verzweiflung in dem Bewusstsein, dass dieses winzige Land, ohne nennenswerte natürliche Ressourcen außer dem Kampfgeist seiner Bevölkerung, allein gegen die Horden der Chinesen, gegen die ungeheuren Industriemächte von Amerika und Australien sowie gegen – bis auf vier – sämtliche europäische Nationen stand. Und jeder, der denken konnte, wusste, dass, wenn die Japaner durch diese Übermacht erst einmal ausreichend geschwächt worden waren, die erdrückende Masse der Sowjetunion über sie herfallen würde.

Zunächst jedoch gab es nur Siege. Als man im Dorf erfuhr, dass die amerikanische Luftwaffe Tokio bombardiert hatte, nahmen die Bewohner die Nachricht voller Bestürzung und Empörung auf. Bestürzung, weil man ihnen versichert hatte, Japan sei unverwundbar. Empörung, weil, wenn auch die Wirkung des Bombardements nur gering war, die amerikanischen Flieger ihre Brandbomben willkürlich abgeworfen und Privathäuser und Schulen zerstört, aber – ironischer Zufall – nicht eine einzige Fabrik oder militärische Einrichtung getroffen hatten. Als Nikolai von den amerikanischen Bombern hörte, fielen ihm sofort die Northrop-Flugzeuge ein, die das Warenhaus »The Sincere« in Shanghai bombardiert hatten. Noch immer sah er die puppenhafte junge Chinesin in ihrem grünen Seidenkleid mit dem steifen, kleinen Kragen um den porzellanweißen Hals und mit dem bleichen Gesicht vor sich, wie sie nach ihrer verlorenen Hand suchte.

Obwohl der Krieg alle Aspekte des Lebens beeinflusste, war er nicht das beherrschende Thema in Nikolais prägenden Jugendjahren. Drei Dinge waren ihm weit wichtiger: die regelmäßigen Fortschritte in seiner Ausbildung; die erholsamen und wiederbelebenden Phasen mystischer Ruhe, wann immer seine psychische Kraft nachließ; und, in seinem siebzehnten Lebensjahr, die erste Liebe.

Mariko gehörte zu Otake-sans Schülern: ein scheues, zierliches junges Mädchen, nur ein Jahr älter als Nikko, der zwar die geistige Härte fehlte, um eine große Spielerin zu werden, deren Taktik jedoch ausgeklügelt und raffiniert war. Nikolai bestritt mit ihr zahlreiche Übungspartien, bei denen sie hauptsächlich das Eröffnungs- und das Mittelspiel trainierten. Ihre Scheu und seine Zurückhaltung ergänzten einander gut, und häufig saßen sie abends in dem kleinen Garten, wo sie ein wenig plauderten und viel schwiegen.

Zuweilen wanderten sie auf dem einen oder anderen Botengang zusammen ins Dorf hinunter; dann beendete wohl ein flüchtiges Aneinanderstoßen der Arme unvermittelt ihr Gespräch und löste verlegenes Schweigen aus. Und dann, eines Tages, griff Nikolai mit einer Kühnheit, die nichts von dem halbstündigen inneren Kampf ahnen ließ, der dieser Geste vorausgegangen war, über das Spielbrett hinweg nach ihrer Hand. Schluckend und verzweifelt ihre Aufmerksamkeit auf das Brett konzentrierend, erwiderte Mariko den Druck seiner Finger, ohne ihn anzusehen, und während des restlichen Vormittags war das Spiel der beiden äußerst mangelhaft, während ihre Hände ineinanderlagen, die des Mädchens feucht aus Angst vor Entdeckung, die seine zitternd vor Erschöpfung wegen der unbequemen Armhaltung; aber er wagte seinen Griff nicht zu lockern, geschweige denn ihre Hand loszulassen, aus Furcht, sie könne das als Zurückweisung auslegen.

Erleichtert hörten beide den Ruf zum Mittagessen, das Prickeln heimlicher Sünde und Liebe jedoch pulsierte noch den ganzen Tag in ihrem Blut. Und am Tag darauf tauschten sie einen flüchtigen Kuss.

In einer Frühlingsnacht, als Nikolai fast achtzehn war, wagte er sich in Marikos kleine Schlafkammer. In einem Haus, in dem so viele Menschen auf so engem Raum zusammenlebten, war ein nächtlicher Besuch ein Abenteuer voll verstohlener Gesten, leisen Geflüsters und angehaltenen Atems, während beim kleinsten wirklichen oder eingebildeten Geräusch das Herz des einen wild gegen die Brust des anderen pochte.

Ihr Liebesspiel war ungeschickt, tastend, unendlich sanft.

Obwohl Nikolai und General Kishikawa einander jeden Monat schrieben, konnte der General sich während seiner fünf Lehrjahre nur zweimal für einen kurzen Urlaub in Japan von seinen Pflichten als Verwaltungsoffizier frei machen.

Der erste Besuch dauerte nur einen Tag, denn der General verbrachte den größten Teil seines Urlaubs in Tokio bei seiner Tochter, die erst kürzlich verwitwet war: ihr Mann, ein Marineoffizier, war mit seinem Schiff beim Sieg in der Korallensee gesunken, während sie mit ihrem ersten Kind schwanger war. Nachdem er ihr in der Trauer beigestanden und für ihr Wohlergehen gesorgt hatte, unterbrach der General seine Rückreise kurz, um die Otakes zu besuchen und Nikolai ein Geschenk in Gestalt zweier Bücherkisten zu bringen, die er aus beschlagnahmten Bibliotheken zusammengestellt hatte, weil er fand, der Junge dürfe seine Sprachbegabung nicht vernachlässigen. Die Bücher waren auf Russisch, Englisch, Deutsch, Französisch und Chinesisch geschrieben, wobei Letztere für Nikolai kaum von Nutzen waren, weil er in den Straßen Shanghais zwar fließend ein gewisses Gebrauchs-Chinesisch sprechen, niemals aber die Schrift lesen gelernt hatte. Dass die Sprachkenntnisse des Generals auf das Französische beschränkt waren, erwies sich darin, dass die beiden Kisten vier Ausgaben von *Les Misérables* in vier verschiedenen Sprachen enthielten – und, soweit Nikolai es beurteilen konnte, womöglich noch eine fünfte auf Chinesisch.

An jenem Abend aß der General mit Otake allein, aber die beiden vermieden es, über den Krieg zu diskutieren. Als Otake-san Nikolais Arbeit und Fortschritte lobte, übernahm der General freudig die Rolle des japanischen Vaters, setzte die Begabung seines Schützlings herab und versicherte, es sei überaus freundlich von Otake, sich mit einem so faulen und unfähigen Schüler zu belasten. Aber den Stolz, der in seinen Augen leuchtete, konnte er nicht verbergen.

Der Besuch des Generals fiel mit dem *jusanya* zusammen, dem Fest der Herbstlichen Mondbetrachtung. Auf einem Altar im Garten wurden dort, wo die Mondstrahlen sie treffen würden, Gaben von Blumen und Herbstgräsern dargebracht. In normalen Zeiten hätten die Opfergaben aus Obst und Speisen bestanden, jetzt aber, bei der kriegsbedingten Lebensmittelknappheit, setzte Otakes gesunder Menschenverstand seiner Traditionsverbundenheit eine Grenze. Er hätte zwar wie seine Nachbarn die Speisen erst darbieten und sie am nächsten Tag auf den Familientisch bringen können, doch so etwas war für ihn undenkbar.

Nach dem Essen saß der General mit Nikolai im Garten, und sie sahen zu, wie sich der aufgehende Mond aus den Baumwipfeln löste.

»Also, Nikko, nun erzähle. Hast du *shibumi,* dein Ziel, erreicht, wie du es dir vorgenommen hattest?« In seiner Stimme schwang ein liebevoll-neckender Ton.

Nikolai senkte den Blick. »Ich war voreilig, Sir. Ich war jung.«

»Jünger, ja. Wahrscheinlich hast du festgestellt, dass das Fleisch und die Jugend beachtliche Hindernisse für deine Bemühungen sind. Mag sein, dass es dir mit der Zeit gelingt, jene lobenswerte Verfeinerung des Verhaltens und der äußeren Erscheinung auszubilden, die man als *shibusa* bezeichnen könnte. Ob du aber jemals die profunde Schlichtheit des Geistes erreichen wirst, die wirkliches *shibumi* ist, sei dahingestellt. Suchen sollst du danach, selbstverständlich. Aber sei auch bereit, mit Anstand Bescheideneres zu akzeptieren. Damit müssen sich die meisten von uns zufriedengeben.«

»Vielen Dank für Ihre Unterweisung, Sir. Aber ich würde den Misserfolg in dem Bemühen, ein Mann des *shibumi* zu werden, dem Erfolg im Streben nach einem geringeren Ziel vorziehen.«

Der General nickte lächelnd. »Ja, natürlich würdest du das. Ich hatte gewisse Aspekte deiner Persönlichkeit außer Acht gelassen. Wir waren zu lange getrennt.« Eine Zeit lang genossen sie schweigend den Garten. »Sag, Nikko, bleibst du mit deinen Sprachen auch in der Übung?«

Nikolai gestand, dass er beim Durchblättern einiger der Bücher, die ihm der General mitgebracht hatte, feststellen musste, dass sein Deutsch und sein Englisch einrosteten.

»Das darfst du nicht zulassen. Vor allem dein Englisch musst du üben. Wenn der Krieg vorbei ist, werde ich nicht in der Lage sein, dir zu helfen, und du hast außer deiner Sprachbegabung nichts, womit du etwas anfangen könntest.«

»Das klingt, als würden wir den Krieg verlieren, Sir.«

Kishikawa-san schwieg lange, und Nikolai las Trauer und Müdigkeit in seinem Gesicht, das im Mondlicht blass und verschwommen wirkte. »Letztlich werden alle Kriege verloren. Von beiden Seiten, Nikko. Die Zeiten, in denen die Schlachten zwischen Berufskriegern ausgefochten wurden, sind vorbei. Jetzt finden die Kriege zwischen gegnerischen Industriekapazitäten, zwischen gegnerischen Völkern statt. Die Russen werden mit ihrem Meer gesichtsloser Menschen die Deutschen besiegen. Die Amerikaner mit ihren anonymen Fabriken werden uns besiegen. Letzten Endes.«

»Und was werden Sie tun, wenn das geschieht, Sir?«

Der General schüttelte langsam den Kopf. »Das spielt keine Rolle. Ich werde bis zuletzt meine Pflicht tun. Ich werde weiterhin sechzehn Stunden am Tag meine kleinen administrativen Probleme bearbeiten. Ich werde weiterhin als Patriot funktionieren.«

Nikolai musterte ihn fragend. Noch nie hatte er Kishikawa-san bisher von Patriotismus sprechen hören.

Der General lächelte matt. »Aber ja, Nikko! Ich bin wirklich ein Patriot. Kein Patriot der Politik, der Ideologie, der Militärkapellen oder des *hinomaru*. Aber dennoch ein Patriot. Ein Patriot der Gärten, wie diesem hier, der Mondfeste, der Feinheiten des Go-Spiels, des Gesangs unserer Frauen beim Reispflanzen, der Kirschbäume in ihrer kurzen Blütezeit – all dessen, was japanisch ist. Dass ich um unsere bevorstehende Niederlage weiß, hat nichts damit zu tun, dass ich weiterhin meine Pflicht tun muss. Verstehst du das, Nikko?«

»Die Worte ja, Sir.«

Der General lachte leise. »Vielleicht steckt auch nicht mehr dahinter. Geh jetzt zu Bett, Nikko. Lass mich bitte noch ein Weilchen allein. Morgen früh werde ich abreisen, bevor du erwachst, aber es hat mir Freude gemacht, diese kurze Zeit mit dir zu verbringen.«

Nikko neigte den Kopf und erhob sich. Noch lange, nachdem er gegangen war, saß der General da und betrachtete ruhig den mondbeschienenen Garten.

Sehr viel später erfuhr Nikolai, dass General Kishikawa Geld für den Unterhalt und die Ausbildung seines Schützlings hatte zurücklassen wollen, aber Otake-san die Summe mit der Begründung zurückgewiesen hatte, es wäre, wenn Nikolai wirklich ein so unwürdiger Schüler sei, wie es der General behauptete, unmoralisch von ihm, sich seine Ausbildung bezahlen zu lassen. Der General sah seinen alten Freund an und schüttelte lächelnd den Kopf. Mit List hatte man ihn dazu gebracht, eine Gefälligkeit anzunehmen.

Das Kriegsglück wandte sich gegen die Japaner, die ihre begrenzte Produktionskapazität in einen kurzen, totalen Krieg investiert hatten, der zu einem günstigen Frieden führen sollte. Überall, wohin man sah, waren Anzeichen der bevorstehenden Niederlage erkennbar: in dem hysterischen Fanatismus der Regierungs-Durchhalteparolen im Radio, in den Berichten der Flüchtlinge über verheerende Flächenbombardierungen von Wohnvierteln durch amerikanische Flugzeuge, im zunehmenden Mangel an den notwendigsten Verbrauchsgütern.

Selbst in ihrem kleinen Dorf wurden, nachdem die Bauern ihre Produktionsquoten abgeliefert hatten, die Lebensmittel knapp, und oft genug lebte die Otake-Familie von *zosui,* einer Suppe aus gehackten Möhren und Steckrüben mit Reis, die nur durch Otake-sans ausgeprägten Sinn für Humor genießbar wurde. Er aß gestenreich, mit übertriebenen Äußerungen des Behagens, rollte die Augen und klopfte sich den Magen so komisch, dass seine Kinder und Schüler lachen mussten und den faden, pappigen Geschmack auf ihrer Zunge vergaßen. Anfangs wurden Flüchtlinge aus der Stadt noch voller Mitleid versorgt; mit der Zeit jedoch wurden diese zusätzlichen hungrigen Mäuler zur Last, die Flüchtlinge wurden geringschätzig *sokaijin* genannt, und die Bauern murrten immer vernehmbarer über diese nutzlosen Leute, die reich oder bedeutend genug waren, um dem Grauen der Städte entfliehen zu können, es aber nicht fertigbrachten, für ihren Unterhalt zu arbeiten.

Otake-san selbst hatte sich immer nur einen einzigen Luxus gegönnt: seinen Garten. Nun grub er ihn um und pflanzte Gemüse. Charakteristisch für ihn war nur, dass er die Steckrüben, Rettiche und Möhren bunt durcheinandersäte, so dass ihre grünen Köpfe dem Auge gefällige Muster bildeten. »Gewiss, das macht es mühsamer, sie zu pflegen, doch wenn wir in unserem verzweifelten Kampf ums Überleben auf die Schönheit verzichten, dann haben die Barbaren uns schon besiegt.«

Schließlich musste die Regierung in ihren Rundfunksendungen hier und da zugeben, dass eine Schlacht oder eine Insel verloren worden war; andernfalls hätte sie in Anbetracht der Berichte heimkehrender Verwundeter auch noch die letzte Glaubwürdigkeit verloren. Jedes Mal, wenn eine solche Niederlage verkündet wurde (stets von der Behauptung begleitet, es handele sich um einen taktischen Rückzug, um eine Frontbegradigung oder um eine Verkürzung der Nachschubwege), endete die Nachrichtensendung mit dem alten beliebten Lied *»Umi Yukaba«,* dessen süße herbstliche Melodie zum Leitmotiv dieser Ära der Dunkelheit und der Verluste wurde.

Otake-san reiste jetzt nur noch sehr selten zu Go-Turnieren, denn die Transportmittel wurden ausschließlich für militärische und industrielle Zwecke gebraucht. Ganz wurden das Nationalspiel und die Berichte über wichtige Wettbewerbe in den Zeitungen jedoch nicht aufgegeben, denn die Regierung sah ein, dass dies eine der traditionellen Feinheiten der japanischen Kultur war, für die das Volk kämpfte.

Immer wenn Nikolai seinen Lehrer zu diesen seltenen Turnieren begleitete, wurde er Zeuge der Kriegsfolgen. Er sah Städte, die dem Erdboden gleichgemacht, Menschen, die obdachlos geworden waren. Aber den Durchhaltewillen des Volkes hatten die Bomben nicht brechen können. Dass strategische (das heißt gegen die Zivilbevölkerung gerichtete) Bombenangriffe den Kampfesmut eines Volkes lähmen könnten, ist eine ironische Fiktion. In Deutschland, England und Japan bewirkten diese strategischen Bombardements nur, dass die Menschen sich der gemeinsamen Sache umso intensiver bewusst wurden und dass sich ihr Widerstandsgeist in der Feuerprobe gemeinsam erduldeter Leiden festigte.

Einmal, als der Zug stundenlang auf einem Bahnhof hielt, weil die Strecke beschädigt war, ging Nikolai langsam auf dem Bahnsteig auf und ab. Überall auf der Station standen reihenweise Tragbahren mit Verwundeten, die ins Lazarett gebracht werden sollten. Einige waren schneeweiß vor Schmerzen und wie versteinert von der Anstrengung, sie zu verbergen, aber nicht einer schrie; nirgends war ein Stöhnen zu hören. Alte Menschen und Kinder gingen, Tränen des Mitleids in den Augen, von einer Bahre zur anderen, beugten sich über die Verwundeten und murmelten: »Danke. Danke. *Gokuro sama. Gokuro sama.*«

Eine gebeugte alte Frau kam auf Nikolai zu und starrte in sein abendländisches Gesicht mit den seltsamen, glasgrünen Augen. Ihre Miene verriet keinen Hass, nur eine Mischung aus Verwunderung und Enttäuschung. Traurig schüttelte sie den Kopf und wandte sich wieder ab.

Nikolai ging zu einem ruhigeren Teil des Bahnsteigs, setzte sich und betrachtete eine große Cumuluswolke. Er entspannte sich und konzentrierte seine Gedanken auf ihr langsames Dahingleiten am blauen Himmel, und wenige Minuten darauf entfloh er in eine kurze mystische Entrückung, in der ihn das Geschehen um ihn herum und das Schuldbewusstsein aufgrund seiner Herkunft nicht mehr berühren konnten.

Der zweite Besuch des Generals erfolgte gegen Ende des Krieges. Er traf an einem Frühlingsnachmittag unangekündigt ein und forderte Nikolai nach einem kurzen Gespräch mit Otakesan auf, ihn auf eine kleine Reise zu begleiten, weil er sich die

Kirschblüte am Kajikawafluss bei Niigata ansehen wollte. Bevor der Zug landeinwärts durch die Berge fuhr, trug er sie in nördlicher Richtung durch den Industriestreifen zwischen Yokohama und Tokio, wo er nur zögernd auf einem durch Bombardierungen und Überbeanspruchung geschwächten Bahnkörper dahinkroch, vorbei an endlosen Trümmerfeldern, Folge der wahllos gesetzten Bombenteppiche, die Wohnhäuser und Fabriken, Schulen und Tempel, Geschäfte, Theater und Krankenhäuser in Schutt und Asche gelegt hatten. Nur hier und da ragte der zerfetzte Stumpf eines Schornsteins empor; alles andere war dem Erdboden gleichgemacht.

Der Zug wurde durch weitläufige Vororte um Tokio herumgeleitet. Ringsumher sah man die Zeugnisse des großen Luftangriffs vom 9. März, bei dem über dreihundert B-29-Bomber die Wohnviertel von Tokio mit Brandbomben eingedeckt hatten. Ein sechzehn Quadratmeilen großes Areal der Stadt wurde zu einem Inferno mit Temperaturen von über tausend Grad Celsius, in denen Dachziegel schmolzen und das Straßenpflaster Blasen warf. Flammenwände sprangen von Haus zu Haus, über Kanäle und Flüsse hinweg, kreisten Massen von Panik erfasster Zivilisten ein, Menschen, die von einer der immer weiter schrumpfenden Inseln der Sicherheit zur anderen hasteten und vergebens einen Ausweg aus dem zunehmend enger werdenden Feuerring suchten. Die Bäume in den Parks zischten und dampften, bis sie sich dem Brennpunkt näherten und mit lautem Krachen im Bruchteil einer Sekunde von den Wurzeln bis zur Krone in Flammen standen. Ganze Trauben von Menschen wateten in die Kanäle, um der entsetzlichen Hitze zu entgehen; doch sie wurden von der Menge, die vom Ufer aus schreiend nachdrängte, immer tiefer ins Wasser geschoben, bis sie den Boden unter den Füßen verloren. Ertrinkende Mütter mussten ihre Kinder fallen lassen, die sie bis zur letzten Sekunde hoch über dem Kopf gehalten hatten.

Der Flammenwirbel sog an seiner Basis Luft nach und löste einen Feuersturm von Hurrikanstärke aus, der brüllend ins Zentrum des Brandes fegte und die Feuersbrunst nährte. So gewaltig waren die wirbelnd tobenden Aufwinde, dass amerikanische Flugzeuge, die über der Stadt kreisten, um Luftaufnahmen zu machen, meterhoch emporgeschleudert wurden.

Viele von denen, die in jener Nacht starben, waren einfach hilflos erstickt. Die gierigen Flammen hatten ihnen buchstäblich den Atem aus den Lungen gerissen.

Die Japaner, die keine wirksame Luftabwehr mehr hatten, waren den Bomberwellen, die ihre Phosphorbrände über die Stadt verteilten, hilflos ausgeliefert. Feuerwehrmänner weinten vor Verzweiflung und Scham, während sie nutzlose Schläuche zu den Flammenwänden hinüberzerrten. Die geborstenen, dampfenden Wasserrohre lieferten nur noch träge Rinnsale.

Als der Morgen dämmerte, schwelte die Stadt immer noch, und an jedem Trümmerhaufen leckten winzige Flammenzungen, die nach Resten von Brennbarem suchten. Wo man hinsah, lagen Tote. Einhundertunddreißigtausend. Die verkohlten, geschrumpften Leichen wurden wie Holzscheite auf den Schulhöfen aufgeschichtet. Ältere Ehepaare starben eng aneinandergeschmiegt, die Körper in einer letzten Umarmung zusammengeschweißt. Die Kanäle waren verstopft von Toten, die auf dem immer noch warmen Wasser schaukelten.

Schweigende Gruppen von Überlebenden wanderten auf der Suche nach Angehörigen von einem Haufen verkohlter Leichname zum andern. Unter jedem Stoß fand man eine Anzahl Münzen, die bis zum Schmelzpunkt erhitzt worden waren und sich bis zum Erdboden durch die Toten hindurchgebrannt hatten. Eine fleischlose junge Frau wurde in einem Kimono gefunden, der vom Feuer unberührt geblieben schien, doch als man den Stoff anfasste, zerfiel er zu Asche.

In späteren Jahren hatten die Westmächte ein schlechtes

Gewissen wegen der Vorkommnisse in Hamburg und Dresden, denn dort hatte es sich um Opfer europäischer Völker gehandelt. Nach der Bombardierung von Tokio am 9. März jedoch beschrieb das *Time*-Magazin diesen Luftangriff als einen »Traum, der Wirklichkeit geworden ist«, als Experiment, an dem man erkenne, dass »richtig in Brand gesetzte japanische Städte wie Zunder brennen«.

Und noch stand Hiroshima bevor.

Während der Fahrt saß General Kishikawa steif und stumm auf seinem Platz; sein Atem ging so flach, dass man unter dem zerdrückten Zivilanzug, den er trug, keine Bewegung sah. Selbst als das Grauen der Wohnviertel von Tokio hinter ihnen lag und der Zug in die unvergleichliche Schönheit der Berge und Hochplateaus hinaufstieg, sagte Kishikawa-san kein Wort. Um das Schweigen zu brechen, erkundigte sich Nikolai höflich nach der Tochter des Generals und nach seinem kleinen Enkel in Tokio. Doch kaum hatte er die Frage ausgesprochen, da wusste er, was geschehen sein musste. Warum sonst hätte der General wohl in diesen letzten Kriegsmonaten Urlaub bekommen?

Als er endlich sprach, war Kishikawa-sans Blick freundlich, doch Nikolai konnte tiefe Trauer und Verlassenheit in seinen Augen lesen. »Ich habe nach ihnen gesucht, Nikko. Doch das Viertel, in dem sie wohnten, war … Es existierte nicht mehr. Deswegen habe ich beschlossen, ihnen bei den Kirschblüten von Kajikawa Lebewohl zu sagen, weil ich dort einmal mit meiner Tochter gewesen bin, als sie noch klein war, und weil ich auch einmal mit meinem … Enkel hinzufahren hoffte. Willst du mir helfen, Abschied von ihnen zu nehmen, Nikko?«

Nikolai räusperte sich. »Wie kann ich helfen, Sir?«

»Indem du mit mir unter den Kirschbäumen spazieren gehst. Indem du mich mit dir reden lässt, wenn ich das Schweigen nicht länger ertrage. Du bist wie ein Sohn für mich, und du …« Der General schluckte mehrmals und senkte den Blick.

Eine halbe Stunde später drückte der General die Finger an seine Augen und schniefte ein wenig. Dann sah er Nikolai an. »Also gut. Erzähl mir von dir, Nikko. Machst du Fortschritte bei deinem Spiel? Ist *shibumi* immer noch dein Ziel? Wie geht es der Familie Otake – haben sie es sehr schwer?«

Und Nikolai bekämpfte das Schweigen mit einer Sturzflut von Banalitäten, die den General vor der kalten Stille in seinem Herzen abschirmen sollten.

Drei Tage lang wohnten sie in einem altmodischen Hotel in Niigata und gingen jeden Morgen zum Ufer des Kajikawa hinunter, wo sie gemächlich zwischen den Reihen der blühenden Kirschbäume einherwanderten. Aus der Ferne glichen die Bäume duftigen rosa Wolken. Der Pfad und die Straße waren mit einer Blütenschicht bedeckt, überall schwebten rosa Blättchen herab und starben im Augenblick ihrer größten Schönheit. Kishikawa-san fand in dieser eigenartigen Symbolik Trost.

Sie sprachen selten auf ihren Spaziergängen, und wenn, dann nur leise. Ihre Kommunikation bestand aus Gedankenfragmenten, aus einzelnen Worten oder abgebrochenen Sätzen, doch sie verstanden einander genau. Zuweilen setzten sie sich an die hohen Uferbefestigungen des Flusses und starrten in das vorbeiströmende Wasser, bis es schien, als stehe der Fluss still und sie selbst trieben stromaufwärts. Der General trug Kimonos in Braun- und Rosttönen, während Nikolai in die dunkelblaue Studentenuniform mit dem steifen Kragen und der Schirmmütze auf dem hellen Haar gekleidet war. So sehr boten sie das typische Bild von Vater und Sohn, dass die Vorübergehenden verblüfft waren, wenn sie die ungewöhnliche Augenfarbe des jungen Mannes bemerkten.

Am letzten Tag blieben sie länger als sonst unter den Kirschbäumen, wanderten bis in den Abend hinein durch die breite Allee. Als das Tageslicht allmählich erlosch, schien vom

Boden ein gespenstischer Schimmer emporzusteigen, der die Bäume von unten beleuchtete und den Blütenschnee akzentuierte. Ruhig begann der General zu sprechen, ebenso sehr zu sich selbst wie zu Nikolai. »Wir haben Glück gehabt. Wir durften die drei schönsten Tage der Kirschblüte genießen. Den Tag der Verheißung, da sie noch nicht ganz entfaltet sind. Dann den perfekten Tag der Verzauberung. Und heute haben sie ihren Höhepunkt bereits überschritten. Dies ist der Tag des Erinnerns. Der traurigste von allen dreien – aber der reichste. In all dem liegt eine Art … Trost? … Nein, eher Erquickung. Und wieder einmal fällt mir auf, was für ein billiger Gaunertrick die Zeit doch ist. Ich bin sechsundsechzig, Nikko. Von deinem Standpunkt aus gesehen – der du in die Zukunft blickst – sind sechsundsechzig Jahre eine sehr lange Zeit. Es ist mehr als das Dreifache deiner gesamten Lebenserfahrung. Von meinem Standpunkt aus jedoch – der ich in die Vergangenheit schaue – waren diese sechsundsechzig Jahre wie das Herabschweben einer Kirschblüte. Ich habe das Gefühl, mein Leben war ein Bild, hastig gezeichnet, doch nie sorgfältig ausgetuscht … aus Zeitmangel. Zeit. Erst gestern – aber vor über fünfzig Jahren – ging ich mit meinem Vater an diesem Fluss entlang. Damals gab es noch keine Uferbefestigungen; und keine Kirschbäume. Das war gestern – und dennoch in einem anderen Jahrhundert. Unser Sieg über die russische Marine lag noch zehn Jahre weit in der Zukunft. Unser Kampf an der Seite der Alliierten im großen Krieg war noch über zwanzig Jahre entfernt. Ich sehe noch das Gesicht meines Vaters. (Und in der Erinnerung blicke ich stets zu ihm empor.) Ich weiß noch, wie groß und stark sich seine Hand für meine kleinen Finger anfühlte. Und in der Brust spüre ich immer noch – als hätten die Nerven ein eigenständiges Gedächtnis – das wehmütige Ziehen, das ich damals empfand, weil ich nicht fähig war, meinem Vater zu sagen, dass ich ihn liebte. Wir waren es nicht gewohnt, in so offenen und direkten Worten miteinander zu reden. Ich sehe noch jeden Zug in dem zwar strengen, aber feingeschnittenen Profil meines Vaters. Fünfzig Jahre. Doch all die unbedeutenden, hektischen Dinge, die so schrecklich wichtigen und dennoch inzwischen vergessenen Dinge, die den dazwischenliegenden Zeitraum ausfüllten, brechen in sich zusammen und fallen heraus aus meiner Erinnerung. Ich glaubte immer, meinen Vater zu bedauern, weil ich ihm nie sagen konnte, dass ich ihn liebte. Dabei war *ich* es, den ich bemitleidete. Denn ich brauchte das Aussprechen dieser Worte mehr, als er sie zu hören bedurfte.«

Das Licht, das von der Erde aufstieg, wurde schwächer, und der Himmel färbte sich purpurn; im Westen schoben sich Gewitterwolken blau-violett und lachsfarben über den Horizont.

»Und ich erinnere mich an ein anderes Gestern, als meine Tochter noch ein kleines Mädchen war. Da gingen wir auch hier spazieren. Und jetzt, in diesem Augenblick, erinnern sich die Nerven in meiner Hand an das Gefühl ihrer pummeligen Fingerchen in den meinen. Diese Bäume waren damals gerade erst gepflanzt worden – elende, dürre Stämmchen, mit weißen Tuchstreifen an Stützpfosten festgebunden. Wer hätte gedacht, dass solch komische junge Stämmchen alt und weise genug werden könnten, um uns zu trösten, ohne uns Ratschläge aufzudrängen? Ich möchte wissen ... ich möchte wissen, ob die Amerikaner sie alle fällen werden, weil sie keine greifbaren Früchte tragen. Ja, wahrscheinlich. Und wahrscheinlich in bester Absicht.«

Nikolai empfand leises Unbehagen. Noch nie hatte Kishikawa-san sich ihm so rückhaltlos geöffnet. Ihr Verhältnis zueinander war stets von verständnisvoller Zurückhaltung geprägt gewesen.

»Als ich dich das letzte Mal besuchte, Nikko, da bat ich dich, deine Sprachbegabung zu pflegen. Hast du das getan?«

»Ja, Sir. Zwar hatte ich keine Gelegenheit, etwas anderes zu sprechen als Japanisch, aber ich habe alle Bücher gelesen, die

Sie mir mitgebracht haben, und manchmal führe ich in den verschiedenen Sprachen Selbstgespräche.«

»Vor allem auf Englisch, hoffe ich.«

Nikolai starrte ins Wasser. »Am allerwenigsten auf Englisch.«

Kishikawa-san nickte. »Weil das die Sprache der Amerikaner ist?«

»Ja.«

»Kennst du einen Amerikaner?«

»Nein, Sir.«

»Aber du hasst sie trotzdem?«

»Es ist nicht schwer, Barbarenbastarde zu hassen. Ich brauche sie nicht persönlich zu kennen, um sie als Rasse hassen zu können.«

»Oh, aber siehst du, Nikko, die Amerikaner sind keine Rasse. Und das ist ihr Kardinalfehler. Sie sind, wie du schon sagtest, Bastarde.« Nikolai sah ihn verwundert an. Wollte der General die Amerikaner in Schutz nehmen? Vor drei Tagen erst war er an Tokio vorbeigefahren und hatte die Folgen des größten Brandbombenangriffs in diesem Krieg gesehen, eines Angriffs, der sich vor allem gegen die Wohnviertel und die Zivilisten richtete. Kishikawa-sans eigene Tochter ... und sein Enkel ...

»Ich kenne die Amerikaner, Nikko. Ich habe vorübergehend unter dem Militärattaché in Washington gearbeitet. Habe ich dir schon mal davon erzählt?«

»Nein, Sir.«

»Nun ja, ich war kein sehr erfolgreicher Diplomat. Um in der Diplomatie zu reüssieren, muss man eine gewisse Flexibilität des Gewissens, eine elastische Einstellung zur Wahrheit entwickeln. Beides fehlte mir. Aber ich lernte die Amerikaner kennen und ihre Tugenden und Fehler beurteilen. Sie sind äußerst geschickte Kaufleute und haben großen Respekt vor finanziellem Erfolg. Diese Tugenden mögen dir mager und billig erscheinen, aber sie stehen im Einklang mit den Wertvorstellungen der industrialisierten Welt. Du bezeichnest die Amerikaner als Barbaren, und damit hast du natürlich Recht. Das weiß ich sogar noch besser als du. Ich weiß, dass sie Gefangene gefoltert und genital verstümmelt haben. Ich weiß, dass sie Männer mit ihren Flammenwerfern in Brand gesetzt haben, um zu sehen, wie weit sie noch laufen konnten, bevor sie zusammenbrachen. Jawohl, Barbaren. Aber, Nikko, unsere eigenen Soldaten haben ähnliche Dinge getan, jeder Beschreibung spottende grausame und scheußliche Dinge. Krieg, Hass und Angst haben aus unseren eigenen Landsleuten Bestien gemacht. Und wir sind keine Barbaren; unser Moralgefühl hätte von tausend Jahren der Zivilisation und Kultur gestählt sein müssen. In gewisser Weise ist gerade die Tatsache, dass sie Barbaren sind, für die Amerikaner eine Entschuldigung – oder nein, entschuldigen kann man so etwas nicht –, eine Erklärung also. Und wie können wir die Brutalität der Amerikaner verurteilen, deren Kultur nichts ist als eine dünne Lackschicht, ein im Verlauf einiger Jahrzehnte zusammengehauenes Flickwerk, wenn wir selbst, trotz unserer tausendjährigen Tradition brüllende Bestien ohne Mitleid und Humanitätsgefühl sind? Amerika wurde schließlich vom Abschaum und von den Versagern Europas besiedelt. Im Lichte dieser Erkenntnis müssen wir sie als unschuldig betrachten. So unschuldig wie eine Natter, so unschuldig wie ein Schakal. Gefährlich und verschlagen, aber nicht sündig. Sie sind nicht einmal eine Kultur. Sie sind ein kultureller Brei aus den Resten und Abfällen des europäischen Banketts. Im günstigsten Fall sind sie eine salonfähige Technologie. Statt einer Ethik haben sie Vorschriften. Quantität hat für sie die Funktion, die für uns die Qualität besitzt. Was für uns Ehre und Schande bedeutet, das ist für sie Gewinn und Verlust. Außerdem darfst du nicht in Begriffen wie Rasse denken; Rasse ist nichts, Kultur ist alles. Von der Rasse her bist du ein Abendländer; kulturell gesehen jedoch bist du keiner, und daher bist du eben auch keiner. Jede Kultur hat ihre Stärken und Schwächen, die man nicht gegeneinander aufwiegen kann. Das einzig absolut sichere Kriterium ist, dass eine Verschmelzung von Kulturen stets in einer Mischung ihrer schlechtesten Eigenschaften resultiert. Das Böse an einem Menschen oder einer Kultur ist das starke, bösartige Tier tief im Innern. Das Gute an einem Menschen oder einer Kultur erwächst aus der anfälligen, künstlichen Hinzufügung einer ausgleichenden Zivilisation. Und wenn Kulturen sich untereinander kreuzen, gewinnen unweigerlich die dominanten niedrigen Elemente die Oberhand. Du siehst also, wenn du die Amerikaner beschuldigst, Barbaren zu sein, enthebst du sie damit in Wirklichkeit der Verantwortung für ihre Empfindungslosigkeit und Oberflächlichkeit. Nur wenn du auf ihren Bastardcharakter als solchen hinweist, triffst du ihren eigentlichen Fehler. Und ist Fehler überhaupt der richtige Ausdruck? Schließlich werden in der Welt der Zukunft, einer Welt der Kaufleute und Techniker, die niedrigen Instinkte des Bastards dominieren. Der Abendländer bestimmt die Zukunft, Nikko. Eine harte und unpersönliche Zukunft der Technologie und Automation, gewiss – aber dennoch die Zukunft. Du wirst in dieser Zukunft leben müssen, mein Sohn. Es nützt dir nichts, den Amerikanern mit Verachtung zu begegnen. Du musst versuchen, sie zu verstehen, und sei es nur, um dich vor ihnen zu schützen.«

Kishikawa-san hatte sehr leise, beinahe wie zu sich selbst gesprochen, während sie im schwindenden Licht langsam den breiten Pfad entlangschritten. Sein Monolog klang wie eine Lektion, die ein liebevoller Lehrer einem eigenwilligen Schüler erteilt; und Nikolai hatte gesenkten Kopfes mit ungeteilter Aufmerksamkeit zugehört. Nach minutenlangem Schweigen lachte Kishikawa-san leicht und klatschte in die Hände. »Genug davon! Ratschläge helfen nur dem, der sie gibt, und das auch nur insofern, als er sein Gewissen erleichtert. Letztlich wirst du doch tun, was das Schicksal und deine Erziehung diktieren, und meine Ratschläge werden deine Zukunft nicht mehr beeinflussen, als eine Kirschblüte, die in den Fluss fällt, seinen Lauf ändert. Eigentlich wollte ich mit dir über etwas anderes sprechen, und das habe ich bisher vermieden, indem ich mich über Kultur und Zivilisation und die Zukunft verbreitete – Themen, so tief und zugleich so vage, dass man sich gut dahinter verstecken kann.«

Während die Nacht sich senkte und eine kühle Brise vom Fluss heraufstieg, die die Kirschblüten wie dichte rosa Schneeflocken herabrieseln ließ, die ihre Wangen streiften und Haare und Schultern bedeckten, schlenderten sie schweigend dahin. Am Ende des breiten Pfades gelangten sie an eine Brücke, auf deren höchstem Punkt sie stehen blieben und in die schwach phosphoreszierende Gischt hinabblickten, die sich dort bildete, wo der Fluss gegen die Felsen brandete. Der General holte tief Atem und stieß ihn langsam durch die geschürzten Lippen aus, während er sich innerlich für das stählte, was er Nikolai sagen wollte.

»Dies ist unser letztes Gespräch, Nikko. Man hat mich nach Mandschukuo versetzt. Wir erwarten den Angriff der Russen, sobald wir so schwach sind, dass sie ohne Risiko am Krieg – und damit am Sieg – teilnehmen können. Dass von den Kommunisten gefangen genommene Stabsoffiziere am Leben bleiben werden, ist unwahrscheinlich. Viele wollen lieber *seppuku* begehen, als die Schmach der Kapitulation auf sich zu nehmen. Ich habe beschlossen, ebenfalls diesen Weg einzuschlagen – aber nicht, weil ich der Schande entgehen will. Meine Teilnahme an diesem bestialischen Krieg hat mich – und ich fürchte, alle anderen Soldaten auch – so sehr entehrt, dass *seppuku* mich nicht mehr zu reinigen vermag. Doch selbst wenn diese Handlung meine Ehre nicht wiederherstellen kann, so birgt sie doch wenigstens ... Würde. Ich bin während dieser letzten drei Tage, während wir hier unter den

Kirschbäumen wandelten, zu diesem Entschluss gekommen. Vor einer Woche, solange meine Tochter und mein Enkel als Geiseln des Schicksals festgehalten wurden, fühlte ich mich noch nicht frei, mich auf diese Weise vor der Schande zu bewahren. Jetzt aber ... jetzt haben mich die Umstände befreit. Es tut mir leid, dich den Stürmen des Zufalls überlassen zu müssen, Nikko, denn du warst mir wie ein Sohn. Aber ...«, Kishikawa-san seufzte tief auf, »aber ich sehe keine Möglichkeit, dich vor dem, was auf dich zukommt, zu beschützen. Ein entehrter, besiegter alter Soldat würde kein Schutz und Schirm für dich sein. Du bist weder Japaner noch Europäer. Ich bezweifle, ob dich überhaupt jemand schützen kann. Und weil ich dir nicht helfen kann, wenn ich bleibe, fühle ich mich frei zu gehen. Hast du Verständnis dafür, Nikko? Und gibst du mir deine Zustimmung?«

Nikolai starrte lange in die Stromschnellen und suchte nach der richtigen Antwort. »Ihr Rat und Ihre Zuneigung werden mich immer begleiten. Auf diese Weise können Sie mich niemals wirklich verlassen.«

Die Ellbogen aufs Brückengeländer gestützt, blickte der General in das geisterhafte Schimmern der Gischt hinab und nickte bedächtig.

Die letzten Wochen im Hause der Otakes waren eine traurige Zeit. Nicht wegen der Gerüchte von Rückschlägen und Niederlagen, die sich von allen Seiten mehrten; auch nicht wegen der Lebensmittelknappheit und des schlechten Wetters, die zusammen bewirkten, dass der Hunger zum steten Begleiter wurde; sondern weil Otake vom Siebten *Dan* im Sterben lag. Seit Jahren hatte die Anspannung des professionellen Spielens auf höchstem Niveau sich in immerwährenden Magenkrämpfen bemerkbar gemacht, die er mit seinen Pfefferminzdrops linderte; doch dann wurden die Schmerzen immer schlimmer, und schließlich diagnostizierte man Magenkrebs.

Als sie erfuhren, dass Otake-san im Sterben lag, beendeten Nikolai und Mariko ihre Affäre ohne ein Wort darüber zu verlieren und ganz selbstverständlich. Die Last unerklärlicher Scham, die allen heranwachsenden Japanern eigen ist, verbot es ihnen, sich einer so lebensvollen Aktivität wie der Liebe hinzugeben, während ihr Lehrer und Freund dem Tode nahe war.

Einer jener Ironien des Lebens gemäß, die uns immer wieder in Erstaunen versetzen, obwohl doch die Erfahrung lehrt, dass die Ironie die verbreitetste Ausdrucksform des Schicksals ist, begannen die anderen Hausbewohner sie erst zu verdächtigen, als sie ihre körperliche Beziehung gelöst hatten. Solange sie in ihr gefährliches und aufregendes Liebesleben verstrickt waren, hatte die Angst vor Entdeckung sie in ihrem Verhalten zueinander in der Öffentlichkeit zu äußerster Vorsicht veranlasst. Sobald sie sich jedoch keiner beschämenden Handlung mehr schuldig fühlten, wagten sie mehr Zeit miteinander zu verbringen, miteinander durch die Straßen zu gehen oder draußen im Garten zu sitzen; und jetzt erst begann die Familie mit Seitenblicken und gehobenen Augenbrauen heimliche, wenn auch liebevolle Bemerkungen über sie auszutauschen.

Wenn sie ihr Übungsspiel ergebnislos abgebrochen hatten, unterhielten sie sich oft darüber, was wohl die Zukunft bringen würde, wenn der Krieg verloren und ihr geliebter Lehrer gestorben sei. Wie würde das Leben aussehen, wenn sie nicht mehr zum Otake-Haushalt gehörten, wenn amerikanische Soldaten das Land besetzten? Stimmte es, was sie gehört hatten, dass nämlich der Tenno sie aufrufen würde, in einem letzten Versuch, den Feind vor den Küsten Japans zurückzuschlagen, ihr Leben fürs Vaterland hinzugeben? Und würde der Tod nicht letztlich einem Leben unter der Barbarenherrschaft vorzuziehen sein?

Über solche Fragen diskutierten sie, als Otakes jüngster Sohn Nikolai eines Abends mitteilte, der Lehrer wünsche ihn zu sprechen. Otake-san erwartete ihn in seinem Sechs-Matten-Arbeitszimmer, dessen Schiebetüren auf den kleinen Garten mit dem dekorativ angepflanzten Gemüse hinausgingen. An diesem Abend wurden die grünen und braunen Töne draußen von einem ungesunden Nebel gedämpft, der von den Bergen herunterkam. Die Luft im Zimmer war feucht und kühl, und der süßliche Geruch faulender Blätter mischte sich mit dem köstlich kräftigen Aroma brennenden Holzes. Außerdem lag ein schwacher Duft von Pfefferminz in der Luft, denn Otake-san nahm immer noch seine Pfefferminzdrops, obwohl sie den Krebs nicht hatten hemmen können.

»Es ist sehr liebenswürdig von Ihnen, mich zu empfangen, Lehrer«, sagte Nikolai nach einigen Minuten des Schweigens. Der formelle Ton seiner Worte gefiel ihm nicht, aber er fand keinen Mittelweg zwischen der Zuneigung und dem Mitgefühl, die er empfand, und der ernsten Feierlichkeit, die diesem Augenblick innewohnte. Im Verlauf der letzten drei Tage hatte Otake-san mit jedem seiner Kinder und Studenten einzeln lange Gespräche geführt, und Nikolai, sein vielversprechendster Schüler, war der letzte.

Otake-san deutete auf die Matte neben sich, und Nikolai kniete im rechten Winkel zu ihm nieder, in jener höflichen Position, die es gestattete, dass der Ältere im Gesicht des Jüngeren lesen konnte, während seine eigenen Züge unbeobachtet blieben. Voll Unbehagen über das lange Schweigen versuchte Nikolai es mit Banalitäten zu überbrücken. »Nebel von den Bergen ist ungewöhnlich um diese Jahreszeit, Lehrer. Manche behaupten, er ist ungesund, aber er verleiht dem Garten eine neue Schönheit, und den …«

Otake-san hob die Hand und schüttelte ganz leicht den Kopf. Dazu war jetzt keine Zeit. »Ich will von der Großspiellage reden, Nikko, bin mir aber im Klaren darüber, dass meine Verallgemeinerungen durch die Erfordernisse lokal begrenzter Züge und Bedingungen eingeschränkt werden.«

Nikolai nickte stumm. Es war Otake-sans Angewohnheit, immer, wenn es um etwas Wichtiges ging, in Go-Formeln zu sprechen. Wie General Kishikawa einmal gesagt hatte, war für den Lehrer das Leben eine vereinfachte Metapher für Go.

»Wird dies eine Lektion werden, Lehrer?«

»Nicht direkt.«

»Dann eine Zurechtweisung?«

»Es könnte dir so vorkommen. In Wirklichkeit ist es eine Kritik. Aber nicht nur an dir. Eine Kritik ... Eine Analyse dessen, was in meinen Augen eine instabile und gefährliche Kombination darstellt: du und dein zukünftiges Leben. Beginnen wir mit der Feststellung, dass du ein brillanter Spieler bist.« Otake-san hob die Hand. »Nein! Bemühe dich nicht um höfliche Floskeln der Selbstverleugnung. Ich habe Spieler gekannt, die ebenso brillant waren wie du, aber noch nie einen in deinem Alter, und auch keinen, der noch lebt. Doch ein erfolgreicher Mensch hat andere Vorzüge als Brillanz, darum werde ich dich nicht mit unqualifizierten Komplimenten belasten. In deinem Spiel, Nikko, liegt etwas Beunruhigendes. Etwas Abstraktes, Unfreundliches. Dein Spiel ist irgendwie unorganisch ... nicht lebendig. Es besitzt die Schönheit eines Kristalls, aber ihm fehlt die Schönheit einer Blüte.«

Nikolais Ohren wurden rot, aber in seiner Miene waren weder Verlegenheit noch Zorn zu lesen. Strafen und Korrigieren sind das Recht, ja die Pflicht eines Lehrers.

»Ich sage nicht, dass dein Spiel mechanisch und berechenbar wäre, denn das ist es selten. Das verhindert schon dein erstaunlicher ...«

Otake-san sog plötzlich den Atem ein und hielt ihn an, die Augen blicklos auf den Garten gerichtet. Nikolai hielt die Augen gesenkt, um seinen Lehrer nicht dadurch in Verlegenheit zu bringen, dass er seinen Kampf mit dem Schmerz beobachtete. Lange Sekunden verstrichen, und noch immer atmete Otake-san nicht weiter. Dann entließ er die Luft mit einem kleinen Keuchlaut aus der Kehle, wo er sie gewaltsam zurückgehalten hatte, und stieß sie ganz langsam aus, wobei er vorsichtig prüfte, ob sich der Schmerz nicht wieder einstellte. Als die Krise vorüber war, atmete er zweimal lange und dankbar durch den offenen Mund. Dann blinzelte er mehrmals und nahm den Faden wieder auf.

»... Was dein Spiel davor bewahrt, mechanisch und berechenbar zu werden, ist dein erstaunlicher Wagemut, doch selbst dieser Zug wird von etwas Unmenschlichem beeinträchtigt. Du spielst nur gegen die Situation auf dem Spielbrett; die Bedeutung – ja, die Existenz – deines Gegners aber leugnest du. Hast du mir nicht selbst erzählt, dass du in deinen Phasen mystischer Entrückung, aus denen du Kraft und Ruhe gewinnst, ohne Beziehung zum Gegner spielst? Darin liegt etwas Diabolisches. Etwas grausam Überlegenes. Sogar Arrogantes. Etwas, das sich mit dem Ziel des *shibumi* nicht vereinbaren lässt. Ich mache dich nicht darauf aufmerksam, weil ich dich korrigieren und belehren will, Nikko. Denn diese Eigenschaften liegen in dir verankert und sind unveränderlich. Und ich weiß nicht einmal genau, ob ich dich ändern wollte, wenn ich es könnte; denn diese deine Fehler sind zugleich deine Stärken.«

»Sprechen wir nur vom Go-Spiel, Lehrer?«

»Wir sprechen in Ausdrücken des Go-Spiels.« Otake-san schob die Hand unter den Kimono und drückte sie fest auf seinen Magen, während er noch ein Pfefferminzbonbon nahm. »Bei all deiner Brillanz, mein lieber Schüler, bist du doch nicht unverwundbar. Da ist zum Beispiel dein Mangel an Erfahrung. Du verschwendest deine Konzentration auf die Lösung von Problemen, auf die ein erfahrenerer Spieler aufgrund von Gewohnheit und Erinnerung reagiert. Doch diese Schwäche ist nicht von Bedeutung. Erfahrung kannst du dir aneignen, wenn du alles Überflüssige sorgfältig vermeidest. Verfalle nicht in den Fehler des Handwerkers, der sich mit zwanzigjähriger Erfahrung in seinem Fach brüstet, während er in Wirklichkeit nur ein einziges Jahr Erfahrung gehabt hat – aber das zwanzig Mal. Und ärgere dich nicht über den Erfahrungsvorsprung, den ältere Menschen haben. Vergiss nicht, dass sie für diese Erfahrung in der Münze des Lebens zahlen und eine Börse leeren mussten, die nicht wieder gefüllt werden kann.« Otake-san lächelte schwach. »Und denke daran, dass die Alten möglichst viel aus ihrer Erfahrung machen müssen, weil sie alles ist, was ihnen noch bleibt.«

Eine Zeit lang war Otake-sans Blick matt und nach innen gekehrt, während er auf den Garten hinausstarrte, dessen Konturen im feinen Nebel verschwammen. Mit sichtlicher Anstrengung holte er seine Gedanken aus der Ewigkeit zurück, um seine letzte Lektion zu beenden. »Nein, nicht dein Mangel an Erfahrung ist dein größter Fehler, Nikko. Sondern dein Hochmut. Deine Niederlagen werden dir nicht von jenen beigebracht werden, die brillanter sind als du, sondern von den Geduldigen, den Schwerfälligen, den Mittelmäßigen.«

Nikolai runzelte die Stirn. Das passte zu dem, was Kishikawa-san ihm unter den Kirschbäumen am Kajikawa gesagt hatte.

»Deine Verachtung für alles Mittelmäßige macht dich blind für dessen ungeheure primitive Macht. Du bist geblendet von deiner eigenen Brillanz, unfähig, bis in die dunklen Winkel des Zimmers zu sehen, die Augen aufzumachen und die potenzielle Gefahr der Massen, der Masse Mensch zu erkennen. Sogar jetzt, während ich dir dies sage, mein lieber Schüler, kannst du einfach nicht daran glauben, dass mindere Menschen, ganz gleich, in welcher Zahl, dich wirklich und wahrhaftig besiegen könnten. Doch wir leben im Zeitalter des mittelmäßigen Menschen, der stumpf ist, farblos und langweilig – aber unfehlbar siegreich. Die Amöbe überlebt den Tiger, weil sie sich teilt und in ihrer unsterblichen Monotonie weiterexistiert. Die Massen sind die letzten Tyrannen. Sieh nur, wie in der Kunst *Kabuki* verblasst und *No* dahinwelkt, während populäre Romane von Gewalttätigkeit und geistlosen Taten den Verstand des Massenlesers überschwemmen! Und sogar in diesem zahmen Genre wagt es kein Autor, einen Mann zu ersinnen, der seinem durchschnittlichen Helden wirklich überlegen ist, denn in seinem Zorn über diese Schmach würde der Massenmensch seinen *yojimbo,* den Kritiker, ausschicken, um ihn zu verteidigen. Das Gebrüll der Schwerfälligen ist unverständlich, aber ohrenbetäubend. Sie haben kein Hirn, aber sie haben tausend Arme, um dich zu fangen, dich festzuhalten und zu sich herabzuziehen.«

»Sprechen wir immer noch von Go, Lehrer?«

»Ja. Und von seinem Schatten: dem Leben.«

»Welchen Rat geben Sie mir?«

»Meide den Kontakt mit den Mittelmäßigen. Tarne dich mit Höflichkeit. Gib dich unbeteiligt und distanziert. Lebe für dich allein und suche *shibumi.* Vor allem aber lass dich nicht zu Wut und Aggression gegen die Masse hinreißen. Tarne dich, Nikko.«

»General Kishikawa hat mir beinahe dasselbe gesagt.«

»Zweifellos. Wir haben an seinem letzten Abend hier lange über dich gesprochen. Keiner von uns konnte sich ein Bild davon machen, wie sich die Westler dir gegenüber verhalten werden, wenn sie kommen. Doch am meisten sind wir besorgt wegen deines Verhaltens ihnen gegenüber. Du bist ein zu unserer Kultur Bekehrter und besitzt den typischen Fanatismus der Konvertiten. Das ist einer deiner Charakterfehler. Und solche Fehler führen zu ...« Otake-san zuckte mit den Achseln.

Nikolai nickte, senkte den Blick und wartete geduldig, bis ihn sein alter Lehrer entließ.

Nach kurzem Schweigen nahm Otake-san ein weiteres Pfefferminzbonbon und sagte. »Soll ich dir ein großes Geheimnis verraten, Nikko? All die Jahre lang habe ich den Leuten erklärt, ich nähme diese Pfefferminzdrops, um meine Magenschmerzen zu lindern. Die Wahrheit ist, sie schmecken mir einfach. Nur ist es würdelos für einen Erwachsenen, in der Öffentlichkeit Bonbons zu lutschen.«

»Ohne *shibumi,* Meister.«

»Ganz recht.« Otake-san schien einen Moment zu träumen. »Ja. Vielleicht hast du Recht. Vielleicht ist der Bergnebel wirklich ungesund. Aber er verleiht dem Garten eine melancholische Schönheit, und dafür sollten wir ihm dankbar sein.«

Nach der Einäscherung wurden Otake-sans letzte Verfügungen für Familie und Schüler in die Tat umgesetzt. Die Familie suchte ihre Habseligkeiten zusammen, um zu Otakes Bruder zu ziehen. Die Schüler kehrten nach Hause zurück. Nikolai, jetzt über zwanzig, obwohl er höchstens wie fünfzehn aussah, wurde das Geld ausgehändigt, das General Kishikawa für ihn hinterlegt hatte, und ihm wurde bedeutet, er dürfe darüber nach eigenem Gutdünken verfügen. Dabei empfand er jenes aufregende Schwindelgefühl, das absolute Freiheit im Zusammenspiel mit Ziellosigkeit bewirkt.

Am 3. August 1945 hatte sich der gesamte Otake-Haushalt mit Kisten und Kasten auf dem Bahnsteig versammelt. Nikolai hatte weder Zeit noch Gelegenheit, Mariko zu sagen, was er für sie empfand. Doch es gelang ihm, eine besondere Betonung und Zärtlichkeit in sein Versprechen zu legen, sie so bald wie möglich zu besuchen, wenn er erst einmal in Tokio Fuß gefasst hatte. Er freute sich auf diesen Besuch, denn Mariko hatte ihm oft begeistert von ihrer Familie und ihren Freunden erzählt – von ihrem Zuhause in ihrer Heimatstadt Hiroshima.

WASHINGTON

Der Erste Assistent schob seinen Stuhl vom Computer zurück und schüttelte den Kopf. »Da gibt's nicht viele Ansatzpunkte, Sir. Fat Boy hat nichts Definitives über Hel vor seiner Ankunft in Tokio.« Der Ton des Ersten Assistenten verriet Verärgerung; er war entrüstet über Menschen, deren Leben so zwielichtig oder ereignislos verlief, dass es Fat Boy keine Gelegenheit gab, seine Fähigkeit, alles zu wissen und alles aufzudecken, zu demonstrieren.

»Hm«, knurrte Mr. Diamond geistesabwesend, während er fortfuhr, sich Notizen zu machen. »Keine Sorge, von jetzt an werden die Daten eimerweise kommen. Hel arbeitete kurz nach dem Krieg für die Besatzungsmacht, und von da an blieb er mehr oder weniger im Blickfeld unserer Beobachter.«

»Sind Sie sicher, dass Sie diese Sondierung wirklich brauchen, Sir? Sie scheinen doch schon alles über ihn zu wissen.«

»Eine Wiederholung kann nie schaden. Hören Sie, mir ist da gerade etwas eingefallen. Alles, was für uns bisher auf einen Zusammenhang zwischen Nikolai Hel und den Munich Five mit Hannah Stern hindeutet, ist eine Verbindung ersten Grades zwischen Hel und dem Onkel. Vergewissern wir uns doch mal, dass wir keinem Phantom nachjagen. Fragen Sie Fat Boy, wo Hel jetzt steckt.« Er drückte auf einen Summer an der Seite seines Schreibtisches.

»Jawohl, Sir«, antwortete der Erste Assistent und wandte sich wieder seinem Rechner zu.

Auf Diamonds Signal hin erschien Miss Swivven. »Sir?«

»Zweierlei. Erstens: Besorgen Sie mir sämtliche greifbaren Fotos von Hel, Nikolai Alexandrowitsch. Llewellyn wird Ihnen den ID-Code seiner violetten Karte geben. Zweitens: Setzen Sie sich mit Mr. Able von der OPEC-Interessengruppe in Verbindung und bitten Sie ihn, so bald wie möglich herzukommen. Wenn er eintrifft, bringen Sie ihn zu mir, zusammen mit dem Deputy und diesen beiden Idioten, die den Schlamassel angerichtet haben. Sie werden die drei herunterbegleiten müssen; sie haben keinen Zutritt zum fünfzehnten Stock.«

»Jawohl, Sir.« Beim Hinausgehen zog Miss Swivven die Tür zum Druckerraum ein wenig zu fest ins Schloss. Mr. Diamond blickte auf und fragte sich, was zum Teufel wohl in sie gefahren sein mochte.

Fat Boy reagierte auf die Befragung; seine Antwort lief ruckelnd über den Bildschirm des Ersten Assistenten. »Aha … Dieser Hel hat anscheinend mehrere Wohnsitze. Eine Wohnung in Paris, ein Haus an der dalmatinischen Küste, eine Sommervilla in Marokko, eine Wohnung in New York, eine weitere in London – ah, da haben wir's! Letzter bekannter Wohnsitz ist ein Château im blutenden Dorf Etchebar. Das scheint sein Hauptwohnsitz zu sein, jedenfalls nach der Zeit zu urteilen, die er in den letzten fünfzehn Jahren dort verbracht hat.«

»Und wo liegt dieses Etchebar?«

»Äh … in den baskischen Pyrenäen, Sir.«

»Warum wird es als ›blutendes‹ Dorf bezeichnet?«

»Darüber habe ich mich auch schon gewundert, Sir.« Der Erste Assistent befragte den Computer und kicherte, als er die Antwort bekam. »Erstaunlich! Der arme Fat Boy hatte Schwierigkeiten beim Übersetzen vom Französischen ins Englische. Das Wort *bled* ist offenbar die französische Bezeichnung für ›Weiler‹, ›Flecken‹. Fat Boy hat es falsch übersetzt, mit ›bleeding‹ – ›blutend‹. Zu viel Input aus britischen Quellen in letzter Zeit, nehme ich an.«

Mr. Diamond starrte ungeduldig auf den Rücken des Ersten Assistenten. »Na schön, nehmen wir an, das wäre interessant. Also. Hannah Stern hatte einen Flug von Rom nach Pau gebucht. Fragen Sie Fat Boy nach dem nächsten Flughafen bei diesem Etchebar. Wenn es Pau ist, wissen wir, dass wir mit Schwierigkeiten zu rechnen haben.«

Die Frage wurde an den Computer weitergegeben. Der Bildschirm flimmerte, dann erschien eine Liste von Flughäfen in der Reihenfolge ihrer Entfernung von Etchebar. Der erste auf dieser Liste war Pau.

Diamond nickte schicksalsergeben.

Der Erste Assistent seufzte und schob den Zeigefinger unter seine Stahlbrille, um sich die roten Druckstellen zu massieren. »So sieht's also aus. Wir haben guten Grund zu der Annahme, dass Hannah Stern Kontakt mit einem Mann mit einer violetten Karte aufgenommen hat. Auf der ganzen Welt gibt es nur noch drei Inhaber von violetten Karten, und unser Mädchen hat einen davon gefunden. Scheißspiel!«

»Ganz recht. Nun gut, wir wissen jetzt wenigstens mit Sicherheit, dass Nikolai Hel in dieser Sache drinsteckt. Gehen Sie wieder an Ihr Maschinchen und holen Sie alles heraus, was über ihn verfügbar ist, damit wir Mr. Able informieren können, sobald er eintrifft. Beginnen Sie mit seiner Ankunft in Tokio.«

JAPAN

Die Besatzungsmächte waren die Herren des Tages; die Verkünder der Demokratie diktierten ihr Glaubensbekenntnis vom Dai-Ichi-Gebäude aus, das nur durch einen Wassergraben vom kaiserlichen Palast getrennt war, bezeichnenderweise von dort aber nicht gesehen werden konnte. Japan war ein physischer, ökonomischer und emotionaler Trümmerhaufen, die Besatzer jedoch stellten ihren idealistischen Kreuzzug weit über die weltliche Sorge um das Wohlergehen des besiegten Volkes; eine gewonnene Stimme war mehr wert als ein verlorenes Leben.

Wie Millionen andere gehörte Nikolai Hel zu dem Strandgut, das sich vom Chaos des Nachkriegskampfes ums Überleben treiben ließ. Die emporschnellende Inflation verwandelte seinen kleinen Geldvorrat bald in Makulatur. Er suchte Arbeit bei den japanischen Kolonnen, die Trümmerfelder von Minen räumten, angesichts seiner Herkunft jedoch misstrauten die Vorarbeiter seinen Motiven und bezweifelten seine Bedürftigkeit. Auch konnte er bei keiner der Besatzungsmächte Zuflucht nehmen, da er nicht Bürger eines ihrer Staaten war. So tauchte er in der Flut der Obdachlosen unter, der Arbeitslosen, der Hungrigen, die durch die Stadt streiften und in Parks, unter Brücken und in Bahnhöfen schliefen. Es gab ein Überangebot von Arbeitern, aber zu wenig Arbeit, und nur die jungen Frauen vermochten Dienstleistungen zu bieten, die den rauen, übersättigten Soldaten, den neuen Herren, begehrenswert erschienen.

Als sein Geld verbraucht war, lebte Nikolai zwei Tage lang ohne zu essen und kehrte abends von seiner Arbeitssuche in den Shimbashi-Bahnhof zurück, wo er mit Hunderten von anderen schlief, die hungrig und heimatlos waren wie er. Sie suchten sich einen Platz auf oder unter den Bänken und in den Reihen, die eng aneinandergedrängt die Zwischenräume füllten, schlummerten unruhig oder fuhren, von Hunger gequält, aus drückenden Albträumen hoch. Jeden Morgen trieb die Polizei sie hinaus, damit der Verkehr nicht behindert wurde. Und an jedem Morgen gab es acht bis zehn unter ihnen, die auf die Stöße der Polizisten nicht reagierten. Hunger, Krankheit, Alter und mangelnder Lebenswille hatten sie über Nacht von der Bürde des Lebens befreit.

Mit Tausenden von anderen wanderte Nikolai durch die regennassen Straßen und suchte nach Arbeit; suchte schließlich nach einer Gelegenheit zum Stehlen. Aber es gab keine Arbeit, und es gab nichts, was des Stehlens wert gewesen wäre. Seine hochgeschlossene Schüleruniform war stellenweise schmutzverkrustet und ständig feucht, und von seinen Schuhen war einer undicht. Er hatte die Sohle abgerissen, weil sie sich gelöst hatte und ihm die Würdelosigkeit ihres Flip-Flaps unerträglich erschien. Später wünschte er, er hätte sie lieber mit einem Tuchfetzen festgebunden.

Am Abend des zweiten Tages ohne Nahrung kehrte er im Regen erst spät zum Shimbashi-Bahnhof zurück. Unter dem hohen Stahlgewölbe drängten sich gebrechliche alte Männer und verzweifelte Frauen mit Kindern, die ihre wenigen Habseligkeiten in Tuchfetzen zusammengerollt hatten und sich auf ihrem Platz mit einer stillen Würde einrichteten, die Nikolai mit Stolz erfüllte. Nie zuvor hatte er die Schönheit der japanischen Geisteshaltung richtig gewürdigt. Eng aneinandergedrängt, verängstigt, hungrig und frierend, begegneten sie einander selbst in dieser Situation emotionaler Anspannung mit Rücksicht und gemurmelten Höflichkeitsformeln. Einmal, bei Nacht, versuchte ein Mann einer jungen Frau etwas zu stehlen; es gab ein kurzes, beinahe lautloses Handgemenge in einer finsteren Ecke des großen Wartesaals, und der Gerechtigkeit war schnell und endgültig Genüge getan.

Nikolai hatte das Glück, einen Platz unter einer Bank zu finden, wo jene, die sich während der Nacht erleichtern mussten, nicht auf ihn treten konnten. Auf der Bank über ihm lag eine Frau mit zwei Kindern, eines davon noch ein Baby. Leise sprach sie auf die beiden ein, bis sie einschliefen, nachdem sie die Mutter schüchtern darauf hingewiesen hatten, dass sie sehr hungrig seien. Sie erzählte ihnen, der Großvater sei in Wirklichkeit gar nicht tot, sondern werde sie bald abholen kommen. Später malte sie ihnen Wortbilder ihres Dörfchens am Meer. Nachdem die Kinder eingeschlafen waren, weinte die Mutter still vor sich hin.

Der alte Mann auf dem Fußboden neben Nikolai arrangierte mit großer Sorgfalt seine Wertsachen auf einem zusammengefalteten Stück Stoff dicht neben seinem Gesicht, bevor er sich zur Ruhe legte. Sie bestanden aus einem Becher, einem Foto und einem Brief, den er so oft entfaltet und wieder zusammengelegt hatte, dass die Falzstellen dünn und ausgefranst waren. Es war ein Standardkondolenzbrief von der Armee. Bevor er die Augen schloss, wünschte der alte Mann dem jungen Fremden neben sich gute Nacht, und Nikolai wünschte ihm lächelnd dasselbe.

Bevor er in einen unruhigen Schlaf sank, brachte Nikolai

seine Gedanken zur Ruhe und floh vor dem ätzend nagenden Hungergefühl in eine mystische Entrückung. Wenn er von seiner kleinen Wiese mit dem wogenden Gras und dem goldenen Sonnenschein wiederkehrte, war er satt, obwohl er hungrig, von Frieden erfüllt, obwohl er verzweifelt war. Aber er wusste, dass er morgen Arbeit oder Geld finden musste, wenn er nicht sterben wollte.

Als die Polizei sie kurz vor Tagesanbruch hinauswarf, war der alte Mann neben ihm tot. Nikolai packte Becher, Foto und Brief in sein eigenes Bündel, denn es kam ihm grausam vor, das, was der alte Mann so heilig gehalten hatte, zusammenfegen und wegwerfen zu lassen.

Um die Mittagszeit war Nikolai auf seiner Suche nach Arbeit oder etwas zum Stehlen bis in den Hibiya-Park gekommen. Der Hunger war jetzt nicht mehr nur eine Frage des ungestillten Appetits, sondern ein scharfer Krampf, eine sich ausbreitende Schwäche, die seine Beine schwer und seinen Kopf leicht machte. Als er in der Flut verzweifelter Menschen dahintrieb, schlugen Wogen der Irrealität über ihm zusammen; Menschen und Dinge waren abwechselnd unterschiedslose Formen oder erstaunlich faszinierende Objekte. Manchmal ließ er sich von einem Strom gesichtsloser Menschen dahintragen, ließ ihre Energie und Zielstrebigkeit auf sich übergehen, ließ seine Gedanken wandern und wie ein verträumtes Karussell ohne Sinn kreisen. Der Hunger brachte die mystische Entrückung dicht an die Oberfläche seines Bewusstseins, und Ansätze zur Versenkung endeten in unvermitteltem Rücksturz in die Realität. Er ertappte sich dabei, wie er dastand und eine Mauer oder das Gesicht eines Passanten anstarrte, in dem Gefühl, er sehe etwas äußerst Bemerkenswertes. Kein Mensch hatte bisher diesen bestimmten Ziegelstein mit Aufmerksamkeit und Zuneigung betrachtet. Er war der Erste! Niemand hatte bisher das Ohr dieses Mannes so klar und deutlich gesehen. Das musste doch etwas zu bedeuten haben! Nicht wahr?

Das schwindelerregende Hungergefühl, das zersprungene Spektrum der Realität, das ziellose Dahintreiben waren verlockend angenehm, doch irgendetwas in seinem Innern warnte ihn, dass sie auch gefährlich seien. Er musste da herauskommen, sonst würde er sterben. Sterben? Sterben? Hatte dieses Wort eine Bedeutung?

Eine kleine, aber heftig drängende Menschenwoge trug ihn zum Parktor hinaus auf eine breite Straßenkreuzung, die mit einem Durcheinander von Militärfahrzeugen, Holzkohlenautos, klingelnden Straßenbahnen und wackeligen Fahrrädern vor zweirädrigen, mit unglaublich schweren und unförmigen Lasten beladenen Karren verstopft war. Es hatte einen kleinen Unfall gegeben, daher war der Verkehr in allen Richtungen einen Häuserblock weit zum Stillstand gekommen, während ein hilfloser japanischer Polizist mit riesigen weißen Handschuhen versuchte, zwischen dem russischen Fahrer eines amerikanischen Jeeps und dem australischen Fahrer eines amerikanischen Jeeps zu vermitteln.

Gegen seinen Willen wurde Nikolai von den Neugierigen, die durch alle Lücken zwischen dem stehenden Verkehr hindurchsickerten und die Verwirrung noch vergrößerten, vorwärtsgeschoben. Der Russe sprach nur Russisch, der Australier nur Englisch, der Polizist nur Japanisch; und alle drei waren in eine heftige Diskussion über Schuld und Verantwortung vertieft. Nikolai wurde gegen die Seite des australischen Jeeps gepresst, dessen Insasse, ein Offizier, voll Unbehagen, aber mit stoischer Ruhe geradeaus starrte, während sein Fahrer wütend schrie, er werde diese Angelegenheit nur allzu gern von Mann zu Mann mit dem russischen Fahrer, dem russischen Offizier, mit beiden zugleich und, wenn es sein müsste, mit der ganzen verdammten Roten Armee regeln.

»Haben Sie es sehr eilig, Sir?«

»Was?« Der australische Offizier war überrascht, von diesem zerlumpten Bengel in der verdreckten japanischen Schuluniform auf Englisch angesprochen zu werden. Es dauerte ein paar Sekunden, bis er an den grünen Augen in dem mageren jungen Gesicht erkannte, dass er keinen Asiaten vor sich hatte. »Selbstverständlich hab ich's eilig! Ich habe in …«, er drehte das Handgelenk und sah auf die Uhr, »… ich hatte vor zwölf Minuten eine Besprechung!«

»Ich werde Ihnen helfen«, erklärte Nikolai. »Für Geld.«

»Wie bitte?« Der affektierte Akzent klang nach dem Englisch der Kolonialherren, die sich nur zu oft berufen fühlen, englischer zu tun als die Engländer.

»Geben Sie mir Geld, dann helfe ich Ihnen.«

Der Offizier warf einen zweiten verdrießlichen Blick auf seine Uhr.

»Na schön. Nun mach schon!«

Die Australier verstanden nicht, was Nikolai sagte, zuerst auf Japanisch zu dem Polizisten, dann auf Russisch zu dem Offizier der Roten Armee, aber sie hörten mehrmals den Namen »MacArthur«. Die Erwähnung dieses Imperators über dem Tenno zeitigte eine verblüffende Wirkung. Innerhalb von fünf Minuten war eine Schneise durch das Chaos der Fahrzeuge gebahnt, und der australische Jeep wurde auf den Rasen des Parks umgeleitet, wo er querfeldein zu einem breiten Kiesweg gelangen, sich zwischen verblüfften Spaziergängern hindurchwinden und schließlich über einen Bordstein in eine Seitenstraße holpern konnte, so dass er den Verkehrsstau mit den wütend blökenden Hupen und den schrillen Klingeln weit hinter sich ließ. Nikolai war auf den Platz neben dem Fahrer gesprungen. Sobald sie freie Bahn hatten, befahl der Offizier dem Fahrer anzuhalten.

»Na schön. Was schulde ich dir?«

Nikolai hatte keine Ahnung vom augenblicklichen Wert ausländischer Währung. Blindlings griff er sich eine Zahl heraus. »Hundert Dollar.«

»*Hundert Dollar*? Bist du verrückt?«

»Zehn Dollar«, verbesserte sich Nikolai hastig.

»Du nimmst, was du kriegen kannst, wie?«, spottete der Offizier. Aber er zückte die Brieftasche. »Großer Gott! Ich habe überhaupt kein Besatzungsgeld bei mir. Fahrer?«

»Tut mir leid, Sir. Bin völlig blank.«

»Hm. Hör zu, ich mache dir einen Vorschlag. Gleich da drüben liegt mein Büro.« Er deutete auf das San-Shin-Gebäude, das Kommunikationszentrum der alliierten Besatzungstruppen. »Komm mit, dann werde ich dafür sorgen, dass du dein Geld bekommst.«

Im San-Shin-Gebäude übergab der Offizier Nikolai dem Rechnungsbüro mit der Anweisung, einen Beleg für zehn Dollar Besatzungsgeld auszustellen; dann verschwand er, um wenigstens dem Rest seiner Besprechung beizuwohnen, doch nicht ohne Nikolai vorher mit einem raschen Blick gemustert zu haben. »Hör mal. Du bist kein Engländer, wie?« Zu dieser Zeit sprach Nikolai Englisch mit dem Akzent seiner britischen Gouvernanten, und der Offizier konnte den vornehmen Akzent dieses Bengels nicht mit seiner zerlumpten Kleidung und seiner verwahrlosten Erscheinung in Einklang bringen.

»Nein«, antwortete Nikolai.

»Aha!«, sagte der Offizier hörbar erleichtert. »Das dachte ich mir.« Damit begab er sich zu den Aufzügen.

Eine halbe Stunde lang saß Nikolai auf einer Holzbank vor dem Büro und wartete, bis er an der Reihe war, während im Korridor um ihn herum Leute auf Englisch, Russisch, Französisch und Chinesisch diskutierten. Das San-Shin-Gebäude war einer der wenigen Knotenpunkte, an denen die verschiedenen Besatzungsmächte zusammenkamen, und man spürte die Reserviertheit und das Misstrauen unter der oberflächlichen Kameraderie. Über die Hälfte der Menschen, die hier arbeiteten, waren Zivilangestellte, und die Amerikaner überwogen die anderen zahlenmäßig genauso stark, wie ihre Soldaten die übrigen Truppen in ihrer Gesamtheit überwogen.

Hier hörte Nikolai zum ersten Mal das grollende *r* und die metallischen Vokale der amerikanischen Aussprache.

Bis die amerikanische Sekretärin die Tür öffnete und seinen Namen aufrief, war ihm übel geworden, und er wäre beinahe eingeschlafen. Im Vorzimmer drückte man ihm ein Formular in die Hand, das er ausfüllen sollte, während die junge Sekretärin wieder an ihre Schreibmaschine zurückkehrte und nur gelegentlich einen verstohlenen Blick zu diesem unmöglichen Menschen in den schmutzigen Kleidern hinüberwarf. Doch ihre Neugier war nur flüchtig; ihre Aufmerksamkeit galt im Grunde ausschließlich der Verabredung, die sie am Abend mit einem Major hatte, der nach Aussage der anderen Mädchen wirklich nett sein und seine Auserwählte stets in ein richtig vornehmes Restaurant führen sollte, wo er ihr etwas besonders Schönes bot – vorher.

Als er ihr sein Formular übergab, warf die Sekretärin nur einen kurzen Blick darauf, zog die Augenbrauen hoch und stieß ein verächtliches Schnaufen aus. Dennoch brachte sie es der Dame, die das Büro leitete. Innerhalb weniger Minuten wurde Nikolai zu ihr gerufen.

Die Bürovorsteherin war in den Vierzigern, rundlich und freundlich. Sie stellte sich als Miss Goodbody vor. Nikolai lächelte nicht.

Miss Goodbody deutete auf Nikolais Formular. »Weißt du, du musst das richtig ausfüllen.«

»Ich kann nicht. Ich meine, ich kann nicht alle Fragen beantworten.«

»Du kannst nicht?« Jahre pflichtbewussten Beamtentums zuckten vor dieser Vorstellung zurück. »Was soll das heißen ...« Sie konsultierte die oberste Zeile. »... Nikolai?«

»Ich kann keine Adresse angeben. Ich habe nämlich keine. Und ich habe auch keine Ausweisnummer. Und keinen – wie hieß das noch gleich? – Arbeitgeber.«

»Arbeitgeber, ja. Die Einheit oder Organisation, bei der du arbeitest oder bei der deine Eltern arbeiten.«

»Ich habe keinen Arbeitgeber. Spielt das eine Rolle?«

»Nun, wir können nichts auszahlen ohne ein Belegformular, das genau ausgefüllt ist. Das verstehst du doch, oder?«

»Ich habe Hunger.«

Sekundenlang war Miss Goodbody ratlos. Sie beugte sich vor. »Gehören deine Eltern zur Besatzungsmacht, Nikolai?« Sie war zu der Vermutung gelangt, dass er ein Soldatenkind sein musste, das von zu Hause weggelaufen war.

»Nein.«

»Bist du etwa allein hier?«, fragte sie ungläubig.

»Ja.«

»Nun ...« Stirnrunzelnd zuckte sie mit den Achseln. »Wie alt bist du?«

»Einundzwanzig.«

»Ach du liebe Zeit! Entschuldigen Sie. Ich dachte ... Ich meine, Sie sehen eher aus wie vierzehn oder fünfzehn. Aber nun gut, das ist etwas ganz anderes. Also warten Sie mal. Was machen wir denn nur?« In Miss Goodbody schlummerte ein ausgeprägter mütterlicher Trieb, die Sublimation eines Lebens unerprobter Sexualität. Sie fühlte sich seltsam hingezogen zu diesem jungen Mann, der wie ein mutterloses Kind wirkte, dem Alter nach aber ein potenzieller Liebhaber war. Miss Goodbody stufte diese Melange einander widersprechender Gefühle kurzerhand als christliche Nächstenliebe ein.

»Könnten Sie mir nicht einfach meine zehn Dollar geben? Oder wenigstens fünf?«

»So geht das nicht, Nikolai. Selbst wenn wir eine Möglichkeit finden, dieses Formular auszufüllen, wird es noch zehn Tage dauern, bis es alle zuständigen Stellen durchlaufen hat.« Nikolai spürte, wie seine Hoffnung sank. Er war noch zu unerfahren, um zu wissen, dass die feingesponnenen Netze der Bürokratie so unauflösbar waren wie das Pflaster, das er tagtäglich trat. »Dann bekomme ich mein Geld also nicht?«, fragte er tonlos.

Miss Goodbody zuckte mit den Achseln und stand auf. »Tut mir leid, aber ... Hören Sie zu. Ich habe jetzt Mittagspause. Kommen Sie mit mir in die Angestellten-Cafeteria. Dort essen wir erst mal einen Happen, und dann überlegen wir, was wir tun können.«

Sie lächelte Nikolai zu und legte ihm die Hand auf die Schulter. »Wollen wir?«

Nikolai nickte.

Die nächsten drei Monate, bis Miss Goodbody in die Vereinigten Staaten zurückversetzt wurde, blieben ihr für immer aufregend und strahlend in Erinnerung. Nikolai war fast wie das Kind, das sie nie gehabt hatte, und er war gleichzeitig ihr einziges länger andauerndes Verhältnis. Sie wagte es nie, die komplexen Gefühle, die während dieser Monate in ihrem Verstand und ihrem Körper prickelten, zu diskutieren oder auch nur in Gedanken zu analysieren. Ohne Zweifel genoss sie es, dass Nikolai sie brauchte, genoss sie die Sicherheit seiner Abhängigkeit von ihr. Außerdem war sie von Natur aus ein guter Mensch, der gern jemandem half, der ihrer Hilfe bedurfte. Und in ihre sexuelle Beziehung spielte ein Kitzel köstlich empfundener Scham hinein, erwachsen aus der Pikanterie, gleichzeitig Mutter und Geliebte zu sein, ein zu Kopf steigendes Gebräu aus Zuneigung und Sünde.

Nikolai bekam seine zehn Dollar nicht; das Problem, einen Beleg ohne Ausweisnummer zu bearbeiten, erwies sich sogar für Miss Goodbodys über zwanzigjährige Erfahrung mit der Bürokratie als zu schwierig. Doch es gelang ihr, Nikolai dem Leiter des Übersetzungsbüros vorzustellen, und binnen einer Woche arbeitete er acht Stunden am Tag, übersetzte Dokumente oder wohnte endlosen Konferenzen bei, wo er in zwei bis drei Sprachen die wortreichen und vorsichtigen Erklärungen wiederholte, die die Vertreter der Besatzungsmächte in der Öffentlichkeit abzugeben wagten. Dabei lernte er, dass die

Kommunikation in der Diplomatie in erster Linie die Aufgabe hat, Sinngehalte zu verschleiern.

Sein Verhältnis zu Miss Goodbody war freundschaftlich und von Höflichkeit geprägt. Sobald er konnte, erstattete er ihr trotz ihres Protestes die Auslagen für seine Kleidung und Toilettenartikel zurück und bestand darauf, einen Teil der gemeinsamen Lebenskosten zu übernehmen. So gern, dass er ihr etwas schulden wollte, mochte er sie nun auch wieder nicht. Das sollte nicht heißen, dass er sie überhaupt nicht mochte – sie war kein Mensch, den man nicht mögen konnte; sie weckte einfach nicht derart intensive Gefühle. Zuweilen war ihr sinnloses Geplapper störend und ihre übertriebene Fürsorge lästig; aber sie gab sich, wenn auch recht ungeschickt, so große Mühe, Rücksicht zu nehmen, und war so tränenreich dankbar für ihre sexuellen Erlebnisse, dass er sie mit aufrichtiger Zuneigung duldete, mit einer Zuneigung, wie man sie für ein tollpatschiges Schoßhündchen empfindet.

Nikolai litt im Zusammenleben mit Miss Goodbody nur unter einem einzigen größeren Problem. Wegen des hohen Anteils an tierischen Fetten in ihrer Nahrung haben Abendländer eine leicht unangenehme Ausdünstung an sich, die den Geruchssinn der Japaner verletzt und ihre Leidenschaft spürbar dämpft. Bis Nikolai sich daran gewöhnt hatte, fiel es ihm schwer, in sexuelle Erregung zu geraten, und es dauerte ziemlich lange, bis er den Höhepunkt erreichte. Gewiss, Miss Goodbody hatte empirisch gesehen nur Vorteile von diesem ihr unbewussten Makel; da sie jedoch kaum Vergleichsmöglichkeiten besaß, betrachtete sie Nikolais sexuelle Ausdauer als ganz normal. Ermutigt durch ihre Erfahrungen mit ihm, stürzte sie sich nach ihrer Rückkehr in die Vereinigten Staaten in mehrere kurzlebige Affären, die aber alle relativ enttäuschend verliefen. Zuletzt wurde sie die »große, alte Dame« der Frauenbewegung.

Nicht ganz ohne Erleichterung sah Nikolai Miss Goodbodys Schiff die Anker lichten und zog aus der ihr zugewiesenen Wohnung in ein Haus um, das er sich im Asakusa-Viertel im Nordwesten Tokios gemietet hatte; ein eher altmodisches Logis, wo er in verborgener Eleganz – beinahe *shibumi* – leben konnte und mit den Abendländern lediglich während der vierzig Wochenstunden in Kontakt zu kommen brauchte, in denen er seinen Lebensunterhalt verdiente. Seine Lebensführung war dank seines relativ hohen Gehalts und vor allem dank seines Zugangs zum Warenangebot der amerikanischen »Post Exchanges« und »Commissaries« nach japanischen Maßstäben wahrhaft luxuriös. Vor allem aber war Nikolai inzwischen im Besitz jener wichtigsten aller menschlichen Kostbarkeiten: er hatte Personalpapiere. Er verdankte sie einer augenzwinkernden kleinen Verschwörung zwischen Miss Goodbody und einigen ihrer Freunde bei der Behörde. Nikolai besaß jetzt einen Ausweis, der ihn als Zivilangestellten der Amerikaner kennzeichnete, und einen zweiten, der ihm die russische Staatsangehörigkeit bescheinigte. In dem höchst unwahrscheinlichen Fall, dass er von amerikanischer Militärpolizei angehalten wurde, konnte er seinen russischen Ausweis vorzeigen; bei allen anderen neugierigen Völkerschaften den amerikanischen. Das Verhältnis zwischen den Russen und den Amerikanern war auf Misstrauen und gegenseitiger Angst gegründet, und sie vermieden es ebenso sorgfältig, sich wegen Belanglosigkeiten mit den Staatsangehörigen der anderen Seite anzulegen, wie ein Mann, der die Straße überqueren will, um eine Bank auszurauben, es vermeiden würde, bei Rot über die Ampel zu gehen.

Im Verlauf des folgenden Jahres wurden Nikolais Leben und Arbeit abwechslungsreicher. Was seine Arbeit anging, so beauftragte man ihn manchmal damit, in der kryptographischen Abteilung Sphinx/FE auszuhelfen, bevor dieser Geheimdienst von der unersättlichen neuen bürokratischen Nebenregierung, der CIA, geschluckt wurde. Eines Tages konnte dort eine dechiffrierte Nachricht nicht ins Englische übersetzt werden, weil das Russisch, in das man sie übertragen hatte, sich als blühender Unsinn entpuppte. Nikolai bat, das ursprüngliche Kryptogramm einsehen zu dürfen. Dank seiner Neigung zur reinen Mathematik, seiner beim Go-Training entwickelten und geförderten Fähigkeit, in abstrakten Permutationen zu denken, und seiner Versiertheit in sechs Sprachen gelang es ihm relativ schnell, die Dechiffrierfehler aufzuspüren. Er fand heraus, dass die ursprüngliche Nachricht falsch verschlüsselt worden war, und zwar von jemandem, der ein gestelztes Russisch schrieb, das – seltsam genug – dem chinesischen Satzbau folgte, wodurch eine Nachricht herausgekommen war, die die komplizierten Dechiffriermaschinen der Sphinx/FE in Verwirrung stürzte. Nikolai hatte Chinesen gekannt, die ihr gebrochenes Russisch auf ebendiese gestelzte Manier sprachen, daher konnte er, sobald er den Code hatte, den Inhalt der Mitteilung mühelos enträtseln. Aber die Kryptographen mit ihrer Buchhaltermentalität waren beeindruckt, und Nikolai galt von nun an als »Wunderknabe«, denn die meisten seiner Arbeitskollegen hielten ihn immer noch für ein halbes Kind.

Bald wurde Nikolai ganz zur Sphinx/FE versetzt, stieg sowohl im Rang als auch im Gehalt um eine Stufe höher und durfte seine Tage in einem winzigen abgelegenen Büro verbringen, wo er sich mit dem Spiel amüsierte, Nachrichten zu decodieren und zu übersetzen, die ihn nicht im Geringsten interessierten.

Mit der Zeit und sehr zu seiner eigenen Überraschung gelangte Nikolai zu einer Art emotionalem Waffenstillstand mit den Amerikanern, mit denen er zusammenarbeitete. Das bedeutete nicht, dass er sie mögen oder ihnen vertrauen lernte; aber er merkte, dass sie nicht die amoralischen, verderbten Menschen waren, die sie ihrem politischen und militärischen Verhalten nach zu sein schienen. Gewiss, sie waren kulturell unreif, unüberlegt und ungeschickt, sie waren materialistisch und historisch kurzsichtig, laut, aufdringlich und im gesellschaftlichen Umgang unendlich ermüdend; im Innern jedoch waren sie gutherzig und gastfreundlich, jederzeit bereit, ja sogar fest entschlossen, ihren Reichtum und ihre Ideologie mit der ganzen Welt zu teilen.

Vor allem kam er zu der Erkenntnis, dass alle Amerikaner Kaufleute waren, dass der Kern des vielzitierten amerikanischen Genius, des »Yankee Spirit«, das Kaufen und Verkaufen war. Sie gingen mit ihrer demokratischen Ideologie regelrecht hausieren, und der gewaltige Druck der Rüstungsabkommen und Wirtschaftspressionen unterstützte sie dabei. Ihre Kriege waren überdimensionale Übungen in Produktion und Versorgung. Ihr Regierungssystem bestand aus einer Kette von Sozialverträgen. Ihre Bildung verkauften sie in Stundeneinheiten. Ihre Eheschließungen waren emotionale Handelsverträge, sofort gebrochen, wenn eine Partei ihren Verpflichtungen nicht nachkam. Ehre bestand für sie in fairem Handel. Und sie waren keineswegs die klassenlose Gesellschaft, für die sie sich ausgaben, sondern eine Einklassengesellschaft: die handeltreibende. Ihre Elite waren die Reichen; ihre Arbeiter und Bauern sahen sie günstigstenfalls als minderbemittelte Versager, die sich die monetäre Leiter zur Mittelschicht emporzuklimmen bemühten. Die Wertmaßstäbe der Bauern und Proletarier Amerikas waren die gleichen wie die der Versicherungsvertreter und leitenden Angestellten, der Unterschied bestand einzig darin, dass sich die Wertmaßstäbe der Unterschicht in bescheideneren Wohlstandssymbolen ausdrückten: Motorboot statt Jacht, Kegelverein statt Country Club, Atlantic City statt Monaco.

Erziehung und Veranlagung gemeinsam hatten bewirkt, dass Nikolai Achtung und Respekt vor den echten Gesellschaftsklassen empfand: den Bauern, den Handwerkern, den Künstlern, den Soldaten, den Gelehrten, den Priestern. Aber er hatte nur Verachtung übrig für die künstliche Gesellschaftsklasse der Kaufleute, die Gewinn aus dem Kauf und Verkauf von Dingen herausschlagen, die sie nicht selber herstellen, die Macht und Reichtum in einem Maß ansammeln, das in keiner Relation zu ihrem Arbeitsaufwand steht, und die verantwortlich sind für alles, was Kitsch, für alles, was Veränderung ohne Fortschritt, für alles, was Verbrauch ohne Nutzen ist.

Dem Rat seiner Mentoren folgend, bewahrte Nikolai nach außen hin eine unauffällige Fassade unbeteiligten *shibumis* und hielt seine wahre Meinung vor den Kollegen sorgfältig verborgen. Er kam ihrer Eifersucht zuvor, indem er gelegentlich Hilfe bei einem einfachen Entschlüsselungsproblem erbat oder seine Fragen so formulierte, dass sie fast mit der Nase auf die korrekten Antworten gestoßen wurden. Sie ihrerseits behandelten ihn wie eine Art Freak, ein intellektuelles Phänomen, einen Wunderknaben von einem anderen Stern. Insofern waren sie sich der genetischen und kulturellen Kluft, die sie von ihm trennte, dumpf bewusst, nur dass in ihren Augen sie es waren, die drinnen saßen, während er draußen blieb.

Und das kam ihm durchaus gelegen, denn sein eigentliches Leben konzentrierte sich auf sein Haus mit dem schönen Innenhof am Ende einer schmalen Nebenstraße im Asakusa-Bezirk. In dieses altmodische Viertel im nordwestlichen Teil der Stadt drang die Amerikanisierung nur langsam vor. Gewiss, kleine Werkstätten produzierten bereits Imitationen von Zippo-Feuerzeugen und Zigarettenetuis mit der Abbildung einer Dollarnote auf dem Deckel, und in einigen Bars hörte man japanische Orchester spielen, die den »Big Band«-Sound imitierten, während forsche junge Sängerinnen sich schrill durch »Don't Sit Under the Apple Tree With Anyone Else But Me« mühten, man sah zuweilen einen jungen Mann, der sich kleidete wie ein Filmgangster, weil er das für modern und amerikanisch hielt, und es gab eine Rundfunkwerbung auf Englisch, die den Hörern versicherte, Akadama-Wein mache alle, die ihn tränken, »sehl, sehl glücklich«. Aber all das drang nicht unter die Oberfläche, und in Nikolais Bezirk wurde im Spätmai noch immer das Fest der Sanja Matsuri gefeiert, bei dem die Straßen blockiert waren von schwitzenden jungen Männern, die unter dem Gewicht der schwarz lackierten, reich vergoldeten Sänften schwankten, während ihre Augen in einer sakebeschwingten Trance leuchteten und sie unter ihrer Last taumelten und *washoi, washoi* sangen, angeführt von fantastisch tätowierten, nur mit einem *fundoshi*-Lendentuch bekleideten Männern, deren Schultern, Arme, Schenkel und Rücken von dem augenverwirrenden »Anzug aus Tinte« bedeckt waren.

Nikolai stapfte auf dem Heimweg von diesem Fest, vom Sake benommen durch den Regen, als er Herrn Watanabe traf, einen ehemaligen Drucker, der auf der Straße Streichhölzer verkaufte, weil ihm sein Stolz das Betteln verbot, obwohl er schon zweiundsiebzig war und alle Angehörigen verloren hatte. Nikolai behauptete, dringend Streichhölzer zu benötigen, und erbot sich, den ganzen Vorrat aufzukaufen. Herr Watanabe war hocherfreut, ihm zu Diensten sein zu können, da dieses Geschäft den Hunger wieder um einen weiteren Tag bannen würde. Doch als er entdeckte, dass der Regen die Streichhölzer verdorben hatte, verbot ihm sein Ehrgefühl, sie zu verkaufen, ungeachtet Nikolais Erklärung, er suche für ein Experiment, das er vorhabe, gerade nasse Streichhölzer.

Am folgenden Morgen erwachte Nikolai mit einem Sakekater und einer recht verschwommenen Erinnerung an sein Gespräch mit Herrn Watanabe, mit dem er am Abend zuvor *soba* an einer Bude gegessen hatte, die mit einem Vordach ausgestattet war, damit der Regen den Gästen nicht in die Suppe platschte; aber er erfuhr schon bald, dass er einen ständigen Logiergast hatte. Innerhalb einer Woche nistete sich in Herrn Watanabe das Gefühl ein, er sei für Nikolai und den Tagesablauf im Asakusa-Haus unentbehrlich, und es wäre unfreundlich von ihm, diesen einsamen jungen Mann zu verlassen.

Die Tanaka-Schwestern wurden einen Monat später Haushaltsmitglieder. Als Nikolai in der Mittagspause einen Spaziergang im Hibiya-Park machte, begegnete er den beiden robusten Landmädchen von achtzehn und einundzwanzig Jahren, die vor einer Überschwemmung im Norden mit darauffolgender Hungersnot geflohen und nun so arm waren, dass sie sich den Passanten anbieten mussten. Nikolai war ihr erster potenzieller Kunde, daher sprachen sie ihn so ungeschickt und schüchtern an, dass er trotz seines Mitleids lachen musste, denn erfahrenere Dirnen hatten ihnen einen spärlichen englischen Wortschatz beigebracht, der nur aus den drastischsten und vulgärsten Bezeichnungen für anatomische Einzelheiten und sexuelle Spielarten bestand. Kaum hatten sie sich im Asakusa-Haus eingenistet, verwandelten sie sich wieder in fleißige, fröhlich kichernde Bauernmädchen und wurden zum Gegenstand der ewigen Sorge – und bekümmerten Zuneigung – des Herrn Watanabe, der sehr strenge Vorstellungen vom geziemenden Verhalten junger Mädchen besaß. Es ergab sich ganz natürlich, dass die Tanaka-Schwestern bald Nikolais Bett teilten, wo ihre angeborene bäuerliche Vitalität im spielerischen Erproben ungewöhnlicher und häufig unwahrscheinlich akrobatischer Stellungen Ausdruck fand. Sie befriedigten das Verlangen des jungen Mannes nach sexueller Verwirklichung, unbelastet von emotionalem Engagement über Zuneigung und Zärtlichkeit hinaus.

Wie Frau Shimura, die neueste Mitbewohnerin, in sein Haus gekommen war, konnte Nikolai nicht genau sagen. Sie war einfach da, als er eines Abends heimkam, und blieb. Frau Shimura war Mitte sechzig, rau, verdrießlich, ständig mürrisch, unendlich gut und eine wunderbare Köchin. Zwischen Herrn Watanabe und ihr gab es einen kurzen Kampf um die Territorialherrschaft, der auf der Walstatt des täglichen Marktganges ausgefochten wurde, denn Herr Watanabe war für die Haushaltskasse verantwortlich, während Frau Shimura über die tägliche Speisefolge zu entscheiden hatte. Schließlich vereinbarten sie, die Lebensmitteleinkäufe gemeinsam zu tätigen, sie für die Qualität, er für die Preise verantwortlich; und wehe dem armen Gemüsehändler, der ins Kreuzfeuer ihrer Gefechte geriet.

Nikolai sah in seinen Gästen keine Dienstboten, einfach weil sie sich nicht als solche fühlten. Im Gegenteil, es war Nikolai, der keine genau festgelegte Rolle und die damit verbundenen Rechte im Haus zu haben schien, außer der, dass er das Geld verdiente, von dem sie alle lebten.

Während dieser Monate der Freiheit und der neuen Erfahrungen entwickelten sich Nikolais Verstand und Gefühle auf vielen verschiedenen Gebieten. Den Muskeltonus bewahrte er sich durch das Studium und die Ausübung eines geheimnisvollen Zweiges der Kriegskunst, der den Gebrauch einfacher Haushaltsartikel als tödliche Waffen lehrt. Ihn faszinierte die mathematische Klarheit und kalkulierte Präzision dieses raffinierten Kampfsystems, dessen Name traditionsgemäß niemals laut ausgesprochen, sondern durch Superponierung der Schriftzeichen *hoda* (nackt) und *korosu* (töten) dargestellt wurde. Während seiner ganzen späteren Laufbahn war Nikolai zwar nur selten bewaffnet, aber niemals ohne Waffe; denn in seinen Händen konnten ein Kamm, eine Streichholzschachtel, eine zusammengerollte Zeitung, eine Münze, ja sogar ein gefaltetes Blatt Papier zum Mordinstrument werden.

Seinen Verstand übte er an den faszinierenden intellektuellen Problemen des Go-Spiels. Selber spielte er jetzt nicht mehr, dafür war dieses Spiel für ihn zu eng mit seinem Leben bei Otake-san, mit kostbaren und zarten, nun nicht mehr existierenden Dingen verknüpft; und es war besser, das Tor des Bedauerns fest zu verschließen. Aber er las immer noch Kommentare zu interessanten Partien und löste für sich allein auf dem Brett schwierige Stellungen. Die Arbeit im San-Shin-Gebäude war rein mechanisch und stellte keine größere intellektuelle Herausforderung dar als das Lösen eines Kreuzworträtsels; um wenigstens einen Teil seiner Geisteskräfte zu mobilisieren, begann Nikolai an einem Buch mit dem Titel *Rosen und Dornen auf dem Weg zu Go* zu arbeiten, das später als Privatdruck und unter Pseudonym herausgegeben wurde und sich bei den *aficionados* des Spiels einer gewissen Beliebtheit erfreute. Das Buch war ein kunstvoll angelegter Scherz in Gestalt eines Berichts und Kommentars zum Spiel eines fiktiven Meisters um die Jahrhundertwende. Während das Spiel des »Meisters« dem durchschnittlichen Spieler klassisch, ja sogar brillant erscheinen musste, gab es überall kleine Schnitzer und irrelevante Platzierungen, die beim erfahreneren Leser Stirnrunzeln hervorriefen. Das wirkliche Vergnügen an diesem Buch lag im Kommentar eines gut informierten Dummkopfs, dem es gelang, jedem Schnitzer den Anschein kühner Glanzleistung zu verleihen, und der die Grenzen der Vorstellungskraft strapazierte, indem er den einzelnen Zügen Metaphern für Leben, Schönheit und Kunst beifügte, allesamt überaus raffiniert und gelehrt vorgetragen, doch bar jeder Bedeutung. Das Buch war in der Tat eine subtile, geschickte Parodie auf das intellektuelle Parasitentum der Kritiker, und das Vergnügen daran entsprang zum großen Teil dem Bewusstsein, dass sowohl die Spielfehler als auch der wortreiche Nonsens des Kommentars so gut kaschiert waren, dass die meisten Leser bei der Lektüre ernst und zustimmend nicken würden.

Am Ersten eines jeden Monats schrieb Nikolai an Otakesans Witwe und erhielt als Antwort Familiennachrichten über ehemalige Schüler und die Otake-Kinder. Auf diesem Wege wurde ihm auch Marikos Tod in Hiroshima bestätigt.

Als er von dem Atombombenabwurf hörte, hatte er sofort befürchtet, Mariko könnte unter den Opfern sein. Mehrmals schrieb er an die Adresse, die sie ihm gegeben hatte. Die ersten Briefe verschwanden in dem allgemeinen Chaos nach der Bombardierung, der letzte aber kam zurück mit dem Vermerk, diese Adresse existiere nicht mehr. Eine Zeit lang wollte er nicht wahrhaben, dass das Schlimmste eingetreten war, und stellte sich vor, Mariko sei vielleicht bei Verwandten zu Besuch gewesen, als die Bombe fiel, oder sie habe etwas aus einem tiefen Keller geholt, oder sie habe vielleicht ... So konstruierte er Dutzende von unwahrscheinlichen Möglichkeiten für ihr Überleben. Aber sie hatte ihm fest versprochen, ihm über Frau Otake zu schreiben, und es kam nie ein Brief von ihr.

Innerlich war er auf die endgültige Gewissheit schon vorbereitet, als die Nachricht von Otake-sans Witwe kam. Dennoch fühlte er sich eine Zeit lang bedrückt und leer und empfand bitteren Hass auf die Amerikaner, mit denen er zusammenarbeitete. Aber er war bemüht, sich von diesem Hass zu befreien, weil solch schwarze Gedanken den Weg zur mystischen Entrückung blockierten, in der doch für ihn die Rettung vor den verzehrenden Auswirkungen von Depression und Trauer lag. Deshalb wanderte er einen ganzen Tag lang allein und ohne etwas wahrzunehmen durch die Straßen seines Bezirks und gab sich der Erinnerung an Mariko hin, ließ vor seinem geistigen Auge seine Gedächtnisbilder von ihr vorüberziehen, rief sich die Freude, die Angst und die Scham ihrer sexuellen Begegnungen zurück, lächelte über kleine gemeinsame Scherze und Streiche. Am späten Abend sagte er ihr Lebewohl und schob sie voll zärtlicher Zuneigung von sich. Zurück blieb eine herbstliche Leere, aber kein brennender Schmerz und Hass, so dass es ihm wieder gelang, auf seine dreieckige Wiese zu fliehen und eins zu werden mit dem Sonnenlicht und dem wogenden Gras, wo er Kraft und Ruhe fand.

Auch mit dem Verlust von General Kishikawa fand er sich ab. Seit ihrem letzten langen Gespräch unter den schneienden Kirschbäumen am Kajikawa hatte Nikolai keinerlei Nachricht mehr von ihm erhalten. Er wusste, dass der General in die Mandschurei versetzt worden war; er hörte, dass die Russen während der letzten Kriegstage, als ein Eingreifen kein militärisches Risiko, dafür aber großen politischen Gewinn bedeutete, dort einmarschiert waren; und aus Gesprächen mit Überlebenden erfuhr er, dass einige hohe Offiziere Zuflucht im *seppuku* gesucht und die in die Gefangenschaft der Kommunisten Geratenen die Qualen der »Umerziehungslager« nicht überstanden hatten.

Nikolai tröstete sich mit dem Gedanken, dass Kishikawa-san wenigstens der Demütigung entgangen war, in die brutale Maschinerie der Kriegsverbrecherkommission zu geraten, wo die Gerechtigkeit durch einen tief verwurzelten Rassenhass pervertiert wurde, der japanische Amerikaner in Konzentrationslager geschickt hatte, während Deutsch- und Italo-Amerikaner (ansehnliche Wählergruppen) von der Rüstungsindustrie profitieren durften; und das trotz der bekannten Tatsache, dass die Nisei-Soldaten in der amerikanischen Armee ihren Patriotismus hinlänglich bewiesen hatten, indem sie zu den am meisten ausgezeichneten und dezimierten Einheiten gehörten – und zwar, obwohl man sie dadurch demütigte, dass sie aus Angst vor ihrer Loyalität japanischen Truppen gegenüber nur auf dem europäischen Kriegsschauplatz eingesetzt wurden. Die japanischen Kriegsverbrecherprozesse waren von derselben rassistischen Idee des Untermenschentums infiziert, die es zugelassen hatte, dass eine Uranbombe auf ein bereits um Frieden bittendes, besiegtes Land geworfen wurde und dass ihr kurz darauf aus Gründen wissenschaftlicher Neugier auch noch eine größere Plutoniumbombe folgte.

Was Nikolai am stärksten bedrückte, war, dass die große Masse der Japaner die Bestrafung ihrer militärischen Führer sogar guthieß – und zwar nicht aus dem japanischen Motiv, dass viele von ihnen ihre persönliche Gier nach Macht und Ruhm vor die Interessen ihres Landes und Volkes gestellt hatten, sondern aus dem abendländischen Grund, dass diese Männer irgendwie gegen rückwirkende, auf einer fremden

Moralvorstellung beruhende menschliche Verhaltensmaßregeln verstoßen hatten. Viele Japaner schienen nicht zu begreifen, dass hier die Propaganda der Sieger zur Geschichte der Besiegten wurde.

Jung und innerlich vereinsamt, in einer prekären Situation im Schatten der Besatzungsmächte überlebend, deren Wertmaßstäbe und Methoden er nicht annehmen wollte, brauchte Nikolai ein Ventil für seine Energie und Frustration. Und fand es in seinem zweiten Jahr in Tokio in einer Beschäftigung, die ihn aus der wimmelnden schmutzigen Großstadt in die nicht besetzten, von Amerikanern unbehelligten Berge führte: der Höhlenforschung.

Er hatte es sich angewöhnt, mit den jungen Japanern zu Mittag zu essen, die in der Kraftfahrzeugabteilung des San Shin arbeiteten, weil er sich unter ihnen wohler fühlte als bei den ständig mit metallischer Stimme witzelnden amerikanischen Kryptographen. Da Englischkenntnisse auch für den niedrigsten Job Voraussetzung waren, hatten die meisten in der Kfz-Abteilung eine Universität besucht, und einige der Männer, die Jeeps wuschen und Offiziere chauffierten, waren Diplom-Ingenieure, die in einem ruinierten Land ohne Arbeitsstellen ihren Lebensunterhalt nicht anders verdienen konnten.

Zuerst waren die jungen Japaner steif und verlegen in Nikolais Gegenwart, aber es dauerte nicht lange, und sie akzeptierten ihn in der offenen, freien Art der Jugend als grünäugigen Japaner. Er wurde in ihren Kreis aufgenommen und teilte sogar ihren rauen, hämischen Spott über die sexuellen Missgeschicke der amerikanischen Offiziere, die sie chauffierten. All diese Witze hatten dieselbe lächerliche Figur zum Gegenstand: den stereotypen Amerikaner, der pausenlos und blindlings geil, aber faktisch unfähig ist.

Während einer dieser Mittagspausen, als alle unter dem Wellblechdach eines Wetterschutzes saßen und aus Blechbüchsen Reis und Fisch, die Ration für die japanischen Hilfswilligen, aßen, kam auch das Thema Höhlenforschung zur Sprache. Drei der ehemaligen Studenten waren begeisterte Höhlenforscher oder waren es wenigstens vor dem letzten, verzweifelten Kriegsjahr und dem Chaos der Besetzung gewesen. Sie sprachen von den Freuden und Mühen ihrer Expeditionen in die Berge und beklagten es, dass sie jetzt weder das nötige Geld noch die nötige Ausrüstung dafür besaßen. Nikolai lebte zu dieser Zeit schon sehr lange in der Stadt, deren Lärm und Gedränge seine sensiblen, ans ruhige Dorfleben gewöhnten Nerven quälte. Er fragte die jungen Männer über den Höhlensport aus und erkundigte sich, was für Proviant und Ausrüstungsgegenstände man dazu brauchte. Wie sich herausstellte, war das zwar nicht viel, jedoch bei dem Almosen, das ihnen die Besatzungsmächte zahlten, dennoch für sie unerschwinglich. Nikolai erbot sich zu besorgen, was sie benötigten, wenn sie ihn mitnehmen und in diesen Sport einführen würden. Sein Angebot wurde begeistert angenommen, und zwei Wochen später fuhren sie zu viert für ein Wochenende in die Berge, kletterten bei Tag in den Höhlen herum und verbrachten die Nächte in billigen Gebirgskneipen, wo sie zu viel Sake tranken und bis tief in die Nacht hinein diskutierten, wie es gescheite junge Männer auf der ganzen Welt tun; ihre Gespräche führten vom Wesen der Kunst über derbe Zweideutigkeiten zu Zukunftsplänen, zu an den Haaren herbeigezogenen Wortspielereien, zu improvisierten *haiku,* zu schlüpfrigen Späßen, zu Politik, zu Sex, zu Erinnerungen, zum Schweigen.

Schon nach der ersten Stunde unter der Erde war Nikolai klar, dass dies der geeignete Sport für ihn war. Sein biegsamer, drahtiger Körper schien wie geschaffen für das Gleiten durch enge Passagen. Die rasche, genaue Berechnung von Methode und Risiko wurde erleichtert durch das Denktraining, das ihm das Go-Spiel vermittelt hatte. Und die Faszination der Gefahr war für ihn geradezu unwiderstehlich. Bergsteigen hätte ihm nicht zugesagt, denn der dabei in aller

Öffentlichkeit zur Schau gestellte Wagemut beleidigte sein Gefühl für *shibumi* und würdevolle Zurückhaltung. In den Höhlen jedoch waren Risiko und Wagemut etwas Persönliches, Stilles, Unbeobachtetes; und sie besaßen obendrein die Würze, dass hier primitive, animalische Ängste mitspielten. Arbeitete man sich senkrecht einen Kamin hinab, so erweckte die Angst vor dem Fallen, die allen Tieren angeboren ist, einen Nervenkitzel, der noch verstärkt wurde durch das Bewusstsein, dass man in gähnende schwarze Leere hinabstürzen würde und nicht in die dekorative Landschaft, die der Bergsteiger unter sich sieht. In den Höhlen spürte man die ständige Gegenwart von Kälte und Nässe, Auslöser für Urängste des Menschen, die beim Höhlenkletterer durchaus begründet sind, denn die meisten schweren und tödlichen Unfälle in diesem Sport sind auf Unterkühlung zurückzuführen. Außerdem waren da die animalische Furcht vor der Dunkelheit, vor der endlosen Schwärze, und der stets gegenwärtige Gedanke an die Möglichkeit, sich im Labyrinth der Spalten und Durchbrüche zu verirren, die zum Teil so eng waren, dass an Umkehren aufgrund der Beschaffenheit des menschlichen Körpers nicht zu denken war. Plötzliche Überschwemmungen konnten die engen Höhlen binnen weniger Minuten ohne Vorwarnung unter Wasser setzen. Und hinzu kam das ständige bedrückende Gefühl, dass dicht über dem Kletterer, häufig sogar seinen Rücken streifend, wenn er durch einen engen Tunnel kroch, Tausende von Tonnen Fels hingen, die eines Tages unweigerlich der Schwerkraft gehorchen und den Durchgang verschütten würden.

Es war der perfekte Sport für Nikolai.

Besonders die subjektiven Gefahren empfand er als anregend und attraktiv. Es machte ihm Freude, Geisteskraft und Körperbeherrschung gegen die geheimsten und primitivsten Ängste des Tieres in sich zu setzen, die Angst vor der Dunkelheit, vor dem Fall, die Angst vor dem Ertrinken, vor der Kälte und vor der Einsamkeit, das Risiko, dort unten auf ewig verlorenzugehen, die ständig von der Vorstellungskraft berufene Erosion der vielen Tonnen Gestein über ihm. Hauptverbündete des Höhlensportlers sind Logik und umsichtiges Planen. Seine größten Feinde sind Fantasie und Panik. Für einen Höhlensportler ist es leicht, ein Feigling, und schwer, tapfer zu sein, denn er arbeitet allein, ungesehen, unkritisiert, ungelobt. Nikolai freute sich über die Gegner, die sich ihm stellten, und über die geheime Arena, in der er ihnen entgegentrat. Er genoss den Gedanken, dass die meisten seiner Feinde in ihm selbst steckten und dass seine Siege unbemerkt blieben.

Und dann gab es das unvergleichliche Entzücken des Wiederauftauchens aus der Höhle. Langweilige, alltägliche Dinge gewannen nach mehreren Stunden unter der Erde an Farbe und Wert, vor allem, wenn eine besiegte Gefahr hinter ihm lag. Er atmete die frische Luft mit gierigen Zügen ein. Eine Tasse bitterer Tee wärmte die steif gefrorenen Hände, erfreute das Auge mit seiner satten Farbe, duftete köstlich, glitt wie eine Hitzewelle durch die Kehle, war ein Bankett subtil abgestufter Aromen. Der Himmel leuchtete in eindrucksvollem Blau, das Gras war auffallend grün. Es tat gut, von einem Kameraden einen kräftigen Schlag auf den Rücken zu bekommen, von einer menschlichen Hand berührt zu werden. Es tat wohl, Stimmen zu hören und Geräusche zu machen, die die eigenen Gefühle verrieten, die eigenen Ideen mitteilten, die Freunde amüsierten. Alles war neu, war da, um in vollen Zügen genossen zu werden.

Für Nikolai besaß die erste Stunde nach dem Auftauchen beinahe die Erlebnisintensität, die er von seinen mystischen Entrückungen her kannte. In dieser kurzen Stunde, bevor Dinge und Erfahrungen wieder ins Alltägliche zurücksanken, war er beinahe eins mit dem goldenen Sonnenlicht und dem duftenden Gras.

Die vier jungen Männer stiegen an jedem freien Wochenende in die Berge, und obwohl ihr Amateurniveau und die behelfsmäßige Ausrüstung ihnen höchstens erlaubte, in Höhlen herumzuklettern, die nach internationalem Forscherstandard recht bescheiden waren, wurde es jedes Mal ein gründlicher Test ihrer Willenskraft, ihres Durchhaltevermögens und ihrer Geschicklichkeit, gefolgt von Abenden voll Kameradschaft, Gesprächen, Sake und begeistert aufgenommenen harten Witzen. Obwohl Nikolai im späteren Leben weltweiten Ruhm für seine Teilnahme an wichtigen unterirdischen Expeditionen ernten sollte, blieben diese Übungsklettereien, was Spaß und Abenteuer betraf, unübertroffen.

Als er dreiundzwanzig Jahre alt war, hatte Nikolai zu einem Lebensstil gefunden, der die meisten seiner Bedürfnisse befriedigte und ihn für die meisten Verluste entschädigte – bis auf den General Kishikawas. Zum Ersatz für die Otake-Familie hatte er sein Asakusa-Haus mit Menschen gefüllt, die in etwa die angestammten Rollen von Familienmitgliedern übernahmen. Er hatte seine Kindheit und eine noch fast kindliche Liebe verloren; doch er befriedigte seine körperlichen Bedürfnisse mithilfe der unverwüstlichen, erfindungsreichen Tanaka-Schwestern. Seine ehemals alles beherrschende Beschäftigung mit den geistigen Übungen und Freuden des Go-Spiels war von den emotionalen und körperlichen des Höhlensports abgelöst worden. Auf eine seltsame und nicht ganz gesunde Art machte sein quälender Hass auf die Nationen, die sein Volk und seine Jugend zerstört hatten, sich durch das Training im *hoda-korosu*-Kampfstil Luft; denn während der Übungsstunden stellte er sich immer vor, rundäugige Gegner vor sich zu haben, und dann war ihm wohler.

Der größte Teil dessen, was er verloren hatte, war persönlich und lebendig gewesen, der Ersatz dafür war zum größten Teil mechanisch und äußerlich; aber die Kluft, die dazwischenlag, wurde weitgehend durch seine gelegentlichen Ausflüge in den Seelenfrieden mystischer Erlebnisse überbrückt.

Der beschwerlichste Teil seines Lebens waren die vierzig Wochenstunden, die er im Untergeschoss des San-Shin-Gebäudes mit bezahlter Fronarbeit verbrachte. Erziehung und Ausbildung hatten ihn mit den inneren Ressourcen zur Befriedigung seiner Bedürfnisse auch ohne energieverschlingende Tätigkeit zum Broterwerb ausgestattet, wie sie für die Männer seiner gleichmacherischen Abteilung lebensnotwendig war, da es ihnen schwerfiel, sich ohne Arbeit die Zeit zu vertreiben und ihre Daseinsberechtigung nachzuweisen. Vergnügen, Lernen und Bequemlichkeit waren für ihn ausschlaggebend; er brauchte weder die Krücke der Anerkennung noch die Bestätigung der Macht oder das Narkotikum der Ausschweifung. Die Umstände erforderten es leider, dass er Geld verdiente, und ironischerweise ausgerechnet bei den Amerikanern. (Obwohl Nikolais Kollegen ein Sammelsurium aus Amerikanern, Briten und Australiern waren, herrschten die amerikanischen Methoden, Wertmaßstäbe und Zielsetzungen vor, daher sah er in den Briten bald unvollständige und in den Australiern angehende Amerikaner.)

Die Amtssprache im Crypto Center war Englisch, doch Nikolais Gefühl für Wohlklang schreckte vor dem halbverschluckten Brei und dem affektierten Gewinsel der britischen Oberschicht ebenso zurück wie vor dem metallischen Geschwätz und dem Bogensehnen-Singsang der Amerikaner und entwickelte einen ganz persönlichen Akzent, der zwischen den amerikanischen und den britischen Lauten lag. Dieser Kunstgriff veranlasste seine englischsprechenden Bekannten sein Leben lang, ihn für einen Muttersprachler zu halten, der aber »von anderswo« stammte.

Zuweilen suchten die Kollegen Nikolai in ihre Pläne für Ausflüge oder Partys einzubeziehen; es wäre ihnen nicht im Traum eingefallen, dass das, was sie als freundlich herablassende Geste einem Fremden gegenüber betrachteten, in Nikolais Augen anmaßende Gleichmacherei bedeutete.

Doch diese ärgerliche Annahme ihrer Gleichwertigkeit verdross Nikolai nicht so sehr wie ihre kulturelle Konfusion. Die Amerikaner schienen Lebensstandard mit Lebensqualität zu verwechseln, Chancengleichheit mit institutionalisierter Mittelmäßigkeit, Dreistigkeit mit Tapferkeit, Machismo mit Männlichkeit, Freizügigkeit mit Freiheit, Weitschweifigkeit mit Wortgewandtheit, Vergnügen mit Freude – kurz gesagt, bei ihnen herrschten alle Missverständnisse derer, die glauben, Gerechtigkeit bedeute gleiches Recht für alle statt gleiches Recht für Gleiche.

Wenn er besonders versöhnlich gestimmt war, betrachtete er die Amerikaner als Kinder – als energiegeladene, neugierige, naive, gutherzige, schlecht erzogene Kinder –, und da sah er kaum einen Unterschied zwischen Amerikanern und Russen. Beide waren gesunde, kräftige, körperlich tüchtige Völker, beide zeichneten sich im materiellen Wettbewerb aus, beide zeigten sich durch Schönheit verwirrt, beide waren voll Überheblichkeit davon überzeugt, dass ihre Ideologie die allein seligmachende sei, beide waren infantil und streitsüchtig, und beide waren äußerst gefährlich. Gefährlich deshalb, weil ihre Spielsachen kosmische Waffen waren, die die Existenz der Zivilisation bedrohten. Die Gefahr lag weniger in ihrer Bösartigkeit als in ihrer Tölpelhaftigkeit. Welche Ironie, wenn man sich vorstellte, dass die Zerstörung der Welt nicht das Werk eines Machiavelli, sondern eines Sancho Pansa sein würde!

Dass seine Existenz von solchen Leuten abhing, bereitete ihm Unbehagen, aber es gab keine Alternative für ihn, und deshalb ignorierte er dieses Gefühl, so gut er konnte. Erst im nassen, stürmischen März seines zweiten Jahres in Tokio sollte er erfahren, dass, wer sich mit Wölfen zu Tisch setzt, nie weiß, ob er nun Gast oder Hauptgericht ist.

Dem melancholischen Wetter zum Trotz machte sich die Unbesiegbarkeit des japanischen Lebenswillens in dem fröhlichen, optimistischen Lied »*Ringo no Uta*«, bemerkbar, das die ganze Nation kannte und das Tausende von Menschen, die sich vom physischen und emotionalen Ruin des Krieges erholten, halblaut vor sich hin summten oder sangen. Der grausame Hunger der letzten Winter war vorüber; die Überschwemmungen der letzten Frühjahre und die schlechten Ernten lagen hinter ihnen; und das Gefühl verbreitete sich, dass die Welt allmählich wieder gesundete. Ungeachtet der nassen Märzwinde hatten die Bäume angefangen, das zartgrüne Kleid des Frühlings anzulegen, und grüßten als Boten der Fülle. Als Nikolai an jenem Morgen sein Büro betrat, war er so guter Stimmung, dass er tatsächlich einen ulkigen Charme in dem verhassten militärischen Kürzel an seiner Tür zu entdecken glaubte: SCAP/COMCEN/SPHINX-FE (N-CODE/D-CODE).

In Gedanken versunken machte er sich daran, einen Maschinenausdruck abgefangener Nachrichten der sowjetischen Besatzungsmacht in der Mandschurei aufzuarbeiten, einfach verschlüsselte Routinemeldungen. Da er sich für die militärischen und politischen Spielchen der Russen und Amerikaner nicht interessierte, beschäftigte er sich normalerweise mit diesen Texten, ohne sich um ihren Inhalt zu kümmern, ungefähr wie ein guter Stenograf sein Stenogramm abtippt, ohne es wirklich zu lesen. Aus diesem Grund hatte er sich bereits der nächsten Aufgabe zugewandt, als ihm die Bedeutung dessen aufging, was er soeben gelesen hatte. Er zog das Blatt aus dem Korb mit den auslaufenden Meldungen und las es noch einmal durch.

General Kishikawa Takashi wurde von den Russen auf dem Luftweg nach Tokio gebracht, wo er als Kriegsverbrecher ersten Grades vor Gericht gestellt werden sollte.

In Begleitung von Miss Swivven betraten die vier Herren den Aufzug und warteten schweigend, während sie ihre Magnetkarte in den Schlitz mit der Aufschrift »15. Stock« steckte. Der arabische Terroristenlehrling mit dem Decknamen Mr. Haman verlor das Gleichgewicht, als der Aufzug entgegen seiner Erwartung mit hoher Geschwindigkeit in die Tiefen des Gebäudes sank. Er stolperte gegen Miss Swivven, die laut aufschrie. »Verzeihung, Madame. Ich hatte angenommen, dass es vom Erdgeschoss zum fünfzehnten Stockwerk aufwärts gehen müsste. Vom mathematischen Standpunkt aus gesehen wäre das wohl auch der Fall, aber …«

Ein Stirnrunzeln seines OPEC-Vorgesetzten stoppte den Fluss seines Falsettgeschwätzes, und er wandte seine Aufmerksamkeit Miss Swivvens glattem Nacken zu.

Dem OPEC-Mittelsmann (mit dem Decknamen Mr. Able, weil er der Spitzenmann eines Able-Baker-Charlie-Dog-Teams war) waren die Fistelstimme und die Ungeschicklichkeit seines arabischen Landsmanns peinlich. Als Oxford-Absolvent der dritten Generation, dessen Familie seit langer Zeit die kulturellen Vorteile der Beteiligung an der Ausbeutung ihres Volkes durch die Briten genoss, verachtete Mr. Able diesen parvenühaften Sohn eines Kameltreibers, der vermutlich auf Öl gestoßen war, als er einen Zeltpflock zu tief in den Boden gerammt hatte.

Außerdem ärgerte er sich darüber, dass man ihn mitten aus einem intimen geselligen Beisammensein abgerufen hatte, damit er sich um irgendein nicht näher erläutertes Problem kümmere, das seinen Ursprung zweifellos in der Unfähigkeit seines Landsmanns und dieser Barbaren von der CIA hatte. Und hätte hinter diesem Befehl nicht die Autorität des Vorsitzenden der Muttergesellschaft gestanden, er hätte ihn kurzerhand ignoriert, denn als er unterbrochen wurde, hatte er gerade das

Vergnügen einer äußerst charmanten und angenehm erregenden Plauderei mit einem bezaubernden jungen Mann gehabt, dessen Vater amerikanischer Senator war.

Der Deputy reagierte auf die hochmütige Verachtung des OPEC-Mannes, indem er im Hintergrund der Kabine blieb und angestrengt so tat, als sei er mit wichtigeren Dingen als dieser Bagatelle beschäftigt.

Darryl Starr wiederum war bemüht, den Eindruck kühler Indifferenz zu erwecken, indem er mit den Münzen in seiner Tasche klimperte und tonlos durch die Zähne pfiff.

Mit spürbarem Ruck kam der Fahrstuhl zum Stehen, und Miss Swivven schob eine zweite Magnetkarte in den Schlitz, die ihnen die Tür öffnete. Der Palästinenser nutzte die Gelegenheit, ihr schnell den Hintern zu tätscheln. Sie zuckte zusammen und wich ihm aus.

Aha, dachte er. Ein anständiges Mädchen. Vermutlich Jungfrau. Umso besser. Auf Jungfräulichkeit legen die Araber größten Wert, denn sie scheuen den Vergleich.

Darryl Starr und der Deputy musterten beide ihre Umgebung, der eine offen, der andere ein wenig verstohlener, denn keiner von ihnen hatte bisher Zutritt zum »fünfzehnten Stock« ihres Gebäudes gehabt. Mr. Able jedoch schüttelte Diamond kurz die Hand und fragte barsch: »Was soll das Ganze? Ich habe nicht die geringste Lust, mich einfach hierherzitieren zu lassen, vor allem nicht an einem Abend, an dem ich etwas Besseres zu tun hatte.«

»Sie werden noch weniger erfreut sein, nachdem ich Ihnen alles erklärt habe«, entgegnete Diamond. Er wandte sich an Darryl Starr. »Setzen Sie sich! Ich will Ihnen klarmachen, wie ungeheuerlich Ihr Patzer in Rom gewesen ist.«

Starr zuckte in gespielter Gleichgültigkeit mit den Achseln und schob sich in einen der weißen Plastiksessel am Konferenztisch. Der PLO-Mann war in die Aussicht vertieft, die das Panoramafenster bot.

»Mr. Haman?«, sagte Diamond.

Die Nase an die Scheibe gepresst, betrachtete der Palästinenser begeistert das Muster der Autoscheinwerfer, die langsam am Washington Monument vorbeizogen – die Scheinwerfer derselben Wagen, die pünktlich um diese Zeit an jedem Abend über die Allee krochen.

»Mr. Haman?«, wiederholte Diamond.

»Was? Ach ja! Ich vergesse immer wieder diesen Decknamen, den man mir verpasst hat. Ist das nicht komisch?«

»Hinsetzen!«, befahl Diamond unlustig.

»Wie bitte?«

»Hinsetzen!«

Verlegen grinsend gesellte sich der Araber zu Starr an den Tisch, während Diamond dem Vertreter der OPEC bedeutete, er möge am Kopfende Platz nehmen, und sich selbst in seinem orthopädisch konstruierten Drehsessel auf dem Podium niederließ. »Sagen Sie, Mr. Able, was wissen Sie über den Präventivschlag heute Vormittag auf dem Flughafen von Rom?«

»So gut wie gar nichts. Ich belaste mich nicht mit taktischen Einzelheiten. Mein Gebiet ist die ökonomische Strategie.« Er schnippte ein unsichtbares Stäubchen von der scharfen Bügelfalte seiner Hose.

Diamond nickte knapp. »Wir dürften beide nicht mit diesen Dingen belastet werden, aber die Beschränktheit Ihrer Leute und die Unfähigkeit der meinen machen es leider erforderlich ...«

»Einen Moment mal ...«, fiel ihm der Deputy ins Wort.

»... machen es leider erforderlich, dass wir die Sache selbst in die Hand nehmen. Ich möchte Ihnen die Hintergrundinformationen vermitteln, damit Sie wissen, womit wir es hier zu tun haben. Miss Swivven, führen Sie bitte Protokoll.« Diamond musterte den CIA-Deputy mit scharfem Blick. »Warum stehen Sie so herum?«

Mit verkniffenem Mund und geblähten Nasenflügeln antwortete der Deputy: »Vielleicht warte ich darauf, dass Sie mir befehlen, mich hinzusetzen, wie Sie es bei den anderen getan haben.«

»Das können Sie haben.« Diamonds Miene war ausdruckslos und angewidert. »Hinsetzen!«

Der Deputy nahm mit einer Miene neben Starr Platz, als habe er einen diplomatischen Sieg errungen.

Während der nun folgenden Konferenz wirkte Mr. Diamonds bissiger Ton einschüchternd auf alle außer Mr. Able. Diamond und er hatten an vielen Projekten und Problemen zusammengearbeitet und dabei einen gewissen gegenseitigen Respekt entwickelt, der ganz gewiss nicht auf Freundschaft beruhte, aber doch auf der Achtung vor Eigenschaften, die beiden gemeinsam waren, verwaltungstechnisches Geschick nämlich, die Fähigkeit zur klaren Analyse von Problemen und die Kunst, Entscheidungen zu treffen, ohne sich von romantischen Moralvorstellungen behindern zu lassen. Ihre Aufgabe war es, die hinter ihnen stehenden Mächte in allen paralegalen und außerdiplomatischen Transaktionen zwischen den arabischen ölproduzierenden Ländern und der Muttergesellschaft zu vertreten, deren Interessen eng miteinander verknüpft waren, obwohl keiner dem anderen über die Grenzen des gemeinsamen Gewinns hinaus vertraute. Die industrialisierte Welt hatte sich leichtsinnigerweise vom arabischen Öl vollkommen abhängig gemacht, obwohl man wusste, dass der Vorrat nicht unerschöpflich, ja sogar relativ begrenzt war. Es war das Ziel der Entwicklungsländer, die durchaus erkannten, dass sie nur darum die Hätschelkinder der technologischen Welt waren, weil das so dringend benötigte Öl zufällig unter ihrem steinigen oder sandigen Boden lag, dieses Öl und die damit verbundene politische Macht in dauerhaftere Wohlstandsquellen zu verwandeln, bevor die Erde dieser gefährlichen Flüssigkeit endgültig beraubt war, und darum kauften sie eifrig Grundbesitz auf der ganzen Welt, erwarben Firmen, infiltrierten Bankkonzerne und übten im gesamten industrialisierten Westen finanziellen Druck auf Persönlichkeiten der Politik aus. Bei der Ausführung ihrer Pläne kamen ihnen gewisse Vorteile zugute. Erstens konnten sie rasch manövrieren, weil sie nicht mit dem zähen politischen System der Demokratie belastet waren. Zweitens waren die westlichen Politiker korrupt und käuflich. Drittens war die Masse der Abendländer habgierig, faul und ohne Gefühl für Geschichte, denn das Atomzeitalter hatte sie gelehrt, ständig in Erwartung des Jüngsten Tages zu leben und sich daher nur um Behaglichkeit und Wohlstand während ihrer eigenen Lebensspanne zu sorgen.

Die Gruppe der Energiekonzerne, aus denen die Muttergesellschaft bestand, hätte den erpresserischen Würgegriff der arabischen Nationen jederzeit abschütteln können. Denn Rohöl ist wertlos, solange es nicht zu einem profitbringenden Umweltverschmutzer verarbeitet worden ist, und sie allein kontrollierten die Einrichtungen zur Vorratslagerung und Verteilung. Das Langzeitziel der Muttergesellschaft war es jedoch, das Damoklesschwert planmäßiger Öl-Verknappungen zu benutzen, um sämtliche Energiequellen in ihre Gewalt zu bringen: Kohle, Atomkraft, Sonnenenergie, Erdwärme. Aufgrund der zwischen ihnen bestehenden Symbiose half die OPEC der Muttergesellschaft, indem sie Ölknappheit kreierte, wenn diese Pipelines durch gefährdete Tundra bauen, größere Regierungsinvestitionen zur Erforschung von Sonnen- und Windenergie verhindern oder eine Erdgasknappheit auslösen wollte, um eine Aufhebung der Preisbindung zu erreichen. Als Gegenleistung half die Muttergesellschaft den OPEC-Ländern auf vielerlei Weise, nicht zuletzt dadurch, dass sie während des Ölembargos politischen Druck ausübte, um die westlichen Nationen daran zu hindern, das Naheliegendste zu tun, nämlich das Land zu besetzen und das Öl für das Wohl der Allgemeinheit zu beschlagnahmen. Das erforderte eine größere rhetorische Geschicklichkeit, als die Araber ahnten, denn die Muttergesellschaft lancierte zur selben Zeit umfangreiche Werbeprogramme, die dem Volk vorspiegelten, sie bemühe sich, Amerika von ausländischen Ölimporten unabhängig zu machen. Für diese Kampagne setzte sie Großaktionäre ein, die zugleich beliebte Stars der Unterhaltungsbranche waren, um die Unterstützung der Öffentlichkeit für ihre Ölsuche in den USA, ihre Gefährdung der Menschheit durch Atommüll, ihre Verschmutzung der Meere durch Bohrinseln und ihren leichtfertigen Umgang mit Ölfrachtern zu gewinnen.

Sowohl die Muttergesellschaft als auch die OPEC-Länder befanden sich in einer prekären Übergangssituation; die eine versuchte ihr Ölhandels- und Ölraffineriemonopol in eine Hegemonie über alle anderen Energiequellen zu verwandeln, damit ihre Macht und ihr Profit nicht mit der Erschöpfung des Ölvorrates dahinschwanden; die anderen waren bestrebt, ihren Ölreichtum in industriellen und territorialen Besitz in der ganzen westlichen Welt umzusetzen. Und um sich den Weg durch diese schwierige und gefährliche Phase zu ebnen, hatten sie Mr. Diamond und Mr. Able unbegrenzte Vollmacht für die Beseitigung der drei bedrohlichsten Hindernisse auf dem Weg zum Erfolg gegeben: der angestrengten Bemühungen der PLO, ihren Störwert einzusetzen, um einen Anteil am Reichtum der Araber zu erringen; des gedankenlosen und ungeschickten Eingreifens der CIA und ihres Sinnesorgans, der NSA; und Israels hartnäckigen, selbstsüchtigen Beharrens darauf, überleben zu wollen.

Um es deutlicher auszudrücken: Es war Mr. Diamonds Aufgabe, die CIA und, kraft der internationalen Gewalt der Muttergesellschaft, die Aktionen der Westmächte zu kontrollieren; während Mr. Able das Amt zufiel, die einzelnen Araberstaaten an der Kandare zu halten. Vor allem Letzteres war sehr schwierig, weil diese Regierungen ein labiles Gemisch aus mittelalterlicher Diktatur und chaotischem Militärsozialismus darstellten.

Aber ihr Hauptproblem war es, die PLO in Schach zu halten. Sowohl die OPEC als auch die Muttergesellschaft hielten die Palästinenser für eine Pestbeule, deren Gefährlichkeit in keinem Verhältnis zu ihrer wahren Bedeutung stand, aber die Launen des Schicksals hatten sie und ihr unbequemes Anliegen zu einem Angelpunkt der divergierenden arabischen Nationen gemacht. Jedermann wäre sie wegen ihrer Dummheit und Bösartigkeit gern losgeworden, leider jedoch sind derlei Krankheiten zwar übertragbar, aber nicht tödlich. Immerhin, Mr. Able tat, was er vermochte, um sie zu schwächen; in jüngster Zeit hatte er ihnen ziemlich viel Sprengkraft genommen, indem er die Katastrophe im Libanon auslöste.

Aber er hatte nicht verhindern können, dass palästinensische Terroristen den Unfug des Olympiaattentats von München ausheckten, wodurch jahrelange antijüdische Propaganda zunichtegemacht wurde, die dank des latenten Antisemitismus im Westen bereits schöne Früchte getragen hatte. Mr. Able hatte getan, was er konnte; er hatte Mr. Diamond vorher vor diesem Zwischenfall gewarnt. Und Diamond hatte die Information an die westdeutsche Regierung weitergegeben, in der Annahme, man würde dort alles Weitere veranlassen. Stattdessen hatte man in Bonn die Hände in den Schoß gelegt und es einfach geschehen lassen.

Obwohl Diamond und Able auf eine lange Zusammenarbeit zurückblicken konnten, herrschte zwischen ihnen zwar eine gewisse gegenseitige Achtung, aber keine Freundschaft. Diamond empfand Unbehagen bei dem Gedanken an Mr. Ables sexuelle Ambiguität. Darüber hinaus ergrimmten ihn die kulturelle Überlegenheit und die gesellschaftliche Sicherheit des Arabers, denn Diamond war in den Straßen der New Yorker West Side aufgewachsen und wurde, wie so viele aufgestiegene Proletarier, von jenem umgekehrten Snobismus beherrscht, der gute Erziehung für einen Charakterfehler hält.

Mr. Able seinerseits hegte Diamond gegenüber eine Geringschätzung, die er gar nicht erst zu kaschieren trachtete. Er sah sich selbst als Patrioten und Edelmann, der sich bemühte, seinem Volk für die Zeit, da es kein Öl mehr geben würde, eine neue Machtbasis zu schaffen. Diamond dagegen betrachtete er als den Prototyp des Amerikaners, dessen Auffassung von Ehre und Würde nur von Gewinnsucht diktiert war. Er hielt die Amerikaner für ein dekadentes Volk, dessen Vorstellung von feiner Lebensart sich in weichem Toilettenpapier erschöpft. Verwöhnte Kinder, die auf ihren Highways dahinrasen, mit ihren CB-Funkgeräten spielen und so tun, als wären sie Piloten des Zweiten Weltkriegs. Wie musste es um den Charakter eines Volkes bestellt sein, dessen meistgekaufter Dichter Rod McKuen ist, dieser Howard Cosell der Lyrik?

Solchen und ähnlichen Gedanken hing Mr. Able nach, als er mit ausdrucksloser Miene, ein höflich distanziertes Lächeln auf den Lippen, am Kopfende des Konferenztisches saß. Er gestattete es sich nie, seine Verachtung allzu deutlich zu zeigen, denn er wusste, dass sein Volk mit diesen Amerikanern zusammenarbeiten musste, bis sie es geschafft hatten, ihnen die eigene Nation vor der Nase wegzukaufen.

Mr. Diamond hatte sich in seinem Sessel zurückgelehnt und betrachtete die Zimmerdecke, während er überlegte, wie er dieses Problem so aufs Tapet bringen konnte, dass die Schuld nicht ganz und gar auf seiner Seite zu liegen schien. »Na schön«, begann er, »zuerst die Vorgeschichte. Nach dem Patzer bei der Münchner Olympiade bekamen wir Ihre Zusage, dass Sie die PLO unter Kontrolle behalten und in Zukunft eine derart schlechte Presse verhindern würden.«

Mr. Able seufzte tief auf. Nun, wenigstens hatte Diamond nicht mit der Flucht der Kinder Israels durchs Rote Meer begonnen.

»Als kleines Trostpflaster für die Palästinenser«, fuhr Diamond fort, »haben wir dafür gesorgt, dass Wie-heißt-er-noch-gleich vor der UNO auftreten und seine albernen Drohungen gegen die Juden vorbringen durfte. Trotz all Ihrer Versprechungen entdeckten wir jedoch kürzlich, dass eine Zelle des Schwarzen September – darunter zwei der am Münchner Überfall Beteiligten – Ihre Erlaubnis für eine idiotische Flugzeugentführung in Heathrow erhalten hatte.«

Mr. Able zuckte die Achseln. »Die Absichten müssen sich immer den Umständen anpassen. Ich schulde Ihnen keineswegs Erklärungen für alles, was wir tun. Es muss Ihnen genügen, wenn ich sage, dass dieses jüngste Blutbad der Preis dafür war, dass sie abwarten, bis der amerikanische Druck Israels Verteidigungspotenzial schwächt.«

»Und wir haben dem zugestimmt. Als passive Hilfe habe ich die CIA angewiesen, sich jeglicher Gegenaktionen gegen den Schwarzen September zu enthalten. Wahrscheinlich war der Befehl überflüssig, da die traditionelle Unfähigkeit dieser Organisation jede eventuelle Handlung ihrerseits ohnehin wirksam neutralisiert hätte.«

Der Deputy räusperte sich, um zu protestieren, aber Diamond brachte ihn mit erhobener Hand zum Schweigen und fuhr fort: »Wir sind sogar einen Schritt über die passive Unterstützung hinausgegangen. Als wir erfuhren, dass eine kleine inoffizielle Gruppe von Israelis den Verantwortlichen für das Olympiaattentat auf der Spur war, beschlossen wir, mit einem Präventivschlag einzugreifen. Der Anführer dieser Gruppe war ein gewisser Asa Stern, ein ehemaliger Politiker, dessen Sohn zu den in München getöteten Sportlern gehörte. Da wir wussten, dass Stern unheilbar an Krebs erkrankt war – er starb vor zwei Wochen – und dass seine kleine Gruppe nur aus einer Handvoll idealistischer junger Amateure bestand, nahmen wir an, die vereinten Kräfte Ihres arabischen Geheimdienstes und unserer CIA würden genügen, sie auszulöschen.«

»Und sie genügten nicht?«

»Nein, sie genügten nicht. Diese beiden Herren hier am Tisch waren für das Unternehmen verantwortlich, obwohl der Araber in Wirklichkeit kaum mehr war als ein Agent in der Ausbildung. Durch eine sehr blutige Aktion in aller Öffentlichkeit ist es ihnen gelungen, zwei von drei Mitgliedern der Stern-Gruppe zu eliminieren – zusammen mit sieben Unbeteiligten. Das dritte Mitglied jedoch, ein junges Mädchen namens Hannah Stern, die Nichte des verstorbenen Anführers, ist entkommen.«

Mr. Able seufzte und schloss die Augen. Konnte in diesem Land mit seiner schwerfälligen Regierungsform denn niemals etwas einwandfrei klappen? Wann würden diese Leute endlich einsehen, dass die Welt sich in einer postdemokratischen Ära befand? »Sie sagten, *ein* junges Mädchen sei bei diesem Präventivschlag entkommen? Das kann doch nicht allzu tragisch sein. Ich kann mir nicht vorstellen, dass eine Frau ganz allein nach London fliegt und auf eigene Faust sechs bestens trainierte und erfahrene palästinensische Terroristen umbringt, die nicht nur den Schutz Ihrer und meiner Organisation genießen, sondern dank Ihrer Fürsprache auch den der britischen MI-5 und MI-6. Der Gedanke ist einfach lächerlich!«

»Gewiss, das wäre lächerlich. Aber Miss Stern fliegt gar nicht nach London. Wir wissen ziemlich genau, dass sie nach Frankreich geflogen ist. Außerdem haben wir Grund zu der Annahme, dass sie sich jetzt oder binnen kurzem mit einem gewissen Nikolai Hel in Verbindung setzen wird, einem Mann mit violetter Karte, der durchaus in der Lage ist, trotz Ihrer, meiner und britischer Agenten die Angehörigen des Schwarzen September zu eliminieren und rechtzeitig zum Lunch wieder zu Hause in Frankreich zu sein.«

Mr. Able sah Diamond forschend an. »Ist das etwa Bewunderung, die ich in Ihrem Ton entdecke?«

»Nein! Bewunderung würde ich es nicht nennen. Aber Hel ist ein Mann, den wir nicht unterschätzen dürfen. Ich werde Sie über seinen Werdegang informieren, damit Sie die Notwendigkeit der Maßnahmen einsehen, die wir treffen müssen, um diesen Schnitzer wieder auszubügeln.« Diamond wandte sich an den Ersten Assistenten, der bescheiden vor seinem Computer gewartet hatte. »Lassen Sie mal die Informationen über Hel durchlaufen.«

Und während Fat Boys Daten nüchtern und prosaisch auf der Tischplatte vor ihnen abrollten, umriss Diamond kurz die biografischen Umstände, die dazu geführt hatten, dass Nikolai Hel erfuhr, General Kishikawa sei in russischer Gefangenschaft und solle der Kriegsverbrecherkommission vorgeführt werden.

JAPAN

Nikolai erbat und erhielt unbezahlten Urlaub, um seine Zeit und Energie uneingeschränkt der Suche nach dem General widmen zu können. Die folgende Woche war ein Albtraum, ein verzweifeltes, zeitlupenhaft ablaufendes Anrennen gegen die schwammigen, aber unüberwindlichen Barrieren aus Amtsschimmel, innerbehördlicher Geheimniskrämerei, internationalem Misstrauen, bürokratischer Trägheit und individueller Gleichgültigkeit. Seine Bemühungen bei der japanischen Zivilregierung blieben ergebnislos. Deren System war einfach zu statisch und festgefahren, weil die Besatzungsmächte der japanischen Neigung zu Überorganisation und Autoritätsteilung, die dem einzelnen die Bürde der Verantwortung erleichtern sollten, Elemente einer wesensfremden Demokratie aufgepfropft hatten, die eine für ineffiziente Regierungsformen typische geschäftige Untätigkeit mit sich brachten.

Daraufhin wandte sich Nikolai an die Militärregierung und schaffte es durch seine Hartnäckigkeit, ein Stück des Mosaiks der Ereignisse zusammenzusetzen, die zur Gefangennahme des Generals geführt hatten. Dabei musste er notgedrungen gefährlich auffällig werden, obwohl ihm klar war, dass es für jemanden, der mit gefälschten Papieren und ohne den Schutz einer offiziellen Staatsangehörigkeit lebte, ein großes Risiko darstellte, die Bürokraten aufzustöbern, die am besten im reizlosen Klima des dysfunktionalen Status quo gedeihen.

Das Ergebnis dieser Woche emsigen Suchens und Forschens war mager. Wie Nikolai hörte, war Kishikawa-san der Kriegsverbrecherkommission von den Sowjets übergeben worden, die auch die Anklage in seinem Prozess übernahmen, und befand sich gegenwärtig im Sugamo-Gefängnis. Zu seinem Verteidiger hatte man einen amerikanischen Gerichtsoffizier bestellt, der Nikolai jedoch erst empfing, nachdem ihn dieser mit zahllosen Briefen und Anrufen bombardiert hatte, und auch dann nur ganz früh am Morgen auf eine knappe halbe Stunde.

Nikolai erhob sich schon vor Tagesanbruch und fuhr mit einer überfüllten Straßenbahn zum Yotsuya-Bezirk. Ein regnerischer, schiefergrauer Morgen zog am östlichen Himmel auf, als er über die Akebonobashi schritt, die Brücke der Dämmerung, hinter der sich die hässliche Masse der Ichigaya-Kaserne erhob, die zum Symbol der unmenschlichen Maschinerie westlicher Justiz geworden war.

Eine Dreiviertelstunde lang saß er auf einer Holzbank vor der Kanzlei des Verteidigers im Kellergeschoss und wartete, bis ihn eine gereizte und überarbeitete Sekretärin in Captain Thomas' vollgestopftes Büro führte. Ohne von der Niederschrift einer Aussage, in der er las, aufzublicken, deutete der Captain auf einen Stuhl. Erst als er fertig war und eine Randnotiz hinzugefügt hatte, hob er endlich den Kopf.

»Ja?« Sein Ton war weniger schroff als erschöpft. Er war allein für die Verteidigung von sechs angeklagten Kriegsverbrechern verantwortlich und musste, im Vergleich zu der ungeheuren Ermittlungs- und Organisationsmaschinerie, die der Anklage in den Büros über ihm zur Verfügung stand, mit äußerst begrenztem Personal und ebenso begrenzten Mitteln arbeiten. Seiner inneren Ausgeglichenheit war überdies abträglich, dass er eine höchst idealistische Auffassung von der Fairness der angelsächsischen Rechtsprechung hatte und sich so uneingeschränkt in ihrem Dienst aufrieb, dass aus jedem seiner Worte Müdigkeit, Frustration und bitterer Fatalismus sprachen. Er wollte nichts weiter, als dies alles hinter sich bringen, um dann ins Zivilleben und in seine kleinstädtische Anwaltskanzlei in Vermont zurückkehren zu können.

Nikolai erklärte ihm lang und breit, er suche Auskunft über General Kishikawa.

»Warum?«

»Weil er mein Freund ist.«

»Ihr Freund?«, fragte der Captain zweifelnd.

»Jawohl, Sir. Er … er hat mir sehr geholfen, als ich damals in Shanghai war.«

»Aber Sie waren doch noch ein Kind!«

»Ich bin dreiundzwanzig, Sir.«

Der Captain hob die Augenbrauen. Wie alle anderen, ließ auch er sich durch Nikolais jugendliche Erscheinung täuschen. »Verzeihung. Ich hatte Sie für viel jünger gehalten. Was meinen Sie damit, dass Kishikawa Ihnen geholfen hat?«

»Er hat sich nach dem Tod meiner Mutter um mich gekümmert.«

»Aha. Sie sind Engländer, nicht wahr?«

»Nein.«

»Ire?« Wieder einmal bewirkte sein Akzent, dass man ihn als »von anderswo« einstufte.

»Nein, Captain. Ich arbeite bei SCAP als Übersetzer.« Er hielt es für angezeigt, die Frage seiner Nationalität – oder vielmehr das Fehlen einer solchen – zu umgehen.

»Wollen Sie sich als Leumundszeuge anbieten?«

»Ich möchte ihm helfen – wie immer ich kann.«

Captain Thomas nickte und tastete nach einer Zigarette. »Ehrlich gesagt, ich glaube nicht, dass Sie ihm viel helfen können. Wir haben zu wenig Personal hier und sind überarbeitet. Ich bin gezwungen, mich auf die Fälle zu konzentrieren, bei denen Aussicht auf Erfolg besteht. Und in diese Kategorie gehört Kishikawas Fall zweifellos nicht. Das klingt für Sie möglicherweise gefühlskalt, trotzdem halte ich es für besser, aufrichtig zu Ihnen zu sein.«

»Aber ... Ich kann einfach nicht glauben, dass General Kishikawa irgendeine Schuld oder gar ein Verbrechen auf sich geladen hat. Wie lautet denn die Anklage gegen ihn?«

»Er ist in Klasse A eingestuft worden: Verbrechen gegen die Menschlichkeit – was immer man darunter verstehen mag.«

»Aber wer sagt gegen ihn aus? Und was soll er getan haben?«

»Keine Ahnung. Die Anklage liegt in den Händen der Russen, und die gestatten erst am Tag vor der Verhandlung Einblick in ihre Dokumente und Quellen. Wahrscheinlich geht es um seine Tätigkeit als Militärgouverneur von Shanghai. Unsere russischen Propagandafreunde haben verschiedentlich den Namen ›Tiger von Shanghai‹ für ihn verwendet.«

»›Tiger von ...‹ Aber das ist doch Unsinn! Er war Verwaltungsbeamter. Er hat dafür gesorgt, dass die Wasserversorgung wieder funktionierte, die Krankenhäuser ... Wie kann man nur ...«

»Während seiner Dienstzeit als Gouverneur wurden vier Männer verurteilt und hingerichtet. Wussten Sie das?«

»Nein, aber ...«

»Nach allem, was mir bekannt ist, hätten diese vier Männer Mörder, Plünderer oder Sexualverbrecher sein können. Mit Sicherheit weiß ich jedoch, dass die Zahl der Hinrichtungen wegen Kapitalverbrechen während der zehnjährigen Herrschaft der Briten im Durchschnitt vierzehn Komma sechs betrug. Daher sollte man meinen, dieser Vergleich müsste positiv für Ihren Freund ausfallen. Doch die Männer, die unter seinem Regime hingerichtet wurden, werden heute als ›Volkshelden‹ gefeiert. Und Volkshelden kann man nicht einfach hinrichten lassen. Vor allem nicht, wenn man als ›Tiger von Shanghai‹ bekannt ist.«

»Kein Mensch hat ihn jemals so genannt!«

»Aber jetzt wird er so genannt.« Captain Thomas lehnte sich zurück und presste die Zeigefinger auf seine tief in den Höhlen liegenden Augen. Dann zerrte er, um wieder munter zu werden, an seinem sandfarbenen Haar. »Und ich wette den Hintern meiner Großmutter, dass dieser Name bei der Verhandlung mindestens hundertmal aufs Tapet kommen wird. Tut mir leid, wenn ich defätistisch klinge, aber ich weiß zufällig, dass den Sowjets sehr viel daran liegt, diesen Prozess zu gewinnen. Sie machen einen Riesen-Propagandawirbel um den Fall. Zweifellos ist Ihnen bekannt, dass sie ziemlich hart unter Beschuss genommen wurden, weil sie ihre Kriegsgefangenen nicht repatriiert, sondern sie allesamt nach Sibirien in sogenannte ›Umerziehungslager‹ geschickt haben, damit sie voll indoktriniert in die Heimat zurückkehren können. Außerdem haben sie keinen einzigen Kriegsverbrecher ausgeliefert – bis auf Kishikawa. Deswegen wurde diese ganze Geschichte sorgfältig von ihnen geplant, weil es eine Gelegenheit für sie war, der Welt zu zeigen, dass sie trotz allem ihre Pflicht tun, die japanischen kapitalistischen Imperialisten nach Kräften auszumerzen und dem Sozialismus den Weg zu bereiten. Sie, Mr. Hel, scheinen diesen Kishikawa für unschuldig zu halten. Okay, das mag richtig sein. Aber ich versichere Ihnen, dass er sämtliche Qualifikationen für einen Kriegsverbrecher aufweist. Denn sehen Sie, die wichtigste Qualifikation für diese Ehre ist es, zu den Verlierern zu gehören. Und das tut er – unbestreitbar.« Captain Thomas steckte sich am Rest seiner Zigarette die nächste an und zerdrückte den Stummel der ersten in einem überquellenden Aschenbecher. Mit einem unfrohen Lachen stieß er den Rauch aus. »Können Sie sich ausmalen, was aus FDR oder General Patton geworden wäre, wenn die andere Seite gesiegt hätte? Angenommen natürlich, die wäre auch so selbstgerecht gewesen, Kriegsverbrecherprozesse zu inszenieren. Verdammt, die Einzigen, denen man nicht den Titel ›Kriegstreiber‹ verpasst hätte, wären die hinterwäldlerischen Isolationisten gewesen, die dafür gesorgt haben, dass wir uns nicht dem Völkerbund anschlossen. Und die wären zweifellos als Marionettenregierung eingesetzt worden, genau wie auch wir hier die Oppositionsmitglieder ins Parlament gebracht haben. Das ist der Lauf der Welt, mein Sohn. Und jetzt muss ich wieder an die Arbeit. Morgen habe ich vor Gericht einen alten Mann zu verteidigen, der an Krebs eingeht und behauptet, niemals etwas anderes getan zu haben, als die Befehle des Tenno zu befolgen. Zweifellos jedoch wird man ihn den ›Leoparden von Luzon‹ oder den ›Puma von Pago-Pago‹ nennen. Und wissen Sie was, mein Junge? Es ist gar nicht so unmöglich, dass er tatsächlich der Leopard von Luzon war. Aber so oder so – es spielt keine Rolle.«

»Darf ich ihn denn wenigstens sehen? Besuchen?«

Captain Thomas hatte den Blick schon wieder auf die Akten des nächsten anstehenden Falles gesenkt. »Was?«

»Ich möchte General Kishikawa besuchen. Darf ich das?«

»Da kann ich Ihnen nicht helfen. Er ist Gefangener der Russen. Bei denen müssen Sie die Genehmigung einholen.«

»Ja, aber wie kommen *Sie* denn zu ihm?«

»Überhaupt nicht.«

»Sie haben noch nicht einmal mit ihm gesprochen?«

Captain Thomas richtete die geröteten Augen auf ihn. »Es dauert noch sechs Wochen, bis er vor Gericht kommt. Gegen den Leoparden von Luzon dagegen wird morgen verhandelt. Gehen Sie zu den Russen. Vielleicht können die Ihnen helfen.«

»Und an wen muss ich mich da wenden?«

»Weiß der Teufel, mein Junge. Keine Ahnung.«

Nikolai erhob sich. »Aha. Vielen Dank.«

Als er schon beinahe die Tür erreicht hatte, setzte Captain Thomas noch hinzu: »Es tut mir leid, mein Sohn. Ehrlich.«

Nikolai nickte und ging hinaus.

In den nun folgenden Monaten sollte Nikolai oft über den Unterschied zwischen Captain Thomas und seinem russischen Gegenspieler, Oberst Gorbatow, nachdenken. Sie waren geradezu idealtypische Vertreter der Denkweise der Supermächte und ihrer Methoden, mit Menschen und Problemen fertigzuwerden. Der Amerikaner war aufrichtig bekümmert, mitfühlend, abgehetzt, unorganisiert – und absolut nutzlos gewesen. Der Russe dagegen war misstrauisch, indifferent, gut vorbereitet und informiert, aber letztlich doch von einigem Wert für Nikolai, der in einem großen, hart gepolsterten Sessel saß, während der Oberst nachdenklich in seinem Glas Tee rührte, bis die beiden großen Zuckerstücke zerfielen und auf dem Glasboden umherwirbelten, ohne sich ganz aufzulösen.

»Möchten Sie wirklich keinen Tee?«, fragte der Oberst.

»Nein, danke.« Nikolai zog es vor, keine Zeit auf gesellschaftliche Formen zu verschwenden.

»Ich persönlich bin geradezu teesüchtig. Wenn ich mal sterbe, wird der Arzt, der mich obduziert, feststellen, dass ich inwendig gegerbt bin wie Schuhleder.« Der Russe lächelte mechanisch über diesen abgestandenen Witz, dann stellte er das Glas in den Metallhalter zurück. Er löste die runde Stahlbrille von den Ohren und reinigte die Gläser, oder verteilte vielmehr den Schmutz darauf gleichmäßig mit Daumen und Zeigefinger. Dabei richtete er seinen verhangenen Blick auf den jungen Mann ihm gegenüber. Gorbatow war weitsichtig, daher sah er Nikolais jungenhaftes Antlitz mit den ungewöhnlichen grünen Augen ohne Brille deutlicher. »Sie sind also ein Freund von General Kishikawa. Ein Freund, der um sein Wohlergehen besorgt ist. Stimmt das?«

»Jawohl, Herr Oberst. Und wenn ich kann, möchte ich ihm gern helfen.«

»Durchaus begreiflich. Wozu wären Freunde sonst da?«

»Auf jeden Fall hätte ich gern Ihre Erlaubnis, ihn im Gefängnis zu besuchen.«

»Selbstverständlich hätten Sie die gern. Das kann ich verstehen.« Der Oberst setzte die Brille wieder auf und schlürfte seinen Tee. »Sie sprechen übrigens sehr gut Russisch, Herr Hel. Mit einem sehr vornehmen Akzent. Sie haben eine sorgfältige Ausbildung genossen.«

»Ich brauchte keine Ausbildung. Meine Mutter war Russin.«

»Ach ja, natürlich.«

»Ich bin niemals im Russischen unterrichtet worden. Es war eine der Sprachen meiner Kinderstube.«

»Ich verstehe.« Es war einer von Gorbatows Tricks, dem anderen die Last der Gesprächsführung aufzubürden und ihn auszuhorchen, indem er nur gelegentlich durch eine eingeworfene Bemerkung andeutete, er sei noch nicht ganz überzeugt. Nikolai ließ ihm diese leicht durchschaubare Taktik durchgehen, weil er des ewigen Kampfes müde und nach all den Sackgassen und Irrwegen frustriert und begierig war, endlich etwas über Kishikawa-san zu erfahren. Er lieferte dem Oberst mehr Informationen als nötig, merkte aber schon während er sprach, dass seine Erklärungen nicht glaubhaft klangen. Diese Erkenntnis bewog ihn, alles noch eingehender zu erklären, aber seine detaillierten Ausführungen ließen das, was er sagte, noch unwahrhaftiger klingen.

»Bei uns zu Hause, Herr Oberst, bin ich schon in der Kinderstube mit Russisch, Französisch, Deutsch und Chinesisch aufgewachsen.«

»Dann muss es aber sehr eng gewesen sein in Ihrer Kinderstube.«

Nikolai versuchte zu lachen, aber der Laut klang dünn und kaum überzeugend.

»Und Englisch«, fuhr Oberst Gorbatow fort, »Englisch sprechen Sie natürlich auch, nicht wahr?« Die Frage wurde auf Englisch gestellt – mit einem leicht britischen Akzent.

»O ja«, antwortete Nikolai auf Russisch. »Und Japanisch. Aber das sind angelernte Sprachen.«

»Also nicht aus der Kinderstube?«

»Wie ich Ihnen bereits erklärte.« Sofort bereute Nikolai den rüden Ton, den er angeschlagen hatte.

»Aha.« Der Oberst lehnte sich in seinem Schreibtischsessel zurück und betrachtete Nikolai mit einer Spur von Belustigung in den asiatisch geschnittenen Augen. »Ja«, sagte er schließlich, »sehr gut ausgebildet. Und entwaffnend jung. Aber trotz all Ihrer Kinderstuben- und Nachkinderstubensprachen, Herr Hel, sind Sie doch eigentlich Amerikaner, nicht wahr?«

»Ich *arbeite* für die Amerikaner. Als Übersetzer.«

»Aber Sie haben einen amerikanischen Ausweis vorgelegt.«

»Der wurde mir wegen meiner Arbeit ausgestellt.«

»Aber natürlich! Ich verstehe. Nur hatte ich Sie, wenn ich mich recht erinnere, nicht gefragt, für wen Sie arbeiten – das wissen wir nämlich längst –, sondern welche Staatsangehörigkeit Sie besitzen. Sind Sie Amerikaner oder nicht?«

»Nein, Herr Oberst, das bin ich nicht.«

»Was sind Sie dann?«

»Nun ja ... Eher Japaner als etwas anderes, glaube ich.«

»Ach ja? Bitte entschuldigen Sie, aber für mich sehen Sie nicht sehr japanisch aus.«

»Meine Mutter war, wie ich schon sagte, Russin. Und mein Vater war Deutscher.«

»Aha! Das erklärt alles. Eine typisch japanische Abstammung.«

»Ich verstehe nicht, was für eine Bedeutung meine Staatsangehörigkeit haben soll.«

»Das brauchen Sie auch nicht zu verstehen. Bitte beantworten Sie einfach meine Frage.«

Die plötzliche Kälte im Ton des Obersten veranlasste Nikolai, seinen wachsenden Zorn und seine Frustration zu bezähmen. Er holte tief Luft. »Ich bin in Shanghai geboren. Hierher, nach Japan, kam ich während des Krieges – unter dem Schutz von General Kishikawa, einem Freund meiner Familie.«

»Und welche Staatsangehörigkeit besitzen Sie?«

»Keine.«

»Wie unangenehm für Sie!«

»Allerdings. Ich konnte nicht einmal meinen Lebensunterhalt verdienen.«

»Davon bin ich überzeugt, Herr Hel. Und da Sie in so großen Schwierigkeiten steckten, ist es nur allzu leicht verständlich, dass Sie bereit waren, praktisch alles zu tun, um zu einer Anstellung und zu einem Verdienst zu kommen.«

»Oberst Gorbatow, ich bin kein Spion der Amerikaner. Ich bin ihr Angestellter, nicht ihr Agent.«

»Sie machen da feine Unterschiede, deren Bedeutung mir, wie ich gestehen muss, entgeht.«

»Warum sollten die Amerikaner ein Gespräch mit General Kishikawa suchen? Aus welchem Grund sollten sie ein so kompliziertes Theater inszenieren, nur um Kontakt mit einem Offizier herzustellen, der nichts war als ein einfacher Verwaltungsangestellter?«

»Genau das hätte ich gern von Ihnen gewusst, Herr Hel.« Der Oberst lächelte.

Nikolai erhob sich. »Ich stelle fest, Herr Oberst, dass dieses Gespräch Sie mehr amüsiert als mich. Ich möchte Ihre kostbare Zeit nicht länger in Anspruch nehmen. Bestimmt warten irgendwo noch ein paar Fliegen darauf, dass Sie ihnen die Flügel ausreißen!«

Gorbatow lachte laut auf. »Diesen Ton habe ich seit Jahren nicht mehr gehört! Nicht nur der kultivierte Klang des höfischen Russisch, sondern auch das Mitschwingen hochmütiger

Verachtung! Wunderbar! Setzen Sie sich, junger Mann. Setzen Sie sich. Und erzählen Sie mir, warum Sie General Kishikawa sehen müssen.«

Müde und ausgepumpt sank Nikolai in den hart gepolsterten Sessel zurück. »Das ist so einfach, dass Sie es mir sicher nicht glauben werden. Kishikawa-san ist mein Freund. Er ist fast wie ein Vater für mich. Jetzt ist er allein, ohne Familie, und sitzt im Gefängnis. Ich muss ihm helfen, so gut ich kann. Wenigstens muss ich ihn sehen … mit ihm sprechen.«

»Eine schlichte Geste kindlicher Anhänglichkeit. Absolut begreiflich. Wollen Sie wirklich keinen Tee?«

»Wirklich nicht, danke.«

Während der Oberst sein Glas nachfüllte, schlug er einen Aktendeckel auf und überflog den Inhalt. Nikolai vermutete, dass die Zusammenstellung dieser Akte der Grund für seine dreistündige Wartezeit in den Vorzimmern des Hauptquartiers der sowjetischen Besatzungsmacht gewesen war.

»Wie ich sehe, besitzen Sie auch Papiere, die Sie als Bürger der UdSSR ausweisen. Sie müssen zugeben, das ist so ungewöhnlich, dass ich eine Erklärung verlangen kann, nicht wahr?«

»Ihre Quellen innerhalb der SCAP sind offenbar sehr gut.«

Der Oberst zuckte lässig mit den Achseln. »Es geht.«

»Ich hatte eine Freundin, die mir die Anstellung bei den Amerikanern besorgte. Die hat mir auch den amerikanischen Ausweis verschafft …«

»Entschuldigen Sie, Herr Hel. Ich scheine mich heute Nachmittag nicht recht verständlich auszudrücken. Ich habe Sie nicht nach Ihren amerikanischen Papieren gefragt. Ich interessiere mich im Augenblick nur für Ihren russischen Ausweis.«

»Ich wollte Ihnen den Zusammenhang gerade erklären.«

»Ach so! Pardon.«

»Sie müssen wissen, dass diese Dame sich darüber im Klaren war, dass ich Schwierigkeiten bekommen könnte, falls die Amerikaner entdeckten, dass ich kein Bürger der Vereinigten Staaten bin. Um dem vorzubeugen, ließ sie mir zusätzlich Papiere ausstellen, die mir die russische Staatsangehörigkeit bescheinigten, damit ich sie neugierigen amerikanischen MPs vorzeigen und so einer peinlichen Befragung aus dem Weg gehen könnte.«

»Und wie oft trat die Notwendigkeit auf, diesen ungewöhnlichen Ausweg zu benutzen?«

»Noch nie.«

»Eine Zahl, die kaum eine so große Mühe rechtfertigt. Und warum ausgerechnet russisch? Warum haben Sie nicht irgendeine andere Nationalität aus Ihrer überfüllten Kinderstube gewählt?«

»Wie Sie ja bereits festgestellt haben, sehe ich nicht gerade asiatisch aus. Und die Einstellung der Amerikaner den Deutschen gegenüber kann man wohl kaum als freundlich bezeichnen.«

»Während ihre Einstellung den Russen gegenüber von Brüderlichkeit und Teilnahme geprägt ist, wie?«

»Natürlich nicht. Aber die Amerikaner misstrauen Ihnen und fürchten Sie, und deswegen behandeln sie sowjetische Staatsangehörige nicht so anmaßend wie andere.«

»Ihre Freundin war sehr klug, Herr Hel. Bitte sagen Sie mir doch, warum sie sich Ihretwegen so große Mühe gab. Warum sie ein so großes Risiko einging.«

Nikolai gab keine Antwort, doch sein Schweigen war beredt genug.

»Ich verstehe«, behauptete Oberst Gorbatow. »Natürlich. Und außerdem war Miss Goodbody schließlich eine Frau, die nicht mehr an der Last erster Jugendblüte zu tragen hatte.«

Nikolai errötete vor Zorn. »Sie wissen ja alles!«

Gorbatow nahm die Brille ab und grinste spöttisch. »Sagen wir, ich weiß einiges. Über Miss Goodbody, zum Beispiel. Und über Ihren Haushalt im Asakusa-Bezirk. Tz, tz, tz. Zwei junge Damen auf einmal, um Ihr Bett zu wärmen? Ausschweifende Jugend! Außerdem weiß ich, dass Ihre Mutter die Gräfin Alexandra Iwanowna war. O ja, einiges weiß ich über Sie.«

»Und Sie haben mir die ganze Zeit geglaubt, nicht wahr?«

Gorbatow zuckte die Achseln. »Zutreffender wäre es zu sagen, dass ich Ihnen gewisse Einzelheiten glaube, mit denen Sie Ihre Geschichte ausgeschmückt haben. Ich weiß, dass Sie vergangenen ...«, ein kurzer Blick in den Aktenhefter, »dass Sie vergangenen Dienstag um halb acht Uhr morgens Captain Thomas vom Stab des Gerichtshofs für Kriegsverbrecher aufgesucht haben. Vermutlich teilte er Ihnen mit, er könne in der Angelegenheit General Kishikawas nichts für Sie tun, weil dieser, abgesehen von der Tatsache, dass er als Kriegsverbrecher gegen die Gesetze der Menschlichkeit verstoßen habe, außerdem der einzige ranghohe Offizier der japanischen kaiserlichen Armee sei, der die Strapazen des Umerziehungslagers überlebt habe, und daher eine vom Prestige- und Propagandawert her überaus wichtige Persönlichkeit für uns darstelle.« Der Oberst hakte seine Brille wieder hinter die Ohren. »Ich fürchte, junger Mann, Sie können dem General nicht helfen. Und wenn Sie Ihre Absichten weiterverfolgen, wird der amerikanische Geheimdienst Sie unter die Lupe nehmen. Und wenn mein Waffenbruder und Verbündeter, Captain Thomas, nichts für Sie tun konnte, dann kann ich ganz gewiss nichts für Sie tun. Denn schließlich ist er ja der Verteidiger, während ich die Anklage vertrete. Wollen Sie wirklich kein Glas Tee?«

Nikolai griff nach dem letzten Strohhalm. »Captain Thomas hat mir gesagt, wenn ich den General besuchen wollte, müsste ich Ihre Genehmigung einholen.«

»Ganz recht.«

»Nun?«

Der Oberst drehte seinen Schreibtischsessel dem Fenster zu und starrte, mit dem Zeigefinger an seine Schneidezähne klopfend, in den regnerischen Tag hinaus. »Sind Sie sicher, dass er Ihren Besuch wünscht, Herr Hel? Ich habe mit dem General gesprochen. Er ist ein sehr stolzer Mann. Es wird ihm unangenehm sein, in seinem gegenwärtigen Zustand vor Ihnen zu erscheinen. Er hat zweimal versucht, Selbstmord zu begehen, und wird nun sehr streng überwacht. Sein gegenwärtiger Zustand ist entwürdigend.«

»Ich *muss* ihn sehen. Ich schulde ihm ... sehr viel.«

Der Oberst nickte, ohne sich vom Fenster abzuwenden. Er schien in seine eigenen Gedanken versunken.

»Nun?«, erkundigte sich Nikolai nach einer Weile.

Gorbatow antwortete nicht.

»Darf ich den General besuchen?«

Mit fremder, tonloser Stimme sagte der Oberst: »Ja, natürlich.« Dann wandte er sich zu Nikolai um und lächelte. »Ich werde sofort das Nötige veranlassen.«

Obwohl er in dem schaukelnden Wagen der Yamate-Hochbahn so eng eingekeilt stand, dass er durch seine nassen Kleider hindurch die Körperwärme der anderen Passagiere spürte, fühlte sich Nikolai in seiner Konfusion und seinen bitteren Zweifeln allein und verlassen. Durch kleine Lücken zwischen den Umstehenden sah er unten die Stadt vorbeigleiten, trostlos in der nassen Kälte und durch die bleiernen Wolken jeglicher Farbe beraubt.

In Oberst Gorbatows Erlaubnis zu einem Besuch bei Kishikawa-san hatte eine versteckte Drohung gelegen, und Nikolai hatte sich schon den ganzen Morgen bedrückt und hilflos gefühlt, so sehr bedrängten ihn böse Vorahnungen. Vielleicht hatte Gorbatow Recht gehabt, als er meinte, dieser Besuch sei am Ende doch keine liebevolle Geste. Aber er konnte und wollte nicht zulassen, dass der General seinem bevorstehenden Prozess, seiner Erniedrigung, allein entgegensah. Das wäre ein Akt der Gleichgültigkeit gewesen, den er sich niemals hätte verzeihen können. Aber fuhr er denn jetzt um seines eigenen Seelenfriedens willen ins Sugamo-Gefängnis? Waren seine Motive im Grunde selbstsüchtig?

An der Komagome-Station, eine Haltestelle vor dem Sugamo-Gefängnis, hatte Nikolai auf einmal das Bedürfnis auszusteigen, nach Hause zu fahren oder wenigstens eine Zeit lang umherzuwandern und zu überlegen, was er da eigentlich vorhatte. Doch diese Warnung kam zu spät. Bevor er sich zur Tür durchdrängen konnte, schloss sie sich bereits wieder, und der Zug fuhr an. Er war überzeugt, dass er hätte aussteigen sollen. Aber er war ebenso überzeugt, dass er seinen Plan jetzt ausführen würde.

Oberst Gorbatow war großzügig gewesen: Er hatte dafür gesorgt, dass Nikolai eine ganze Stunde bei Kishikawa-san bleiben durfte. Doch nun, da Nikolai in dem kalten Sprechzimmer saß und die Wände mit der abblätternden grünen Farbe anstarrte, fragte er sich, ob er denn wirklich genug zu sagen hatte, um eine ganze Stunde zu füllen. An der Tür standen ein japanischer Wärter und ein amerikanischer Militärpolizist, die sich gegenseitig ignorierten; der Japaner blickte stur zu Boden, während der Amerikaner seine Aufmerksamkeit auf die Härchen konzentrierte, die er sich aus den Nasenlöchern zupfte. Bevor man Nikolai ins Sprechzimmer ließ, hatte man ihn in einem Vorraum mit peinlicher Gründlichkeit durchsucht. Die in Papier gewickelten Reiskuchen, die er mitgebracht hatte, waren ihm von dem amerikanischen Militärpolizisten abgenommen worden, der Nikolai wegen seines Ausweises für einen Amerikaner hielt und erklärte: »Tut mir leid, Kumpel. Aber Esswaren dürfen hier nicht mitgebracht werden. Dieser – äh – wie heißt er doch noch? – also dieser *Gook*-General hat schon mal versucht, sich umzubringen. Deswegen können wir's nicht riskieren, dass er vielleicht Gift in die Finger kriegt. Kapiert?«

Nikolai bejahte. Und da er wusste, dass er sich mit den Behörden gutstellen musste, wenn er Kishikawa-san helfen wollte, scherzte er mit dem Militärpolizisten: »Ja, Sergeant, ich weiß, was Sie meinen. Manchmal wundert man sich wirklich, wieso überhaupt ein japanischer Offizier den Krieg überlebt hat, wo die doch alle zum Selbstmord neigen.«

»Genau. Und wenn dem da was passiert, sitze ich mit dem Arsch im Dreck. He! Was ist denn das?« Der Sergeant hielt ein kleines, magnetisches Go-Brett empor, das Nikolai in letzter Minute eingesteckt hatte, für den Fall, dass es nichts mehr zwischen ihnen zu sagen gäbe und die Situation zu peinlich würde.

Nikolai zuckte die Achseln. »Ein Spiel. Eine Art japanisches Schach.«

»Ach ja?«

Der japanische Wärter, der unbeholfen herumgestanden hatte, weil er sich in dieser Situation recht überflüssig vorkam, bestätigte seinem amerikanischen Kollegen stolz in gebrochenem Englisch, dass es sich in der Tat um ein japanisches Brettspiel handele.

»Tja, ich weiß nicht recht, Kumpel. Ich bin nicht sicher, ob Sie das mit reinnehmen dürfen.«

Nikolai zuckte abermals mit den Achseln. »Das müssen Sie entscheiden, Sergeant. Ich dachte nur, wir könnten uns damit die Zeit vertreiben, falls der General keine Lust zum Reden hat.«

»Ach, Sie sprechen *Gook*?«

Nikolai hatte sich oft gefragt, wieso ausgerechnet dieser Ausdruck, eine Verballhornung des koreanischen Namens für ihr eigenes Volk, zur verächtlichen Standardbezeichnung des amerikanischen Militärs für alle Asiaten geworden war.

»Ja, ich spreche Japanisch.« Nikolai wusste, dass man dort,

wo die Vernunft auf sture Ignoranz trifft, nur mit Täuschungsmanövern weiterkommt. »Sie haben doch sicher aus meinem Ausweis ersehen, dass ich bei Sphinx arbeite.« Er fixierte den Sergeant mit festem Blick und nickte verstohlen zu dem japanischen Wärter hinüber, um anzudeuten, er sei nicht geneigt, sich näher über den Zweck seines Besuches auszulassen, solange fremde Ohren mithörten.

Der Militärpolizist runzelte beim Nachdenken vor Anstrengung die Stirn, dann nickte er verständnisinnig. »Ach so! Ich hatte mich schon gewundert, wieso ein Amerikaner diesen *Gook*-General besucht.«

»Dienst ist Dienst.«

»Genau. Na ja, dann wird es wohl in Ordnung gehen. Ein harmloses Brettspiel kann ja keinen Schaden anrichten.« Er gab das Miniatur-Go-Brett zurück und führte Nikolai ins Sprechzimmer.

Fünf Minuten später wurde eine Tür geöffnet, und General Kishikawa trat ein, gefolgt von zwei weiteren Wärtern: einem anderen Japaner und einem untersetzten Russen mit den undurchdringlichen fleischigen Zügen der slawischen Bauern. Nikolai erhob sich grüßend; die beiden neuen Wachen nahmen an der Wand Aufstellung.

Als Kishikawa-san näher kam, neigte Nikolai unwillkürlich in der Geste des Gehorsamen den Kopf. Dies entging den japanischen Wärtern nicht; die beiden tauschten einen flüchtigen Blick, hielten aber zum Glück den Mund.

Der General schlurfte vorwärts und nahm Nikolai gegenüber an dem rohen Holztisch Platz. Als er nach einer Weile den Blick hob, war der junge Mann zutiefst erschüttert. Er hatte zwar eine Veränderung in Kishikawa-sans Zügen erwartet, eine Erschütterung seiner ruhigen, sanften Art, aber auf das, was er sah, war er nicht vorbereitet.

Der Mann ihm gegenüber war alt, gebrechlich, zusammengesunken. Seine transparente Haut und die tastenden, unsicheren Bewegungen wirkten sonderbar priesterhaft. Als er endlich sprach, klang seine Stimme farblos und monoton, so als wäre die Kommunikation eine sinnlose Last. »Warum bist du gekommen, Nikko?«

»Um bei Ihnen zu sein, Sir.«

»Aha.«

Es entstand ein längeres Schweigen, weil Nikolai nicht wusste, was er sagen sollte, und der General nichts zu sagen hatte. Schließlich übernahm Kishikawa-san mit einem langen zitternden Seufzer die Verantwortung für das Gespräch, denn er wollte nicht, dass dieses Schweigen für Nikolai peinlich wurde. »Du siehst prächtig aus, Nikko. Geht es dir gut?«

»Ja, Sir.«

»Schön. Schön. Du wirst deiner Mutter mit jedem Tag ähnlicher. In deinen Augen sehe ich die ihren.« Er lächelte schwach. »Man hätte eurer Familie klarmachen sollen, dass dieses Grün für Jade oder antikes Glas bestimmt ist, nicht aber für menschliche Augen. Es ist verwirrend.«

Nikolai zwang sich zu einem Lächeln. »Ich werde mit einem Augenarzt sprechen, Sir. Vielleicht gibt es Mittel gegen diese Ungeschicklichkeit der Natur.«

»Ja. Tu das.«

»Ich verspreche es.«

»Gut.« Der General wandte den Blick ab und schien Nikolais Gegenwart sekundenlang zu vergessen. Dann fragte er: »Und wie steht es sonst mit dir?«

»Ganz gut. Ich arbeite bei den Amerikanern. Als Übersetzer.«

»Wirklich? Und akzeptieren Sie dich?«

»Sie ignorieren mich, aber das ist ebenso gut.«

»Nein, besser.«

Wieder entstand ein kurzes Schweigen, das Nikolai mit oberflächlichem Geplauder zu brechen suchte. Doch Kishikawa-san hob abwehrend die Hand.

»Du hast natürlich Fragen an mich. Ich werde dir alles kurz berichten, und dann brauchen wir nicht mehr darüber zu sprechen.«

Nikolai neigte zustimmend den Kopf.

»Wie du weißt, war ich in der Mandschurei. Ich wurde krank – Lungenentzündung. Als ich mit hohem Fieber bewusstlos im Lazarett lag, griffen die Russen an. Und als ich wieder zu mir kam, befand ich mich in einem Umerziehungslager unter strenger Bewachung, so dass ich keine Möglichkeit hatte, jenen Weg zu gehen, auf dem so viele meiner Kameraden der Würdelosigkeit der Kapitulation und den Demütigungen der ... Umerziehung entronnen sind. Außer mir gerieten nur noch ganz wenige Offiziere in Gefangenschaft. Die wurden deportiert, und man hat nie mehr etwas von ihnen gehört. Unsere Bewacher waren der Ansicht, Offiziere seien zur Umerziehung nicht geeignet oder ihrer nicht wert. Ich vermutete anfangs, mein Schicksal würde das Gleiche sein, und erwartete es mit so viel Gelassenheit, wie ich nur aufbringen konnte. Aber nein. Augenscheinlich glaubten die Russen, es könnte *ihren* Plänen für die Zukunft unseres Landes nützen, wenn sie *einen* gründlich umerzogenen Offizier im Generalsrang nach Japan schickten. Man wandte viele ... viele Methoden an. Die körperlichen waren am leichtesten zu ertragen – Hunger, Schlafentzug, Schläge. Aber ich bin ein halsstarriger alter Mann und lasse mich nicht so leicht umerziehen. Da ich keine Verwandten in Japan habe, die als Geiseln hätten dienen können, ließ sich bei mir die emotionale Zuchtrute nicht anwenden, mit deren Hilfe man andere in die Knie gezwungen hatte. Eine lange Zeit verging. Anderthalb Jahre, glaube ich. Man kann den Jahreslauf nicht so gut verfolgen, wenn man nie Tageslicht sieht und wenn Standhaftigkeit gemessen wird an weiteren fünf Minuten ... noch fünf Minuten ... Fünf Minuten halte ich es noch aus.« Eine Weile verlor sich der General in Erinnerungen an erlittene Torturen. Dann nahm er, ganz leicht zusammenzuckend, seine Erzählung wieder auf. »Manchmal verloren sie die Geduld mit mir und begingen den Fehler, mir Ruhepausen der Bewusstlosigkeit zu schenken. So verging eine lange Zeit. Monate, in Minuten gemessen. Dann brachen sie plötzlich all ihre Bemühungen um meine Umerziehung ab. Ich nahm natürlich an, dass man mich töten würde. Aber sie hatten sich etwas viel Entwürdigenderes für mich ausgedacht. Ich wurde gebadet und entlaust. Eine Flugreise. Eine lange Eisenbahnfahrt. Noch eine Flugreise. Dann war ich hier. Einen Monat lang ließen sie mich im Unklaren über das, was sie mit mir vorhatten. Dann, vor zwei Wochen, erhielt ich den Besuch eines Oberst Gorbatow. Er war ganz offen zu mir. Jede Besatzungsmacht hatte ihr Kontingent an Kriegsverbrechern geliefert. Nur die Sowjets hatten keine zu bieten und erhielten somit keine unmittelbare Beteiligung an der Maschinerie der internationalen Justiz. Das heißt, bis ich kam.«

»Aber, Sir ...«

Kishikawa-san hob beschwichtigend die Hand. »Ich beschloss, mich dieser letzten Demütigung zu entziehen. Aber ich hatte keine Möglichkeit zur Befreiung. Einen Gürtel haben sie mir nicht gelassen. Meine Kleidung besteht, wie du siehst, aus fester Leinwand, die zu zerreißen ich nicht die Kraft habe. Ich esse mit einem Holzlöffel aus einem hölzernen Napf. Ich darf mich nur elektrisch rasieren, und auch das nur unter strenger Aufsicht.« Der General lächelte ein trübes Lächeln. »Die Sowjets schätzen mich anscheinend sehr. Der Gedanke, sie könnten mich verlieren, macht ihnen Sorge. Vor zehn Tagen begann ich zu hungern. Es fiel mir leichter, als du dir vorstellen magst. Man drohte mir zwar, doch wenn ein Mensch entschlossen ist nicht weiterzuleben, so beraubt er den Gegner der Macht, wirksame Drohungen auszusprechen. Schließlich ... schnallten sie mich auf einen Tisch, zwangen mir einen Gummischlauch in den Hals und ernährten mich auf flüssigem Wege. Es war grauenvoll ... demütigend ... essen und erbrechen gleichzeitig. Es war entwürdigend. Darum versprach ich, wieder zu essen. Und hier bin ich.«

Während dieser stockenden Erklärung hatte Kishikawa-san den Blick nicht von der rauen Tischplatte gehoben.

Nikolais Augen brannten von zurückgehaltenen Tränen. Er starrte geradeaus und wagte es nicht, die Lider zu schließen, weil ihm die Tränen sonst über die Wangen gelaufen wären und seinen Vater – das heißt, seinen Freund – in Verlegenheit gebracht hätten.

Kishikawa-san atmete tief durch und hob den Kopf. »Nein. Nein, Nikko, das hat keinen Sinn. Die Wärter beobachten uns. Diese Genugtuung darfst du ihnen nicht gönnen.« Er streckte die Hand aus und tätschelte Nikolais Wange so energisch, dass es wie ein ermahnender Klaps wirkte. Der amerikanische Sergeant richtete sich misstrauisch auf und machte sich bereit, seinen Genossen von Sphinx vor diesem *Gook*-General zu schützen.

Doch Nikolai rieb sich mit beiden Händen das Gesicht, als ob er abgespannt sei, und befreite sich so von den Tränen.

»Gut!«, sagte Kishikawa mit neu erwachender Energie. »Jetzt blühen am Kajikawa bald wieder die Kirschbäume. Wirst du hinfahren?«

Nikolai schluckte. »Ja.«

»Das ist schön. Dann haben die Besatzungsmächte sie also nicht gefällt?«

»Gefällt nicht …«

Der General nickte. »Und hast du Freunde, Nikko?«

»Ich … Es leben ein paar Leute bei mir.«

»Wenn ich mich recht erinnere, schrieb mir unser Freund Otake kurz vor seinem Tod, da sei ein junges Mädchen in seinem Haus, eine Schülerin – es tut mir leid, ich kann mich nicht mehr auf ihren Namen besinnen. Aber du warst für ihre Reize anscheinend nicht ganz unempfänglich. Triffst du sie noch?«

Nikolai überlegte, bevor er antwortete. »Nein, Sir«, sagte er dann.

»Doch hoffentlich kein Streit?«

»Nein, Sir. Kein Streit.«

»Ja, ja, in deinem Alter ändern sich die Gefühle schnell. Mit den Jahren wirst du entdecken, dass man sich an manche voll verzweifelter Hoffnung klammert.« Die Anstrengung, Nikolai mit leichtem Geplauder über sein Unbehagen hinwegzuhelfen, schien Kishikawa-sans letzte Kräfte zu erschöpfen. Im Grunde gab es nichts, was er wirklich sagen, und nach den Erlebnissen der letzten zwei Jahre auch nichts, was er gern hören wollte. Er senkte den Kopf, starrte auf die Tischplatte und entglitt in den engen Zyklus der Gedankenfetzen und Erinnerungen aus der Kindheit, mit denen er seine Empfindungen zu betäuben gelernt hatte.

Zuerst fand auch Nikolai in diesem Schweigen Trost. Dann wurde ihm klar, dass sie es nicht gemeinsam erlebten, sondern einzeln und isoliert. Er holte das kleine Go-Brett und das Päckchen mit den Metallsteinen aus der Tasche und stellte beides auf den Tisch.

»Wir können eine ganze Stunde zusammenbleiben, Sir.«

Kishikawa-san zwang seine Gedanken in die Gegenwart zurück. »Was? Ach so, ja. Oh, ein Spiel! Ja, das ist gut. Damit können wir uns gemeinsam beschäftigen, ohne Schmerz zu empfinden. Aber ich habe lange nicht gespielt.«

»Ich habe seit Otake-sans Tod auch nicht mehr gespielt, Sir.«

»Ach, wirklich?«

»Ja. Ich fürchte, ich habe die Jahre der Ausbildung verschwendet.«

»Nein. Solche Übung ist niemals verschwendet. Du hast gelernt, dich uneingeschränkt zu konzentrieren, klug zu denken. Abstraktionen zu lieben, in Distanz von alltäglichen Dingen zu leben. Nein, es war keine Verschwendung. Komm, wir spielen.«

Unwillkürlich suchte General Kishikawa in der Erinnerung an ihre erste gemeinsam verbrachte Zeit Zuflucht und vergaß darüber, dass Nikolai ihm als Spieler inzwischen weit überlegen war: Er bot ihm eine Vorgabe von zwei Steinen, die Nikolai natürlich akzeptierte. Eine Zeit lang spielten sie eine unsichere, mittelmäßige Partie, konzentrierten sich nur gerade so weit, dass jene Geisteskräfte absorbiert wurden, die sie sonst mit Erinnerungen und Zukunftsängsten gequält hätten. Schließlich blickte der General auf und seufzte lächelnd. »Es hat keinen Zweck, Nikko. Ich spiele schlecht und vertreibe die ganze *aji* aus dem Spiel.«

»Ich ebenfalls.«

Kishikawa-san nickte. »Ja. Du auch.«

»Wenn Sie es wünschen, Sir, spielen wir bald einmal wieder. Bei meinem nächsten Besuch. Vielleicht sind wir dann beide besser.«

»Ach, hast du Erlaubnis für einen zweiten Besuch?«

»Ja. Oberst Gorbatow hat dafür gesorgt, dass ich morgen wiederkommen darf. Danach ... werde ich bei ihm einen neuen Antrag stellen und abwarten.«

Der General schüttelte den Kopf. »Ein sehr gerissener Mann, dieser Oberst.«

»Inwiefern, Sir?«

»Er hat es geschafft, meinen ›Stein der Zuflucht‹ vom Brett zu entfernen.«

»Sir?«

»Was meinst du wohl, Nikko, warum sie dir erlaubt haben, mich zu besuchen? Aus Mitleid? Nein. Weißt du, sobald sie mir jede Möglichkeit genommen hatten, in einen ehrenvollen Tod zu fliehen, beschloss ich, den Prozess in Schweigen durchzustehen, in einem möglichst würdigen Schweigen. Ich wollte nicht, wie andere vor mir es getan haben, mich dadurch zu retten suchen, dass ich Freunde und Vorgesetzte belastete. Das hat Oberst Gorbatow und seinen Landsleuten nicht gepasst. Es hätte sie um den Propagandawert ihres einzigen Kriegsverbrechers betrogen. Aber sie konnten nichts dagegen machen. Ich stand über den Sanktionen, die sie mir androhten, und auch über der Verlockung ihrer Milde. Und sie hatten keine emotionalen Geiseln gegen mich, weil meine Familie, wie sie wussten, bei dem Großangriff auf Tokio umgekommen war. Doch dann … dann sandte das Schicksal dich.«

»Mich, Sir?«

»Gorbatow war scharfsichtig genug zu erkennen, dass du deine prekäre Position bei der Besatzungsmacht nicht durch den Versuch, mich zu besuchen, aufs Spiel setzen würdest, es sei denn, du liebtest und ehrtest mich. Und er folgerte – durchaus zutreffend –, dass ich diese Gefühle erwidere. So hat er nun doch seine emotionale Geisel bekommen. Er hat dir gestattet, mich zu besuchen, um mir zu zeigen, dass er dich in der Hand hat. Und er *hat* dich in der Hand, Nikko. Du bist ungeheuer verwundbar. Du hast keine Staatsbürgerschaft, es gibt kein Konsulat, das dich schützt, keine Freunde, die sich um dich sorgen, und du lebst mit gefälschten Papieren. Das hat er mir alles selbst erzählt. Ich fürchte, mein Sohn, er hat ›die Kraniche in ihrem Nest eingeschlossen‹.«

Die Bedeutung von Kishikawa-sans Worten dämmerte Nikolai erst allmählich. All die Zeit, all die Mühe, die er auf den Versuch verwandt hatte, Kontakt mit dem General aufzunehmen, sein ganzer verzweifelter Kampf gegen behördliche Indifferenz hatten letztlich nur zur Folge, dass dem General der Schutzpanzer des Schweigens geraubt wurde. Er war kein Trost für Kishikawa-san; er war eine Waffe gegen ihn. Nikolai empfand eine Mischung aus Zorn, Scham, Empörung, Selbstmitleid und Kummer.

Um die Augen des Generals spielte ein müdes Lächeln. »Es ist nicht deine Schuld, Nikko. Und auch nicht die meine. Es ist eben Schicksal. Pech. Wir wollen nicht mehr davon reden.

Wenn du wiederkommst, spielen wir weiter, und ich verspreche dir, ein besserer Gegner zu sein.«

Der General erhob sich und ging zur Tür, wo er stehen blieb, um sich von dem japanischen und dem russischen Wärter hinausführen zu lassen, die ihn aber warten ließen, bis Nikolai dem amerikanischen Militärpolizisten zunickte, der wiederum seinen Kollegen ein zustimmendes Zeichen gab. Eine Zeit lang blieb Nikolai wie benommen sitzen und löste mit dem Fingernagel mechanisch die Metallsteine von dem magnetischen Brett.

Der amerikanische Sergeant kam herüber und fragte ihn in vertraulichem Ton: »Na? Haben Sie herausgefunden, was Sie wissen wollten?«

»Nein«, antwortete Nikolai geistesabwesend. Und dann setzte er hinzu: »Nein, aber wir werden uns noch einmal unterhalten.«

»Wollen Sie ihn wieder mit diesem albernen *Gook*-Spiel einseifen?«

Nikolai warf dem Sergeant aus seinen grünen Augen einen eiskalten Blick zu.

Voller Unbehagen erklärte der Militärpolizist begütigend: »Ich meine … Na ja, das ist doch bloß so 'ne Art Schach oder Dame oder so, nicht wahr?«

In der Absicht, diesem Proleten einen gehörigen Denkzettel zu erteilen und ihn seine Geringschätzung für die westliche Zivilisation spüren zu lassen, antwortete Nikolai: »Go ist im Verhältnis zum Schach des Westens, was die Philosophie im Verhältnis zu doppelter Buchführung ist.«

Aber Beschränktheit ist ein wirksamer Schutz sowohl gegen Belehrung als auch gegen Strafe. Die Antwort des Sergeants lautete schlicht und naiv: »Ohne Scheiß?«

Ein nadelfeiner Regen stach Nikolai in die Wange, als er von der Brücke der Morgendämmerung zu der grauen Mauer der Ichigaya-Kaserne hinüberstarrte, deren Umrisse vom Nebel verwischt, aber nicht gemildert wurden und deren von mattgelbem Licht erhellte Fensterreihen erkennen ließen, dass die japanischen Kriegsverbrecherprozesse ihren Fortgang nahmen.

Er stand an das Geländer gelehnt, den Blick ins Leere gerichtet, während ihm der Regen aus den Haaren übers Gesicht und in den Nacken lief. Sein erster Impuls beim Verlassen des Sugamo-Gefängnisses war gewesen, Captain Thomas gegen die Russen und gegen Oberst Gorbatows emotionale Erpressung um Hilfe zu bitten. Doch als ihm der Gedanke kam, hatte er gleichzeitig erkannt, wie sinnlos es wäre, sich an die Amerikaner zu wenden, deren Einstellung und Absichten hinsichtlich der Behandlung japanischer Militärs und Politiker sich grundsätzlich mit denen der Sowjets deckten. Nachdem er aus der Straßenbahn ausgestiegen und ziellos im Regen umhergewandert war, hatte er hier auf der Brücke haltgemacht, um eine Weile ins Wasser zu starren und seine Gedanken zu ordnen. Das war vor einer halben Stunde gewesen, doch immer noch war er von dem in ihm kochendem Zorn und seiner entnervenden Hilflosigkeit wie gelähmt.

Obgleich sein Zorn der Liebe zu seinem Freund und der Sohnespflicht ihm gegenüber entsprang, war er im Grunde doch von Selbstmitleid bestimmt. Es war entsetzlich, dass *er* das Werkzeug sein sollte, mit dem Gorbatow Kishikawa-san die Würde des Schweigens rauben wollte. Diese Ungerechtigkeit war in ihrer Ironie einfach ungeheuerlich. Nikolai war jung und glaubte noch immer, die grundlegende Triebfeder des Schicksals sei die Gerechtigkeit; dass Karma ein System sei, nicht einfach nur ein ausgeklügelter Kunstgriff.

Als er so im Regen auf der Brücke stand und in bittersüßes Selbstmitleid hinabglitt, da war es nur natürlich, dass ihm der Gedanke an Selbstmord kam. Die Vorstellung, Gorbatow seiner wirksamsten Waffe zu berauben, war tröstlich, bis er einsah, dass es eine leere Geste sein würde. Bestimmt würde man

Kishikawa-san von seinem Tod nicht in Kenntnis setzen, sondern ihm sagen, man habe Nikolai als Geisel in Haft genommen, um die Kooperation des Generals zu garantieren. Erst später, wenn Kishikawa-san sich mit Geständnissen, die andere Menschen belasteten, entehrt hatte, würde man ihm die grausame Wahrheit sagen: Man würde ihm mitteilen, dass Nikolai schon lange tot sei und dass er, Kishikawa, sich selber entehrt und unschuldige Freunde sinnlos in Gefahr gebracht habe.

Der Wind peitschte ihm in Stößen entgegen und trieb ihm den Regen ins Gesicht. Nikolai geriet ins Schwanken und suchte am Geländer Halt, so sehr brandeten die Wogen der Hilflosigkeit gegen ihn. Und dann erinnerte er sich mit unwillkürlichem Erschauern an einen furchtbaren Gedanken, der ihm während des Gesprächs mit dem General gekommen war. Kishikawa-san hatte ihm von seinem Versuch erzählt, in den Hungerstreik zu treten, und von der furchtbaren Demütigung, die man ihm zugefügt hatte, als man ihm einen Schlauch durch die sich ständig verkrampfende Speiseröhre zwang, um ihn auf diese Weise zu ernähren. In jenem Augenblick hatte sich Nikolai der Gedanke aufgedrängt, dass er, wäre er Zeuge dieser Demütigung gewesen, die Hand ausgestreckt und dem General zur Flucht in den Tod verholfen hätte. Die Ausweiskarte aus Plastik in Nikolais Tasche, im *hoda-korosu*-Kampfstil verwendet, hätte als Waffe durchaus genügt. Das Ganze wäre in einer Sekunde vorüber gewesen.

Die Vorstellung, Kishikawa-san aus dem Gefängnis seines elenden Lebens zu befreien, war Nikolai kaum durch den Kopf geschossen, als er sie auch schon weit von sich wies, weil sie ihm doch allzu schrecklich vorkam. Jetzt aber, hier im Regen, angesichts jener Maschinerie der Vergeltung, der Kriegsverbrecherprozesse, kehrte der Gedanke zurück, und dieses Mal setzte er sich fest. Es war natürlich besonders bitter, dass das Schicksal von ihm verlangte, ausgerechnet den einzigen

Menschen zu töten, der ihm nahestand.* Ein ehrenvoller Tod war jedoch das einzige Geschenk, das er seinem Freund zu bieten hatte. Und er erinnerte sich an die uralte Weisheit: Wer muss die schweren Dinge tun? Der, der es kann. Diese Tat würde natürlich Nikolais letzte sein. Er würde die ganze Wut und Enttäuschung der Sieger auf sich herabbeschwören, und sie würden ihn strafen. Ein Selbstmord wäre wesentlich einfacher für Nikolai als der Plan, den General eigenhändig zu erlösen. Aber er wäre auch völlig sinnlos – und selbstsüchtig.

Als er im Regen zur U-Bahn-Station ging, verspürte Nikolai einen eiskalten Klumpen im Magen, war aber sonst völlig gelassen. Endlich sah er seinen Weg!

In jener Nacht konnte er weder schlafen noch die Gesellschaft der lebhaften, überschäumenden Tanaka-Schwestern ertragen, deren bäuerliche Kraft zu einer ihm fremden Welt des Lichts und der Hoffnung zu gehören schien und daher auf ihn nicht nur banal, sondern sogar störend wirkte. Allein in der Dunkelheit eines Zimmers, das auf den kleinen Garten hinausging, die Wände zur Seite geschoben, damit er den Re-

* Im Verlauf dieses Buches wird Nikolai Hel sich mehrfach der Methoden der *hoda-korosu*-Taktik bedienen, doch werden diese niemals detailliert beschrieben. In einem früheren Buch schilderte der Autor eine gefährliche Bergbesteigung. Bei dem Versuch, jenen Roman in einen geschmackvollen Film umzusetzen, kam ein ausgezeichneter junger Bergsteiger ums Leben. In einem späteren Buch erklärte der Autor eingehend eine Möglichkeit, Bilder aus einem gut bewachten Museum zu stehlen. Kurz nachdem die italienische Ausgabe des Buches erschienen war, wurden in Mailand drei Gemälde nach der beschriebenen Methode entwendet, von denen zwei irreparable Schäden davontrugen.

Die Verantwortung der Gesellschaft gegenüber veranlasst den Autor nun, genaue Schilderungen von Methoden und Ereignissen zu unterlassen, die zwar für eine Handvoll Leser interessant sein, möglicherweise jedoch dazu führen könnten, dass Uneingeweihten Schaden entsteht.

Gleichermaßen wird der Autor auch gewisse hochentwickelte Sexualtechniken nicht vollständig darlegen, da sie für Neulinge unter Umständen gefährlich, mit Sicherheit aber schmerzhaft sein würden.

gen auf den breitblättrigen Pflanzen trommeln und auf dem Kies leise zischeln hören konnte, vor der Kälte nur durch einen wattierten Kimono geschützt, kniete er neben einem Holzkohlenofen, dessen Feuer schon längst erloschen war und der sich nur noch lauwarm anfühlte. Zweimal hatte er Zuflucht in einer mystischen Entrückung gesucht, doch seine Seele war zu sehr von Furcht und Hass erfüllt, um ihn die Schwelle des Vergessens überqueren zu lassen. Obwohl er es damals noch nicht wusste, sollte Nikolai nie mehr den Zugang zu seiner kleinen Bergwiese finden, auf der er sich ausgeruht hatte, indem er eins wurde mit Gras und goldenem Sonnenschein. Die nun folgenden Ereignisse sollten in ihm eine unüberwindliche Barriere des Hasses errichten, die ihn von der Ekstase trennte.

Am frühen Morgen fand Herr Watanabe Nikolai immer noch kniend im Gartenzimmer; er hatte nicht einmal gemerkt, dass der Regen aufgehört hatte und einer harschen Kälte gewichen war. Herr Watanabe schloss fürsorglich die Schiebewände und entzündete den Kohleofen, während er kopfschüttelnd etwas über die leichtsinnige Jugend vor sich hin murmelte, die für ihre Torheit letztlich würde bezahlen müssen.

»Ich möchte Sie und Frau Shimura sprechen«, sagte Nikolai in so ruhigem Ton, dass der Fluss von Herrn Watanabes väterlichen Ermahnungen abrupt versiegte.

Eine Stunde darauf knieten sie nach einem leichten Frühstück zu dritt um einen niedrigen Tisch mit der aufgerollten Übereignungsurkunde für das Haus und einem etwas formlos gehaltenen Dokument, in dem Nikolai niedergelegt hatte, dass er all seinen Besitz den beiden Alten zu gleichen Teilen hinterlasse. Er erklärte ihnen, dass er am Nachmittag fortmüsse und höchstwahrscheinlich nicht wiederkommen werde. Es werde Schwierigkeiten geben; Fremde würden kommen, Fragen stellen und ihnen ein paar Tage lang das Leben schwermachen; danach jedoch werde sich wohl niemand mehr um den kleinen Haushalt kümmern. Nennenswerte Geldsummen besaß Nikolai nicht, da er den größten Teil seines Einkommens sofort auszugeben pflegte. Was er hatte, lag in ein Tuch gewickelt auf dem Tisch. Wenn Herr Watanabe und Frau Shimura nicht genug verdienen könnten, um das Haus zu unterhalten, erklärte er, so seien sie berechtigt, es zu verkaufen und den Erlös nach Belieben zu verwenden. Es war Frau Shimura, die darauf bestand, einen Teil als Mitgift für die Tanaka-Schwestern beiseitezulegen.

Als alles geregelt war, tranken sie gemeinsam Tee und unterhielten sich über geschäftliche Einzelheiten. Nikolai hatte gehofft, der Last des Schweigens ausweichen zu können, doch bald waren die wenigen Themen erschöpft, und es gab nichts mehr zu sagen.

Ein kulturbedingter Fehler der Japaner ist ihr Unbehagen selbst beim aufrichtigen Ausdruck von Emotionen. Manche neigen dazu, ihre Gefühle mit stoischem Schweigen zu kaschieren oder sie hinter einer Barriere höflicher Floskeln zu verstecken. Andere suchen Zuflucht in emotionalem Überschwang, in übersteigerter Dankbarkeit und Besorgnis.

Es war Frau Shimura, die Halt im Schweigen suchte, während Herr Watanabe hemmungslos weinte.

Die vier Wachen bauten sich mit den gleichen übertriebenen Sicherheitsvorkehrungen wie am Tag zuvor zu beiden Seiten der Tür des kleinen Sprechzimmers auf. Die Japaner wirkten nervös und verlegen; der amerikanische Militärpolizist gähnte gelangweilt; und der untersetzte Russe schien zu träumen, was er in Wirklichkeit sicher nicht tat. Zu Beginn seines Gesprächs mit Kishikawa-san testete Nikolai die Wachen, indem er zuerst Japanisch sprach. Er merkte gleich, dass der Amerikaner kein Wort verstand, bei dem Russen jedoch war er sich nicht ganz so sicher, deshalb machte er eine völlig sinnlose Bemerkung und entdeckte ein ganz leichtes Stirnrunzeln. Als

Nikolai zu Französisch überging und die Japaner augenscheinlich nichts mehr verstanden, der Russe hingegen nach wie vor aufzumerken schien, war er überzeugt, dass es sich bei diesem Mann trotz seiner scheinbaren intellektuellen Unbeweglichkeit nicht um einen gemeinen Soldaten handelte. Nikolai musste also einen anderen Verständigungscode finden. Er entschied sich für die Kryptographie des Go-Spiels und erinnerte den General beim Aufbau des kleinen Magnetspielbrettes daran, dass Otake-san stets die Begriffe seines heißgeliebten Spiels benutzt hatte, wenn er von wichtigen Dingen sprach.

»Möchten Sie das Spiel fortsetzen, Sir?«, erkundigte sich Nikolai. »Die Atmosphäre ist negativ geworden: *Aji ga warui.*«

Kishikawa-san blickte ein wenig verwirrt zu ihm auf. Sie hatten erst vier oder fünf Züge gemacht, daher war diese Bemerkung höchst sonderbar.

Drei weitere Züge wurden schweigend gespielt, bevor der General zu ahnen begann, was Nikolai wohl gemeint haben könnte. Er testete seine Vermutung, indem er sagte: »Mir scheint, dass sich unser Spiel im *korigatachi* befindet und ich in meiner Position festgenagelt bin, ohne die Möglichkeit einer Weiterentwicklung.«

»Nicht ganz, Sir. Ich sehe die Möglichkeit eines *sabaki,* aber natürlich müssten Sie sich den *hama* anschließen.«

»Wäre das nicht gefährlich für dich? Entstünde dadurch nicht eine *ko*-Situation?«

»Eigentlich eher *uttegae.* Doch ich sehe keinen anderen Ausweg für Ihre Ehre – und für die meine.«

»Nein, Nikko. Du bist zu liebenswürdig. Diese Geste kann ich nicht annehmen. Für dich wäre ein solcher Zug eine äußerst gefährliche Attacke, ein selbstmörderisches *de.*«

»Ich bitte nicht um Ihre Erlaubnis. In eine solche Situation kann ich Sie unmöglich bringen. Da ich allein entschieden habe, wie ich weiterspielen will, werde ich Ihnen die Konfiguration erklären. Man glaubt, ein *tsuru no sugomori* zu haben. In Wirklichkeit steht man aber vor einem *seki*. Man wollte Sie mit einem *shicho* in die Enge treiben, aber mir ist es vergönnt, Ihr *shicho atari* zu sein.«

Aus den Augenwinkeln sah Nikolai, dass einer der japanischen Wärter die Stirn runzelte. Offenbar spielte er selbst ein wenig und merkte, dass kein rechter Sinn in diesem Gespräch lag.

Nikolai langte über den rohen Holztisch und legte dem General die Hand auf den Arm. »Pflegevater, die Partie wird in zwei Minuten enden. Gestatten Sie mir, Sie zu führen.«

Tränen der Dankbarkeit stiegen in Kishikawa-sans Augen. Er wirkte zerbrechlicher als zuvor, uralt und zugleich kindlich. »Aber ich kann doch nicht zulassen ...«

»Ich handele ohne Ihre Erlaubnis, Sir. Ich habe beschlossen, einen Akt liebevollen Ungehorsams zu vollführen. Ich bitte Sie nicht einmal um Vergebung.«

Nach kurzem Überlegen nickte Kishikawa-san. Ein leichtes Lächeln drückte die Tränen aus seinen Augen; sie rollten zu beiden Seiten der Nase hinab. »Dann führe mich.«

»Wenden Sie den Kopf und sehen Sie zum Fenster hinaus, Sir. Der Himmel ist bedeckt, und es regnet, doch bald wird die Zeit der Kirschblüte kommen.«

Kishikawa wandte den Kopf und blickte gelassen hinaus auf das Rechteck nassen grauen Himmels. Nikolai zog einen Bleistift aus der Tasche und hielt ihn lässig zwischen den Fingern. Während er sprach, konzentrierte er sich auf die Schläfe des Generals, wo unter der durchsichtigen Haut schwach der Puls klopfte.

»Wissen Sie noch, wie wir unter den Kirschblüten am Kajikawa spazieren gegangen sind, Sir? Richten Sie Ihre Gedanken bitte darauf. Denken Sie daran, wie Sie vor Jahren dort mit Ihrer Tochter spazieren gegangen sind, ihre kleine Hand in der Ihren. Denken Sie daran, wie Sie am selben Flussufer mit Ihrem Vater spazieren gegangen sind, Ihre kleine Hand in der seinen. Konzentrieren Sie sich auf diese Erinnerungen.«

Kishikawa-san senkte den Blick und zwang seine Gedanken zur Ruhe, während Nikolai leise weitersprach. Die einschläfernde Monotonie seiner Stimme war dabei weit wichtiger als die Worte. Nach ein paar Sekunden blickte der General zu Nikolai auf; die Andeutung eines Lächelns ließ Fältchen an seinen Augenwinkeln erscheinen. Er nickte.

Dann wandte er sich wieder der grauen tropfnassen Szene vor dem Fenster zu.

Während Nikolai in leisem Ton weitersprach, war der amerikanische Militärpolizist selbstvergessen damit beschäftigt, mit dem Fingernagel etwas zwischen seinen Zähnen hervorzuholen; bei dem gescheiteren der beiden japanischen Wärter jedoch, den der Inhalt dieses Gesprächs beunruhigte und verwirrte, spürte Nikolai Nervosität. Plötzlich, mit einem Aufschrei, machte der Russe einen Satz nach vorn.

Zu spät.

Sechs Stunden lang saß Nikolai in einem fensterlosen Vernehmungsraum, nachdem er sich ohne Gegenwehr oder irgendwelche Erklärungen den völlig verdutzten, verunsicherten und daher gewalttätigen Wachen ergeben hatte. In seiner ersten Wut hatte ihn der amerikanische MP-Sergeant zweimal mit dem Gummiknüppel geschlagen, einmal auf die Schulter und einmal quer übers Gesicht. Durch den zweiten Schlag war seine Augenbraue über dem darunterliegenden harten Knochenwulst geplatzt. Weh tat es nicht, aber es blutete stark, und Nikolai litt unter der schmutzigen Würdelosigkeit der Verletzung.

Aus Angst vor Sanktionen, weil ihnen ihr Gefangener vor der Nase umgebracht worden war, schrien die Wachen Nikolai Drohungen ins Gesicht, während sie hastig Alarm gaben und den Gefängnisarzt riefen. Als der umständliche, konfuse japanische Doktor eintraf, konnte er für den General nichts mehr tun; der Hirntod war wenige Sekunden nach Nikolais Tat eingetreten, der Herzstillstand eine Minute darauf. Kopfschüttelnd, den Atem zwischen den Zähnen einsaugend, als wolle er ein ungezogenes Kind tadeln, versorgte der Arzt Nikolais geplatzte Braue – offensichtlich erleichtert, etwas unternehmen zu können, was seine begrenzten Fähigkeiten nicht überforderte.

Während zwei neue japanische Wärter Nikolai bewachten, machten die beiden anderen ihren Vorgesetzten Meldung, jeder mit einer Version, die sie selbst schuldlos dastehen ließ, während ihre Kollegen irgendwo zwischen unfähig und perfide angesiedelt wurden.

Als der MP-Sergeant wiederkam, wurde er von drei weiteren Amerikanern begleitet: keine Russen, keine Japaner. Die Abrechnung mit Nikolai war eine rein amerikanische Angelegenheit.

Unter unheilschwangerem Schweigen wurde Nikolai durchsucht, entkleidet und sodann in die gleiche grobe, »selbstmordsichere« Gefängniskluft gesteckt, die der General getragen hatte; dann wurde er barfuß, mit auf dem Rücken gefesselten Händen, in den kahlen Vernehmungsraum gebracht, wo er nun stumm auf einem am Boden festgeschraubten Metallstuhl saß.

Um seine Vorstellungskraft abzulenken, konzentrierte Nikolai seine Gedanken auf das Mittelstadium eines klassischen Spiels zwischen zwei Go-Meistern einer berühmten Schule, ein Spiel, das er im Verlauf seiner Lehrzeit bei Otake-san auswendig gelernt hatte. Er rekapitulierte die Platzierungen, indem er das Brett mal von der Seite des einen, mal von der des anderen Spielers betrachtete und die jeweiligen Möglichkeiten untersuchte. Die beträchtlichen Anforderungen an Erinnerungsvermögen und Konzentration genügten, die fremde, chaotische Welt um ihn her versinken zu lassen.

Vor der Tür erklangen Stimmen, Schlüssel klapperten, Riegel klirrten, und dann traten drei Männer ein. Einer von ihnen war der MP-Sergeant, der so eifrig in seinen Zähnen gebohrt hatte, als Kishikawa-san starb. Der zweite war ein stämmiger Mann in Zivil, dessen Schweinsaugen jenen nervösen, von materialistischer Empfindungslosigkeit getrübten Blick oberflächlicher Intelligenz besaßen, wie man ihn bei Politikern, Filmproduzenten und Autoverkäufern findet. Der dritte, mit den Rangabzeichen eines Majors auf den Schultern, war ein schmaler sensibler Mann mit dicken blutleeren Lippen und hängenden Augenlidern. Dieser dritte nahm auf dem Stuhl Nikolai gegenüber Platz, während der stämmige Zivilist sich hinter Nikolai aufbaute und der Sergeant sich in der Nähe der Tür postierte.

»Ich bin Major Diamond.« Der Offizier lächelte, doch seine Stimme war farblos und besaß jenen metallischen Mandibular-Ton, in dem sich die kraftvollen Laute der Proletarier mit einer überlagernden Schicht angelernter Feinheiten mischen – eine Stimme, wie man sie von Nachrichtensprecherinnen aus den Vereinigten Staaten kennt.

Als sie eintrafen, hatte Nikolai gerade über einen Zug in dem Meisterspiel nachgedacht, der den Anschein eines *tenuki* erweckte, in Wahrheit aber eine subtile Reaktion auf den Zug des Gegners war. Bevor er aufblickte, konzentrierte er sich auf das Brett und prägte sich die Spielsituation ein, damit er später von hier aus weiterdenken konnte. Erst dann richtete er den Blick seiner ausdruckslosen, flaschengrünen Augen auf das Gesicht des Majors.

»Was sagten Sie?«

»Ich bin Major Diamond von der CIA.«

»Ach ja?« Nikolais Gleichgültigkeit war nicht gespielt.

Der Major öffnete seinen Aktenkoffer und nahm drei zusammengeheftete maschinengeschriebene Blätter heraus. »Wenn Sie dieses Geständnis unterzeichnen würden, könnten wir alles viel schneller abwickeln.«

Nikolai warf einen Blick auf das Dokument. »Ich glaube, ich möchte lieber nichts unterschreiben.«

Diamond presste verärgert die Lippen zusammen. »Sie leugnen den Mord an General Kishikawa?«

»Ich leugne gar nichts. Ich habe meinem Freund zur Flucht aus diesem …« Nikolai unterbrach sich. Es war zwecklos, dem Mann etwas erklären zu wollen, das er mit seiner merkantilen Einstellung unmöglich verstehen konnte. »Major, ich halte es für sinnlos, dieses Gespräch fortzusetzen.«

Major Diamond warf dem stämmigen Zivilisten hinter Nikolai einen Blick zu; dieser beugte sich ein wenig vor und sagte: »Hör mal zu, Bürschchen. Du solltest lieber unterschreiben. Wir wissen alles über deine Arbeit für die Roten.«

Nikolai machte sich nicht die Mühe, den Mann anzusehen.

»Du willst doch wohl nicht abstreiten, dass du dich mit einem gewissen Oberst Gorbatow in Verbindung gesetzt hast!«, bohrte der Zivilist weiter.

Nikolai holte tief Luft und antwortete nicht. Das zu erklären war zu kompliziert, und außerdem spielte es keine Rolle, ob sie es verstanden oder nicht.

Der Zivilist packte Nikolai an der Schulter. »Du sitzt ganz schön in der Tinte, mein Junge! Also unterschreib jetzt dieses Geständnis, sonst …«

Major Diamond runzelte die Stirn und schüttelte einmal kurz den Kopf; der Zivilist lockerte seinen Griff. Der Major stützte die Hände auf die Knie, beugte sich vor und sah Nikolai voll besorgten Mitgefühls in die Augen. »Ich will versuchen, es Ihnen auseinanderzusetzen. Sie sind im Augenblick noch verwirrt, und das ist durchaus begreiflich. Wir sind darüber informiert, dass die Russen hinter dem Mord an General Kishikawa stecken. Wie ich gestehen muss, wissen wir leider nicht, warum. Das ist eine der Fragen, die zu klären Sie uns helfen sollen. Ich will ganz offen mit Ihnen sein. Wir wissen, dass Sie seit geraumer Zeit für die Russen arbeiten. Wir wissen, dass Sie sich mit gefälschten Papieren in eine streng geheime Abteilung der Sphinx/FE eingeschlichen haben. Man hat bei Ihnen einen russischen und einen amerikanischen Ausweis gefunden. Überdies wissen wir, dass Ihre Mutter Kommunistin und Ihr Vater Nazi war; dass Sie sich während des Krieges in Japan aufhielten und dass zu Ihren Kontakten unter anderem militaristische Elemente der japanischen Regierung gehörten. Einer dieser Kontakte war General Kishikawa.« Major Diamond schüttelte den Kopf und lehnte sich wieder zurück. »Sie sehen also, wir wissen eine ganze Menge über Sie. Und ich fürchte, es spricht alles gegen Sie. Das meinte mein Kollege hier, als er sagte, dass Sie in der Tinte sitzen. Möglicherweise kann ich Ihnen jedoch helfen ... falls Sie zur Zusammenarbeit mit uns bereit sind. Also, wie ist es?«

Nikolai stand der Irrelevanz all dieses Geredes hilflos gegenüber. Kishikawa-san war tot; er selbst hatte getan, was er als Freund tun musste; er war bereit, die Strafe dafür auf sich zu nehmen; alles andere war unwichtig.

»Wollen Sie abstreiten, was ich gerade gesagt habe?«, fragte Major Diamond.

»Sie haben da eine Handvoll Fakten, Major, aus denen Sie lächerliche Schlüsse ziehen.«

Diamond presste die Lippen zusammen. »Wir haben unsere Informationen von Oberst Gorbatow persönlich.«

»Aha.« Gorbatow wollte ihn also dafür bestrafen, dass er ihm sein Propaganda-Prunkstück genommen hatte, indem er diesen Amerikanern Halbwahrheiten zukommen und die Schmutzarbeit von ihnen erledigen ließ. Eine typisch sowjetische Hinterhältigkeit, diese verdrehte Unredlichkeit!

»Gewiss«, fuhr Diamond fort, »wir nehmen nicht alles, was uns die Russen mitteilen, für bare Münze. Deswegen wollen wir Ihnen Gelegenheit geben, uns Ihre Version der Geschichte zu erzählen.«

»Es gibt keine Geschichte.«

Der Zivilist berührte wieder seine Schulter. »Willst du abstreiten, dass du General Kishikawa während des Krieges kanntest?«

»Nein.«

»Willst du abstreiten, dass er zur japanischen Militär- und Industriemaschinerie gehörte?«

»Er war Soldat.« Es wäre zutreffender gewesen, wenn er gesagt hätte, Kishikawa-san sei ein Krieger gewesen, doch dieser Unterschied hätte für die Amerikaner mit ihrer Kaufmannsmentalität keine Bedeutung gehabt.

»Willst du abstreiten, dass du ihm nahestandest?«, fragte der Zivilist weiter.

»Nein.«

Jetzt übernahm Major Diamond wieder das Verhör; sein Ton und Ausdruck sollten andeuten, er sei unparteiisch und gebe sich Mühe, Nikolai zu verstehen. »Ihre Papiere *waren* gefälscht, nicht wahr?«

»Ja.«

»Wer hat Ihnen geholfen, sie zu beschaffen?«

Nikolai schwieg.

Der Major nickte lächelnd. »Ich verstehe. Sie wollen keinen Freund belasten. Dafür habe ich vollstes Verständnis. Ihre Mutter war Russin, nicht wahr?«

»Der Staatsangehörigkeit nach, ja. Aber sie hatte kein slawisches Blut.«

Der Zivilist mischte sich wieder ein. »Du gibst also zu, dass deine Mutter Kommunistin war?«

Nikolai musste über die bittere Ironie der Vorstellung von Alexandra Iwanowna als Kommunistin lächeln. »Major, soweit meine Mutter sich überhaupt für Politik interessierte – und das tat sie so gut wie gar nicht –, stand sie rechts von Attila.« Er wiederholte das Wort »Attila«, wobei er es fälschlicherweise auf der zweiten Silbe betonte, damit die Amerikaner es auch verstanden.

»Natürlich«, entgegnete der Zivilist. »Und du willst wohl auch abstreiten, dass dein Vater Nazi war.«

»Mag sein, dass er einer war. Nach allem, was ich von ihm gehört habe, mag er dumm genug dafür gewesen sein. Ich habe ihn nie persönlich kennengelernt.«

Diamond nickte. »Sie geben also im Grunde zu, Nikolai, dass der Großteil unserer Anschuldigungen richtig ist?«

Nikolai schüttelte seufzend den Kopf. Er hatte nun seit zwei Jahren ständigen Kontakt mit der amerikanischen Militärmentalität, aber er konnte immer noch nicht diese hartnäckige Tendenz begreifen, Tatsachen in das bequeme Schema vorgefasster Meinungen zu zwingen. »Wenn ich Sie recht verstehe, Major – und offen gestanden, es ist mir gleichgültig, ob ich Sie verstehe oder nicht –, dann beschuldigen Sie mich, Kommunist und Nazi zugleich zu sein, ein enger Freund General Kishikawas und gleichzeitig sein gedungener Mörder, ein japanischer Militarist und gleichzeitig ein sowjetischer Spion. Außerdem scheinen Sie zu glauben, die Russen hätten den Auftrag erteilt, einen Mann zu ermorden, den sie der Würdelosigkeit der Kriegsverbrecherprozesse zu unterwerfen gedachten, damit auch für sie ein bisschen vom Propagandaruhm abfällt. Und all dies beleidigt nicht Ihren Sinn für Logik und Plausibilität?«

»Wir geben nicht vor, jeden einzelnen Winkelzug zu verstehen«, gestand der Major.

»Nein, wirklich? Sehr angemessen, diese Bescheidenheit.«

Der Griff des Zivilisten auf seiner Schulter wurde schmerzhaft. »Wir dulden keine Unverschämtheiten von dir! Du steckst bis über beide Ohren in der Scheiße, mein Junge. Dieses Land steht unter militärischer Besatzung, und du bist staatenlos, mein Lieber! Wir können mit dir machen, was wir wollen, ohne dass sich Konsulate oder Botschaften einmischen.«

Major Diamond schüttelte den Kopf; der Zivilist löste seinen Griff und trat zurück. »Ich glaube kaum, dass uns dieser Ton weiterbringt.« Er lächelte ein wenig zögerlich, dann fuhr er fort: »Aber was mein Kollege sagt, ist richtig. Sie haben ein Kapitalverbrechen begangen, das mit dem Tode bestraft wird. Aber es gibt Wege, auf denen Sie uns beim Kampf gegen den internationalen Kommunismus helfen können. Ein kleines bisschen Mitarbeit Ihrerseits, und wir könnten etwas zu Ihren Gunsten arrangieren.«

Nikolai erkannte den Schacherton des feilschenden Händlers. Wie alle Amerikaner war dieser Major im Innersten ein Kaufmann; alles hatte seinen Preis, und der beste Mann war der, der am geschicktesten zu handeln verstand.

»Sie verstehen mich?«, fragte Diamond.

»Ich höre Sie«, berichtigte Nikolai.

»Na und? Werden Sie mitarbeiten?«

»Sie meinen, indem ich Ihr Geständnis unterschreibe?«

»Das und noch mehr. Das Geständnis bezichtigt die Russen der Anstiftung zum Mord. Überdies wollen wir etwas über die Leute hören, die Ihnen geholfen haben, sich in die Sphinx/FE einzuschleichen. Und über die russischen Agenten hier vor Ort und über ihre Kontakte mit nicht erfassten japanischen Militaristen.«

»Major. Die Russen haben mit meiner Tat nichts zu tun. Glauben Sie mir, die Politik dieser Leute ist mir vollkommen gleichgültig, genauso gleichgültig wie die Ihre. Sie und die Russen sind doch nur zwei etwas unterschiedliche Varianten ein und derselben Sache: der Tyrannei der Mittelmäßigkeit. Ich habe keinen Grund, die Russen zu decken.«

»Dann unterschreiben Sie das Geständnis also?«

»Nein.«

»Aber Sie sagten doch gerade ...«

»Ich sagte, dass ich die Russen weder decken noch ihnen helfen werde. Doch ebenso wenig beabsichtige ich, Ihnen zu helfen. Wenn Sie mich hinrichten lassen wollen – mit oder ohne die Komödie einer Militärgerichtsverhandlung –, dann bitte, tun Sie es!«

»Wir *werden* Ihre Unterschrift bekommen, Nikolai.«

Nikolai sah Major Diamond aus seinen grünen Augen gelassen an. »Ich nehme von nun an nicht mehr teil an diesem Gespräch.« Er senkte die Lider und konzentrierte sich wieder auf das Mosaik der Steine in der Go-Partie, die er sich eingeprägt hatte. Er begann die verschiedenen Reaktionen auf jenen klugen Zug zu erwägen, der *tenuki* zu sein schien.

Der Major und der stämmige Zivilist nickten einander zu, dann zog dieser ein schwarzes Lederetui aus der Tasche. Nikolai ließ sich nicht in seiner Konzentration stören, als der Militärpolizist ihm den Ärmel hochstreifte und der Zivilist die Luft aus der Kanüle drückte, indem er eine helle Flüssigkeit aus der Spritze aufsteigen ließ.

Als er sich sehr viel später an die Ereignisse der nun folgenden zweiundsiebzig Stunden zu erinnern suchte, kamen Nikolai nur winzige zusammenhanglose Bruchstücke des Erlebten in den Sinn; das Bindemittel chronologischer Sequenz aber war von den Drogen, mit denen man ihn vollpumpte, zerstört worden. Die einzig zutreffende Analogie, die ihm für diese Art des Erlebens einfiel, war die zu einem Film, in dem dieselbe Person sowohl Schauspieler als auch Zuschauer war – ein Film, der zugleich im Zeitlupen- und im Zeitraffertempo ablief, mit Standfotos und Überblendungen, ein Film, dessen Tonstreifen die Geräusche der einen Szene mit denen der anderen vertauschte, dessen kurz aufblitzende Bilder eher erfühlt als gesehen wurden, ein Film mit langen Streifen unterbelichteter, verwackelter Bilder und einem Dialog, der viel zu langsam abgespielt wurde, breiig, im Basston.

Zu diesem Zeitpunkt hatte der amerikanische Geheimdienst gerade erst damit begonnen, bei Verhören mit Drogen zu experimentieren, und man machte noch häufig Fehler, die bisweilen den Verstand der Testpersonen zerstörten. Der stämmige Zivilist probierte an Nikolai so manche Chemikalie und Kombination aus, versetzte sein Opfer aus Versehen in Hysterie oder komaähnliche Indifferenz und erzielte zuweilen Wirkungen, die sich gegenseitig aufhoben, so dass Nikolai vollkommen ruhig und klar wirkte, in Wirklichkeit aber so desorientiert war, dass die Antworten, die er bereitwillig gab, nicht das Geringste mit dem Inhalt der Fragen zu tun hatten.

Während der ganzen drei Tage empfand Nikolai in den Momenten, da er den Kontakt mit sich selbst wiederfand, eine unendliche panische Angst. Sie attackierten seinen Verstand und beschädigten ihn vermutlich, dabei beruhte seine Überlegenheit ihnen gegenüber ebenso sehr auf seinem Intellekt wie auf seinen Sinnen. Er fürchtete, dass sie ihn geistig zerstörten.

Häufiger jedoch war seine Persönlichkeit gespalten, und Nikolai, der Zuschauer, empfand zwar Mitleid für Nikolai, den Schauspieler, konnte ihm aber nicht beistehen. Während jener kurzen Perioden, in denen er logisch denken konnte, versuchte er sich den alptraumhaften Verzerrungen hinzugeben, den Wahnsinn seiner Wahrnehmungen zu akzeptieren. Denn er spürte intuitiv, dass, wenn er sich gegen die schubweisen Entstellungen der Realität wehrte, bei dieser Anstrengung irgendetwas in ihm zerbrechen und er nie mehr auf den Weg zurück finden würde.

Dreimal während dieser zweiundsiebzig Stunden verloren seine Peiniger die Geduld und erlaubten dem MP-Sergeant, das Verhör auf der konventionelleren dritten Stufe fortzusetzen. Er tat dies mittels eines dreiundzwanzig Zentimeter langen, mit Eisenspänen gefüllten Leinwandschlauchs. Die Wirkung dieser Waffe war entsetzlich. Sie zerfetzte die Haut nur selten, zertrümmerte aber darunterliegende Knochen und Gewebeteile.

Als zivilisierter Mensch, der eine solche Behandlung nicht mitansehen konnte, verließ Major Diamond während der Prügelszenen stets den Raum, um den Folterungen, die er selbst befohlen hatte, nicht beiwohnen zu müssen. Der Arzt jedoch blieb stets dabei, weil es ihn interessierte, wie sich unter starkem Drogeneinfluss zugefügte Schmerzen auswirkten. Die drei Phasen der körperlichen Folter hatten auf Nikolais Wahrnehmungsvermögen unterschiedliche Effekte. An die erste erinnerte er sich überhaupt nicht. Wäre sein rechtes Auge nachher nicht zugeschwollen gewesen, und wäre nicht warmes Blut unter einem losen Zahn hervorgesickert, er hätte nicht gewusst, dass überhaupt etwas mit ihm geschehen war. Die zweite Prügelphase war unerträglich qualvoll. Die kombinierte Wirkung der verschiedenen Drogen hatte in diesem Moment zur Folge, dass er jedes Gefühl ungeheuer intensiv wahrnahm. Seine Haut war so empfindlich, dass schon die Berührung seiner Kleider schmerzte, und die Luft, die er einatmete, löste ein Stechen in den Nasenlöchern aus. In diesem hypertaktilen Zustand waren die Qualen der Folter unbeschreiblich. Er sehnte sich nach Bewusstlosigkeit, doch der Sergeant war so geschickt, dass er ihm niemals diese barmherzige Ausflucht gewährte.

Die dritte Sitzung war nicht so schmerzhaft, dafür aber umso beängstigender. Bei absoluter, doch krankhafter geistiger Klarheit war Nikolai gleichzeitig Empfänger und Beobachter der Schläge. Wiederum war er Zuschauer und Schauspieler, und er betrachtete das, was geschah, mit nur sehr geringem Interesse. Er fühlte nichts; die Drogen hatten seine Nerven kurzgeschlossen. Das Entsetzliche lag in der Tatsache, dass er die Schläge *hören* konnte, als würde das Geräusch durch empfindliche Mikrofone in seinem Fleisch verstärkt. Er hörte das scharfe Reißen des Gewebes; er hörte das trockene Platzen der Haut; er hörte das körnige Knirschen brechender Knochen; er hörte das beschleunigte Pulsieren seines Blutes. Im Spiegel des Spiegels seines Bewusstseins empfand er gelassenes Entsetzen. Ihm war klar, dass es krankhaft war, all dies zu hören, während er überhaupt nichts fühlte, und solch eine anästhetische Indifferenz diesem Geschehen gegenüber zu empfinden ging über die Grenze zum Wahnsinn hinaus.

Einmal trieb sein Verstand an die Oberfläche der Realität; da erklärte er dem Major, er sei Kishikawas Sohn, und es sei ein grober Fehler, ihn nicht zu töten, denn wenn er am Leben bliebe, könne der Major ihm nicht entkommen. Er sprach breiig; seine Zunge war von den Drogen geschwollen, seine Lippen waren von den Schlägen geplatzt; doch seine Schergen hätten ihn ohnehin nicht verstanden: Er hatte unbewusst Französisch gesprochen.

Mehrmals während des dreitägigen Verhörs wurden ihm die Handschellen, die seine Hände auf dem Rücken festhielten, abgenommen. Der Arzt stellte fest, dass seine Finger schneeweiß und eiskalt waren, weil das Blut nicht in ihnen zirkulieren konnte; deswegen nahm man ihm für einige Minuten die Fesseln ab, massierte die Druckstellen und legte ihm die Eisen dann wieder an. Sein Leben lang trug Nikolai als Andenken an diese Fesseln bräunliche Narbenarmbänder.

In der dreiundsiebzigsten Stunde unterschrieb Nikolai, ohne zu wissen, was er tat, und auch ohne sich dafür zu interessieren, das Geständnis, das die Russen belastete. So sehr war er der Realität entrückt, dass er mit japanischen Schriftzeichen quer über die ganze Seite schrieb, obwohl man versucht hatte, seine zitternde Hand an den unteren Rand zu führen. Dadurch war das Geständnis wertlos, und die Amerikaner sahen sich schließlich gezwungen, seine Unterschrift zu fälschen, was sie natürlich von Anfang an hätten tun können.

Was mit diesem »Geständnis« schließlich geschah, verdient es, als Beispiel geheimdienstlicher Stümperei festgehalten zu werden. Einige Monate später, als die amerikanischen Sphinx-Leute es für opportun hielten, ihren russischen Gegenspielern einen Warnschuss vor den Bug zu setzen, wurde Gorbatow das Dokument von Major Diamond persönlich vorgelegt, der dem Oberst schweigend am Schreibtisch gegenübersaß und dessen Reaktion auf diesen vernichtenden Beweis der russischen Spionagetätigkeit abwartete.

Der Oberst überflog die Seiten mit gut gespielter Gleichgültigkeit; dann löste er seine runde Stahlbrille von den Ohren und polierte sie mit entnervender Gründlichkeit zwischen Daumen und Zeigefinger, bevor er sie wieder hinter die Ohren hakte. Mit der Unterseite seines Löffels zerdrückte er dann das Stückchen Zucker in seiner Teetasse, trank einen großen Schluck und stellte die Tasse in die Untertasse zurück.

»Na und?«, sagte er träge.

Das war alles. Die drohende Geste war gemacht und ignoriert worden und hatte nicht die geringste Wirkung auf die geheimen Aktivitäten der beiden Großmächte in Japan gezeitigt.

Für Nikolai verschwammen die letzten Stunden des Verhörs in verwirrenden, aber nicht unangenehmen Träumen. Sein Nervensystem war so zerrüttet, dass es nur minimal funktionierte, und sein Verstand hatte sich in sich selbst zurückgezogen. Er glitt von einer Stufe der Irrealität zur anderen hinüber, und alsbald sah er sich am Ufer des Kajikawa in einem Regen von Kirschblüten dahinwandern. Neben ihm, doch so weit von ihm entfernt, dass General Kishikawa dazwischengepasst hätte, wäre er dort gewesen, wanderte ein junges Mädchen. Obwohl er sie nie kennengelernt hatte, wusste er, dass es die Tochter des Generals sein musste. Das junge Mädchen sprach davon, dass sie eines Tages heiraten und einen Sohn bekommen würde. Und ganz nebenbei erwähnte sie noch, dass sie und ihr Sohn sterben, in den über Tokio abgeworfenen Brandbomben verbrennen würden. Sobald sie das gesagt hatte, schien es nur logisch, dass sie sich in Mariko verwandelte, die in Hiroshima gestorben war. Nikolai freute sich sehr, sie wiederzusehen, und sie spielten eine Übungspartie Go, wobei sie schwarze Kirschblüten als Steine benutzte und er weiße. Dann wurde Nikolai selbst zu einem der Steine und blickte aus der mikroskopischen Position auf dem Brett auf die gegnerischen Steine, die immer dicker werdende Mauern rings um ihn aufrichteten. Er versuchte, Verteidigungs-»Augen« zu bilden, doch sie entpuppten sich alle als unecht, und darum begann er die gelbe Fläche des Brettes zu fliehen; die schwarzen Striche rasten an ihm vorbei, als er an Tempo zulegte, bis er über den Rand des Brettes hinaus in eine undurchdringliche Dunkelheit fiel, die sich in eine Zelle verwandelte ...

... Wo er erwachte.

Die Zelle war frisch gestrichen – grau – und besaß keine Fenster. Das Deckenlicht war so schmerzhaft grell, dass er die Augen zukneifen musste, um sein Sehvermögen zu schützen.

In dieser Zelle verbrachte Nikolai drei Jahre in Isolierhaft.

Der Übergang vom Albtraum des Verhörs zu den Jahren der Isolation unter der Last der sogenannten »Schweigebehandlung« war nicht abrupt. Zuerst täglich, dann immer seltener erhielt Nikolai Besuch von jenem umständlichen, zerstreuten japanischen Gefängnisarzt, der den Tod des Generals bestätigt hatte. Die Behandlung bestand nur aus Schutzverbänden; Versuche, die Schnitte kosmetisch zu behandeln oder zerschmetterte Knochenteile und Kallus zu entfernen, wurden nicht unternommen. Bei jeder Sitzung schüttelte der Arzt wiederholt den Kopf, sog den Atem durch die Zähne ein und murmelte leise vor sich hin, so als wollte er ihn für die Beteiligung an dieser sinnlosen Gewalttätigkeit tadeln.

Die japanischen Wärter hatten Anweisung, kein Wort mit dem Gefangenen zu reden; während der ersten Tage war es jedoch notwendig, ihm die grundlegenden Verhaltensvorschriften beizubringen. Wenn sie dann mit ihm sprechen mussten, benutzten sie stets barsche Imperative und einen scharfen Stakkatoton, der nicht auf persönlicher Antipathie beruhte, sondern lediglich die unüberbrückbare Kluft zwischen Gefangenem und Wärter zum Ausdruck brachte. Sobald die Routine sich eingespielt hatte, sprachen sie nicht mehr mit ihm, und so hörte er während des größten Teils der folgenden drei Jahre keine andere menschliche Stimme als seine eigene – abgesehen von einer halben Stunde pro Vierteljahr, wenn er Besuch von einem untergeordneten Gefängnisbeamten bekam, der für das leibliche und psychische Wohlergehen der Häftlinge verantwortlich war. Beinahe ein Monat verging, bis die letzten Nachwirkungen der Drogen in seinem Verstand und seinen Nerven abklangen, und erst dann konnte er es wagen, in seiner Wachsamkeit vor unerwarteten Rückfällen in Albträume voller Raum-Zeit-Verzerrungen ein wenig nachzulassen, die ihn hinterrücks überfielen und in den Wahnsinn trieben, bis er keuchend und schwitzend in einer Ecke seiner kleinen Zelle hockte, des letzten Restes an Kraft beraubt und halb verrückt vor irrsinniger Angst, der seinem Geist zugefügte Schaden könne am Ende unheilbar sein.

Es gab im Zusammenhang mit dem Verschwinden von Hel, Nikolai Alexandrowitsch (TA/737804) keinerlei Nachforschungen. Es gab keine Bemühungen, ihn zu befreien oder seinen Prozess zu beschleunigen. Er war staatenlos; er besaß keine Papiere; kein Konsulatsbeamter kam, um seine Bürgerrechte zu vertreten.

Die einzige kleine Bewegung, die Nikolai Hels Verschwinden im zähen Fluss der Routine erzeugte, war ein kurzer Besuch von Frau Shimura und Herrn Watanabe im San-Shin-Gebäude einige Wochen nach seiner Verhaftung. Die beiden hatten nächtelang flüsternd miteinander beraten und endlich ihren ganzen Mut zusammengenommen, um diese hoffnungslose Geste im Dienste ihres Wohltäters zu machen. An einen unbedeutenden Beamten abgeschoben, brachten sie ihre Fragen mit leiser Stimme, in hastigen Worten und unter zahllosen Beweisen schüchterner Demut vor. Frau Shimura übernahm das Reden, während Herr Watanabe sich nur verbeugte und angesichts der unberechenbaren Gewalt der Besatzungsmächte und ihres unergründlichen Verhaltens den Blick gesenkt hielt. Sie wussten genau, dass sie mit diesem Besuch in der Höhle des Löwen, bei den Amerikanern, ihr Heim und das bisschen Sicherheit, das Nikolai ihnen geschenkt hatte, aufs Spiel setzten; Ehrgefühl und Redlichkeit befahlen ihnen jedoch, das Risiko einzugehen.

Die einzige Folge dieser zaghaften, ängstlichen Nachfragen war der Besuch eines Trupps Militärpolizei im Asakusa-Haus, der dort nach Beweisen für Nikolais Verbrechen fahndete. Im Verlauf dieser Suche beschlagnahmte der Einsatzleiter als wichtiges Beweismittel Nikolais kleine Sammlung von Kiyonobu- und Sharaku-Drucken, die er erstanden hatte, wann immer er es sich leisten konnte, voller Betrübnis darüber, dass ihre Besitzer durch die wirtschaftliche und moralische Anarchie der Besatzung gezwungen waren, sich von diesen Schätzen zu trennen, und begierig, das Seine zu tun, um sie vor dem Zugriff der Barbaren zu schützen.

Wie sich herausstellte, übten diese Drucke einen gewissen Einfluss auf den Niedergang der gleichmacherischen Kunst Amerikas aus. Der Offizier, der sie beschlagnahmt hatte, schickte sie nach Hause, wo sein geistig minderbemittelter Sohn die freien Flächen prompt mit Buntstiften ausmalte und sich dabei so genial innerhalb der vorgegebenen Linien hielt, dass die liebevolle Mutter in ihrer Überzeugung von der Kreativität des Kindes bestärkt wurde und seine Erziehung auf die Kunst ausrichtete. Dieser begabte Knabe wurde später aufgrund seiner mechanischen Präzision bei der Darstellung von Konservendosen ein führender Künstler der Pop-Art-Szene.

Während seiner dreijährigen Gefangenschaft wartete Nikolai unausgesetzt auf seinen Prozess wegen Spionage und Mord, doch nie wurde ein Verfahren gegen ihn eingeleitet; er wurde weder vor Gericht gestellt noch verurteilt und kam daher auch nicht in den Genuss jener spartanischen Privilegien, deren sich die übrigen Häftlinge erfreuen durften. Die japanischen Verwalter des Sugamo-Gefängnisses standen vollkommen unter der Fuchtel der Besatzer und hielten Nikolai in Isolierhaft, weil man es ihnen befohlen hatte – obwohl er eine unliebsame Ausnahme in ihrem strikten Organisationssystem darstellte. Er war der einzige Insasse, der kein Japaner war, der Einzige, den man nicht verurteilt hatte, und der Einzige, der in Isolierhaft saß, ohne gegen die Gefängnisvorschriften verstoßen zu haben. Er wäre eine höchst lästige Verwaltungsanomalie gewesen, hätten die Verantwortlichen ihn nicht behandelt, wie Verwaltungsbeamte alle Manifestationen störender Individualität behandeln: Sie ignorierten ihn. Sobald er nicht mehr von den plötzlichen Anfällen der Drogenpanik heimgesucht wurde, begann sich Nikolai an die Routine und den unveränderlichen Rhythmus seines isolierten Daseins zu gewöhnen. Seine Zelle war ein fensterloser, zwei Quadratmeter großer Raum aus grauem Beton mit einer Lampe, die in die Decke eingelassen und mit dickem, bruchsicherem Glas geschützt war. Das Licht brannte Tag und Nacht. Zuerst hasste Nikolai diese ununterbrochene Helligkeit, die es ihm nicht gestattete, sich in den Schutz des Dunkels zurückzuziehen, und die ihn nur unruhig schlafen ließ. Doch als im späteren Verlauf seiner Gefangenschaft dreimal die Birne ausbrannte und er in völliger Finsternis leben musste, bis der Wärter es bemerkte, wurde ihm klar, dass er sich so an die ständige Beleuchtung gewöhnt hatte, dass die absolute Dunkelheit, die sich wie ein lastendes Gewicht auf ihn zu legen schien, ihm Angst einflößte. Die drei Besuche eines Kalfaktors, der unter strenger Aufsicht des Wärters die Birne auswechseln musste, waren die einzigen Ereignisse, welche die etablierte, zuverlässige Routine von Nikolais Leben unterbrachen, das heißt, bis auf einen kurzen Stromausfall, der in seinem zweiten Jahr im Gefängnis mitten in der Nacht auftrat. Die unvermittelte Dunkelheit ließ Nikolai aus dem Schlaf hochfahren, und er saß, in die Finsternis starrend, regungslos auf dem Rand seiner Stahlpritsche, bis das Licht wieder anging und er endlich weiterschlafen konnte.

Abgesehen von dem Licht besaß der frisch gestrichene, graue Würfel, in dem Nikolai leben musste, nur noch drei Merkmale: das Bett, die Tür und die Toilette. Das Bett bestand aus einer schmalen, in die Wand eingelassenen Eisenplatte, deren Beine im Betonboden verankert waren. Aus hygienischen Gründen stand diese Pritsche nach westlicher Art ein Stück über dem Fußboden, aber nur etwa zwanzig Zentimeter. Aus Sicherheitsgründen und um Material zu vermeiden, das zum Selbstmord hätte verwendet werden können, besaß das Bett weder Bretter noch eine Federkernmatratze, sondern bestand aus nichts als dieser glatten Stahlplatte mit zwei gesteppten Decken darauf. Das Bett stand unmittelbar gegenüber der Tür, die von den drei Attributen der Zelle wohl das komplizierteste war. Sie bestand aus schwerem Stahl und bewegte sich lautlos in sorgfältig geschmierten Angeln; außerdem passte sie so genau in ihren Rahmen, dass die Luft in der Zelle komprimiert wurde, wenn sich die Tür schloss, und der Gefangene vorübergehend Ohrensausen bekam. In die Tür war ein Beobachtungsfenster aus dickem, drahtverstärktem Glas eingelassen, durch das die Wärter regelmäßig das Verhalten des Gefangenen überwachten. Ganz unten in der Tür befand sich eine vernietete Klappe zum Durchreichen des Essens. Das dritte Charakteristikum der Zelle war eine geflieste Vertiefung im Boden: die Hocktoilette. Mit japanischer Rücksicht auf Würde war sie in einer Ecke der Wand untergebracht, an der sich die Tür befand, damit der Insasse seine Notdurft nicht im Blickfeld der Wärter zu verrichten brauchte. Senkrecht über dieser Einrichtung war ein Belüftungsrohr von drei Zoll Durchmesser in die Betondecke eingelassen.

Innerhalb des strengen Rahmens der Isolierhaft war Nikolais Leben mit kleinen Ereignissen ausgefüllt, die den Zeitablauf akzentuierten und maßen. Zweimal pro Tag, morgens und abends, bekam er durch die Türklappe sein Essen, und am Morgen gab es überdies einen Eimer Wasser und ein kleines

Stückchen körniger Seife, die einen dünnen, fettigen Schaum abgab. Täglich wusch er sich von Kopf bis Fuß, spülte sich mit Händen voll Wasser sauber, trocknete sich mit seinem groben, wattierten Hemd ab und benutzte, was an Wasser übrig geblieben war, um die Toilette zu reinigen.

Seine Kost war karg, aber gesund: unpolierter Reis, Eintopf aus Gemüse und Fisch und dazu dünner, lauwarmer Tee. Die Gemüse wechselten mit den Jahreszeiten ein wenig und waren immerhin nicht so zerkocht, dass sie ihren Nährwert verloren hätten. Gebracht wurde ihm das Essen auf einem unterteilten Metalltablett und mit einem Paar Wegwerfstäbchen, die am unteren Ende verbunden waren. Wenn sich die kleine Klappe öffnete, wartete der Kalfaktor stets, bis der Gefangene das benutzte Tablett mit den gebrauchten Stäbchen und der Papierhülle (sogar über sie musste Rechenschaft abgelegt werden) zurückgegeben hatte, bevor er die neue Mahlzeit hineinreichte.

Zweimal pro Woche wurde zur Mittagszeit seine Zellentür geöffnet, und ein Wärter winkte ihn wortlos heraus. Da die Wärter nicht mit ihm sprechen durften, fand die Kommunikation ausschließlich durch umständliche und manchmal auch komische Pantomimen statt. Er folgte dem Wärter ans Ende des Korridors, wo sich eine schwere Stahltür (sie quietschte jedes Mal in den Angeln) auf einen Innenhof öffnete, einen schmalen Gang zwischen zwei gesichtslosen Gebäuden, der an beiden Seiten von hohen Backsteinmauern gesäumt war; hier, unter einem Rechteck offenen Himmels, durfte er zwanzig Minuten lang allein an der frischen Luft spazieren gehen. Er wusste, dass er von den Wachen im Turm am Ende des Hofes ständig beobachtet wurde, doch ihre Fenster reflektierten den Himmel, daher konnte er sie nicht sehen und sich so der Illusion hingeben, ganz allein und beinahe frei zu sein. Bis auf zweimal, als er hohes Fieber hatte, nahm er diese zwanzig Minuten im Freien stets wahr, auch wenn es draußen regnete oder schneite; und nach dem ersten Monat benutzte er diese Zeit dazu, auf dem kleinen Hof hin und her zu laufen so schnell er konnte, die Muskeln zu strecken und möglichst viel von der Energie, die in ihm gärte, zu verbrauchen.

Am Ende des ersten Monats, als die Nachwirkungen der Drogen abgeklungen waren, fasste Nikolai den Entschluss, seine Gefangenschaft zu überleben; der Anstoß dazu entsprang zum Teil seiner eingewurzelten Hartnäckigkeit und zum Teil dem lebenserhaltenden Gedanken an Rache. Er aß jedes Mal alles auf, was man ihm brachte, und trieb zweimal am Tag, jeweils nach dem Essen, energisch Gymnastik, entwickelte Übungen, die jeden Muskel in seinem drahtigen Körper straff und elastisch hielten. Nach diesen Trainingsperioden nahm er in einer Zellenecke den Lotussitz ein und konzentrierte sich auf das Pulsieren des Blutes in seinen Schläfen, bis er den inneren Frieden einer halbtiefen Meditation erreichte – ein schwacher Ersatz für das verlorene Ausruhen der Seele in mystischer Entrückung, aber ausreichend, um seinen Verstand gelassen und klar zu erhalten, unbeeinflusst von Verzweiflung und Selbstmitleid. Er erzog sich dazu, niemals über die Zukunft nachzudenken, sondern vorauszusetzen, dass es eine für ihn geben würde, denn die Alternative hätte zu selbstzerstörerischer Verzweiflung geführt.

Nach mehreren Wochen beschloss er, seine Zuversicht, eines Tages herauszukommen und sein Leben wiederaufnehmen zu können, dadurch zu nähren, dass er den Ablauf der Zeit verfolgte. Willkürlich nannte er den folgenden Tag Montag und setzte ihn als den ersten April fest. Er hatte sich um nur acht Tage geirrt, doch das sollte er erst drei Jahre später erfahren.

Sein einsames Leben in der Zelle war nun ausgefüllt. Zwei Mahlzeiten, einmal Waschen, zwei Gymnastikeinlagen und zwei Meditationen am Tag. Zweimal pro Woche das Vergnügen, den schmalen Freiluftgang hinauf und hinunter laufen zu dürfen. Einmal im Monat Besuch von einem Barbierkalfaktor, der ihn rasierte und ihm mit einer handbetriebenen Haarschneidemaschine den Kopf so bearbeitete, dass einen Zentimeter lange Stoppeln zurückblieben. Dieser alte Gefangene befolgte zwar das Sprechverbot, zwinkerte und grinste ihm aber ständig zu, um die Kameradschaft zwischen ihnen zu betonen. Ebenfalls einmal im Monat, jeweils zwei Tage nach dem Besuch des Barbiers, war bei der Rückkehr von seinem Spaziergang die Bettwäsche gewechselt, und Wände und Fußboden der Zelle waren nass; der Gestank des Desinfektionsmittels lag noch drei oder vier Tage später in der Luft.

Eines Morgens, nachdem er sechs Monate stumm in seiner Zelle verbracht hatte, wurde er von einem Geräusch aus seiner Meditation gerissen. Jemand schloss die Zellentür auf. Zuerst reagierte er verärgert und auch ein wenig ängstlich auf diese vermeintliche Unterbrechung seiner sonst so beständigen Routine. Später erfuhr er, dass dieser Besuch keine Anomalie, sondern im Gegenteil das abschließende Element der Zyklen war, die sein Leben einteilten. Einmal in sechs Monaten wurde er von einem ältlichen, überarbeiteten Beamten besucht, dessen Aufgabe es war, sich um die leiblichen und psychischen Bedürfnisse der Insassen dieses so fortschrittlichen Gefängnisses zu kümmern. Der alte Mann stellte sich als Herr Hirata vor und erklärte Nikolai, sie hätten ausnahmsweise Sprecherlaubnis. Er setzte sich auf Nikolais niedrige Pritsche, stellte seinen vollgestopften Aktenkoffer neben sich, öffnete ihn, suchte einen Fragebogen heraus und schob ihn in das Klemmbrett auf seinem Schoß. Mit heiserer, gelangweilter Stimme stellte er Fragen über Nikolais Gesundheitszustand und Befinden und hakte jedes Mal, wenn Nikolai nickte, die entsprechende Frage ab.

Nachdem er mit seiner Bleistiftspitze die Reihe noch einmal entlanggefahren war, um sicherzustellen, dass alle Fragen beantwortet waren, blickte Herr Hirata ihn mit feuchten, müden Augen an und fragte, ob Herr Hel (Heru) offizielle Gesuche stellen oder Beschwerden vorbringen wolle.

Nikolai schüttelte automatisch den Kopf ... Dann aber fiel ihm etwas ein. »Ja«, wollte er sagen, aber seine Kehle war so zugeschwollen, dass nur ein krächzender Laut herauskam – ihm wurde auf einmal klar, dass er das Sprechen nicht mehr gewohnt war. Er räusperte sich und versuchte es noch einmal. »Ja, Sir. Ich hätte gern Bücher, Papier, Federhalter und Tinte.«

Herrn Hiratas dicke gekrümmte Brauen hoben sich, er wandte den Blick ab und sog die Luft zwischen den Zähnen ein. Das war eindeutig eine ausgefallene Bitte. Es würde sehr schwierig sein, sie zu erfüllen. Es würde Ärger geben. Dennoch notierte er das Gesuch sorgfältig in der für diesen Zweck vorgesehenen Spalte.

Nikolai merkte erstaunt, wie sehnsüchtig er sich Bücher und Papier wünschte, obwohl er ganz genau wusste, dass er damit den Fehler beging, auf etwas zu hoffen und eine Enttäuschung zu riskieren, wodurch er das labile Gleichgewicht seines seelischen Dämmerzustands gefährdete, in dem jeder Wunsch unterdrückt und jegliche Hoffnung auf das Maß neutraler Erwartung reduziert worden war. Trotzdem sprach er tapfer weiter. »Es ist meine einzige Chance, Sir.«

»Ihre einzige Chance?«

»Ja, Sir. Ich habe nichts ...« Nikolai begann wieder zu krächzen und räusperte sich abermals. Das Sprechen fiel ihm so schwer! »Ich habe nichts, womit ich mich geistig beschäftigen kann. Und ich glaube, ich werde wahnsinnig.«

»Und?«

»Ich habe häufig Selbstmordgedanken.«

»Ach!« Herr Hirata runzelte die Stirn und sog den Atem ein. Warum mussten nur immer solche Probleme auftauchen? Probleme, für die es keine eindeutigen Richtlinien in der Dienstvorschrift gab. »Ich werde Ihren Antrag weiterleiten, Herr Heru.«

Seinem Ton entnahm Nikolai, dass der Bericht ohne Nachdruck abgefasst werden und sein Antrag im bodenlosen Morast der Bürokratie versinken würde. Er hatte bemerkt, dass Herrn Hiratas Blick immer wieder auf sein zerschlagenes Gesicht fiel, dessen Narben und Schwellungen noch dunkelrot waren, und dass er den Blick jedes Mal voll Unbehagen abwandte. Nikolai legte die Finger auf seine geplatzte Braue. »Das waren nicht Ihre Wärter, Sir. Die meisten Verletzungen stammen von den Verhören durch die Amerikaner.«

»Die *meisten?* Und die übrigen?«

Nikolai blickte zu Boden und räusperte sich. Seine Stimme war heiser und schwach, dabei musste er jetzt unbedingt flüssig und überzeugend sprechen! Er nahm sich vor, seine Stimme nie wieder so einrosten zu lassen. »Ja, die meisten. Die übrigen ... Ich muss gestehen, dass ich mir einige selbst zugefügt habe. In der Verzweiflung bin ich mit dem Kopf gegen die Wand gerannt. Das war dumm und unwürdig, doch da ich nichts habe, womit ich mich geistig beschäftigen kann ...« Er brach ab und hielt den Blick gesenkt.

Herr Hirata erwog beunruhigt die Auswirkungen von Wahnsinn und Selbstmord eines Häftlings auf seine Karriere, vor allem jetzt, da er in wenigen Jahren pensioniert werden sollte. Er versprach zu tun, was in seinen Kräften stand, und verließ dann die Zelle, gequält von jener schlimmsten aller Torturen für einen Beamten: der Notwendigkeit, eine selbstständige Entscheidung zu treffen.

Als Nikolai zwei Tage darauf von seinem zwanzigminütigen Hofgang zurückkehrte, fand er am Fuß seiner Eisenpritsche ein in Papier gewickeltes Paket, das drei alte, verschimmelt riechende Bücher, einen Block mit fünfzig Blatt Schreibpapier, eine Flasche amerikanische Tinte und einen billigen, aber nagelneuen Füllfederhalter enthielt.

Kaum jedoch schlug er die Bücher auf, da ließ er sie niedergeschmettert wieder sinken. Sie waren nutzlos. Herr Hirata war zu einer antiquarischen Buchhandlung gegangen und hatte die drei billigsten Bücher gekauft, die er finden konnte (und zwar von seinem eigenen Geld, um das verwaltungstechnische Problem zu umgehen, einen formellen Antrag für Gegenstände stellen zu müssen, die möglicherweise verboten waren). Da er keine Fremdsprache beherrschte und aus Hels Akten wusste, dass er Französisch las, hatte Herr Hirata Bücher gekauft, die einst zur Bibliothek eines Missionspriesters gehört hatten und während des Krieges von der Regierung beschlagnahmt worden waren, Bücher, die er für französische hielt. Nun war dieser Priester allerdings Baske gewesen, und so waren die Bücher überwiegend auf Baskisch. Allesamt vor 1920 gedruckt, enthielt eines eine für Kinder verfasste Schilderung baskischer Lebensweise, bebildert mit steifen, retuschierten Fotos und Zeichnungen von ländlichen Szenen. Obwohl das Buch auf Französisch abgefasst war, besaß es für Nikolai keinen Wert. Das zweite Buch war ein schmales Bändchen baskischer *dictons,* Parabeln und Volkserzählungen, links auf Baskisch, rechts auf Französisch. Das dritte war ein französisch-baskisches Wörterbuch, zusammengestellt im Jahre 1889 von einem Priester aus Haute-Soule, der in einer geschwollenen und endlos langen Einleitung versuchte, das Studium der baskischen Sprache mit den Tugenden der Frömmigkeit und Demut gleichzusetzen.

Entmutigt warf Nikolai die Bücher hin und hockte sich in die Ecke der Zelle, die er für seine Meditationen reserviert hatte. Da er so dumm gewesen war, auf etwas zu hoffen, bezahlte er jetzt dafür in der Münze der Enttäuschung. Er weinte bitterlich, und bald schon entrang sich ihm unwillkürlich ein wahrhaft herzzerreißendes Schluchzen. Er wechselte in die Toilettenecke hinüber, damit die Wärter seinen Zusammenbruch nicht mitansehen konnten. Erstaunt und erschrocken entdeckte er, wie dicht unter der Oberfläche diese furchtbare Verzweiflung schlummerte, und das, obwohl er sich dazu erzogen hatte, nach einer starren Routine zu leben und jeden Gedanken an Vergangenheit und Zukunft zu meiden. Endlich zwang er sich erschöpft und tränenleer zu einer halbtiefen Meditation und stellte sich, als er wieder ruhiger war, seinem Problem.

Frage: Warum hatte er so verzweifelt auf diese Bücher gehofft, dass er sich dem Schmerz einer möglichen Enttäuschung aussetzte? Antwort: Ohne es sich einzugestehen, hatte er intuitiv erkannt, dass sein durch das Go-Training geschliffener Intellekt etwas von einem Reihenschlussmotor hatte, der, wenn er nicht belastet wurde, immer schneller lief, bis er durchbrannte. Deswegen hatte er sein Leben auf eine strenge Routine reduziert und deswegen verbrachte er mehr Zeit als nötig in dem angenehmen Vakuum der Meditation. Er hatte niemanden, mit dem er sprechen konnte, und vermied sogar das Nachdenken. Gewiss, Eindrücke gingen ihm ungerufen durch den Kopf, aber das waren zum größten Teil inhaltslose Bilder ohne die lineare Logik in Worte gefasster Gedanken. Es war ihm nicht bewusst gewesen, dass er den Gebrauch seines Verstandes aus Angst, er könnte sich in dieser isolierten, stummen Zelle in Panik und Verzweiflung verrennen, möglichst vermied; und doch hatte er sofort die Gelegenheit genutzt, Bücher und Papier zu bekommen, so unsagbar hatte er sich nach der Gesellschaft der Bücher und der geistigen Beschäftigung mit ihnen gesehnt.

Und *das* sollten nun diese Bücher sein? Eine landeskundliche Beschreibung für Kinder, ein dünnes Bändchen mit Volksweisheiten und ein Wörterbuch, zusammengestellt von einem frommen Priester!

Und das meiste davon auf Baskisch, einer Sprache, von der Nikolai kaum je etwas gehört hatte und von der er nichts wusste, als dass sie die älteste Sprache Europas und mit den anderen Sprachen der Welt ebenso wenig verwandt war wie die Basken samt ihrer merkwürdigen Blutgruppenverteilung und Kopfform mit einer anderen menschlichen Ethnie.

Schweigend hockte Nikolai da und analysierte sein Problem. Es gab nur eine einzige Lösung für ihn: Er musste die Bücher irgendwie nutzen. Mit ihrer Hilfe würde er Baskisch lernen. Denn hier hatte er schließlich weit mehr in der Hand als den Stein von Rosette; hier hatte er Seite für Seite eine genaue Übersetzung und außerdem ein Lexikon. Sein Verstand war auf die abstrakte, kristallklare Geometrie des Go-Spiels trainiert. Er hatte mit der Kryptographie gearbeitet. Er würde eine baskische Grammatik schreiben! Und seine anderen Sprachen ebenfalls lebendig erhalten. Er würde baskische Volkserzählungen ins Russische, Englische, Japanische und Deutsche übersetzen. Im Kopf konnte er sie überdies in sein grobes Straßenchinesisch übertragen, mehr aber leider nicht, denn er hatte die chinesischen Schriftzeichen nie gelernt.

Er nahm das Bettzeug von seiner Pritsche und verwandelte die Eisenplatte in einen Schreibtisch, vor den er sich hinkniete, um Bücher, Füller und Papier auszubreiten. Zuerst versuchte er, seine Erregung zu zügeln, damit man nicht schließlich doch noch beschloss, ihm diesen Schatz wieder zu nehmen und ihn in das zu stürzen, was Saint-Exupéry die Folter der Hoffnung genannt hatte. Tatsächlich wurde sein nächster Hofgang zur Qual, und als er in die Zelle zurückkam, war er innerlich darauf gefasst, dass seine Bücher verschwunden waren. Als er sie dann doch vorfand, überließ er sich hemmungslos den Freuden der so lange entbehrten geistigen Arbeit.

Nach der Entdeckung, dass er beinahe den Gebrauch seiner Stimme verlernt hatte, machte er es sich zur Gewohnheit, täglich mehrere Stunden hindurch Selbstgespräche zu führen, indem er Situationen des täglichen Lebens erfand oder die politische und geistige Geschichte der Völker rezitierte, deren Sprachen er beherrschte. Zuerst war es ihm peinlich, laut vor sich hin zu sprechen, schließlich sollten die Wärter nicht glauben, er verliere den Verstand. Bald aber wurde ihm das Lautdenken zur Gewohnheit, und er murmelte den ganzen Tag über vor sich hin. Von seinen drei Gefängnisjahren her behielt Hel sein Leben lang die Eigenart, mit so leiser Stimme zu sprechen, dass es fast ein Flüstern und nur dank seiner präzisen Aussprache zu verstehen war.

In späteren Jahren sollte dieses präzise Halbgeflüster auf die Leute, mit denen ihn sein ausgefallener Beruf in Kontakt brachte, eine einschüchternde und grauenerregende Wirkung ausüben. Und jene, die den fatalen Fehler begingen, ihn zu hintergehen, vernahmen in ihren Albträumen aus tiefen Schatten heraus oft seine leise, exakte Flüsterstimme.

Das erste *dicton* im Buch der Volksweisheiten lautete *Zahar hitzak, zuhur hitzak* und wurde übersetzt mit »Alte Sprüche sind weise Sprüche«. Sein unzulängliches Lexikon lieferte ihm nur das Wort *zahar* mit der Bedeutung »alt«. Und so lauteten die ersten Notizen für seine kleine Amateurgrammatik:

Zuhur = weise.

Plural im Baskischen entweder »ak« oder »zak«.

Wurzel für »Sprichwörter/Redensarten/Sprüche« entweder »hit« oder »hitz.«

Merke: Verb »sagen/sprechen« vermutlich auf dieser Wurzel aufgebaut. Merke: Parallele Strukturen erfordern möglicherweise kein einfaches Verb des Seins.

Aus diesen mageren Anfängen konstruierte Nikolai eine Grammatik der baskischen Sprache – Wort um Wort, Begriff um Begriff, Struktur um Struktur. Von vornherein zwang er sich, jedes Wort, das er lernte, laut auszusprechen, um es in seinem Verstand zum Leben zu erwecken. Da er keine Anleitung hatte, unterliefen ihm dabei Fehler, die sein gesprochenes Baskisch für immer kennzeichnen sollten – sehr zum Vergnügen seiner baskischen Freunde. So dachte er sich zum Beispiel, das *h* müsse stumm sein wie im Französischen. Außerdem musste er zwischen mehreren Möglichkeiten entscheiden, wie das baskische *x* auszusprechen sei. Wie ein z, wie ein *sch*, ein *tch* oder wie ein gutturales deutsches *ch*. Willkürlich wählte er das letztere. Falsch, wie er später zu seinem Bedauern feststellen sollte.

Sein Leben war jetzt ausgefüllt, ja übervoll mit Beschäftigungen, die er abbrechen musste, ehe er ihrer müde wurde. Der Tag begann mit dem Frühstück und dem Waschen mit kaltem Wasser. Nachdem er seine überschüssige Kraft mit isometrischen Übungen verbraucht hatte, gestattete er sich eine halbe Stunde halbtiefer Meditation. Dann Studium des Baskischen bis zur Abendmahlzeit, dann wieder Gymnastik, bis der Körper ausgepumpt und müde war. Anschließend eine halbe Stunde Meditation. Dann Schlaf.

Seine Spaziergänge zweimal die Woche draußen auf dem schmalen Hof zweigte er von der Zeit für das Studium des Baskischen ab. Und jeden Tag, wenn er aß oder Gymnastik trieb, führte er in einer der von ihm beherrschten Sprachen Selbstgespräche, um sie frisch und einsatzbereit zu halten. Da es genau sieben Sprachen waren, wies er jeder von ihnen einen Wochentag zu, so dass sein persönlicher Kalender lautete: Monday, вторник, lai-bai-sam, jeudi, Freitag, Larunbat und Nitiyoo-bi.

Das wichtigste Ereignis in den Jahren von Nikolai Hels Isolierhaft war die Ausbildung seines Proximitätssinnes.

Diese Entwicklung erfolgte ganz ohne sein Zutun, ja in den Anfangsstadien sogar ohne dass er es bemerkte. Erforscher paranormaler Wahrnehmungsphänomene vermuten, der Proximitätssinn sei zu Beginn der Entwicklung des Menschen ebenso stark und allgemein verbreitet gewesen wie die übrigen fünf Sinne, sei jedoch durch Nichtgebrauch allmählich abgestumpft, als sich der Mensch über seine ursprüngliche Jägerexistenz hinausentwickelte. Außerdem beruhte die extraphysische Natur dieses »sechsten Sinns« auf gewissen Energien des Zentralcortex, die der rationalen Logik diametral entgegengesetzt sind, der Logik, deren Art des Verständnisses und des Arrangierens von Erlebnissen letztlich das Menschentier kennzeichnen sollte. Gewiss, bestimmte primitive Kulturen bewahren immer noch rudimentäre Proximitätsfähigkeiten, und auch kultivierte Menschen empfangen gelegentlich Impulse von den verkümmerten Resten ihres Proximitätssystems, empfinden ein gewisses Prickeln, wenn man sie von hinten anstarrt oder an sie denkt, haben wohl auch ein unbestimmtes, verschwommenes Gefühl des Wohlbefindens oder des Verhängnisses; doch das sind flüchtige, unklare Gefühle, die man achselzuckend abtut, weil sie im Rahmen prosaischer, logischer Weltanschauung nicht verstanden werden und nicht verstanden werden können und weil man, wollte man sie akzeptieren, die äußerst bequeme Überzeugung aufgeben müsste, dass alle Phänomene sich stets im Bereich des Rationalen bewegen.

Gelegentlich und unter Umständen, die nur zum Teil erforscht sind, entwickelt sich der Proximitätssinn auch bei einem modernen Menschen zur vollen Blüte. In mancher Hinsicht war Nikolai Hel typisch für jene wenigen, die ein voll ausgebildetes Proximitätssystem besitzen. Sein ganzes Leben war in geistigen und nach innen gerichteten Bahnen verlaufen. Er war ein Mystiker gewesen und hatte ekstatische Entrückungen erlebt, empfand daher also keine Scheu vor dem Extralogischen. Das Go-Spiel hatte seinen Intellekt so trainiert, dass er in fließenden Permutationen dachte, statt in dem simplen Problemlösungsraster der westlichen Kulturen. Dann hatte ein schockierendes Erlebnis ihn für lange Zeit auf sich selbst zurückgeworfen. All diese Faktoren stimmten genau mit jenen überein, die den einen Menschen unter Millionen kennzeichnen, der in unserer Zeit die zusätzliche Gabe (oder Bürde) des Proximitätssinnes besitzt.

Dieses ursprüngliche Perzeptionssystem entwickelte sich in Nikolai so langsam und stetig, dass er selbst es ein ganzes Jahr lang nicht entdeckte. Seine Gefängnisexistenz verlief in so vielen kurzen, sich ständig wiederholenden Abschnitten, dass er keinerlei Gefühl für das Vergehen der Zeit außerhalb der Gefängnismauern hatte. Er beschäftigte sich nie mit sich selbst und litt niemals an Langeweile. In scheinbarem Widerspruch zu den Gesetzen der Physik wiegt die Zeit nur schwer, wenn sie unausgefüllt ist.

Die bewusste Erkenntnis seiner Gabe wurde ausgelöst durch einen neuerlichen Besuch von Herrn Hirata. Nikolai saß über seinen Büchern, als er plötzlich den Kopf hob und (auf Deutsch, denn es war Freitag) laut sagte: »Komisch. Warum kommt Herr Hirata heute?« Dann sah er auf seinen improvisierten Kalender und stellte fest, dass tatsächlich seit Herrn Hiratas letztem Besuch schon sechs Monate vergangen waren.

Einige Minuten darauf unterbrach er seine Studien abermals, um sich zu fragen, wer wohl der Fremde bei Herrn Hirata war, denn die Person, deren Näherkommen er spürte, war keiner der ihm vertrauten Wärter, von denen jedem ein bestimmtes Charakteristikum vorausging, das Nikolai sofort erkannte.

Kurze Zeit später wurde die Zellentür aufgeschlossen, und Herr Hirata trat ein, begleitet von einem jungen Mann, der sich für die Sozialarbeit im Strafsystem ausbilden ließ und sich schüchtern im Hintergrund hielt, während der Ältere routiniert seinen Fragebogen durchging und gewissenhaft jede Antwort auf seinem Klemmbrett abhakte.

Auf die letzte und wichtigste Frage antwortete Nikolai, er brauche wieder Papier und Tinte, woraufhin Herr Hirata den Kopf schieflegte und die Luft durch die Zähne sog, um auf die überwältigenden Schwierigkeiten bei der Genehmigung eines solchen Antrags hinzuweisen. Etwas in seinem Verhalten verriet Nikolai jedoch, dass man seinem Gesuch stattgeben würde. Als Herr Hirata gehen wollte, hielt Nikolai ihn zurück: »Entschuldigen Sie. Sind Sie vor ungefähr zehn Minuten schon einmal an meiner Zelle vorbeigekommen?«

»Vor zehn Minuten? Nein. Warum?«

»Sie sind nicht an meiner Zelle vorbeigekommen? Haben Sie dann vielleicht an mich gedacht?«

Die beiden Gefängnisbeamten wechselten einen kurzen Blick. Herr Hirata hatte seinen Lehrling auf den labilen Geisteszustand dieses Gefangenen hingewiesen, der bedenklich zum Selbstmord neigte. »Nein«, begann der Ältere, »ich glaube nicht, dass ich ... Einen Moment! Aber ja! Kurz bevor wir diesen Flügel betraten, habe ich mit dem jungen Mann hier über Sie gesprochen.«

»Aha!«, sagte Nikolai. »Daher also. Das erklärt es.«

Seine Besucher wechselten beunruhigte Blicke. »Was erklärt es?«

Nikolai sah ein, dass es ebenso schwierig wie hoffnungslos sein würde, einer Beamtenseele etwas so Abstraktes und Ätherisches wie den Proximitätssinn zuzumuten; deshalb schüttelte er den Kopf und antwortete nur: »Ach nichts. Unwichtig.«

Herr Hirata zuckte die Achseln und ging.

An diesem und am folgenden Tag dachte Nikolai über diese neue Fähigkeit nach, die er an sich entdeckt hatte und die es ihm ermöglichte, auf parasensuellem Wege die körperliche Nähe und auf ihn gerichtete Konzentrationen anderer Menschen zu erfassen. Während der zwanzig Minuten seiner Laufübungen auf dem kleinen Hof unter dem Rechteck stürmischen Himmels schloss er beim Gehen die Augen und versuchte, ob er sich auf einen Punkt der Mauer konzentrieren und spüren konnte, wenn er sich ihm näherte. Wie er feststellte, gelang es ihm, ja, er konnte sich sogar mit geschlossenen Augen so lange drehen, bis er die Orientierung verlor, und sich trotzdem auf einen Riss in der Mauer oder einen seltsam geformten Stein konzentrieren, direkt darauf zugehen, die Hand ausstrecken und die Mauer im Umkreis von wenigen Zentimetern von der betreffenden Stelle berühren. Bis zu einem gewissen Grad funktionierte der Proximitätssinn also auch bei toten Gegenständen. Während er dies ausprobierte, spürte er, dass ein Strom menschlicher Konzentration auf ihn gerichtet war, und er wusste sofort, obwohl er durch das den Himmel spiegelnde Glas der Wachtürme nicht hindurchsehen konnte, dass er von den Männern dort oben beobachtet wurde und dass sie sein Verhalten diskutierten. Er unterschied die verschiedenen Impulse der aufgefangenen Konzentration und konnte daraus ablesen, dass es zwei Männer waren: ein willensstarker und ein labilerer – oder vielleicht einer, den die Kapriolen eines halb verrückten Gefangenen nicht interessierten.

In seine Zelle zurückgekehrt, dachte er weiter über seine Gabe nach. Seit wann besaß er sie? Woher kam sie? Wo lagen ihre potenziellen Möglichkeiten? Soweit er sich anfangs zu erinnern meinte, hatte sie sich erst während dieses letzten Gefängnisjahres entwickelt. Und zwar so langsam, dass er nicht zu sagen vermochte, wann es damit eigentlich angefangen hatte. Seit einiger Zeit wusste er nun schon, ohne darüber nachzudenken, wann sich die Wärter seiner Zelle näherten und ob es der Kleine mit den glasigen Augen war oder der, der wie ein Polynesier aussah und wahrscheinlich Ainu-Blut in den Adern hatte. Und stets wusste er beinahe sofort nach dem Aufwachen, welcher Kalfaktor ihm das Frühstück bringen würde.

Aber hatte es nicht schon vor dem Gefängnis Spuren von dieser Gabe gegeben? Ja. Aber natürlich! Allmählich dämmerte es ihm. Er hatte schon immer schwache, rudimentäre Signale von seinem Proximitätssystem empfangen. Sogar als Kind hatte er jedes Mal, wenn er ein Haus betrat, sofort gespürt, ob es leer war oder ob sich jemand darin aufhielt. Und auch, wenn sie nichts sagte, hatte er stets gewusst, ob seine Mutter eine Pflicht oder Aufgabe ihm gegenüber erfüllt oder vergessen hatte. Wenn er in ein Zimmer kam, spürte er die verebbende Aufladung der Luft durch eine kürzlich stattgefundene Auseinandersetzung oder durch einen Liebesakt. Aber er hatte immer geglaubt, das seien Wahrnehmungen, die jeder Mensch habe. Bis zu einem gewissen Grad hatte er damit auch Recht. Viele Kinder – und einige Erwachsene – nehmen gelegentlich durch die Rudimente ihres Proximitätssystems solche unmerklichen Vibrationen wahr, obwohl man sie meist mit Erklärungen wie »Launen«, »Reizbarkeit« oder »Intuition« abtut.

Das einzig Ungewöhnliche an Nikolais Kontakt mit seinem Proximitätssystem war dessen Beständigkeit. Er war immer für seine Botschaften empfänglich gewesen.

Zum ersten Mal deutlich bemerkbar gemacht hatte sich diese Gabe der außersinnlichen Wahrnehmung während der Höhlenforschungsexpeditionen mit seinen japanischen Freunden, obwohl er ihr zu jener Zeit weder längeres Nachdenken gewidmet noch ihr einen Namen gegeben hatte. Unter den besonderen Bedingungen der absoluten Dunkelheit, der konzentrierten, im Hintergrund lauernden Angst und der extremen körperlichen Anstrengung schalteten sich Nikolais primitive Naturkräfte des zentralen Cortex in sein Wahrnehmungssystem ein. Steckte er mit Kameraden tief unten in einem unbekannten Labyrinth, wo er sich, Millionen Tonnen Fels nur wenige Zentimeter über seinem Rücken, eine Verwerfung entlangschob, während die Anstrengung in seinen Schläfen pochte, brauchte er nur die Augen zu schließen (um den mächtigen Impuls seines Wahrnehmungssystems zu überwinden, sogar in absoluter Finsternis Energie durch die Augen zu verströmen), und schon konnte er seinen Proximitätssinn vorausschicken und mit hundertprozentiger Sicherheit sagen, in welcher Richtung freier Raum und in welcher undurchdringlicher Fels zu finden war. Zuerst rissen die Freunde Witze über seine »Ahnungen«. Eines Abends, als sie am Eingang zu einem tagsüber erforschten Höhlensystem im Biwak saßen, wandte sich die träge Unterhaltung Nikolais unheimlichem Orientierungssinn zu. Ein junger Mann vertrat die Ansicht, Nikolai interpretiere feine Echos seines Atems und des Knackens seiner Gelenke, wittere möglicherweise auch Geruchsunterschiede der Luft unter der Erde und komme durch diese kaum wahrnehmbaren, aber ganz sicher nicht mystischen Signale zu seinen berühmten »Ahnungen«. Nikolai akzeptierte diese Erklärung bereitwillig; es war ihm egal.

Einer aus seiner Gruppe, der Englisch lernte, um bei der Besatzungsmacht einen besseren Job zu bekommen, schlug Nikolai kräftig auf die Schulter und knurrte: »Gekonnt, wie ihr Okzidentalen euch *orientiert!*«

Und ein anderer, ein magerer Junge mit einem Affengesicht, der Clown des Teams, behauptete, es sei überhaupt nicht erstaunlich, dass Nikolai im Dunkeln sehen könne. Er sei schließlich ein Mann des Zwielichts.

Der Ton, in dem er das sagte, verriet, dass es ein Scherz sein sollte; sekundenlang jedoch herrschte Schweigen rings um das Lagerfeuer, weil alle versuchten, dieses verzwickte Wortspiel zu enträtseln, das typisch war für den Humor des Affengesichtigen. Und als es einem nach dem anderen dämmerte, stöhnten sie alle auf und baten, sie zu verschonen, und einer warf seine gelbe Mütze nach dem Witzbold.*

Während der anderthalb Tage, die Nikolai in seiner Zelle der Erforschung seines Proximitätssinns widmete, entdeckte er weitere Details über dessen Beschaffenheit. Zunächst einmal handelte es sich nicht um einen einfachen Sinn wie beim Hören oder Sehen. Einen besseren Vergleich bot da schon der Tastsinn, diese komplizierte Konstellation von Reaktionen,

* Das Wortspiel erinnerte in seiner heimtückischen Abwegigkeit beinahe an Shakespeare. Es basierte auf der Tatsache, dass Nikolai von seinen japanischen Freunden »Nikko« gerufen wurde, weil sie dem für ihre Zunge schwierigen *l* aus dem Weg gehen wollten. Und die bequemste Aussprache des Namens Hel für die Japaner ist *Heru*.

die Sensibilität für Hitze und Druck, Kopfschmerzen und Übelkeit, die Fahrstuhlgefühle des Steigens und Fallens und durch die Mittelohrflüssigkeit die Kontrolle über das Gleichgewicht einschließt, alle miteinander recht unzulänglich unter der Bezeichnung »Tastsinn« zusammengefasst. Im Fall des Proximitätssinns gibt es zwei ausgeprägte Gruppen der Sinnesreaktion, die qualitative und die quantitative; und es gibt zwei umfassende Kategorien der Kontrolle, die aktive und die passive. Der quantitative Aspekt befasst sich weitgehend mit bloßer Nähe, mit der Entfernung und Richtung beweglicher und unbeweglicher Objekte also. Nikolai merkte schon bald, dass die Reichweite seiner Wahrnehmungen im Fall unbeweglicher, passiver Objekte – eines Buches, eines Steins oder eines vor sich hin träumenden Menschen – ziemlich begrenzt war. Das Vorhandensein eines solchen Objekts konnte er passiv bis zu höchstens vier oder fünf Metern spüren; danach waren die Signale zu schwach, um noch aufgefangen zu werden. Wenn sich Nikolai jedoch auf das Objekt konzentrierte und eine Energiebrücke bildete, konnte er die effektive Entfernung ungefähr verdoppeln. Und wenn es sich bei dem Objekt um ein Lebewesen handelte, das an Nikolai dachte und eine eigene Energiebrücke bildete, konnte die Entfernung nochmals verdoppelt werden. Der zweite Aspekt des Proximitätssinns, der qualitative, konnte nur bei menschlichen Objekten erfasst werden. Nikolai nahm nicht nur Entfernung und Richtung einer Sendequelle wahr, sondern erkannte durch sympathetische Schwingungen seiner eigenen Emotionen auch die Qualität der Aussendung: freundlich, antagonistisch, bedrohlich, liebevoll, verwirrt, zornig, lüstern. Da das gesamte System von der zentralen Hirnrinde gesteuert wurde, ließen sich die primitiven Gefühle am deutlichsten übertragen: Angst, Hass, Wollust.

Nachdem er diese skizzenhaften Feststellungen über seine Gabe gemacht hatte, wandte Nikolai die Gedanken von ihr ab und widmete sich wieder seinen Studien und der Aufgabe, seine Sprachkenntnisse lebendig zu erhalten. Es war ihm klar, dass seine Gabe, solange er im Gefängnis saß, über den Unterhaltungswert eines Gesellschaftsspiels hinaus kaum von Nutzen war. Er konnte nicht ahnen, dass dieser hochentwickelte Proximitätssinn ihm später nicht nur weltweiten Ruhm als hervorragender Höhlenforscher einbringen, sondern ihm darüber hinaus in seinem Beruf als professioneller Liquidator internationaler Terroristen sowohl als Waffe wie auch als Schutz dienen sollte.

WASHINGTON

Mr. Diamond blickte von dem auf die Tischplatte projizierten Text auf und wandte sich an den Ersten Assistenten. »Okay, brechen Sie hier ab und überspringen Sie zeitlich ein Stück. Geben Sie uns einen kurzen Überblick über seine Antiterrorismus-Aktivitäten vom Zeitpunkt der Entlassung aus dem Gefängnis bis heute.«

»Jawohl, Sir. Ich brauche nur einen Moment Zeit für die neue Eingabe.« Mithilfe von Fat Boy und den geschickten Manipulationen des Ersten Assistenten hatte Diamond seine Gäste über die Fakten von Nikolai Hels Leben bis zur Mitte seines Gefängnisaufenthaltes informiert, wobei er gelegentlich aus eigener Erinnerung Erläuterungen und Hintergrunddetails hinzufügte. Das Ganze hatte nur zweiundzwanzig Minuten gedauert, weil Fat Boy auf verzeichnete Vorgänge und Tatsachen beschränkt war; Beweggründe, Leidenschaften und Ideale waren seiner Fachsprache fremd. Während dieser zweiundzwanzig Minuten hatte Darryl Starr in seinem weißen Plastiksessel gehockt und sich nach einer Zigarre gesehnt, aber nicht gewagt, sich eine anzustecken. Missgelaunt vermutete er, dass ihm die Einzelheiten aus dem Leben dieses *Gook*-Sympathisanten als eine Art Strafe für den Fehlschlag auf dem Flughafen von Rom aufgezwungen wurden, sozusagen als Vergeltung dafür, dass er das Mädchen hatte entkommen lassen. Um sein Gesicht zu wahren, hatte er eine Miene gelangweilter Schicksalsergebenheit aufgesetzt, an seinen Zähnen gesogen und gelegentlich einen tiefen Seufzer ausgestoßen. Doch etwas störte ihn weit mehr als der peinliche Gedanke, wie ein unbotmäßiger Schüler bestraft zu werden: Er spürte, dass Diamonds Interesse an Nikolai Hel über den beruflichen Rahmen hinausging. Es war etwas Persönliches damit verbunden, was Starr erschreckte, denn seine jahrelange Erfahrung in den Schützengräben der CIA-Unternehmungen hatte ihn gelehrt, in einen auszuführenden Auftrag unter keinen Umständen persönliche Gefühle einzubringen.

Wie es sich für den Neffen eines bedeutenden Mannes und CIA-Terrorlehrling gehörte, legte der PLO-Mann zunächst größtes Interesse für die Informationen auf dem Bildschirm des Konferenztisches an den Tag, doch schon bald glitt sein Blick weitaus häufiger zu der straffen geröteten Haut der Beine von Miss Swivven, die er zuweilen mit seiner Version verführerischer Galanterie angrinste.

Der Deputy reagierte auf jede neue Information mit einem kurzen Kopfnicken, das den Eindruck erwecken sollte, die CIA sei über alles auf dem Laufenden, und er hake die angeführten Punkte lediglich in Gedanken ab. In Wirklichkeit hatte die CIA keinen Zugang zu Fat Boy, während das biografische Computersystem der Muttergesellschaft seit langem schon alles, was sich in den Bandspeichern von CIA und NSA befand, übernommen und verarbeitet hatte.

Mr. Able schließlich hatte den Anschein leichten Gelangweiltseins und rudimentärer Höflichkeit gewahrt, obwohl gewisse Episoden aus Hels Lebenslauf ihn faszinierten, vor allem jene, die auf Mystik und die seltene Gabe des Proximitätssinns hinwiesen, denn sein verfeinerter Geschmack bevorzugte das Okkulte und Exotische, was er durch seine sexuelle Vielseitigkeit hinlänglich bewies.

Im benachbarten Druckerraum ertönte ein gedämpftes Klingeln, und Miss Swivven erhob sich, um die Bilder von Nikolai Hel zu holen, die Mr. Diamond verlangt hatte. Minutenlang herrschte Schweigen im Konferenzraum; nur das Brummen und die Ventilatorgeräusche des Computers waren zu vernehmen, an dem der Erste Assistent Fat Boys internationale Datenspeicher abtastete und bestimmte Einzelheiten herunterlud. Mr. Diamond zündete sich eine Zigarette an (er gestattete sich genau vier pro Tag) und drehte seinen Sessel so, dass er das beleuchtete Washington Monument draußen vor Augen hatte, während er mit dem Fingerknöchel nachdenklich gegen seine Zähne klopfte.

Mr. Able seufzte vernehmlich, strich elegant die Bügelfalte eines Hosenbeins zurecht und warf einen Blick auf seine Uhr. »Hoffentlich sind wir hier bald fertig. Ich habe nämlich heute Abend noch etwas vor.« Die ganze Zeit über hatte ihn das Bild dieses Ganymeds von Senatorsohn verfolgt.

»Aha«, sagte Diamond, »da sind sie ja.« Er streckte die Hand nach den Fotos aus, die Miss Swivven hereinbrachte, und blätterte sie flüchtig durch. »Sie sind in chronologischer Reihenfolge geordnet. Das erste ist die Vergrößerung eines Passfotos, das aufgenommen wurde, als er bei Sphinx/FE in der Abteilung für Kryptographie anfing.«

Er reichte es an Mr. Able weiter, der das durch die starke Vergrößerung körnige Foto betrachtete. »Interessantes Gesicht. Stolz. Fein. Ernst.«

Er schob dem Deputy das Foto zu, der, als sei es ihm bereits bekannt, nur einen flüchtigen Blick darauf warf und es dann an Darryl Starr weitergab.

»Zum Teufel«, sagte Starr verblüfft. »Der sieht ja aus wie ein Teenager! Fünfzehn, sechzehn, würde ich sagen.«

»Sein Aussehen ist irreführend«, erklärte Diamond. »Als die Aufnahme gemacht wurde, war er wahrscheinlich schon um die dreiundzwanzig Jahre alt. Die jugendliche Erscheinung ist ein Familien-Charakteristikum. Nikolai Hel ist heute zwischen fünfzig und dreiundfünfzig, doch wie man mir sagte, sieht er immer noch aus wie ein Mittdreißiger.«

Der Palästinenser griff nach dem Foto, das jedoch an Mr. Able zurückgereicht wurde. Dieser betrachtete es noch einmal aufmerksam und fragte dann: »Was ist mit den Augen? Sie sehen so merkwürdig aus. Irgendwie künstlich.«

Sogar auf diesem Schwarz-Weiß-Foto besaßen Hels Augen eine so unnatürliche Transparenz, dass sie wie überbelichtet wirkten.

»Ja«, bestätigte Diamond, »seine Augen sind wirklich seltsam. Sie sind von einem merkwürdig leuchtenden Grün, wie die Farbe alter Glasflaschen. Das ist sein auffallendstes Kennzeichen.«

Mr. Able sah Diamond prüfend von der Seite an. »Kennen Sie diesen Mann persönlich?«

»Ich ... Ich interessiere mich seit Jahren für ihn«, antwortete Diamond ausweichend, während er das zweite Foto herumreichte.

Als Mr. Able dieses Bild sah, zuckte er zusammen. Das konnte unmöglich derselbe Mann sein! Die Nase war gebrochen und nach links gedrückt. Über die rechte Wange lief ein dicker Narbenwulst, ein zweiter, schräg über der Stirn, spaltete eine Augenbraue. Die Unterlippe war geschwollen und aufgesprungen, und unter dem linken Jochbein prangte eine dicke Beule. Die Augenlider waren geschlossen, das Gesicht entspannt.

Mr. Able schob das Foto vorsichtig dem Deputy zu, als scheute er sich, es zu berühren.

Der Palästinenser streckte die Hand danach aus, doch das Foto wurde bereits an Starr weitergegeben. »Ach du Scheiße! Der sieht ja aus, als wäre er gegen 'ne Lokomotive gerannt!«

»Was Sie da sehen«, erläuterte Diamond, »sind die Folgen eines peinlichen Verhörs durch den amerikanischen Geheimdienst. Das Foto wurde drei Jahre nach dem Verhör aufgenommen, während der Patient wegen einer kosmetischen Operation anästhesiert war. Und hier ist er eine Woche nach der Operation.« Diamond schob das nächste Bild über den Konferenztisch.

Das Gesicht war aufgrund der Operation noch immer ein wenig geschwollen, die Spuren der Verunstaltungen waren jedoch vollständig beseitigt, und eine allgemeine Straffung hatte sogar die feinen Linien und Zeichen des Alterns entfernt.

»Und wie alt war er hier?«, erkundigte sich Mr. Able.

»Zwischen vierundzwanzig und achtundzwanzig.«

»Verblüffend! Er sieht jünger aus als auf dem ersten Foto.«

Der Palästinenser legte den Kopf schief, um das Bild erkennen zu können, das an ihm vorbeigereicht wurde.

»Dies hier sind Vergrößerungen von Passfotos. Das costaricanische wurde kurz nach der kosmetischen Operation, das französische ein Jahr später aufgenommen. Wir glauben, dass er außerdem noch einen albanischen Pass besitzt, aber davon haben wir keine Kopie.«

Mr. Able sah die Passbilder durch, die wie üblich überbelichtet und von sehr schlechter Qualität waren. Ein Detail fesselte seine Aufmerksamkeit besonders, und er kehrte noch einmal zu dem französischen Foto zurück. »Ist das wirklich derselbe Mann?«

Diamond ließ sich das Foto geben und warf einen kurzen Blick darauf. »Doch, das ist Hel.«

»Aber die Augen ...«

»Ich weiß. Weil seine seltsame Augenfarbe jede Tarnung zunichtemachen würde, besitzt er mehrere Paare ungeschliffener Kontaktlinsen, deren Mitte hell ist, die aber eine gefärbte Iris haben.«

»Dann kann er sich seine Augenfarbe also aussuchen. Interessant!«

»O ja! Hel ist genial.«

Der OPEC-Mann lächelte. »Jetzt habe ich zum zweiten Mal Bewunderung in Ihrem Ton entdeckt.«

Diamond musterte ihn kalt. »Sie irren.«

»Wirklich? Ich verstehe. Sind das die neuesten Fotos, die Sie von diesem genialen – aber nicht bewunderten – Mr. Hel besitzen?«

Diamond griff nach dem restlichen Stapel Fotos und warf sie lässig auf den Tisch. »Nein, wir haben noch jede Menge andere. Allesamt typische Beispiele für die Tüchtigkeit der CIA.«

Der Deputy hob in gequälter Resignation die Brauen.

Mr. Able durchblätterte die Fotos mit ratlosem Stirnrunzeln; dann schob er sie zu Starr hinüber.

Der Palästinenser sprang auf und legte klatschend die Hand auf den Stapel; und als ihn die anderen ob dieser erstaunlich rüden Geste ärgerlich anfunkelten, begann er verlegen zu grinsen. Er zog die Fotos zu sich heran und betrachtete sie eingehend.

»Das verstehe ich nicht«, meinte er schließlich. »Was soll das?«

Auf jedem Foto war die zentrale Figur verwackelt. Die Bilder waren an den verschiedensten Orten aufgenommen – in Cafés, auf der Straße, am Strand, auf der Zuschauertribüne beim Jaialai, auf einem Flughafen –, und alle wiesen die charakteristische Bildkompression von Teleobjektiv-Aufnahmen auf; aber auf keinem einzigen von ihnen war der Mann zu erkennen, der fotografiert worden war, denn jedes Mal hatte er sich in dem Moment, als der Verschluss klickte, plötzlich bewegt.

»Das kann ich wirklich nicht begreifen«, verkündete der Palästinenser, als wäre das etwas Besonderes. »Das kann mein Verstand einfach nicht … verstehen.«

»Wie es scheint«, erklärte Diamond, »kann man Hel nicht fotografieren, wenn er es nicht will, obwohl wir Grund zu der Annahme haben, dass ihn die Versuche der CIA, ihn zu überwachen und seine Aktionen zu verzeichnen, gleichgültig lassen.«

»Warum aber verdirbt er dann jede Aufnahme?«, erkundigte sich Mr. Able.

»Zufall. Es hat mit seinem Proximitätssinn zu tun. Er spürt es, wenn sich die Aufmerksamkeit eines anderen Menschen auf ihn richtet. Anscheinend ist die Empfindung, von einer Kameralinse fixiert zu werden, identisch mit dem Gefühl, durch das Zielfernrohr eines Gewehrs beobachtet zu werden, und den Druck auf den Auslöser empfindet er offenbar so wie die Betätigung des Abzugs.«

»Und duckt sich jedes Mal in dem Moment, in dem das Foto geschossen wird«, folgerte Mr. Able. »Erstaunlich. Wirklich erstaunlich!«

»Höre ich da Bewunderung heraus?«, fragte Mr. Diamond anzüglich.

Mr. Able neigte anerkennend den Kopf. »Touché. Aber eines muss ich Sie noch fragen. Dieser Major, der bei dem brutalen Verhör Nikolai Hels eine Rolle spielte, hieß Diamond – wie Sie. Mir ist die Neigung Ihrer Landsleute, sich ihre Namen unter Edelsteinen und -metallen auszuwählen, natürlich bekannt – in der Geschäftswelt wimmelt es von Pearls, Rubys und Golds –, aber die zufällige Übereinstimmung der Namen bereitet mir in diesem Fall doch Unbehagen. Der Zufall ist schließlich die Hauptwaffe des Schicksals.«

Diamond stieß den Stapel Fotos mit dem unteren Rand auf die Tischplatte, um sie zu ordnen, legte sie dann beiseite und antwortete leichthin: »Dieser Major Diamond war mein Bruder.«

»Sieh mal an«, sagte Mr. Able.

Darryl Starr musterte Diamond besorgt; er sah seine Bedenken hinsichtlich des persönlichen Engagements bestätigt.

»Sir?«, meldete sich der Erste Assistent. »Ich habe den Ausdruck von Hels Antiterrorismus-Aktivitäten.«

»Gut. Bringen Sie ihn auf den Tisch. Aber bitte nur in groben Zügen. Keine Einzelheiten. Ich möchte diesen Herren lediglich ein Gefühl für das vermitteln, was uns erwartet.«

Wenngleich Diamond ausdrücklich eine Oberflächenauskunft über Hels bekannte Antiterrorismus-Aktivitäten verlangt hatte, war der erste Überblick, der auf dem Bildschirm erschien, doch so knapp, dass Diamond sich verpflichtet fühlte, ihn zu ergänzen. »Hels erste Aktion richtete sich streng genommen nicht gegen Terroristen. Wie Sie sehen, war es ein Anschlag auf den Leiter einer sowjetischen Handelskommission in Peking, kurz nachdem die chinesischen Kommunisten ihre Herrschaft über das Land gefestigt hatten. Diese Aktion war so geheim, dass die meisten Bänder von der CIA gelöscht worden waren, ehe die Muttergesellschaft verlangte, dass von allen Aufzeichnungen Kopien an Fat Boy gegeben würden. Kurz gesagt ging es um Folgendes: Die amerikanischen Geheimdienste befürchteten die Bildung einer sowjetisch-chinesischen Koalition, obwohl es zahlreiche latente Konflikte zwischen den beiden Staaten gab: Fragen des Grenzverlaufs, der Ideologie, der ungleichen industriellen Entwicklung und nicht zuletzt ein wechselseitiges, rassistisch unterlegtes Misstrauen. Die Asienexperten entwarfen einen Plan, wie man die unterschwelligen Differenzen ausnutzen und eine sich anbahnende Union verhindern könnte. Sie schlugen vor, einen Agenten nach Peking zu schicken, der den Leiter der sowjetischen Kommission umbringen und ihm inkriminierende Direktiven aus Moskau unterschieben sollte. Die Chinesen sollten glauben, die Russen hätten einen der ihren geopfert, um als Vorwand für den Abbruch der Verhandlungen einen Zwischenfall zu inszenieren. Die Sowjets, die es ja besser wussten, sollten annehmen, die Chinesen hätten diesen Schlag geführt – und zwar aus demselben Grund. Und wenn die Chinesen als Beweis für das falsche Spiel der Russen die inkriminierenden Direktiven vorgelegt hätten, würden die Sowjets behaupten, Peking habe die Dokumente gefälscht, um ein feiges Attentat zu rechtfertigen. Die Chinesen, die genau wussten, dass das nicht der Fall war, würden sich in ihrer Überzeugung bestätigt sehen, das Ganze sei ein russisches Komplott.

Dass der Plan funktioniert hat, ist durch die Tatsache bewiesen, dass die chinesisch-russischen Beziehungen sich niemals ernsthaft verbessert haben und heutzutage derart von Misstrauen und Feindseligkeit geprägt sind, dass die westlichen Blockstaaten mühelos den einen gegen den anderen ausspielen und dadurch eine ihnen mit Sicherheit überlegene Allianz verhindern können.

Das kleine Hindernis, das diesem genialen Plan anfangs im Wege stand, war die schier unüberwindliche Schwierigkeit, einen Agenten zu finden, der ausreichend Chinesisch sprach, um sich unentdeckt in diesem Land bewegen zu können, der aber gleichzeitig im Notfall für einen Russen durchgehen konnte – und der darüber hinaus bereit war, einen Auftrag zu übernehmen, der wenig Erfolgschancen und nach dem Attentat so gut wie keine Fluchtmöglichkeiten bot. Der Agent musste hochintelligent, mehrsprachig, ein ausgebildeter Attentäter und außerdem in einer derart verzweifelten Lage sein, dass er einen Auftrag annahm, der noch nicht einmal eine Überlebenschance von eins zu hundert bot.

Die CIA durchsuchte daraufhin alle ihre Personalunterlagen anhand dieser Kriterien und fand unter den in ihrem Machtbereich verfügbaren Männern nur einen einzigen, der all diese Bedingungen erfüllte …«

JAPAN

Es war Frühherbst, der vierte, den Hel in seiner Zelle des Sugamo-Gefängnisses verbrachte. Er kniete gerade, in ein kniffliges Problem der baskischen Grammatik vertieft, auf dem Fußboden vor seinem Schreibtisch-Bett, als er spürte, wie die Haarwurzeln in seinem Nacken zu prickeln begannen. Er hob den Kopf und konzentrierte sich auf die Projektionen, die er empfing. Die Aura der Person, die näher kam, war ihm unbekannt. Er vernahm Geräusche an seiner Zellentür, dann wurde sie aufgestoßen. Ein freundlich lächelnder Wärter mit einer dreieckigen Narbe auf der Stirn, den Nikolai noch nie gesehen oder wahrgenommen hatte, trat ein.

Der Wärter räusperte sich. »Kommen Sie bitte mit.«

Hel krauste die Stirn. Die *O-nasai*-Form? Respektvolle Anrede von einem Wärter einem Gefangenen gegenüber? Sorgfältig ordnete er seine Notizen und schloss das Buch; dann erst erhob er sich. Er befahl sich, ruhig und vorsichtig zu sein. Diese nie da gewesene Unterbrechung der Routine konnte Hoffnung bedeuten ... ebenso gut aber auch Gefahr. Vor dem fremden Wärter hergehend, verließ er die Zelle.

»Mr. Hel? Freut mich, Sie kennenzulernen.« Der elegante junge Mann erhob sich, als Hel das Sprechzimmer betrat, und schüttelte ihm herzlich die Hand. Der Kontrast zwischen seinem maßgeschneiderten *Ivy-League*-Anzug mit der seidenen Krawatte und Hels zerdrückter grauer Gefängniskluft war ebenso groß wie der zwischen ihrer äußeren Erscheinung und ihrem Auftreten. Der selbstbewusste CIA-Agent war robust und athletisch; er übte jene schulterklopfende, Vornamen gebrauchende Jovialität, die den amerikanischen Vertreter kennzeichnet. Hel dagegen, schlank und drahtig, war zurückhaltend und kühl. Der Agent, bekannt für seine Gabe, überall und sofort Vertrauen zu erwecken, war ein Mann des Wortes und der Logik. Hel war ein Mensch der tieferen Bedeutung und der Untertöne. Sie waren wie Rammbock und Rapier.

Der Agent bedeutete dem Wärter mit einem Kopfnicken, er könne gehen. Hel setzte sich auf den äußeren Rand eines Stuhls, denn da er drei Jahre lang keinen anderen Sitzplatz gekannt hatte als seine Stahlpritsche, hatte er es verlernt, sich anzulehnen und zu entspannen. Nachdem so lange kein Mensch mehr höflich mit ihm gesprochen hatte, fand er das gewandte Geplauder des Agenten weniger beunruhigend als läppisch.

»Ich habe uns Tee bestellt«, erklärte der Agent mit jener rauen Burschikosität, die er im gesellschaftlichen Umgang immer höchst wirkungsvoll gefunden hatte. »Eins muss man diesen Japanern ja lassen; sie machen einen guten Tee – das, was meine englischen Freunde *a nice cuppa* nennen würden.« Er lachte über seinen misslungenen Versuch, den Cockney-Akzent zu imitieren.

Hel beobachtete ihn schweigend und genoss ein wenig die Tatsache, dass der Amerikaner durch den Anblick seines zerschlagenen Gesichtes so sehr aus dem Gleichgewicht gebracht wurde, dass er zunächst unbehaglich wegblickte, sich dann aber zwang, ihn ohne erkennbaren Abscheu offen anzusehen.

»Sie machen einen recht gesunden Eindruck, Mr. Hel. Ich hatte eigentlich erwartet, dass die Auswirkungen Ihrer körperlichen Untätigkeit sich bemerkbar machen würden. Aber Sie haben natürlich einen Vorteil vor uns da draußen: Sie essen nicht zu viel. Wenn Sie mich fragen – die meisten Leute essen einfach zu viel. Der menschliche Körper käme mit einer weit geringeren Nahrungsmenge aus. Wir verstopfen sozusagen das Rohr mit Verpflegung, meinen Sie nicht auch? Ah, da kommt der Tee!«

Der Wärter kam mit einem Tablett herein, auf dem eine dicke Kanne und zwei henkellose japanische Tassen standen. Der Agent schenkte ein – tapsig wie ein gutmütiger Bär, als wäre mangelnde Geschicklichkeit ein Zeichen von Virilität. Hel nahm die dargebotene Tasse, trank aber nicht.

»Prost!«, sagte der Agent vor dem ersten Schluck. Dann schüttelte er lachend den Kopf. »Ich glaube, beim Teetrinken sagt man nicht Prost. Was sagt man da eigentlich?«

Hel stellte seine Tasse neben sich auf den Tisch. »Was wollen Sie von mir?«

Ausgebildet in überzeugender Rhetorik von Mann zu Mann und im Umgang mit kleinen Gruppen, vermeinte der Agent eine gewisse Kälte in Hels Verhalten zu entdecken; also befolgte er die Richtlinien seiner Ausbildung und ging auf die Stimmung seines Gegenübers ein. »Ich glaube, Sie haben Recht, Mr. Hel. Wir kommen am besten gleich zur Sache. Sehen Sie, ich habe mir Ihren Fall angesehen, und wenn Sie mich fragen, so hat man Ihnen übel mitgespielt. Das ist jedenfalls meine Meinung.«

Hel betrachtete das offene, freimütige Gesicht des jungen Mannes, das er am liebsten zerschlagen hätte. Um diesen Impuls zu unterdrücken, senkte er seinen Blick schnell wieder und antwortete: »So, so. Ist sie das?«

Der Agent klappte sein Grinsen zusammen und packte es ein. Er würde nicht länger um den heißen Brei herumreden. Er würde ihm einfach die Wahrheit sagen. In seinem Überredungskurs hatte er sich ein Motto eingeprägt: Übersieh niemals die Wahrheit; richtig angewandt, kann sie eine wirksame Waffe sein. Aber vergiss nicht, dass Waffen durch zu häufigen Gebrauch stumpf werden.

Er beugte sich vor und sagte in freimütigem, mitfühlendem Ton: »Ich glaube, ich kann Sie hier herausholen, Mr. Hel.«

»Um welchen Preis?«

»Spielt das eine Rolle?«

Hel überlegte einen Moment. »Ja.«

»Okay. Wir haben einen Auftrag zu vergeben. Sie sind der richtige Mann dafür. Als Lohn bieten wir Ihnen die Freiheit.«

»Meine Freiheit habe ich ... Sie meinen, der Lohn ist meine Freilassung.«

»Wie immer Sie es nennen wollen.«

»Was für eine Art ›Freiheit‹ bieten Sie denn?«

»Wie bitte?«

»Freiheit – um was zu tun?«

»Ich kann Ihnen nicht folgen. Freiheit, Mann – Libertät! Sie können tun, was Sie wollen, können gehen, wohin Sie wollen.«

»Ach so, ich verstehe! Sie bieten mir außerdem eine Staatsangehörigkeit und eine beträchtliche Geldsumme an.«

»Nun ja … nein. Ich meine … Passen Sie auf, ich bin ermächtigt, Ihnen die Freiheit zu bieten, aber niemand hat etwas von Staatsangehörigkeit oder Geld gesagt.«

»Verzeihung, ich möchte sicher sein, dass ich Sie verstehe. Sie bieten mir also die Möglichkeit, in Japan umherzuwandern, jederzeit wieder verhaftet zu werden, staatenlos zu sein, und die Freiheit, überall hinzugehen und alles zu tun, was kein Geld kostet. Ist das richtig?«

Die zunehmende Verunsicherung des Agenten bereitete Hel Genugtuung. »Äh … Ich sage nur, dass die Geldfrage und die der Staatsangehörigkeit nicht diskutiert worden sind.«

»Ich verstehe.« Hel erhob sich. »Kommen Sie wieder, wenn Sie die Einzelheiten Ihres Angebots ausgearbeitet haben.«

»Wollen Sie mich denn nicht nach dem Auftrag fragen, den Sie übernehmen sollen?«

»Nein. Ich vermute, dass er mit außergewöhnlichen Schwierigkeiten verbunden ist. Sehr gefährlich. Wahrscheinlich Mord. Sonst wären Sie nicht hier.«

»Also, Mr. Hel, Mord würde ich es eigentlich nicht nennen. Diese Bezeichnung ist nicht zutreffend. Es ist eher wie … wie ein Soldat, der für sein Vaterland kämpft und dabei einen Feind tötet.«

»Genau, was ich sagte: Mord.«

»Bitte, von mir aus. Nennen Sie es, wie Sie wollen.«

»Das werde ich. Guten Tag.«

Der Agent hatte allmählich den Eindruck, dass er manipuliert wurde, während seine gesamte Ausbildung in der Kunst der Überredung doch darauf abzielte, dass er die anderen manipulierte. Darum griff er auf seine gewohnte Abwehrmethode zurück und spielte den Kumpel. »Okay, Mr. Hel. Ich werde mit meinen Vorgesetzten sprechen und sehen, was ich für Sie herausholen kann. Ich stehe in dieser Angelegenheit auf Ihrer Seite. He, warten Sie – wissen Sie was? Ich habe mich nicht einmal vorgestellt. Tut mir leid.«

»Keine Ursache. Wer Sie sind, interessiert mich nicht.«

»Nun gut. Aber lassen Sie sich einen Rat von mir geben, Mr. Hel. Nutzen Sie diese Chance. Das Glück klopft nicht zweimal an Ihre Tür, glauben Sie mir.«

»Eine tiefschürfende Erkenntnis. Stammt dieses Epigramm von Ihnen?«

»Wir sehen uns morgen.«

»Gut. Aber sagen Sie dem Wärter, er soll zweimal anklopfen, wenn er kommt. Ich möchte ihn nicht mit dem Glück verwechseln.«

–

Im Hauptquartier Fernost der CIA im Kellergeschoss des Dai-Ichi-Gebäudes wurden Hels Forderungen diskutiert. Eine Staatsangehörigkeit war leicht zu beschaffen. Nicht die amerikanische natürlich. Dieses Privileg blieb übergelaufenen sowjetischen Balletttänzern vorbehalten. Aber man konnte eine Staatsangehörigkeit von Panama, Nicaragua oder Costa Rica arrangieren – von irgendeinem Land, in dem die CIA am Machthebel saß. Das würde zwar ein kleines Bakschisch für die einheimischen Behörden kosten, aber es ließ sich einrichten.

Was allerdings die Bezahlung betraf, so zögerte man schon eher. Nicht, weil man mit dem elastischen Budget sparsam umgehen musste, sondern weil man es aus protestantischem Respekt vor dem Profit als Zeichen von Gottes Gnaden nicht gern verschwendete. Und verschwendet würde es zweifellos sein, denn die mathematische Wahrscheinlichkeit, dass Hel lebend zurückkehrte, war nahezu null. Ein weiteres fiskalisches Problem waren die Unkosten, die daraus entstehen würden, dass man Hel für eine kosmetische Operation in die Vereinigten Staaten schaffen musste, denn mit einem so unvergesslichen Gesicht wie dem jetzigen hatte er keine Chance, nach Peking zu gelangen. Doch sie hatten keine andere Wahl. Die computergestützte Suche hatte genau einen Treffer gehabt – Hel war der einzige Mann, der diesen Auftrag ausführen konnte.

Okay. Sagen wir Staatsangehörigkeit von Costa Rica und einhundert Tausender. Nächste Frage …

Doch als sie sich am folgenden Morgen im Sprechzimmer wiedersahen, musste der amerikanische Agent feststellen, dass Hel eine weitere Forderung hatte. Er würde den Auftrag nur übernehmen, wenn die CIA ihm die gegenwärtigen Adressen der drei Männer beschaffte, die ihn verhört hatten: die des Arztes, des MP-Sergeants und die von Major Diamond.

»Einen Moment mal, Mr. Hel! Auf so etwas können wir uns nicht einlassen. Die CIA schützt ihre Mitglieder. Wir können sie Ihnen doch nicht auf dem Präsentierteller ausliefern. Nehmen Sie Vernunft an, Mann! Lassen Sie die Vergangenheit ruhen. Also, was meinen Sie?«

Hel erhob sich und bat den Wärter, ihn in seine Zelle zurückzubringen. Der junge Amerikaner mit dem offenen Gesicht schüttelte seufzend den Kopf. »Na schön. Ich werde die Zentrale anrufen und sehen, was sich machen lässt. Okay?«

WASHINGTON

»… und ich vermute, Mr. Hel war erfolgreich bei seiner Unternehmung«, sagte Mr. Able. »Denn wäre er das nicht gewesen, müssten wir jetzt nicht hier sitzen und uns mit ihm befassen.«

»Ganz recht«, erwiderte Diamond. »Wir kennen zwar keine Einzelheiten, aber vier Monate, nachdem er über Hongkong nach China eingeschleust worden war, erhielten wir die Nachricht, dass er von einer Buschpatrouille der Fremdenlegion in Französisch-Indochina aufgelesen worden sei. Er war in ziemlich schlechter Verfassung … verbrachte einige Monate in Saigon im Krankenhaus … Dann verschwand er eine Zeit lang aus unserem Blickfeld und tauchte schließlich als freiberuflicher Konterterrorist wieder auf. Wir haben eine lange Liste von Anschlägen auf Terroristengruppen und Einzelpersonen, an denen er beteiligt war, zumeist im Sold von Regierungen, die ihn durch ihre Geheimdienste engagierten.« Er wandte sich an den Ersten Assistenten. »Lassen wir sie mal ablaufen.« Kurze Informationen über Eliminierungsaktionen leuchteten eine nach der anderen auf dem Bildschirm des Konferenztisches auf, als Fat Boy Nikolai Hels Karriere von den frühen fünfziger Jahren bis zur Mitte der Siebziger abspulte. Gelegentlich bat der eine oder andere der Herren um einen Stopp und erkundigte sich bei Diamond nach Einzelheiten.

»Herrgott im Himmel!«, rief Darryl Starr an einer Stelle. »Dieser Kerl arbeitet wahrhaftig für beide Seiten! In den Staaten hat er sowohl die *Weathermen* als auch den Ku Klux Klan aufs Korn genommen; in Belfast hat er gegen beide Bürgerkriegsparteien losgeschlagen; er scheint praktisch für alle und jeden gearbeitet zu haben, bis auf die Araber, die Junta-Griechen, die Spanier und die Argentinier. Und haben Sie die Waffen gesehen, die er benutzt hat? Abgesehen von konventionellen Dingern wie Handfeuerwaffen und Nervengasrohren gab es da so ausgefallene Sachen wie einen Taschenkamm, einen Trinkstrohhalm, ein gefaltetes Blatt Papier, einen Türschlüssel, eine Glühbirne ... Dieser Kerl würde einen ja mit den eigenen Unterhosen erdrosseln, wenn man nicht aufpasst!«

»Ja«, sagte Diamond. »Das hat mit seiner Ausbildung im *hoda korosu* zu tun. Man schätzt, dass Nikolai Hel in einem normal eingerichteten Zimmer westlichen Stils knapp zweihundert absolut tödliche ›Waffen‹ vorfindet.«

Starr schüttelte den Kopf und pfiff durch die Zähne. »So einen Burschen zu beseitigen dürfte schwerer sein, als Rotz vom Fingernagel zu schnippen.«

Mr. Able erblasste angesichts des unappetitlichen Vergleichs.

Der Palästinenser schüttelte den Kopf und schnalzte mit der Zunge. »Ich begreife nicht, warum er so exorbitante Summen für seine Aufträge bekommt. In meiner Heimat ist ein Menschenleben umgerechnet nur etwa zwei Dollar und fünfunddreißig Cent wert.«

Diamond warf ihm einen müden Blick zu. »Ein durchaus angemessener Preis für einen Ihrer Landsleute. Der Grund, warum Regierungen bereit sind, Hel für die Eliminierung von Terroristen so hoch zu bezahlen, ist hauptsächlich der, dass Terrorismus die sparsamste Form von Kriegführung darstellt. Bedenken Sie, wie viel es kosten würde, eine Truppe aufzustellen, die in der Lage wäre, jeden einzelnen Staatsangehörigen vor Überfällen auf der Straße, zu Hause oder in seinem Wagen zu beschützen. Es kostet ja schon Millionen von Dollar, nur nach dem Opfer einer Entführung durch Terroristen zu suchen. Da ist es wesentlich billiger für die Regierungen, den Terroristen für ein paar hunderttausend eliminieren zu lassen und gleichzeitig die regierungsfeindliche Propaganda eines Prozesses zu vermeiden.« Diamond wandte sich an den Ersten Assistenten. »Wie viel bekommt Hel für einen Auftrag?«

Der Erste Assistent stellte Fat Boy die einfache Frage. »Knapp über eine Viertelmillion, Sir. In Dollar. Aber seit 1963 weigert er sich offenbar, seine Bezahlung in amerikanischer Währung zu akzeptieren.«

Mr. Able kicherte. »Ein weiser Mann! Selbst wenn er den Weg zur nächsten Bank im Laufschritt zurücklegte, um die Dollars gegen eine harte Währung einzutauschen, würde ihm die Inflation das halbe Honorar wegfressen.«

»Aber«, fuhr der Erste Assistent fort, »das Gesamtmittel ergibt ein schiefes Bild. Man könnte sich eher eine Vorstellung von seinem Honorar machen, wenn man den Durchschnitt nähme.«

»Wieso das?«, erkundigte sich der Deputy, erfreut, auch etwas sagen zu können.

»Er nimmt gelegentlich anscheinend auch mal einen Auftrag ohne Bezahlung an.«

»Ach, wirklich?«, fragte Mr. Able. »Das ist erstaunlich. In Anbetracht seiner Erlebnisse, als er sich in der Hand der Besatzungsmächte befand, und seiner Neigung, in einem Stil zu leben, der seinem Geschmack und seiner Erziehung entspricht, hätte ich eher angenommen, dass er für den arbeitet, der ihm am meisten bietet.«

»Nicht immer«, berichtigte Diamond. »Seit 1967 hat er Aufträge für verschiedene militante jüdische Gruppen auch ohne Bezahlung ausgeführt – irgendwie eine verdrehte Form von Bewunderung für ihren Kampf gegen zahlenmäßig überlegene Feinde.«

Mr. Able lächelte dünn.

»Nehmen wir einen anderen Fall«, fuhr Diamond fort. »Er hat ohne Bezahlung für die ETA-6, die baskische Befreiungsbewegung, gearbeitet. Dafür schützen sie jetzt ihn und sein Château in den Bergen. Und dieser Schutz ist äußerst wirksam. Uns sind drei Fälle von Männern bekannt, die in die Berge gingen, um sich für irgendeine Helsche Aktion zu rächen, und die dann spurlos verschwunden sind. Und immer wieder übernimmt Hel einen Auftrag aus dem einfachen Grund, dass er die Unternehmungen einiger Terroristengruppen verabscheut. Zum Beispiel vor nicht allzu langer Zeit für die Regierung der Bundesrepublik Deutschland. Geben Sie uns den Bericht mal rüber, Llewellyn.«

Und die Männer um den Konferenztisch lasen, wie Hel sich in eine bekannte deutsche Terroristengruppe eingeschlichen und erreicht hatte, dass der Mann, nach dem die Gruppe sich nannte, verhaftet und eine Frau getötet wurde.

»Daran war er auch beteiligt?«, erkundigte sich Mr. Able mit einer Andeutung von Ehrfurcht.

»Das war ein dicker Hund«, musste Starr zugeben. »Ohne Scheiß.«

»Ja, aber die höchste Bezahlung für einen Auftrag hat er in den Vereinigten Staaten bekommen«, entgegnete Diamond. »Und zwar interessanterweise von einem Privatmann. Lassen Sie laufen, Llewellyn.«

»Das Datum, Sir?«

»Los Angeles – Mai vierundsiebzig.«

Als die Projektion kam, erklärte Diamond: »Sie werden sich zweifellos daran erinnern. Fünf Mitglieder einer Bande von Stadtguerilleros und Dieben, die sich Symbiotisch-Maoistische Falange nannten, wurden nach einem einstündigen Feuergefecht überwältigt, bei dem dreihundertfünfzig Mann von SWAT, FBI und CIA Tausende von Schüssen auf das Haus abgaben, in dem sich die Gruppe verbarrikadiert hatte.«

»Und was hatte Hel damit zu tun?«, fragte Starr.

»Er war von einer bestimmten Person beauftragt worden, die Guerilleros aufzustöbern und zu beseitigen. Ein Plan wurde entwickelt, nach dem Polizei und FBI einen Tipp erhalten sollten, und zwar zeitlich so arrangiert, dass sie erst eintreffen würden, nachdem die Drecksarbeit schon getan war und sie nur noch die Lorbeeren zu ernten brauchten. Unglücklicherweise für Hel trafen sie eine halbe Stunde zu früh ein, so dass er sich noch im Haus befand, als es umstellt, das Feuer eröffnet und Gas- und Brandbomben hineingeworfen wurden. Er musste den Fußboden durchbrechen und sich darunter verbergen, während das Haus über ihm niederbrannte. In dem Durcheinander der letzten Minuten gelang es ihm, herauszukommen und sich unter die Beamten zu mischen. Anscheinend hatte er sich wie ein SWAT-Mann angezogen: kugelsichere Weste, Baseballkappe und was sonst noch dazugehört.«

»Wenn ich mich recht erinnere«, wandte Mr. Able ein, »wurde doch berichtet, dass während der Polizeiaktion auch aus dem Haus heraus geschossen wurde.«

»So lautete die offizielle Version. Zum Glück kam niemand

auf die Idee zu fragen, warum von dreihundertfünfzig Mann Polizei (und Gott weiß wie vielen Neugierigen) trotz zwei Maschinenpistolen und einem Arsenal von Hand- und Faustfeuerwaffen, die man in den verkohlten Trümmern fand, nach einstündiger Schießerei kein Einziger auch nur einen Kratzer abgekriegt hatte.«

»Aber ich meine mich an das Foto einer Backsteinmauer mit Einschusslöchern zu erinnern.«

»Natürlich. Wenn man ein Haus mit über dreihundert schießwütigen Bullen umstellt und sie das Feuer eröffnen lässt, gehen eine ganze Menge Kugeln zum einen Fenster hinein und zum anderen wieder hinaus.«

Mr. Able lachte. »Sie wollen behaupten, dass Polizei, FBI und CIA sich gegenseitig beschossen haben?«

Diamond zuckte resigniert mit den Achseln. »Für zwanzigtausend im Jahr bekommt man eben keine Genies.«

Der Deputy glaubte seine Organisation verteidigen zu müssen. »Ich möchte Sie daran erinnern, dass die CIA ausschließlich in beratender Funktion anwesend war. Mordaufträge zu übernehmen ist uns im Inland gesetzlich verboten.«

Alle sahen ihn schweigend an, bis Mr. Able sich mit einer Frage an Diamond wandte: »Warum gab diese Person denn so viel Geld aus und beauftragte eigens Mr. Hel mit diesem Anschlag, den die Polizei doch wohl nur allzu bereitwillig ausgeführt hätte?«

»Die Polizei hätte vielleicht jemand gefangen genommen. Und dieser Gefangene hätte in einem Prozess vielleicht ausgesagt.«

»Aha. Verstehe.«

Diamond wandte sich an den Ersten Assistenten. »Lassen Sie jetzt mal schneller durchlaufen. Den Rest von Hels bekannten Aktivitäten brauchen wir uns bloß kurz anzusehen.«

In rascher, chronologischer Folge liefen die Daten von einer Aktion nach der anderen über den Bildschirm. San Sebastián,

Auftraggeber ETA-6; Berlin, Auftraggeber Regierung der Bundesrepublik Deutschland; Kairo, Auftraggeber Ulster Defence Association; Belfast, Auftraggeber wiederum die UDA; Belfast, Auftraggeber britische Regierung – und so weiter und so fort. Dann riss der Datenstrom plötzlich ab.

»Er hat sich vor zwei Jahren zur Ruhe gesetzt«, erklärte Diamond.

»Ja also, wenn er sich zur Ruhe gesetzt hat …« Mr. Able hob die Hände in einer Geste, die die Frage andeuten sollte, warum um alles in der Welt man sich dann solche Sorgen machte.

»Leider besitzt Mr. Hel ein außerordentlich stark entwickeltes Pflichtbewusstsein Freunden gegenüber. Und Asa Stern war sein Freund.«

»Sagen Sie, Diamond: Im Dossier hier ist schon mehrmals das Wort ›Stunt‹ aufgetaucht. Das verstehe ich nicht ganz.«

»Das hat mit Hels Honorarsystem zu tun. Er bezeichnet seine Aktionen als Stunts; und das Honorar berechnet er genau wie ein Stuntman beim Film, auf der Basis von zwei Faktoren: des Schwierigkeitsgrads und der Größe der Gefahr im Falle eines Fehlschlags. Wenn ein Anschlag zum Beispiel dadurch erschwert wird, dass man an die Zielperson nur schwer herankommt oder das Eindringen in eine Organisation sehr schwierig ist, setzt er den Preis herauf. Sind die Folgen seiner Tat wegen der Unfähigkeit der Organisation, gegen die sich die Aktion richtet, nicht allzu schwerwiegend, setzt er den Preis herab (wie zum Beispiel bei IRA und CIA). Oder nehmen wir den umgekehrten Fall: Hels letzter Stunt, ehe er aufhörte. Es gab da einen Mann in Hongkong, der seinen Bruder aus dem kommunistischen China herausholen lassen wollte. Für jemanden wie Hel bedeutete das keine allzu großen Schwierigkeiten, daher würde man meinen, das Honorar wäre relativ niedrig ausgefallen. Hels Strafe, hätte man ihn geschnappt, wäre jedoch der Tod gewesen. Deswegen setzte er den Preis herauf. Verstehen Sie?«

»Wie viel hat er für diesen… diesen Stunt denn bekommen?«

»Geld überhaupt keins – seltsamerweise. Dem Mann, der ihn beauftragt hatte, gehört eine Schule für die teuersten Konkubinen der Welt. Er kauft im ganzen Orient weibliche Säuglinge auf und bildet sie in Takt und guten Manieren aus. Nur ungefähr eine von fünfzig entwickelt sich zu einem so schönen und tüchtigen Produkt, dass er sie in sein exklusives Geschäft aufnimmt. Die Übrigen lässt er nützliche Berufe erlernen und entlässt sie, sobald sie achtzehn sind. Die Mädchen können übrigens jederzeit gehen, aber weil sie fünfzig Prozent ihrer jährlichen Einnahmen behalten dürfen – das sind zwischen ein- und zweihunderttausend Dollar –, arbeiten sie gewöhnlich etwa zehn Jahre bei ihm und ziehen sich in der Blüte ihres Lebens mit zirka fünfhunderttausend auf dem Konto aus dem Berufsleben zurück. Dieser Mann hatte nun eine besonders hervorragende Schülerin, eine ungefähr dreißigjährige Frau, die pro Jahr eine Viertelmillion einbrachte. Als Bezahlung für das Herausschmuggeln des Bruders erbat sich Hel zwei Jahre lang ihre Dienste. Sie lebt jetzt mit ihm auf seinem Château. Ihr Name ist Hana, sie hat japanische, schwarze und weiße Vorfahren. Übrigens, ein interessanter Gag: Diese Schule firmiert nach außen hin als christliches Waisenhaus. Die Mädchen tragen dunkelblaue Uniformen, und die Frauen, die sie ausbilden, Nonnengewänder. Das Ganze nennt sich ›Waisenhaus der Passion‹.«

Starr stieß einen leisen Pfiff aus. »Wenn Sie sagen, dass diese Puppe, die Hel sich da geangelt hat, eine Viertelmillion pro Jahr bekommt, dann möchte ich wissen, wie teuer bei der eine einzelne Nummer ist!«

»In Ihrem Fall«, antwortete Diamond trocken, »ungefähr hundertfünfundzwanzigtausend.«

Der Palästinenser schüttelte den Kopf. »Dieser Nikolai Hel muss aber sehr viel Geld haben.«

»Nicht so viel, wie man vielleicht annehmen würde. Denn erstens kostet die Vorbereitung seiner Stunts eine ganze Menge, vor allem, wenn er die Regierung des Landes, in dem der Anschlag stattfinden soll, neutralisieren muss. Das geschieht mithilfe eines Informationshändlers, den wir bis jetzt noch nicht ausfindig machen konnten, eines Mannes, der nur als ›der Gnom‹ bekannt ist. Er sammelt Fakten, die Regierungen und Politikern schaden könnten. Hel kauft ihm die Informationen ab und benutzt sie zur Erpressung, um sich so davor zu schützen, dass die Regierungen seine Aktionen behindern. Und solche Informationen sind sehr, sehr teuer. Außerdem gibt er viel Geld für Höhlenexpeditionen in Belgien, den Alpen und seinen eigenen Bergen aus. Das ist sein Hobby, und zwar ein kostspieliges. Und schließlich ist da noch sein Château. In den fünfzehn Jahren, die er es besitzt, hat er etwas über zwei Millionen hineingesteckt, um seinen ursprünglichen Zustand zu rekonstruieren. Von überall her hat er die letzten Meister unter den Steinmetzen, Holzschnitzern, Ziegelbrennern und was sonst noch alles geholt. Und die Einrichtung ist noch einmal zwei Millionen wert.«

»Dann«, sagte Mr. Able, »lebt er also in Pracht und Herrlichkeit, Ihr Nikolai Hel.«

»In Pracht, ja. Aber spartanisch. Das Château ist streng zeitgerecht restauriert worden. Kein Strom, keine Zentralheizung, nichts Modernes außer einer unterirdischen Telefonleitung, über die er von der Ankunft eines jeden Fremden informiert wird.«

Mr. Able nickte. »Dann hat also ein Mann mit einer Erziehung des achtzehnten Jahrhunderts in der herrlichen Abgeschiedenheit der Berge eine Welt des achtzehnten Jahrhunderts für sich geschaffen. Interessant! Aber es überrascht mich doch, dass er nicht nach Japan zurückgekehrt ist, um dort in dem Stil zu leben, in dem er erzogen worden ist.«

»Nach allem, was ich gehört habe, beschloss er, Japan zu verlassen, als er nach der Entlassung aus dem Gefängnis sah, wie sehr die traditionelle Lebensweise und die Moralgesetze des alten Japan vom Amerikanismus ›pervertiert‹ worden waren. Bis jetzt ist er kein einziges Mal mehr dort gewesen.«

»Wie klug von ihm! So wird das Japan seiner Erinnerung für ihn immer das bleiben, was es in ruhigeren, vornehmeren Zeiten gewesen ist. Schade, dass er unser Feind sein muss. Ihr Mr. Hel würde mir sehr gefallen.«

»Warum nennen Sie ihn immer *meinen* Mr. Hel?«

Mr. Able lächelte. »Stört Sie das?«

»Jede Dummheit stört mich. Aber kommen wir auf unser Problem zurück. Nein, Nikolai Hel ist nicht so reich, wie Sie vermuten. Er braucht sogar sehr wahrscheinlich Geld, und da könnten wir eventuell einhaken. Er besitzt ein paar Morgen Land in Wyoming, Wohnungen in einem halben Dutzend Hauptstädten der Welt und sein Refugium in den Pyrenäen, aber auf seinem Schweizer Konto liegt kaum eine halbe Million. Er muss noch immer die Unkosten seines Châteaus und seiner Höhlenexpeditionen decken. Und selbst wenn er die Wohnungen und seinen Landsitz in Wyoming verkaufte, würde das Leben im Château nach seinen Maßstäben ein recht bescheidenes sein.«

»Ein Leben des ... Wie hieß das noch gleich?«, erkundigte sich Mr. Able mit süffisantem Lächeln, wohl wissend, dass er Diamond damit ärgerte.

»Ich weiß nicht, was Sie meinen.«

»Dieses japanische Wort für alles Zurückhaltende und Untertriebene.«

»*Shibumi!*«

»Ja, richtig. Also selbst ohne weitere Stunts würde Ihr – ich meine, *unser* Mr. Hel in der Lage sein, ein Leben des *shibumi* zu führen.«

»Ich wäre da nicht so sicher«, mischte sich Starr ins Gespräch. »Nicht mit einem Super-Betthäschen für hunderttausend pro Sprung in die Buntkarierten.«

»Sie halten den Mund, Starr!«, befahl Diamond.

Der Palästinenser, dem nicht ganz klar war, was hier vorging, hatte sich vom Konferenztisch erhoben und war ans Fenster getreten, wo er stehen blieb und zusah, wie sich unten ein Krankenwagen mit Blaulicht durch den stehenden Verkehr fädelte – wie er es jeden Abend zu genau derselben Zeit tat. Starrs deftige Ausdrucksweise hatte sein Interesse geweckt, und so blätterte er nun in seinem englisch-arabischen Taschenwörterbuch und murmelte vor sich hin: »Betthäschen ... Betthäschen ...«, als plötzlich das Washington Monument und die breite belebte Straße verschwanden und das Fenster sich mit gleißend hellem Licht füllte.

Der Palästinenser schrie auf, warf sich zu Boden und schützte in Erwartung der Explosion seinen Kopf mit Händen und Armen.

Jeder der Anwesenden reagierte auf für ihn charakteristische Weise. Starr sprang auf und zog blitzschnell seine Magnum. Miss Swivven sank in einen Sessel. Der Deputy verbarg sein Gesicht hinter einem Blatt Papier. Diamond schloss die Augen und schüttelte den Kopf über all die Esel, mit denen er es zu tun hatte. Mr. Able betrachtete gelangweilt seine Fingernägel. Nur der Erste Assistent, der ganz in seinen technologischen Gedankenaustausch mit Fat Boy versunken war, hatte überhaupt nichts gemerkt.

»Mein Gott, so stehen Sie doch wieder auf!«, sagte Diamond. »Es ist nichts passiert. Der Film ist gerissen, das ist alles.«

»Ja, aber«, stotterte der Palästinenser.

»Sie sind mit dem Lift hier heruntergefahren. Sie müssen doch gemerkt haben, dass Sie sich unter der Erde befinden!«

»Ja, aber ...«

»Haben Sie etwa geglaubt, Sie sähen aus dem fünfzehnten Stock nach unten?«

»Nein, aber …«

»Miss Swivven, stellen Sie den Projektor ab und merken Sie vor, dass er repariert werden muss.« Diamond wandte sich an Mr. Able. »Ich habe ihn installieren lassen, um eine angenehmere Arbeitsatmosphäre zu erzeugen und um zu verhindern, dass man hier unten das Gefühl hat, im Bauch der Erde eingeschlossen zu sein.«

»Und es ist Ihnen gelungen, sich selbst etwas vorzumachen?« Er bekam keine Antwort.

Starr schob die Pistole ins Holster zurück und funkelte wütend das Fenster an, so als wollte er ihm sagen, diesmal habe es noch einmal Glück gehabt.

Mit verlegenem Grinsen rappelte sich der Palästinenser auf. »Junge, Junge, das war gut! Ich glaube, diesmal hab ich mich aber wirklich zum Narren gemacht!«

Mrs. Swivven legte im Nebenraum einen Schalter um, worauf das gleißende Licht am Fenster erlosch und ein mattweißes Rechteck hinterließ, das auf den Raum drückte und ihn zu verkleinern schien.

»Also«, sagte Diamond, »Sie haben jetzt gehört, mit was für einem Mann wir es zu tun haben. Nun möchte ich über unsere Strategie sprechen, und deswegen wäre es mir lieber, wenn Sie beide das Zimmer verließen.« Er deutete zuerst auf Starr und den Palästinenser, dann auf den Fitnessraum. »Warten Sie dort drinnen, bis wir Sie rufen.«

Um Haltung und Nonchalance bemüht, schlenderte Starr zur Tür, gefolgt von dem Palästinenser, der immer noch versicherte, dass er sich diesmal wohl zum Narren gemacht habe.

Als die Tür sich hinter ihnen geschlossen hatte, wandte Diamond sich an die beiden Herren, die am Konferenztisch sitzen geblieben waren, und redete sie an, als wäre der Erste Assistent gar nicht anwesend, was in mancher Hinsicht ja auch zutraf.

»Lassen Sie mich erklären, was wir meiner Ansicht nach unternehmen sollten. Zunächst einmal …«

»Einen Moment, Mr. Diamond«, unterbrach ihn Mr. Able. »Ich hätte da noch eine Frage. Wie stehen Sie persönlich zu Nikolai Hel?«

»Wie meinen Sie das?«

»Also hören Sie! Es ist doch offensichtlich, dass Sie ein besonderes Interesse an diesem Mann haben. Sie sind über so viele Einzelheiten informiert, die nicht im Dossier standen ...«

Diamond zuckte die Achseln. »Nun, er hat eine violette Karte. Und es ist schließlich meine Aufgabe, auf dem Laufenden zu bleiben über ...«

»Entschuldigen Sie bitte, wenn ich Sie schon wieder unterbreche, aber Ausreden interessieren mich nicht. Sie haben zugegeben, dass der Offizier, der Nikolai Hels Verhör leitete, Ihr Bruder war.«

Diamond starrte den OPEC-Störenfried sekundenlang an. »Ganz recht. Major Diamond war mein Bruder. Mein älterer Bruder.«

»Sie standen Ihrem Bruder sehr nahe?«

»Als meine Eltern starben, hat er für mich gesorgt. Er hat mich finanziell unterstützt, obwohl er selbst noch zum College ging. Sogar als er sich bei der OSS – einer reinen WASP-Organisation – und später bei der CIA nach oben arbeitete, hat er mich ...«

»Ersparen Sie mir die Einzelheiten. Wäre es korrekt zu sagen, dass Sie ihm sehr nahestanden?«

»Durchaus korrekt.« Diamonds Stimme klang halb erstickt.

»Also gut. Nun ist da ein Punkt, über den Sie bei Ihrer Skizze von Nikolai Hels Leben auffallend schnell hinweggegangen sind. Sie erwähnten, dass er als Bezahlung für den Peking-Auftrag, für den er aus dem Gefängnis entlassen wurde, unter anderem die damalige Adresse der drei Männer verlangte, die für die Folterungen bei seinen Verhören verantwortlich waren. Darf ich annehmen, dass er diese Adressen nicht verlangt hat, um ihnen Weihnachtskarten oder *Chanukka*-Grüße zu schicken?«

Diamonds Kinnmuskeln zuckten.

»Mein lieber Freund, wenn diese Angelegenheit so ernst ist, wie Sie zu vermuten scheinen, und wenn Sie meine Hilfe bei der Bereinigung der Situation erwarten, dann muss ich um Aufklärung über alles bitten, was mit dem Fall zusammenhängt.«

Diamond legte die Handflächen aneinander und hakte die Daumen unters Kinn. Er sprach hinter seinen Fingern hervor, mit mechanischer und tonloser Stimme. »Ungefähr ein Jahr, nachdem Hel in Indochina auftauchte, fand man den Arzt, der ihm während der Verhöre die Drogen verabreicht hatte, tot in seiner Abtreibungsklinik in Manhattan auf. Der Coroner bezeichnete den Tod in seinem Bericht als Unfall, einen unglücklichen Sturz, bei dem eines der Reagenzgläser, die er trug, zerbrochen und ihm in die Kehle gedrungen war. Zwei Monate später kam der MP-Sergeant, der den physischen Teil des Verhörs durchgeführt hatte und inzwischen in die Vereinigten Staaten zurückversetzt worden war, bei einem Autounfall ums Leben. Er war scheinbar am Steuer eingeschlafen, mit dem Wagen von der Straße abgekommen und eine steile Klippe hinuntergestürzt. Genau drei Monate darauf befand sich Major Diamond – mittlerweile Lieutenant Colonel Diamond – dienstlich in Bayern. Dort hatte er einen Skiunfall.« Diamond hielt inne und tippte mit dem Zeigefinger an seine Unterlippe.

»Wie ich annehme, ein unglücklicher Sturz?«, erkundigte sich Mr. Able.

»Ganz recht. Nach allem, was man feststellen konnte, war er ungeschickt gesprungen. Man fand ihn mit einem Skistock in der Brust.«

»Hm«, machte Mr. Able nach einer Weile. »So beschützt die CIA also die ihren. Es muss sehr befriedigend für Sie sein,

Macht über die Organisation zu haben, die das Leben Ihres Bruders als Teil eines Honorars verhökert hat.«

Diamond blickte zum Deputy hinüber. »Ja. Es ist mir eine große Genugtuung.«

Der Deputy räusperte sich. »Ich bin der CIA eigentlich erst im Frühjahr …«

»Eines interessiert mich noch«, unterbrach Mr. Able. »Warum haben Sie bisher noch keinen Vergeltungsschlag gegen Hel geführt?«

»Ich hab's schon einmal versucht. Und ich werde es wieder tun. Ich habe Zeit.«

»Sie haben es einmal versucht? Wann war denn … Ach ja, natürlich! Diese Polizisten, die das Haus in Los Angeles umstellten und eine halbe Stunde früher als geplant das Feuer eröffneten! Das war also Ihre Initiative?«

Diamond nickte, als verneige er sich vor einem applaudierenden Publikum.

»Dann unterliegt dem Ganzen von Ihrer Seite ja wohl doch ein Motiv der Rache.«

»Ich handele zum Wohl der Muttergesellschaft. Der Vorsitzende hat mich wissen lassen, dass ein Fehlschlag diesmal nicht akzeptiert werden kann. Wenn Hel eliminiert werden muss, um den Erfolg der Septembristen bei dieser Flugzeugentführung zu garantieren, jawohl, dann wird mir das eine persönliche Genugtuung sein. Dann heißt es, ein Leben gegen das andere, und nicht, wie bei ihm, drei Morde für einmal Prügel.«

»Ich glaube kaum, dass er sie als Morde ansieht. Wohl eher als Hinrichtungen. Und wenn ich mich nicht irre, waren es keineswegs die Schmerzen der Prügel, für die er sich gerächt hat.«

»Was denn sonst?«

»Die *Demütigung*, die sie für ihn darstellten. Aber das würden Sie niemals verstehen.«

Diamond stieß ein kurzes Lachen aus. »Glauben Sie wirklich, Hel besser zu kennen als ich?«

»In gewisser Weise, ja – trotz der langen Jahre, in denen Sie ihn und seine Aktionen beobachtet haben. Denn wissen Sie, er und ich, wir entstammen – die kulturellen Unterschiede einmal beiseitegelassen – derselben Klasse. Sie werden diesen Hel nie ganz verstehen, denn Sie betrachten ihn über die undefinierbare, aber unüberwindliche Hürde der Erziehung hinweg – über einen weiten, unüberbrückbaren Abgrund, wie es im Koran oder einem dieser Bücher heißt. Doch begeben wir uns nicht auf das Niveau persönlicher Bewertungen hinab. Bestimmt haben Sie diese beiden Plebejer nicht nur hinausgeschickt, um sich an angenehmer Gesellschaft zu erfreuen.«

Diamond blieb einen Moment lang schweigend sitzen; dann atmete er kurz durch und sagte: »Ich habe beschlossen, Hel in seinem Château einen Besuch abzustatten.«

»Dann würden Sie ihm also zum ersten Mal persönlich begegnen?«

»Ja.«

»Und haben Sie bedacht, dass es möglicherweise schwieriger sein wird, aus diesen Bergen wieder herauszukommen als hinein?«

»Das habe ich. Aber ich glaube, dass ich Mr. Hel davon überzeugen kann, wie dumm es wäre, Miss Stern zu helfen. Denn es gibt keinen vernünftigen Grund, warum er diesen Auftrag für ein irregeleitetes junges Mädchen aus der Mittelschicht, das er nicht einmal kennt, ausführen sollte. Hel hat für Amateure jeglicher Couleur nichts als Verachtung übrig, inklusive die des Terrors. Miss Stern mag sich für eine edelmütige Kämpferin im Dienst der Menschenrechte halten, aber ich versichere Ihnen, dass Hel in ihr nichts weiter sehen wird als ein lästiges Furunkel am Arsch.«

Mr. Able wiegte zweifelnd den Kopf. »Selbst wenn wir annehmen, dass Mr. Hel in Miss Stern eine proktogene Belästigung sieht – ob im Sinne Ihrer originellen Metapher oder nicht, sei dahingestellt –, bleibt doch die Tatsache, dass Hel ein Freund des verstorbenen Asa Stern war, und Sie haben selbst gesagt, dass er sich Freunden gegenüber stets sehr loyal verhält.«

»Richtig. Aber wir können finanziellen Druck auf ihn ausüben. Wie wir wissen, hat er sich zur Ruhe gesetzt, sobald er genug Geld beiseitegeschafft hatte, um ein bequemes Leben zu führen. Ein Stunt gegen unsere Freunde von der PLO würde überaus kostspielig sein. Wahrscheinlich verlässt sich Hel darauf, dass er zur finanziellen Absicherung notfalls sein Land in Wyoming verkaufen kann. Doch ich brauche nur zwei Stunden, und das Land gehört nicht mehr ihm. Alle Unterlagen darüber, dass er es jemals erworben hat, werden verschwinden und durch Beweise dafür ersetzt werden, dass dieses Land der Muttergesellschaft gehört.« Diamond lächelte. »Als kleinen Nebenbonus gibt es auf diesem Grundstück etwas Kohle, die rentabel abgebaut werden kann. Um seine finanzielle Klemme komplett zu machen, genügen zwei Telegramme des Vorsitzenden in die Schweiz, und Hels dortige Gelder werden ebenfalls verschwinden.«

»Und auf der Habenseite der Muttergesellschaft wieder auftauchen?«

»Zum Teil. Den Rest werden die Banken als Unkosten einbehalten. Die Schweizer sind alles andere als bescheiden. Es ist ein calvinistischer Glaubensgrundsatz, dass der Himmel Eintrittsgeld verlangt, damit der Pöbel draußen bleibt. Übrigens beabsichtige ich diese finanziellen Strafaktionen in jedem Fall durchzuführen, ob Hel nun Miss Sterns Auftrag ablehnt oder nicht.«

»In Gedenken an Ihren Bruder?«

»Wenn Sie wollen, können Sie es so auffassen. Aber es verhindert außerdem, dass Hel sich zum Störfaktor für die Muttergesellschaft und für jene Länder, deren Interessen Sie vertreten, auswächst.«

»Und wenn der finanzielle Druck nicht genügt, um ihn zu überzeugen?«

»Für diesen Fall habe ich natürlich noch einen zweiten Plan in petto. Die Muttergesellschaft wird Druck auf die britische Regierung ausüben, damit sie alles daransetzt, die Männer des Schwarzen September, die am Olympia-Attentat von München beteiligt waren, zu schützen. Die Engländer werden dafür sorgen müssen, dass die Männer ungestört die Maschine nach Montreal entführen können. Dazu wird es keines übermäßig großen Druckes bedürfen, denn nun, da die Ölfelder in der Nordsee produktiv werden, sind Englands wirtschaftliche Interessen weit enger mit denen der OPEC verknüpft als mit denen des übrigen Westens.«

Mr. Able lächelte. »Offen gestanden kann ich mir nicht vorstellen, dass die Burschen vom MI-5 und MI-6 Hel wirksam zu behindern verstehen. Die verschwenden ihre Energie doch zum größten Teil darauf, fantasievolle Memoiren über ihre wagemutigen Unternehmungen während des Zweiten Weltkriegs zu verfassen.«

»Richtig. Aber sie können immerhin als Störfaktor dienen. Außerdem werden wir uns der Dienste der französischen Polizei versichern, die uns helfen soll, Hel in Frankreich festzuhalten. Und wir eröffnen eine weitere Front. Hel würde niemals versuchen, nach England zu gelangen, um die Septembristen zu eliminieren, ohne zuvor die britische Polizei neutralisiert zu haben. Wie ich Ihnen schon sagte, erreicht er das, indem er von einem Informationshändler, dem ›Gnom‹, Erpressungsmaterial kauft. Seit Jahren hat der Gnom die internationalen Bemühungen zunichtegemacht, ihn aufzuspüren und außer Gefecht zu setzen. Dank der hervorragenden Dienste ihres eigenen Informantennetzes kommt ihm die Muttergesellschaft allmählich näher. Wir wissen jetzt, dass er in der Nähe von Bayonne lebt, und wir arbeiten eifrig daran, ihn endgültig festzunageln. Wenn wir ihn kriegen, bevor Hel zu ihm gelangt, können wir verhindern, dass Hel die britische Polizei erpresst.«

Mr. Able lächelte. »Sie sind äußerst einfallsreich, Mr. Diamond – wenn es um Ihre persönliche Rache geht.« Er wandte sich plötzlich an den Deputy. »Haben Sie etwas hinzuzufügen?«

Der Deputy schreckte auf: »Pardon? Wie bitte?«

»Lassen Sie nur.« Mr. Able warf abermals einen Blick auf seine Uhr. »Machen wir weiter. Sie haben mich zweifellos nicht hierher gebeten, damit ich Ihr Arsenal von Taktiken und Interventionen bewundere. Vielmehr brauchen Sie offensichtlich meine Hilfe für den höchst unwahrscheinlichen Fall, dass alle Maschinerien, die Sie in Gang gesetzt haben, versagen und es Hel trotzdem gelingt, die Septembristen auszuschalten.«

»Genau. Und eben weil das ein bisschen heikel ist, wollte ich diese beiden Idioten nicht dabeihaben, wenn wir uns darüber unterhalten. Ich akzeptiere die Tatsache, dass die Länder, die Sie vertreten, verpflichtet sind, die PLO zu schützen, was bedeutet, dass die Muttergesellschaft ebenfalls dazu verpflichtet ist, und auch die CIA. Aber seien wir offen zueinander. Wir alle wären glücklicher, wenn die Palästina-Frage einfach von der Bildfläche verschwände, und die Palästinenser gleich mit. Sie sind ein unangenehmes, undiszipliniertes, bösartiges Volk, das von der Geschichte zufällig zum Symbol arabischer Einheit auserkoren wurde. Stimmen Sie mir so weit zu?«

Mr. Able winkte ab; das Offensichtliche brauchte man nicht zu bestätigen.

»Nun gut. Betrachten wir unsere Position, falls alles versagen und Hel es tatsächlich schafften sollte, die Septembristen zu eliminieren. Alles, was wir dann unternehmen müssten, wäre, die PLO davon zu überzeugen, dass wir mit ganzer Kraft für sie eingetreten sind. In Anbetracht ihrer barbarischen Veranlagung würden sie sich, glaube ich, damit zufriedengeben, dass wir in ihrem Namen Nikolai Hel und alles, was er besitzt, vernichten.«

»Sozusagen den Boden salzen?«, sinnierte Mr. Able.

»Genau.«

Mr. Able schwieg eine Weile, den Blick gesenkt, mit dem Zeigefinger an der Oberlippe spielend. »Doch, ich glaube, wir können uns so weit tatsächlich auf die unreife Mentalität der PLO verlassen. Sie würde einen drastischen Racheakt als Beweis dafür akzeptieren, dass wir in ihrem Interesse handeln – vorausgesetzt, er fiele wirklich grausam genug aus.« Er lächelte vor sich hin. »Und glauben Sie nur nicht, es wäre mir entgangen, dass eine solche Eventualität es Ihnen gestatten würde, zwei Fliegen mit einer Klappe zu schlagen. Sie würden das anstehende taktische Problem lösen und gleichzeitig Ihren Bruder rächen. Wäre es Ihnen womöglich sogar lieber, dass all Ihre Pläne misslingen und Nikolai Hel irgendwie durchkommen und die Septembristen eliminieren würde, damit Sie die Todesstrafe über ihn verhängen können?«

»Ich werde alles tun, was in meiner Macht steht, um diesen Anschlag zu verhindern. Das wäre das Beste für die Muttergesellschaft, und deren Interessen haben Vorrang vor meinen persönlichen Gefühlen.« Diamond warf einen Blick zum Ersten Assistenten hinüber. Es war nicht ausgeschlossen, dass dieser dem Vorsitzenden über Diamonds Loyalität zur Muttergesellschaft Bericht erstatten würde.

»Das wär's dann also«, sagte Mr. Able und stand auf. »Falls Sie mich jetzt nicht mehr brauchen, werde ich mich wieder meinen gesellschaftlichen Verpflichtungen widmen.«

Diamond klingelte nach Miss Swivven, damit sie Mr. Able hinausbegleitete.

Der Deputy stand auf und räusperte sich. »Mich werden Sie wohl auch nicht mehr benötigen, wie?«

»Habe ich das je getan? Doch ich erwarte, dass Sie sich zu meiner Verfügung halten, um meine Anweisungen auszuführen. Sie können gehen.« Diamond wies den Ersten Assistenten an, erneut das Dossier über Nikolai Hel aufzurufen und sich bereitzumachen, es ein zweites Mal über den Bildschirm laufen zu lassen; diesmal jedoch deutlich langsamer, dem intellektuellen Niveau von Darryl Starr und dem Palästinenser angemessen, die eben aus dem Fitnessraum zurückkehrten.

Der Araber, der sein englisch-arabisches Wörterbuch einsteckte, rieb sich die entzündeten Augen und beschwerte sich klagend: »Mein Gott, Mr. Diamond! In diesem Zimmer kann man wirklich nicht lesen. Die Lampen an den Wänden sind viel zu grell!«

»Ich möchte, dass Sie beide sich hierher setzen und sich jede Einzelheit über Nikolai Hel einprägen – alles, was in Ihren Kopf hineingeht, und wenn es die ganze Nacht dauert. Ich habe beschlossen, Sie mitzunehmen, wenn ich den Mann aufsuche – nicht, weil Sie mir nützlich sein könnten, sondern weil Sie verantwortlich sind für diese Panne. Ich werde dafür sorgen, dass Sie die Geschichte bis zum Ende mit durchstehen.«

»Verdammt großzügig von Ihnen«, murmelte Starr.

Diamond wandte sich an Miss Swivven, die gerade vom Aufzug zurückkam. »Notieren Sie. Erstens: Hels Grundbesitz in Wyoming – eliminieren. Zweitens: sein Geld in der Schweiz – eliminieren. Drittens: Der Gnom – Suche intensivieren. Viertens: MI-5 und MI-6 alarmieren und instruieren. Also, Llewellyn, beginnen Sie mit dem Durchlauf für unsere unfähigen Freunde hier. Und Sie beide sollten beten, dass Nikolai Hel nicht schon untergetaucht ist.«

GOUFFRE PORTE-DE-LARRAU

Nikolai Hel befand sich in diesem Augenblick 393 Meter unter der Erde und drehte sich langsam am Ende eines einen halben Zentimeter starken Seils. Fünfundsiebzig Meter unter ihm, in der Samtschwärze der Höhle nicht zu erkennen, ragte die Spitze eines riesigen Geröllkegels empor, eine Ansammlung von Gesteinstrümmern, die im Lauf von Jahrtausenden aus dem natürlichen Schacht herabgefallen waren. Am Fuß dieses Geröllkegels wartete sein Partner darauf, dass er seinen elften Abstieg durch den gewundenen Schacht beendete, der sich über ihm emporschraubte wie ein überdimensionaler Korkenzieher.

Die beiden jungen Basken, die am Rand des *gouffre* fast vierhundert Meter über ihm die Winde bedienten, hatten doppelte Gleitklemmen gesetzt, die das Seil hielten, während sie eine leere Seiltrommel durch eine volle ersetzten. Dies war der entnervendste Augenblick des Abstiegs – und der unbequemste. Entnervend, weil Hel sich jetzt, nachdem er neunzig Minuten lang durch den engen, gewundenen Schacht geklettert war, vorsichtig durch Engpässe, an schmalen Felskanten, tückischen Diedern und engen Durchlässen vorbei hinabgetastet hatte, wobei er sich niemals der Schwerkraft anvertrauen durfte, da das Seil locker durchhing, um ihm genügend Bewegungsfreiheit zu geben – weil er sich also jetzt ganz auf das Seil verlassen musste. Während des gesamten Abstiegs hatte er ständig Schwierigkeiten mit dem Seil gehabt, das sich zu verfangen oder mit der Telefonleitung zu verheddern drohte, die an seiner Seite verlief. Doch gegen all diese Probleme im Schacht, von denen manche eine Herausforderung, manche auch nur ein Ärgernis waren, gab es den ständigen Trost der Felswände, die, im Schein seiner Helmlampe ganz nah, zumindest theoretisch Halt boten, falls etwas mit dem Seil oder der Winde schiefgehen sollte.

Jetzt aber hatte er den Schacht hinter sich, baumelte unmittelbar unter der Decke der ersten großen Höhle, deren Wände aus dem Lichtkreis seiner Helmlampe zurückgewichen waren, und hing in einer unendlichen Leere: das gemeinsame Gewicht seines Körpers, der vierhundert Meter Seil und des wasserdichten Behälters für Lebensmittel und Ausrüstungsgegenstände hing nun einzig und allein an zwei Gleitklemmen vierhundert Meter über ihm. Hel hatte vollstes Vertrauen in dieses System aus Klemmen und Winde, das er persönlich entwickelt und in seiner eigenen Werkstatt gebaut hatte. Es war relativ primitiv und wurde durch Pedale betrieben, die von den kräftigen Beinen der jungen Basken oben getreten wurden und eine so niedrige Übersetzung hatten, dass der Abstieg nur sehr langsam erfolgte. Die Sicherheitsklemmen bissen sich in das Seil und hielten es an, sobald es eine gewisse Ablaufgeschwindigkeit überschritt. Der Lagerpunkt bestand aus einem Dreibein aus Aluminiumrohren, das unmittelbar über dem engen Einstieg des *gouffre* aufgestellt war. Er verließ sich vollkommen auf dieses mechanische System, das verhindern sollte, dass er im Dunkeln auf die Spitze jenes Geröll- und Steinhaufens hinabstürzte, der etwa die Hälfte der ersten großen Höhle füllte, fluchte aber dennoch über die Burschen oben und flehte sie in Gedanken an, sich zu beeilen. Er musste durch den Mund atmen, denn er hing mitten in einem Wasserfall, der Ausmündung eines unterirdischen Flusses in den Schacht in 370 Meter Tiefe, der ihn zwang, die letzten fünfundneunzig Meter frei hängend durch einen eiskalten Sprühnebel zurückzulegen. Trotz der fest anliegenden Gummiabschlüsse der Ärmel sickerte das Wasser an seinen Armen empor und versetzte seinen verschwitzten Achselhöhlen einen gehörigen Schock. Seine Helmlampe war in diesem Katarakt nutzlos, deswegen schaltete er sie aus und blieb schlaff in dem hallenden Tosen und Brausen des Wassers hängen, obwohl ihm die Gurte, die ihn hielten, Rippen und Schritt aufscheuerten. Dass er nichts sehen konnte, hatte einen gewissen Vorteil. Denn bei diesem gewundenen, verzwickten Abstieg hatte sich das Seil immer weiter aufgedrillt, und als er sich mit dem ganzen Gewicht daran hängte und nach dem Durchbruch durch die Decke der ersten Höhle frei schwebte, begann es sich mit ihm zu drehen, zuerst langsam, dann schneller, dann wieder langsamer, worauf es kurz anhielt und sich anschließend in die entgegengesetzte Richtung drehte. Hätte er den Neigungswinkel der Gischt ringsum sehen können, wäre ihm schwindlig geworden; in dieser absoluten Finsternis hatte er jedoch höchstens ein Gefühl des Aufgeblasenwerdens, denn durch die Fliehkraft wurden bei diesen Drehbewegungen Arme und Beine vom Körper weggespreizt.

Hel spürte, wie er ein Stückchen emporgezogen wurde, weil die Sicherheitsklemmen gelöst werden mussten; darauf folgte ein magenhebender Sturz von mehreren Zentimetern, als sein Gewicht auf die neue Seiltrommel übertragen wurde, und dann begann unter ständigem Drehen das Herablassen durch den Wasserfall, der sich schon bald in dichten Sprühnebel auflöste. Schließlich entdeckte er ein verschwommenes Licht unter sich, wo ihn sein Kletterpartner erwartete – in sicherem Abstand von der Falllinie eventueller Steine, des Wassers und, Gott behüte, auch Hels. Das Scharren seines baumelnden Behälters verkündete Hel, dass er die Spitze des Geröllkegels erreicht hatte; also zog er beide Beine an, damit die erste Berührung mit dem Fels im Sitzen erfolgte, denn die Burschen oben würden beim geringsten Lockern der Seilspannung bremsen, und es wäre äußerst schwierig, wollte er versuchen, seine Gurte abzulegen, während er am Rand eines Felsbrockens auf den Zehenspitzen stand. Le Cagot kam schnell herangeklettert, um ihm beim Ablegen der Gurte und der Ausrüstungsgegenstände behilflich zu sein, denn Hels Glieder waren in der nassen Kälte und vom Hängen in den Gurten steif geworden, und seine Finger, mit denen er hilflos an den Schnallen hantierte, waren dick geschwollen und gefühllos.

»Na also, Niko!«, dröhnte Le Cagot, und seine Bassstimme hallte in der großen Höhle wider. »Nun hast du dich doch entschlossen, mir einen Besuch abzustatten! Wo warst du so lange? Bei den beiden Eiern Christi, ich dachte schon, du hättest aufgegeben und wärst nach Hause gegangen. Komm schnell! Ich habe uns einen Tee gekocht.«

Le Cagot hievte sich den Behälter auf die Schulter und begann den unsicheren Geröllkegel hinabzuklettern, wobei er lockere Steine, die eine Lawine auslösen konnten, mied. Hel, der die Hände öffnete und schloss, um die Blutzirkulation wieder in Gang zu bringen, folgte gewissenhaft den Spuren seines Partners, denn Le Cagot kannte sich auf diesem trügerischen und wackligen Geröllkegel weit besser aus als er. Der raubeinige alte baskische Dichter war schon seit Tagen hier unten, hatte am Fuß des Kegels ein Basislager eingerichtet und kurze Vorstöße in die kleinen Höhlen und Galerien unternommen, die von der Haupthöhle ausgingen. Die meisten davon endeten an Felsblöcken und Steilwänden oder liefen in Spalten aus, die zu eng zum Durchzwängen waren.

Le Cagot kramte in dem Behälter, den Hel mitgebracht hatte. »Was ist denn das? Du hattest mir doch fest versprochen, mir eine Flasche Izarra mitzubringen! Sag bloß nicht, du hast ihn auf dem Weg hier herunter allein ausgetrunken! Wenn du mir das angetan hast, Niko, werde ich dich, bei den apostolischen Eiern Pauls des I., züchtigen müssen, obwohl mir das sehr leidtäte, denn du bist trotz deiner unglückseligen Abstammung ein guter Mann.« Le Cagot war fest davon überzeugt, dass jeder Mensch, der das Pech hatte, kein geborener Baske zu sein, an einem tragischen genetischen Makel litt.

»Die Flasche muss da irgendwo drin sein«, erwiderte Hel, der sich auf einem flachen Felsblock ausgestreckt hatte und vor angenehm-schmerzhafter Erleichterung seufzte, als seine verspannten Muskeln sich zu lockern begannen.

In den vergangenen vierzig Stunden, während Le Cagot das Basislager eingerichtet hatte, hatte Hel elfmal die Tour den *gouffre*-Schacht hinauf und hinunter gemacht, um Lebensmittel, Ausrüstungsgegenstände, Nylonseile und Fackeln zu holen. Was er jetzt am dringendsten brauchte, waren ein paar Stunden Schlaf, die er sich in der ewigen Dunkelheit einer Höhle zu jeder Zeit holen konnte, auch wenn draußen heller Tag war.

Nikolai Hel und Beñat Le Cagot betrieben seit sechzehn Jahren zusammen Höhlenforschung; sie hatten miteinander die meisten der großen Systeme Europas durchklettert und gelegentlich mit ihren Entdeckungen und neuen Tiefen- und Entfernungsrekorden Schlagzeilen in der kleinen Welt der Speläologen gemacht. Im Lauf der Jahre hatte sich automatisch eine Aufgabenteilung zwischen ihnen ergeben. Le Cagot, trotz seiner fünfzig Jahre ein Bulle an Kraft und Ausdauer, ging immer zuerst hinunter und räumte beim Abstieg gründlich auf, befreite Simse und Dieder von losen Gesteinsbrocken, die durch das Seil heruntergeschleudert werden und die einen Mann, der unten im Schacht stand, erschlagen konnten. Stets nahm er ein Feldtelefon mit und errichtete in sicherem Abstand von der Falllinie des Gesteins und des Wassers ein Basislager. Da Hel geschmeidiger und taktisch geschickter war, übernahm er, wenn der Zugangsschacht gewunden war und man die Sachen nicht ohne einen Begleitmann hinablassen konnte, den Transport. Gewöhnlich genügten zwei bis drei Touren. Diesmal jedoch hatten sie allem Anschein nach ein riesiges Netz von Höhlen und Galerien entdeckt, deren Erforschung eine umfangreiche Ausrüstung erforderte; daher hatte Hel elf aufreibende, zermürbende Wege machen müssen. Und jetzt, da diese Aufgabe erledigt war und sein Körper nicht mehr von der durch die Gefahr ausgelösten nervlichen Belastung aufrecht gehalten wurde, überwältigte ihn die Müdigkeit, und seine verkrampften Muskeln lockerten sich unter Schmerzen.

»Weißt du was, Niko? Ich habe meinen scharfen, glänzenden Verstand einem großen Problem zugewandt.« Le Cagot goss sich ein ansehnliches Quantum Izarra in den Schraubverschluss des Flachmanns. Nach zweitägiger Einsamkeit in der dunklen Höhle gierte seine gesellige Natur nach Unterhaltung, die für ihn aus an ein dankbares Publikum gerichteten Monologen bestand. »Ich habe mir Folgendes überlegt. Ich habe festgestellt, dass alle Höhlenforscher verrückt sind – ausgenommen natürlich die baskischen, bei denen das, was bei anderen Wahnsinn ist, eine Manifestation von Mut und Abenteuerlust darstellt. Stimmst du mir zu?«

Hel knurrte nur etwas Unverständliches, denn er sank bereits in einen tiefen Schlaf, der ihm den harten Fels, auf dem er lag, weich und bequem erscheinen ließ.

»Aber, wirst du jetzt protestieren, ist es gerecht zu behaupten, der Höhlenforscher sei verrückter als der Bergsteiger? Es ist gerecht! Und warum? Weil der Höhlenforscher gefährlichere Probleme zu überwinden hat. Der Bergsteiger hat es lediglich mit Anforderungen an seinen Körper und seine Kraft zu tun. Der Höhlenforscher dagegen muss mit Anforderungen an seine Nerven und mit Urängsten fertigwerden. Im Menschen schlummert ein primitives Tier, das gewisse tief eingewurzelte Ängste hegt, gegen die weder Logik noch Intelligenz etwas ausrichten können. Er fürchtet sich vor der Dunkelheit. Er fürchtet sich davor, unter der Erde zu sein, an einem Ort, den er von Kind auf als Heimat des Bösen zu betrachten gelernt hat. Er fürchtet sich vor dem Alleinsein. Er fürchtet sich davor, gefangen, eingeschlossen zu sein. Er fürchtet sich vor dem Wasser, dem er in uralter Zeit entstieg, um Mensch zu werden. Sein primitivster Albtraum ist es, in die Finsternis zu stürzen oder sich im Labyrinth eines unbekannten Chaos zu verirren. Und der Höhlenforscher stellt sich – verrückt, wie er ist – all diesen albtraumhaften Bedingungen freiwillig. Deswegen ist er verrückter als der Bergsteiger, denn was er ununterbrochen aufs Spiel setzt, ist seine geistige Gesundheit. Darüber habe ich nachgedacht, Niko … Niko? Niko? Was, du schläfst, während ich mit dir rede? Elender Faulpelz! Bei den verräterischen Eiern des Judas schwöre ich, dass es nicht einen unter tausend gibt, der schlafen würde, während ich rede! Du beleidigst den Dichter in mir! Das ist ja, als würde man vor einem Sonnenuntergang die Augen oder vor einer baskischen Melodie die Ohren verschließen! Weißt du das, Niko? Niko? Bist du tot? So antworte doch – ja oder nein? Na schön, zur Strafe werde ich deinen Anteil Izarra auch austrinken.«

Der Schacht des Höhlensystems, das sie erforschen wollten, war im Jahr zuvor zufällig entdeckt, anfangs jedoch geheim gehalten worden, weil ein Teil des konischen *gouffre* darüber in Spanien lag und die Gefahr bestand, dass die spanischen Behörden den Eingang verschließen würden, wie sie es nach dem tragischen Absturz und Tod von Marcel Loubens im Jahre 1952 mit dem Gouffre Pierre-Saint-Martin getan hatten. Im Laufe des Winters hatte eine Gruppe junger Basken dann die Grenzsteine Stück für Stück verschoben, so dass der *gouffre* schließlich ganz in Frankreich lag. Sie hatten zwanzig Markierungen jeweils um ein weniges weitergerückt, um die spanischen Grenzpolizisten, die in diesem Gebiet patrouillierten, zu täuschen. Diese Grenzberichtigung erschien ihnen absolut legitim; denn schließlich war das gesamte Gebiet Baskenland, und für sie galten die willkürlich von den beiden Besatzungsmächten gezogenen Grenzen nicht.

Es gab aber noch einen anderen Grund für das Verschieben der Grenzsteine. Da Le Cagot und die beiden jungen Basken an der Winde bekannte Aktivisten der ETA waren, konnte ein Auftauchen der spanischen Grenzpolizei, während sie in der Höhle arbeiteten, bedeuten, dass sie ihr Leben in einem spanischen Gefängnis beschließen mussten.

Obwohl der Gouffre Porte-de-Larrau in relativ großer Entfernung von jenen trichterförmigen Vertiefungen lag, die das Gebiet um den Pic d'Anie charakterisieren und ihm die Bezeichnung »Gruyère von Frankreich« eingetragen haben, war er zuweilen von neugierigen Höhlenforscherteams aufgesucht worden, die ihn jedoch alle zu ihrer Enttäuschung »trocken« fanden, das heißt, der Schacht war schon nach wenigen Metern von Gesteinstrümmern verstopft. Mit der Zeit sprach es sich in der kleinen Gemeinde der Höhlenforscher herum, dass es keinen Sinn hatte, die lange Klettertour zum Gouffre Porte-de-Larrau hinauf zu machen, zumal es in dem weiten *gouffre*-Feld oberhalb von Sainte-Engrace doch so viel mehr Möglichkeiten zu sportlicher Betätigung gab, dort, wo die Berghänge und Hochplateaus mit den konischen Vertiefungen der *gouffres* übersät waren, die durch Einbrüche von Oberflächenfels und Erdreich in die Höhlensysteme des kalkhaltigen Gesteins darunter entstanden waren. Vor einem Jahr jedoch hatten zwei Schafhirten, die auf den hochgelegenen Weiden ihre Herden grasen ließen, am Rand des Gouffre Porte-de-Larrau gesessen, um ihr Frühstück einzunehmen: frischen Käse, hartes Brot und *xoritzo,* eine kräftige, rote Wurst, von der ein kleiner Bissen genügt, um einen großen Mundvoll Brot zu würzen. Einer der beiden warf gedankenlos einen Stein in den Trichter des *gouffre* hinab und sah überrascht, dass von dort unten zwei Krähen aufflogen. Es ist eine bekannte Tatsache, dass Krähen ihr Nest nur über sehr tiefen Schächten bauen, weswegen es ihm verwunderlich schien, dass diese Vögel über der kleinen Delle des Gouffre Larrau nisteten. Neugierig geworden, kletterten die beiden in den Trichter hinab und warfen Steine in den Schacht. Wegen des Echos, ausgelöst von den Steinen und dem Geröll, das sie im Fallen mitnahmen, konnten sie unmöglich abschätzen, wie tief der Schacht wirklich war, eines jedoch war ganz gewiss: Es handelte sich nicht mehr um eine kleine Delle. Anscheinend hatte das große Erdbeben von 1962, bei dem das Dorf Arrete fast völlig zerstört worden war, auch einige Steine aus dem Geröllpfropfen gelöst, der bis dahin den Schacht blockierte.

Als die beiden Hirten zwei Monate später mit der zweiten

Transhumanz wieder ins Tal hinabkamen, berichteten sie Beñat Le Cagot von ihrer Entdeckung, denn sie wussten, dass der polternde Barde des baskischen Separatismus ein passionierter Höhlensportler war. Er verpflichtete sie zum Schweigen und informierte Nikolai Hel, bei dem er in Sicherheit leben konnte, wann immer seine jüngsten Aktionen in Spanien einen Aufenthalt dort besonders riskant erscheinen ließen.

Weder Hel noch Le Cagot wagten es, sich allzu großer Freude über die Entdeckung hinzugeben. Ihnen war klar, dass keine großen Chancen bestanden, auf dem Grund des Schachts – falls sie überhaupt so weit kamen – ein größeres Höhlensystem zu entdecken. Aller Wahrscheinlichkeit nach hatte das Erdbeben nur den obersten Teil des Schachts freigelegt. Oder sie würden, wie schon so oft, feststellen müssen, dass jahrhundertelanger Einbruch durch den *gouffre* den Geröllkegel darunter so hoch aufgefüllt hatte, dass er das Dach der Höhle erreichte, seine Spitze bis in den Schacht eindrang und ihn endgültig verstopfte.

Trotz all dieser zum Schutz vor Enttäuschung vorgebrachten Zweifel beschlossen sie, sofort zu einer ersten kurzen Erforschung aufzubrechen – einfach nur hinabzusteigen und sich ein wenig umzusehen, nichts Besonderes.

Mit dem Herbst kam schlechtes Wetter in die Berge gezogen, und das war ein Vorteil, denn es würde den Spaniern die Lust zu intensiven Grenzpatrouillen nehmen (die Franzosen waren derartigen Anstrengungen ohnehin abhold). Das raue Wetter würde die Arbeit jedoch erschweren, wenn sie ihre Ausrüstung – die Winde, Seiltrommeln, Feldtelefone, das Dreibein und anderes mehr sowie Lebensmittel – in die Berge hinaufschafften.

Le Cagot tat diese Probleme verächtlich ab und erinnerte Hel daran, dass das Schmuggeln von Konterbande über die Berge eine traditionelle Beschäftigung der Souletin-Basken war.

»Wusstest du, dass wir einmal ein Klavier von Spanien herübergebracht haben?«

»Ich habe davon gehört. Wie habt ihr das bloß gemacht?«

»Aha! Das würden die Flachhüte wohl gern wissen! Eigentlich war es ziemlich einfach. Wieder mal ein unüberwindliches Problem, das sich angesichts baskischer Erfindungsgabe in Luft auflöste.«

Hel nickte schicksalsergeben. Sinnlos, dieser Geschichte jetzt ausweichen zu wollen, denn die verschiedenen Beweise für die Überlegenheit der Basken über andere Völker bildeten das Lieblingsthema von Le Cagots Monologen.

»Weil du, Niko, trotz deines fürchterlichen Akzents so was Ähnliches wie ein Ehrenbaske bist, werde ich dir also erklären, wie wir das Klavier rübergeschafft haben. Aber du musst mir dein Ehrenwort geben, dieses Geheimnis bis ins Grab zu bewahren. Versprichst du mir das?«

»Wie bitte?« Hel war mit den Gedanken woanders gewesen.

»Ich akzeptiere dein Versprechen. Wir haben es folgendermaßen gemacht: Wir haben das Klavier Ton um Ton rübergetragen. Es waren achtundachtzig Touren. Der Bursche, der das mittlere C trug, stolperte und verbeulte es, und darum hat dieses Klavier bis auf den heutigen Tag zwei H nebeneinander. Und das ist die reine, heilige Wahrheit. Das schwöre ich dir bei den unrettbaren Eiern des Sankt Judas! Warum sollte ich dich belügen?«

Sie brauchten zweieinhalb Tage, um alle Gerätschaften zum *gouffre* hinaufzubringen, einen Tag, um alles aufzubauen und zu testen, dann begann die Arbeit des Erkundens. Hel und Le Cagot stiegen abwechselnd in den Schacht, räumten das Geröll von den schmalen Simsen, schlugen scharfe Kanten ab, die das Seil zu beschädigen drohten, und durchstießen die dreieckigen Gesteinsblöcke, die den Schacht versperrten. Dabei konnte sich jeder dieser Blöcke als zu festgerammt erweisen, um durchstoßen zu werden, konnte sich jeder von ihnen als die Spitze des alles verstopfenden Geröllkegels entpuppen – und ihre Entdeckungsexpedition hätte ein unrühmliches Ende gefunden.

Wie sich herausstellte, verlief der Schacht nicht senkrecht nach unten, sondern bildete eine Art Schraube, in der sich das Seil so stark verdrehte, dass sie jedes Mal, wenn sie an ein Stück freien Falls kamen, zuallererst ihr ganzes Gewicht an das Seil hängen und sich dem schwindelerregenden Drehen überlassen mussten, erst in die eine Richtung, dann in die andere und so fort, was notwendig war, um das Seil wieder glatt zu bekommen. Und nicht nur Blöcke mussten sie beseitigen und Geröll von den Simsen fegen, sondern oft genug auch, vor allem in Engpässen, am gewachsenen Fels herumklopfen, um für das Seil eine wenigstens einigermaßen freie Bahn zu schaffen, damit es herabgelassen werden konnte. Sollte es irgendwo über scharfe Steinkanten scheuern, wäre es früher oder später zu stark beschädigt worden, und es war ohnehin schon besonders dünn: seine Belastungsgrenze war schon zur Hälfte erreicht, wenn Le Cagot mit seinen zweiundachtzig Kilo und einem gefüllten Behälter daran hing. Beim Konstruieren der Pedalwinde hatte Hel absichtlich das leichteste Seil gewählt – aus zwei Gründen: wegen der Flexibilität in den Korkenzieherpassagen und wegen des Eigengewichts. Nicht das Gewicht der Seiltrommeln verursachte ihm Kopfzerbrechen; seine eigentliche Sorge galt dem Gewicht des abgespulten Seils. Wenn man drei- bis vierhundert Meter tief unten hing, verdreifachte das Eigengewicht des Seils die Arbeitslast der Männer an der Winde.

Da es im Schacht immer stockdunkel war, verloren sie bald jedes Zeitgefühl und stellten beim Herauskommen häufig verwundert fest, dass es bereits Abend war. Jeder von ihnen arbeitete, solange die Kräfte reichten, um möglichst wenig Zeit mit dem Heraufholen des einen und dem Hinablassen des anderen zu verschwenden. Es gab erregende Momente, wenn eine Verstopfung endlich brach und zehn Meter offenen Schachts freigab; dann brachen sie beide in Jubel aus, der Mann am unteren Seilende und der andere oben am Telefonkopfhörer. Ein anderes Mal wiederum gelang es zwar, eine Blockade zu beseitigen, doch die Gesteinstrümmer fielen nur ein bis zwei Meter tief auf die nächste Barriere hinab und verstärkten diese dadurch noch.

Die jungen Männer an der Winde hatten noch keine Erfahrung mit dieser Arbeit und vergaßen einmal sogar, die Sicherheitsklemmen aufzusetzen. Unten hing gerade Hel am Seil und hämmerte mit einem kurzstieligen Handpickel an einer pyramidenförmigen Blockade aus vier Steinen herum. Unvermittelt gaben die Steine unter ihm nach.

Das Seil über ihm war schlaff. Er stürzte ...

Ungefähr dreißig Zentimeter tief bis auf die nächste Blockade.

Für den Bruchteil einer Sekunde war er ein toter Mann. Und er blieb eine Weile schweigend da unten hocken, weil der gewaltige Adrenalinstoß seinen Magen zum Flattern gebracht hatte. Dann setzte er den Kopfhörer auf und gab mit seiner leisen Gefängnisstimme langsam glasklare Anweisungen für die Verwendung der Klemmen. Und machte sich wieder an die Arbeit.

Waren Hel und Le Cagot körperlich zu erschöpft, an Knien und Fingerknöcheln zu zerkratzt, waren ihre Unterarme zu verkrampft, um mit der Faust den Eispickelgriff fest zu umschließen, legten sie sich in der *artzain xola* eines Schäfers schlafen, die nur während der Sommerweidezeit benutzt wurde. Zu verkrampft und verspannt, um sofort einzuschlafen, plauderten sie noch eine Weile, während der Wind klagend um die Südflanke des Pic d'Orhy, der höchsten Erhebung im Baskenland, strich. Und hier hörte Hel zum ersten Mal das Sprichwort, demzufolge alle Basken, wo immer sie sein mögen, unaufhörlich ein romantisches fieberhaftes Sehnen nach Eskual-herri empfinden.

Orhiko choria Orhin laket: »Die Vögel von Orhy sind nur in Orhy glücklich.«

Die schlimmste und aussichtsloseste Zeit ihrer Erkundungstour war jedoch jene, die sie in 365 Meter Tiefe an einer gewaltigen Blockade verbrachten, wo sie in einem unablässigen Regen eisigen Sickerwassers arbeiten mussten. Sie hörten das Dröhnen und Rauschen eines unterirdischen Flusses, der sich dicht unter ihnen in den Schacht ergoss. Dem Geräusch nach zu urteilen, stürzte das Wasser nach dem Eintritt in den Schacht in große Tiefe hinab, daher war anzunehmen, dass es den Rest des Schachtes von Barrieren freigehalten hatte. Als Hel nach drei Stunden, in denen er auf das festgeklemmte Gestein eingehämmert hatte, wieder nach oben kam, war er leichenblass und zitterte vor Kälte am ganzen Körper; sein Lippen waren von der Unterkühlung blau, Hände und Gesicht vom stundenlangen Hängen im kalten Wasser fahl und runzlig. Le Cagot lachte herzhaft über ihn und prahlte, er werde gleich sehen, wie der Fels vor der Kraft eines Basken erbebe und freiwillig weiche. Aber er war noch nicht sehr lange unten, da kam seine Stimme schon keuchend und spuckend durchs Telefon, verfluchte die Blockade, den eiskalten Regen, den dämlichen Schacht, die Berge, den Höhlensport und die gesamte Schöpfung bei den rauchenden Eiern des Heiligen Geistes! Dann herrschte auf einmal Stille. Und schließlich kam seine Stimme atemlos und gedämpft wieder: »Es fängt an zu rutschen. Seht zu, dass diese verdammten Klemmen festsitzen. Wenn ich falle und meinen Adoniskörper beschädige, werde ich raufkommen und eine Menge Arschtritte verteilen!«

»Warte!«, schrie Hel ins Telefon, denn das Seil hing noch durch, damit Le Cagot mehr Bewegungsfreiheit hatte.

Mit einem Grunzen kam der letzte Schlag, dann spannte

sich auf einmal das Seil. Eine Zeit lang blieb alles ruhig; kurz darauf rief er mit angestrengter und metallisch klingender Stimme: »Das wär's, Freunde und Bewunderer! Wir sind durch. Und ich hänge in einem gottverdammten Wasserfall.« Kurze Pause. »Übrigens, ich habe mir den Arm gebrochen.«

Hel atmete einmal tief durch und vergegenwärtigte sich den Verlauf des Schachts. Dann fragte er mit seiner ruhigen, leisen Stimme durchs Telefon: »Schaffst du es mit einer Hand durch den Korkenzieher?«

Keine Antwort von unten.

»Beñat? Meinst du, dass du es schaffst?«

»In Anbetracht der Alternative sollte ich es wohl lieber versuchen.«

»Wir werden alles schön langsam und ruhig machen.«

»Das wäre sehr nett von euch.«

Auf Hels Anweisung begann einer der jungen Männer in die Pedale zu treten. Das System hatte eine so niedrige Übersetzung, dass sie ein sehr langsames Tempo einhalten konnten, und auf den ersten zwanzig Metern gab es auch keine Schwierigkeiten. Aber dann kam Le Cagot an den Korkenzieher, der sich beinahe achtzig Meter emporschraubte. Hier konnten sie ihn nicht mehr ziehen, denn die Nischen und Schlitze, die sie in den Fels gehauen hatten, um dem Seil freien Durchgang zu gewähren, waren nur wenige Zentimeter breit. Le Cagot musste also klettern und sich immer wieder irgendwo feststemmen, um hinaufzurufen, man möge das Seil nachlassen, damit er emporlangen und es aus einem schmalen Schlitz herausschleudern konnte. Und das alles mit einer Hand.

Zuerst kam Le Cagots Stimme regelmäßig über die Leitung – scherzend und Lieder summend, die vertrauten Manifestationen seiner gewaltigen Aufschneiderei. Es war seine Angewohnheit, dass er unter der Erde ständig redete und sang. Er behauptete, als Poeten und Egoisten erfreue ihn der von Widerhall und Echo angereicherte Klang seiner Stimme besonders. Hel hatte immer gewusst, dass dieses Geplauder außerdem noch den Zweck erfüllte, die Stille zu unterbrechen und Dunkelheit und Einsamkeit zu vertreiben, aber er hatte nie darüber gesprochen. Diesmal jedoch dauerte es nicht lange, und das Singen, Scherzen und Fluchen, mit dem er sonst vor denen prahlte, die oben geblieben waren, und außerdem seine Angst vor der Gefahr beschwichtigte, wich allmählich dem schweren Rasseln mühsamen Atmens. Gelegentlich, wenn eine Bewegung Schmerzwellen durch seinen gebrochenen Arm jagte, vernahmen sie ein unterdrücktes Stöhnen.

Hinauf und hinab ging das Seil. Ein paar Meter hinauf, dann brauchte Le Cagot an einer Stelle Bewegungsfreiheit, um das Seil wieder klarzumachen. Hätte er beide Hände frei gehabt, er hätte mit der einen ständig das Seil über sich klarhalten und so relativ zügig hinaufklettern können.

Der Junge an den Pedalen war erschöpft, also stoppten sie das Seil mit den Sicherheitsklemmen, während der andere junge Mann seinen Platz einnahm. Das Treten war jetzt, da über die Hälfte des Seilgewichts auf den Trommeln hing, leichter geworden, doch Le Cagot kam trotzdem nur langsam und unregelmäßig voran. Zwei Meter hinauf; drei Meter nachlassen, um das Seil loszubekommen; dann wieder anziehen; einen Meter hinauf; zwei Meter hinab; zweieinhalb Meter hinauf.

Hel sprach nicht mit Le Cagot. Die beiden waren alte Freunde, und Hel wollte ihn nicht dadurch kränken, dass er den Anschein erweckte zu glauben, der Baske brauche die psychologische Stütze des aufmunternden Gesprächs. Ausgepumpt von der Nervenanspannung und den unwillkürlichen, aber sinnlosen Versuchen, Le Cagot durch sympathetische Muskelbewegungen und Körpersprache heraufzuhelfen, stand Hel, der sich sehr überflüssig vorkam, neben der Seiltrommel und lauschte auf Le Cagots keuchenden Atem, der über die Telefonleitung kam. Das Seil war alle zehn Meter mit einem roten Strich markiert, daher konnte Hel, indem er zusah, wie es sich langsam aufrollte, genau feststellen, wo im Schacht Le Cagot sich gerade befand. In Gedanken sah er die Gesteinsformationen vor sich: den kleinen Sims, wo er sich mit den Zehen festhalten konnte; den verkanteten Dieder, wo sich das Seil bestimmt verfangen würde, den Flaschenhals, in dem der gebrochene Arm zweifellos furchtbare Schmerzen aushalten musste.

Le Cagots Atem kam keuchend und stoßweise. Hel verfolgte das Seil mit den Augen; Le Cagot musste jetzt an der schwierigsten Stelle des Aufstiegs sein, einem Doppeldieder in vierundvierzig Meter Tiefe. Unmittelbar darunter gab es einen schmalen Sims, wo man zu einem ersten *jackknife squeeze* ansetzen konnte, einem Manöver zum Erklettern eines Kamins, der stellenweise so eng war, dass man sich höchstens mit Knien und Fersen festklemmen konnte, der aber an anderer Stelle so breit wurde, dass man sich mit Fußsohlen und Nacken abstützen musste – ein Manöver also, das selbst für einen Mann mit zwei gesunden Armen schwierig genug war. Und die ganze Zeit musste der Kletterer das durchhängende Seil davor bewahren, sich oben zwischen den Überhängen zu verfangen.

»Halt!«, ertönte Le Cagots erschöpfte Stimme. Er war vermutlich jetzt an dem Sims, legte den Kopf in den Nacken und spähte im Schein seiner Helmlampe zu dem unteren der beiden Dieder empor. »Ich glaube, ich werde mich hier einen Moment ausruhen.«

Ausruhen?, dachte Hel. Auf einem sechs Zentimeter breiten Sims ausruhen?

Das schien das Ende zu sein. Le Cagot war ausgepumpt. Anstrengung und Schmerzen hatten ihn fertiggemacht, und das härteste Stück lag noch vor ihm. Sobald er an dem Doppeldieder vorbei war, würde das Seil sein Gewicht tragen, und sie konnten ihn wie einen Sack Hirse nach oben ziehen. Doch diesen Doppeldieder musste er allein schaffen.

Der Junge an den Pedalen sah Hel mit vor Angst geweiteten schwarzen Augen an. Papa Cagot war für diese Burschen ein Volksheld. Hatte er nicht auf seinen Tourneen durch die Universitäten Englands und der Vereinigten Staaten vor den Augen und Ohren der Welt bewiesen, wie einzigartig die baskische Lyrik ist? Scharen engagierter junger Menschen hatten seinem Revolutionärsgeist applaudiert und mit gespannter Aufmerksamkeit seinen Versen gelauscht, wenn sie sie auch nicht verstanden. Und war er, Papa Cagot, nicht mit Hel, diesem Ausländer, nach Spanien hinübergegangen, um dreizehn Basken zu retten, die ohne Gerichtsverhandlung im Gefängnis saßen?

Le Cagots Stimme kam über den Draht. »Ich glaube, ich werde hier ein Weilchen bleiben.« Er keuchte und krächzte jetzt nicht mehr, sondern sprach mit einer gelassenen Resignation, die gar nicht zu seiner sonst so geräuschvollen Persönlichkeit passte. »Hier gefällt es mir nicht schlecht.«

Ohne genau zu wissen, was er tun würde, begann Nikolai mit seiner leisen Stimme ins Telefon zu sprechen. »Neandertaler. Ja, wahrscheinlich sind sie Neandertaler.«

»Wovon redest du?«, erkundigte sich Le Cagot.

»Von den Basken.«

»Das ist ja an sich lobenswert. Aber was hat das mit den Neandertalern zu tun?«

»Ich habe mich mit dem Ursprung des baskischen Volkes befasst. Du kennst die Fakten genauso wie ich. Die Basken haben die einzige noch lebendige präindogermanische Sprache. Und es gibt gewisse Anzeichen dafür, dass sie eine Ethnie sind, die mit dem übrigen Europa nichts gemein hat. Die Blutgruppe Null findet man höchstens bei vierzig Prozent der Europäer, aber bei nahezu sechzig Prozent der Basken. Und die Blutgruppe B ist bei den Eskualdun so gut wie unbekannt. All das weist darauf hin, dass wir es mit einer ganz und gar eigenen Ethnie zu tun haben, die von einem anderen Primatenvorfahren abstammt.«

»Niko, ich möchte dich warnen. Dieses Gerede nimmt eine Wendung, die mir nicht gefällt!«

»... und dann ist da auch noch die Kopfform. Der Rundschädel der Basken ist mit dem der Neandertaler näher verwandt als mit dem höher entwickelten Cro-Magnon, von dem die kultivierteren Völker der Erde abstammen.«

»Bei den zwei nassen Eiern von Johannes dem Täufer, Niko – du bringst es noch fertig und machst mich wütend!«

»Ich will ja nicht sagen, dass es die Intelligenz ist, in der sich die Basken von den Menschen unterscheiden. Denn schließlich haben sie viel gelernt, als sie ihren spanischen Herren und Meistern zu Füßen saßen ...«

»Ha!«

»... nein, es ist eher eine Frage der Physis. Während die Basken eine Art schnell aufflackernder Kraft und Wagemut haben – hervorragend geeignet für einen Hüpfer ins Heu mit einem Mädchen oder für einen Raubüberfall –, müssen sie passen, sobald es um Zähigkeit geht, um Ausdauer ...«

»Lasst das Seil ein Stück runter!«

»Nicht, dass ich ihnen deswegen einen Vorwurf mache. Jeder ist nun mal so, wie er ist. Eine Laune der Natur, eine Falte im Zeitablauf hat dieses minderwertige Volk in einem gebirgigen Winkel der Welt erhalten, wo sie nur überleben konnte, weil – seien wir ehrlich! – kein Mensch dieses öde Land des Eskual Herria wollte.«

»Ich komme rauf, Niko! Genieß die Sonne, solange du noch kannst! Heute ist dein letzter Tag!«

»Quatsch, Beñat! Sogar *ich* hätte Schwierigkeiten mit diesem Doppeldieder. Und ich habe zwei gesunde Arme und leide nicht an dem Makel, ein Neandertaler zu sein.«

Le Cagot antwortete nicht mehr. Nur sein schwerer Atem war noch zu hören, und manchmal, wenn sein gebrochener Arm einen Stoß einstecken musste, ein unterdrücktes Stöhnen.

Der Junge an der Winde holte das Seil ein, erst zwanzig

Zentimeter, dann dreißig; die Augen fest auf die Seilmarkierungen gerichtet, schluckte er mitfühlend bei jedem tierischen Keuchen, das in seinen Kopfhörern dröhnte. Der andere Junge hielt das gespannte Seil in der Hand – eine nutzlose Geste der Hilfeleistung.

Hel nahm seine Kopfhörer ab und setzte sich an den Rand des *gouffre*. Er konnte jetzt nichts mehr tun und wollte nicht hören, wie Beñat stürzte, falls es schiefging. Er senkte den Blick und versetzte sich in eine mitteltiefe Meditation, die seine Gefühle narkotisierte. Und tauchte erst wieder auf, als ein Ruf des Burschen an der Winde ihn aufschreckte. Die Vierzig-Meter-Markierung war in der Halterung. Sie konnten ihn ans Seil nehmen! Hel stand neben dem engen Schlund des Einstiegs. Unten hörte er Le Cagots schlaffen Körper an den Schachtwänden entlangscharren. Zentimeter um Zentimeter holten ihn die jungen Männer herauf – unendlich langsam und vorsichtig, damit sie ihm nicht unnötig wehtaten. Das Sonnenlicht drang höchstens ein bis zwei Meter tief in das dunkle Loch, daher lagen nur wenige Sekunden zwischen dem Auftauchen von Le Cagots Gurtgeschirr und dem Moment, da er frei, bewusstlos und mit aschfahlem Gesicht am Flaschenzug hing.

Als er wieder zu sich kam, lag Le Cagot, den Arm in einer improvisierten Schlinge, auf einem Kastenbett in der *artzain xola* des Schäfers. Während die jungen Basken ein Reisigfeuer entfachten, saß Hel auf der Bettkante und blickte in das wettergegerbte Gesicht seines Kameraden mit den tief eingesunkenen Augen und der sonnengebräunten Haut, die unter dem dichten rostroten grau gesprenkelten Bart immer noch grau war von dem erlittenen Schock.

»Möchtest du einen Schluck Wein?«, fragte Hel.

»Ist der Papst eine Jungfrau?« Le Cagots Stimme klang schwach und rau. »Spritz du ihn für mich, Niko. Zwei Dinge gibt es, die ein Einarmiger nicht fertigbringt. Und eines davon ist, aus einem *xahako* zu trinken.«

Da das Trinken aus einem Ziegenleder-*xahako* eine Frage der Koordination von Hand und Mund ist, stellte Nikolai sich ungeschickt an und spritzte ein paar Tropfen daneben.

Le Cagot hustete und würgte beim Schlucken des unbeholfen dargebotenen Weins. »Du bist die mieseste Krankenschwester der Welt, Niko. Das schwöre ich bei den verschluckten Eiern des Jonas!«

Hel lächelte. »Und was ist das zweite, das ein Einarmiger nicht tun kann?«, fragte er ruhig.

»Das werde ich dir nicht sagen, Niko. Es ist zu unanständig, und du bist zu jung.«

In Wirklichkeit war Nikolai sogar älter als Le Cagot, aber er wirkte um fünfzehn Jahre jünger.

»Es ist Nacht, Beñat. Morgen früh bringen wir dich ins Tal. Dann werde ich einen Veterinär kommen lassen, der dir den Arm wieder einrenkt. Ärzte arbeiten nämlich nur am Homo sapiens.«

Da fiel es Le Cagot wieder ein. »Hoffentlich habe ich dich nicht allzu schwer verletzt, als ich nach oben kam, Niko. Aber du hast es herausgefordert. Wie man so schön sagt: *Nola neurtcen baituçu; hala neurtuco çare çu.*«

»Ich werde die Prügel, die du mir verpasst hast, schon überleben.«

»Gut.« Le Cagot grinste. »Du hast wirklich ein schlichtes Gemüt, mein Freund. Glaubst du tatsächlich, ich hätte dein kindisches Spiel nicht durchschaut? Du wolltest mich in Zorn versetzen, damit ich die Kraft aufbringe, es bis nach oben zu schaffen. Aber es hat nicht funktioniert ...«

»Nein, es hat nicht funktioniert. Die baskische Seele ist zu subtil für mich.«

»Sie ist zu subtil für alle außer Sankt Peter – der übrigens selber Baske war, obwohl das nur sehr wenige wissen. Und jetzt erzähle: Wie sieht unsere Höhle aus?«

»Ich war noch nicht unten.«

»Du warst noch nicht unten? *Alla Jainkoa!* Aber ich bin nicht bis auf den Grund gekommen! Wir haben sie noch nicht richtig in Besitz genommen. Was, wenn nun irgendein Esel von Spanier zufällig den Schacht findet und die Höhle für sich beansprucht?«

»Na schön. Morgen früh werde ich runtergehen.«

»Gut. Und jetzt gib mir noch etwas Wein. Aber halte den Schlauch diesmal still! Nicht wie ein Dreikäsehoch, der versucht, seinen Namen in den Schnee zu pinkeln!«

Am nächsten Morgen stieg Hel hinunter. Der Weg war bis ganz unten hin frei. Er kam durch den Wasserfall an die Stelle, wo der Schacht in die große Höhle mündete. Als er da hing und sich am Seil drehte, während die Jungen oben ihn mit den Klemmen hielten, weil sie die Trommeln auswechseln mussten, wurde ihm klar, dass sie eine spektakuläre Entdeckung gemacht hatten. Die Höhle besaß derart gewaltige Ausmaße, dass das Licht seiner Helmlampe nicht bis zu den Wänden reichte.

Kurz darauf landete er auf dem Gipfel des Geröllkegels, wo er sein Geschirr abschnallte und an einem Felsbrocken befestigte, damit er es später wiederfand. Nachdem er den Steinhaufen, auf dem die Felsbrocken in prekärem Gleichgewicht lagen, vorsichtig hinabgeklettert war, stand er ungefähr zweihundert Meter tiefer auf dem Boden der Höhle. Er entzündete eine Magnesiumfackel und hielt sie ein wenig hinter sich, so dass das Licht ihn nicht blendete. Die Höhle war riesig – größer als eine Kathedrale –, und nach jeder Richtung zweigten unzählige Gänge ab. Aber der unterirdische Fluss strömte auf Frankreich zu, und daher würde das, wenn sie zurückkehrten, die Hauptrichtung ihrer Erkundungstouren sein. Obwohl ihn die natürliche Neugier des Höhlenveteranen plagte, versagte es sich Nikolai, ohne Le Cagot weiter vorzudringen; das hätte er als unfair empfunden. Er bahnte sich also einen Weg den Geröllkegel hinauf und legte sein Geschirr wieder an.

Vierzig Minuten später kam er im *gouffre* ans Licht eines dunstigen Morgens. Nach kurzer Rast half er den jungen Männern, das Dreibein und die Verankerungskabel für die Winde abzumontieren. Sie rollten mehrere schwere Felsbrocken über die Öffnung – zum einen, um sie vor jedem zu verbergen, der zufällig des Weges kam, zum anderen aber auch, damit im folgenden Frühjahr die Schafe nicht hineinstürzen konnten.

Sie verteilten Felstrümmer und Steine über die Stelle, um die Abdrücke der Winde und der Kabelenden zu verwischen, doch sie wussten, dass die sicherste Tarnung der herannahende Winter besorgen würde.

Als er wieder in der *artzain xola* eintraf, erstattete Hel Le Cagot Bericht, der trotz seines schmerzenden Arms in Begeisterung geriet.

»Gut, Niko! Im nächsten Sommer kommen wir wieder. Hör zu. Während du unten warst, habe ich über etwas nachgedacht. Wir müssen unserer Höhle doch einen Namen geben, nicht wahr? Und dabei möchte ich gerecht verfahren. Schließlich warst du der erste Mann unten, obwohl wir auch nicht vergessen dürfen, dass die letzte Blockade nur dank meines Mutes und meiner Geschicklichkeit durchbrochen wurde. Und nachdem ich all dies berücksichtigt habe, bin ich auf den idealen Namen gekommen.«

»Und der wäre?«

»Le Cagots Höhle. Na, wie klingt das?«

Hel lächelte. »Es ist gerecht, Beñat. Weiß Gott, es ist gerecht.«

All das war nun schon ein ganzes Jahr her. Als der Schnee auf den Bergen schmolz, waren sie wieder heraufgekommen und hatten mit den Erkundungs- und Kartographierungstouren begonnen. Und jetzt waren sie so weit, dass sie ihre Hauptexpedition entlang des unterirdischen Flusses unternehmen konnten.

Seit über einer Stunde hatte Hel, voll angekleidet und in Stiefeln, auf seiner Felsplatte geschlafen, während Le Cagot sich die Zeit damit vertrieb, dass er sich mit sich selbst und mit dem schlafenden Hel unterhielt und nebenbei die Flasche Izarra leerte. Immer gerecht abwechselnd nahm er einen Schluck für sich selbst und einen für Nikolai.

Als Hel sich endlich wieder regte, weil der Druck des harten Felslagers sogar seinen ohnmachtsähnlichen Erschöpfungsschlaf störte, unterbrach Le Cagot seinen Monolog und versetzte dem Gefährten einen Stoß mit der Stiefelspitze. »He, Niko! Willst du ewig weiterschlafen? Wach endlich auf und sieh dir an, was du getan hast! Die halbe Flasche Izarra hast du ausgetrunken, du gieriger Mistkerl!«

Hel richtete sich auf und streckte die verkrampften Muskeln. Während des Schlafes war die feuchte Kälte der Höhle ihm bis tief in die Knochen gedrungen. Er langte nach der Flasche und entdeckte, dass sie leer war.

»Die andere Hälfte habe ich getrunken«, gestand Le Cagot. »Aber ich mache dir gern einen Tee.« Während Beñat mit dem Spirituskocher hantierte, befreite sich Hel von seinen Gurten und dem Fallschirmspringeranzug, der an Hals und Handgelenken wasserfest abgedichtet war. Er zog die vier dünnen Sweater aus, die seinen Körper warm hielten, ersetzte den untersten durch einen trockenen aus lockerem Strickstoff und zog die drei nassen Pullover wieder darüber. Sie waren aus guter baskischer Wolle gestrickt und hielten selbst in nassem Zustand warm. All dies geschah beim Licht einer selbst konstruierten Lampe: einer Zehnwattbirne, verbunden mit einer wachsversiegelten Autobatterie, die, wenn auch primitiv, doch den Zweck erfüllte, die nervenzermürbende Finsternis zu bannen, die von allen Seiten auf sie eindrang. Eine volle Batterie hielt die kleine Lampe vier Tage lang Tag und Nacht in Gang, und sie konnte bei Bedarf durch den nunmehr erweiterten Flaschenhals und den Doppeldieder hinaufgeschickt werden, um an dem pedalbetriebenen Generator, der auch die Telefonbatterie speiste, frisch aufgeladen zu werden.

Hel zog Gamaschen und Stiefel aus. »Wie viel Uhr ist es?«

Le Cagot brachte ihm eine Blechtasse voll Tee. »Kann ich dir nicht sagen.«

»Wieso nicht?«

»Wenn ich das Handgelenk umdrehe, kippe ich deinen Tee auf den Boden – darum, du Esel! Hier, nimm!« Le Cagot schüttelte die Finger, denn die Tasse war heiß. »Jetzt kann ich auf meine Uhr sehen. Auf dem Grund von Le Cagots Höhle – und möglicherweise auch andernorts auf der Welt – ist es genau sechs Uhr siebenunddreißig!«

»Gut.« Hel schüttelte sich, als er die dünne Brühe trank, die Le Cagot als Tee bezeichnete. »Dann haben wir fünf bis sechs Stunden Zeit zum Essen und Ausruhen, bevor wir dem Fluss in diesen großen, nach unten führenden Tunnel folgen. Hast du alles bereitgelegt?«

»Hasst der Teufel das Weihwasser?«

»Hast du den Brunton-Kompass überprüft?«

»Ist Babyscheiße gelb?«

»Bist du sicher, dass das Gestein kein Eisen enthält?«

»Hat Moses Waldbrände gelegt?«

»Und ist das Fluorescein verpackt?«

»Ist Franco ein Arschloch?«

»Na gut. Dann werde ich jetzt in meinen Schlafsack kriechen und eine Mütze voll Schlaf nehmen.«

»Wie kannst du jetzt schlafen? Heute ist doch der große Tag! Viermal sind wir in diesem Loch hier unten gewesen, haben gemessen, Karten gezeichnet, markiert. Und jedes Mal haben wir dem Wunsch widerstanden, dem Flusslauf zu folgen, weil wir das größte Abenteuer bis zuletzt aufsparen wollten. Aber jetzt ist der Augenblick gekommen! Da kann man doch unmöglich schlafen! Niko? Niko? Verdammt noch mal!« Le Cagot zuckte seufzend die Achseln. »Soll einer die Orientalen verstehen.«

Zusammen würden sie zwanzig Pfund fluoreszierende Farbe mitnehmen, die sie in den unterirdischen Fluss kippen wollten, sobald sie ihm nicht mehr folgen konnten, weil ihnen der Weg entweder durch einen Einbruch versperrt war oder das Wasser in einem Abfluss verschwand. Nach ihren Berechnungen musste der Fluss in den Torrente von Holçarté münden, und Hel hatte während des Winters, als Le Cagot in Spanien seinem Patriotismus frönte, die ganze Länge jener herrlichen Schlucht inspiziert, wo der Sturzbach ein zweihundert Meter tiefes Bett in den Fels gegraben hatte. Er hatte mehrere Einmündungen unterirdischer Flüsse gefunden, aber nur eine, deren Strömungsgeschwindigkeit und Position sie zu einem möglichen Kandidaten machte. In wenigen Stunden würden zwei junge baskische Höhlenforscher an dieser Mündung ihr Lager aufschlagen und abwechselnd das Wasser beobachten. Beim ersten Auftauchen einer Farbspur in der Strömung würden sie die Zeit notieren; ihre Uhr hatten sie mit der von Le Cagot synchronisiert. Aufgrund dieser Zeitnahme und ihrer ungefähren navigatorischen Berechnungen im Höhlensystem würden Hel und Le Cagot dann beurteilen, ob es eventuell möglich war, dem Fluss im Taucheranzug unter Wasser zu folgen und das große Finale jeder gründlichen Erforschung einer Höhle zu erleben: eine Tour vom senkrechten Einstiegsschacht bis an die Luft und das Licht der Mündung. Nach fünf Stunden Tiefschlaf erwachte Hel, wie er es immer tat, unmittelbar und vollständig, jedoch ohne einen Muskel zu regen oder die Augen aufzuschlagen. Sofort meldete sich sein hoch entwickelter Proximitätssinn. In seiner Reichweite befand sich nur eine einzige Person, und deren Schwingungen waren unscharf, gestreut, schwach. Die Person träumte entweder im Wachen, meditierte oder schlief. Dann hörte er Le Cagots lautes Schnarchen.

Le Cagot lag in seinem Schlafsack; nur sein langes Haar und der rostrote Bart waren im matten Schein der Zehnwattbirne zu erkennen. Hel erhob sich und entzündete die blaue Flamme des Spirituskochers. Während das Wasser kochte, suchte er in den Lebensmittelbehältern nach seinem Tee, einem starken, bitteren *cha,* den er so lange ziehen ließ, bis er doppelt so viel Koffein enthielt wie Kaffee.

Als ein Mann, der sich allen körperlichen Aktivitäten uneingeschränkt hingab, hatte Le Cagot einen sehr festen Schlaf. Er rührte sich nicht einmal, als Hel seinen Arm aus dem Schlafsack zog, um auf seine Uhr zu sehen. Sie mussten aufbrechen. Hel stieß Beñat in die Seite, erhielt als Reaktion aber nichts als ein Knurren und einen gemurmelten Fluch. Er stieß ihn abermals an, und Le Cagot drehte sich auf die Seite, rollte sich ein und hoffte, diese Belästigung werde sich in Luft auflösen. Als das Wasser an den Seiten des Topfes winzige Bläschen zu bilden begann, versetzte Hel seinem Kameraden einen dritten und noch kräftigeren Stoß. Da erwachte Le Cagot endlich.

Ohne sich umzudrehen, knurrte er verschlafen: »Es gibt ein altes baskisches Sprichwort, das heißt, wer einen Schlafenden stört, muss sterben.«

»Wir müssen alle sterben.«

»Siehst du? Wieder ein Beweis für die Richtigkeit unserer Volksweisheiten.«

»Komm schon, steh auf!«

»Warte mal! Lass mir um Gottes willen eine Minute Zeit, um mich zurechtzufinden!«

»Ich werde jetzt meinen Tee austrinken und mich auf den Weg machen. Wenn ich zurückkomme, werde ich dir von der Höhle erzählen.«

»Na schön.« Wütend arbeitete sich Le Cagot aus dem Schlafsack und hockte, finster über seinem Tee brütend, neben Hel auf der Felsplatte. »Jesus, Maria, Joseph und der Esel! Was für ein Tee ist denn das?«

»Gebirgs-*cha.*«

»Schmeckt wie Pferdepisse.«

»Da muss ich mich auf dein Wort verlassen. Leider habe ich keine so gründlichen kulinarischen Erfahrungen wie du.«

Hel leerte seine Tasse, dann wog er die beiden Rucksäcke und wählte den leichteren. Er nahm seine Rolle Edelrid-Seil und einen dicken Karabinerhaken, an dem er einen Ring kleinerer Karabiner befestigte. Dann kontrollierte er rasch die Seitentasche seines Rucksacks, um sich zu vergewissern, dass er auch das Standardsortiment von Kletterhaken für die verschiedenen Gesteinsformationen dabeihatte. Zuletzt wechselte er die Batterien seiner Helmlampe. Diese Lampe war ebenfalls eine seiner Erfindungen und beruhte auf der experimentellen Gerard/Simon-Batterie, klein, aber von großer Kapazität, von denen acht Stück zwischen Kopfteil und Futter des Helms passten. Es gehörte zu Hels Hobbys, in seiner Werkstatt Ausrüstungsgegenstände für die Höhlenforschung zu entwerfen und anzufertigen. Zwar dachte er nicht daran, sich diese Erfindungen patentieren oder sie fabrikmäßig herstellen zu lassen, doch alte Höhlenforscherfreunde beschenkte er oft mit Prototypen.

Hel blickte auf Le Cagot hinab, der immer noch schmollend vor seinem Tee hockte. »Du findest mich am Ende des Höhlensystems. Ich werde leicht zu erkennen sein: Ich bin der mit dem Siegerblick.« Damit betrat er den langen Korridor, der das Flussbett bildete.

»Bei den felsigen Eiern von Sankt Peter, du hast die Seele eines Sklaventreibers! Wusstest du das?«, rief Le Cagot ihm nach, während er hastig seine Gerätschaften zusammensuchte und dabei vor sich hin murmelte: »Ich könnte schwören, er hat Falangeblut in den Adern!«

Kurz nachdem er die Galerie betreten hatte, blieb Hel stehen, um auf Le Cagot zu warten. Das ganze Theater des Ermahnens und Schimpfens war Teil des Zeremoniells ihrer

Freundschaft. Hel war durch seine Persönlichkeit, seine Geschicklichkeit als Pfadfinder, die auf seinem Proximitätssinn beruhte, und seine körperliche Geschmeidigkeit zum Führer prädestiniert. Le Cagots bullige Kraft und Ausdauer bestimmten ihn zum Schlussmann beim Höhlenklettern. Von Anfang an hatten sie ein Schema eingeführt, das es Le Cagot gestattete, sein Gesicht und seine Selbstachtung zu wahren. Er war es, der die Geschichten erzählte, wenn sie aus den Höhlen herauskamen. Er war es, der ununterbrochen fluchte, tyrannisierte und maulte wie ein verzogenes Kind. Der Dichter in Le Cagot hatte für sich die Rolle des *miles gloriosus,* des falstaffischen Clowns zurechtgezimmert – allerdings mit einem schwerwiegenden Unterschied zum wirklichen Prahlhans: Seine Aufschneiderei stützte sich auf eine lange Vorgeschichte verwegenen, lachenden Mutes bei zahllosen Guerillaaktionen gegen die Faschisten, die sein Volk in Spanien unterdrückten.

Als Le Cagot Hel eingeholt hatte, stiegen sie gemeinsam den schrägen, sich rasch verengenden Einschnitt hinab, dessen Boden und Wände durch die Arbeit des unterirdischen Flusses glattgerieben worden waren und die Formationsstruktur des Höhlensystems verrieten. Der Fels über ihnen war reiner Kalkstein, der Boden, über den das Wasser strömte, uralter Schiefer. Seit Äonen war Sickerwasser durch den porösen Kalk bis auf den undurchlässigen Schiefer gedrungen, über den es abfloss, um sich in der Tiefe einen Auslass zu suchen. Allmählich hatte das leicht säurehaltige Sickerwasser den Kalkstein unmittelbar über dem Schiefer aufgelöst und sich eine Art Wasserleitung geschaffen. Und mit der Zeit hatte es auch die Ränder dieser Röhre angenagt, bis sie instabil geworden war und Einbrüche entstanden, deren Trümmer das Wasser geduldig durch Abschleifen und Lösen erodierte; auch das Geröll selbst wirkte als Schleifmittel, wenn es mit der Strömung davongetragen wurde, half beim Unterhöhlen, löste weitere Einbrüche aus und vervielfachte damit die Wirkung:

So hatte sich über Hunderttausende von Jahren durch eine geometrische Progression, bei der die Wirkung zugleich Ursache war, dieses große Höhlensystem entwickelt. Die Hauptarbeit geschah durch das lautlose, allmähliche, doch unablässige Abschleifen und Auflösen, und nur gelegentlich wurde dieses geduldige Wirken vom hochdramatischen geologischen Paukenschlag eines größeren Einsturzes unterbrochen, der meistens von den Erdbeben ausgelöst wurde, die typisch waren für dieses unterirdische System von Verwerfungen und Spalten, das über Tage seinen Ausdruck in einer Karstlandschaft mit den scharfen Felsvorsprüngen, den häufigen trichterförmigen Vertiefungen und den *gouffres* fand, die der Region ihren Ruf als günstiger Platz für Höhlenforschung eingetragen hatten.

Über eine Stunde lang folgten sie dem Korridor allmählich nach unten, während die Seiten und das Dach ihres Tunnels sich langsam immer mehr verengten, bis sie sich auf einem schmalen Sims neben dem brausenden Strom vorwärtsschoben, dessen Bett ein tiefer, vertikaler Einschnitt von nicht mehr als zwei Meter Breite, aber von über zehn Meter Tiefe war. Das Dach senkte sich immer weiter, und sie kamen nur noch mühsam und tief gebückt vorwärts, während die Rucksäcke am Fels über ihnen entlangscheuerten. Als sie dann fast in der Hocke auf diesem schmalen Sims dahinkriechen mussten, so dass ihre Beinmuskeln zu versagen drohten, begann Le Cagot lautstark über die Schmerzen in seinen zitternden Knien zu fluchen.

Als der Gang immer enger wurde, quälte sie beide ein beunruhigender Gedanke. Wäre es nicht bittere Ironie, wenn ihre Expedition nach all den Vorbereitungen und all der Arbeit hier enden würde? Wenn dieser sanft geneigte Gang in ein Schlundloch mündete, in dem der Fluss einfach verschwand?

Der Tunnel krümmte sich allmählich nach links. Und plötzlich wurde ihr schmaler Sims von einer vorspringenden Felsnase blockiert, die über den schnell dahinschießenden Fluss hinausragte. Hel konnte nicht um den Vorsprung herumsehen, und durch das Flussbett konnte er auch nicht waten: Es war zu tief in diesem schmalen Einschnitt, und selbst wenn es das nicht gewesen wäre – die Möglichkeit, dass sich im Dunkeln weiter vorn ein vertikales Schlundloch befand, genügte, ihn von dem Versuch abzuhalten. Es gingen Geschichten von Höhlenkletterern um, die beim Durchwaten unterirdischer Flüsse unversehens in ein solches Schlundloch getreten waren. Man behauptete, sie seien ein- bis zweihundert Meter tief durch eine brausende Wassersäule hinabgesogen worden, an deren Fuß ihr Körper in einem riesigen »Gigantenkessel« aus kochendem Schaum und Geröll umhergewirbelt wurde, bis er so klein zermahlen war, dass er mit dem Strom davongespült werden konnte. Und Monate später wurden dann in den engen, von den einmündenden Strömen gegrabenen Schluchten Ausrüstungs- und Kleidungsstücke gefunden. Das war natürlich Lagerfeuerlatein und bestand fast durchweg aus Lügen und Übertreibungen. Doch wie alle Volkserzählungen spiegelten auch diese Geschichten durchaus reale Ängste, und für die meisten Höhlenforscher in jenen Bergen ist der Albtraum eines unerwarteten Schlundloches weitaus entnervender als die Vorstellung, aus einer Wand zu stürzen, von einer Lawine erwischt oder sogar von einem Erdbeben in einer Höhle überrascht zu werden. Es ist nicht der Gedanke an das Ertrinken, der das Schlundloch so bedrohlich erscheinen lässt, sondern die Vorstellung, in diesem kochenden Gigantenkessel zu winzigen Fragmenten zermahlen zu werden.

»Na?«, erkundigte sich Le Cagot, und seine Stimme hallte in dem engen Tunnel wider. »Was siehst du?«

»Nichts.«

»Wie beruhigend. Willst du ewig da stehen bleiben? Ich kann jedenfalls nicht mehr lange hier hocken wie ein Berner Schafhirte mit Durchfall!«

»Hilf mir lieber, den Rucksack abzunehmen.«

In ihrer verkrampften, gebückten Stellung war es nicht leicht, Hel den Rucksack vom Rücken zu ziehen; sobald er ihn jedoch abgelegt hatte, konnte er sich ein wenig aufrichten. Der Einschnitt war so schmal, dass er sich mit dem Gesicht zum Fluss hinstellen, mit den Füßen festen Halt suchen und sich an die gegenüberliegende Wand fallen lassen konnte. In dieser Stellung drehte er sich vorsichtig auf den Rücken, die Schultern gegen die Wand des Einschnitts gestemmt, während ihm drüben am Sims seine Vibram-Stiefelstollen Halt gaben. In dieser Position stemmte er sich mit Schultern, Handflächen und Fußsohlen wie durch einen waagerechten Kamin Zentimeter um Zentimeter unter der vorspringenden Felsnase hindurch, während der Fluss nur etwa dreißig Zentimeter unter ihm dahintoste. Es war eine anstrengende, erschöpfende Passage. Er scheuerte sich die Hände wund, aber er kam langsam vorwärts. Le Cagots dröhnendes Lachen füllte die ganze Höhle. »*Holá!* Und wenn es jetzt plötzlich breiter wird, Niko? Vielleicht solltest du lieber anhalten, damit ich dich als Brücke benutzen kann. So schafft es dann wenigstens einer von uns.« Er lachte abermals.

Aber zum Glück wurde die Passage nicht breiter. Hinter der Felsnase verengte sich der Einschnitt, während das Dach sich über die Reichweite von Hels Helmlampe hinauswölbte. Es gelang ihm, sich auf den unterbrochenen Sims zurückzustemmen. Hier schob er sich, immer noch leicht nach links gekrümmt, vorsichtig weiter. Als seine Lampe ihm zeigte, dass die Kluft, durch die sie gekommen waren, an einem Einbruch von Felsgestein, unter dem der Fluss gurgelnd verschwand, abrupt endete, war er zutiefst enttäuscht.

Am Fuß dieser Einbruchs-*raillère* angekommen, sah er sich um und entdeckte, dass er auf dem Boden einer großen Keilformation stand, die hier unten nur wenige Meter breit war, jedoch weit über den Lichtkreis seiner Lampe hinausragte. Er ruhte sich einen Moment aus und begann dann den Aufstieg in dem von der Kluft und der Geröllwand gebildeten Winkel. Halt für Hände und Füße gab es genug, aber der Fels war porös und bröcklig, und so musste jede Stelle erst sorgfältig geprüft, jeder Halt gründlich getestet werden, um sicherzugehen, dass er nicht brach. Nachdem er langsam und geduldig dreißig Meter weit geklettert war, zwängte er sich durch eine Lücke zwischen zwei riesigen, schräg aneinandergelehnten Felsbrocken. Und dann stand er auf einem flachen Vorsprung, von dem aus er weder nach vorn noch seitlich einen freien Blick hatte. Er klatschte in die Hände und lauschte. Das Echo kam spät, hohl und mehrfach gebrochen. Er befand sich am Eingang einer großen Höhle.

Eilig machte er sich auf den Rückweg zur Felsnase; er hangelte sich an einem doppelten Seil hinab, das er für den Wiederaufstieg an Ort und Stelle ließ. Von seiner Seite der Felsnase aus rief er zu Le Cagot hinüber, der sich ein Stück in den Tunnel zurückgezogen hatte, wo er sich mit Hinterteil und Absätzen einklemmen und sich von der zittrigen Erschöpfung der hockenden Position ein wenig erholen konnte.

Le Cagot kam Hel an der Felsnase entgegen. »Na? Geht's weiter?«

»Da hinten ist ein Riesenloch.«

»Fantastisch!«

Die Rucksäcke wurden an einer Leine um die Nase herumgezogen, dann wiederholte Le Cagot Hels Kamintraverse, wobei er sich unablässig bitter beschwerte und die Felsnase bei den trompetenden Eiern Josuas und den beiden ungastlichen Eiern des Schankwirts verfluchte.

Da Hel das Seil hängen gelassen und einen großen Teil des unsicheren Gesteins weggeräumt hatte, war die Tour den Gerölleinbruch hinauf nicht mehr besonders schwierig. Als sie die Lücke zwischen den beiden sich gegenseitig stützenden Felsplatten, später Schlüsselloch getauft, durchkrochen hatten und gemeinsam auf dem flachen Vorsprung standen, entzündete Le Cagot eine Magnesiumfackel, und zum ersten Mal in den vielen Jahrtausenden ihrer Existenz fiel der Blick eines Menschen auf das geradezu höllische Chaos der großen Höhle.

»Bei den brennenden Eiern des Dornbuschs«, sagte Le Cagot mit ehrfurchtsvoll gedämpfter Stimme. »Eine steigende Höhle!«

Es war ein hässlicher, doch zugleich grandioser Anblick. Die »steigende« Höhle, jener unfertige Schmelztiegel der Schöpfung, reduzierte das Ego dieser beiden menschlichen Insekten um ein beträchtliches, als sie, keine zwei Meter groß, irgendwo zwischen dem hundert Meter tiefer liegenden Höhlenboden und der über hundert Meter hohen zerklüfteten Deckenkuppel auf ihrem kleinen Steinsplitter standen. Die meisten Höhlen wirken still und ewig, »steigende« Höhlen aber sind furchtbar anzusehen in ihrem organischen Chaos. Alles hier war zerrissen und frisch; der Boden tief unten verschwand unter Schichten von haushohen Felsbrocken und Geröll, das Dach trug die Narben neuer Einbrüche. Es war eine in den Wehen des Entstehens begriffene Höhle, eine jugendliche Höhle, unschön und unzuverlässig, noch im Stadium des »Steigens«, das heißt, ihr Boden hob sich mit jedem Einbruch und mit dem Geröll, das immer wieder von der Decke fiel. Schon bald, in etwa zwanzig- bis fünfzigtausend Jahren, würde sie sich vermutlich stabilisieren und eine ganz normale Höhle werden. Oder sie würde fortfahren zu »steigen«, bis sie die Erdoberfläche erreichte und mit dem letzten Einbruch die trichterförmige Vertiefung des klassischen »trockenen« *gouffre* bildete. Die Jugend und Instabilität der Höhle waren natürlich relativ und mussten im Licht geologischer Zeitmaßstäbe gesehen werden. Die »frischen« Narben an der Decke mochten drei, vielleicht aber auch hundert Jahre alt sein.

Die Fackel erlosch, und es dauerte eine Zeit lang, bis ihre

Augen sich wieder an das matte Licht der Helmlampen gewöhnt hatten. In ihrem trüben Schein hörte Hel Le Cagot feierlich sagen: »Ich taufe dich auf den Namen Le-Cagot-Höhle.«

An dem Plätschern, das gleich darauf erklang, erkannte Hel jedoch, dass Le Cagot kein geweihtes Wasser an diese Taufe verschwendete. »Wird das denn nicht zu Verwechslungen führen?«, fragte er ihn.

»Wie meinst du das?«

»Die erste Höhle trägt doch denselben Namen.«

»Hm. Stimmt. Nun, dann nenne ich das hier eben Le Cagots Chaos. Wie findest du das?«

»Gut.«

»Aber ich habe deine Beteiligung an dieser Entdeckung keineswegs vergessen, Niko. Ich habe beschlossen, den scheußlichen Vorsprung da hinten, um den wir so mühsam herumturnen mussten, Hels Felsnase zu taufen. Wie findest du das?«

»Mehr kann ich wirklich nicht verlangen.«

»Richtig. Gehen wir weiter?«

»Sobald ich fertig bin.« Hel kniete sich mit dem Kompass vor sein Notizbuch und schrieb im Licht seiner Helmlampe die geschätzte Entfernung und Richtung auf, wie er es seit dem Aufbruch aus dem Basislager am Geröllkegel ungefähr alle hundert Meter getan hatte. Nachdem er alles wieder in seinem wasserdichten Rucksack verstaut hatte, sagte er: »Fertig. Gehen wir.«

Vorsichtig von Felsbrocken zu Felsbrocken kletternd, begannen sie das Chaos zu durchqueren, zwängten sich durch Spalten und Winkel, umgingen behutsam schwere, schrägstehende Felsen, die so hoch wie Scheunen waren. Der Ariadnefaden des unterirdischen Flusses sickerte unsichtbar, tief unter mehreren Schichten von Felsbrocken verborgen, dahin, gabelte sich, floss wieder zusammen und fädelte sich in tausend Strängen über den Schieferboden am Grund der Höhle. Die jüngeren Einbrüche, die nicht der Erosion ausgesetzt waren, die an der Erdoberfläche Scharfkantiges so schnell glatthobelt, hatten einen wahnwitzigen Irrgarten aus riskant im Gleichgewicht liegenden Platten und Blöcken geschaffen, deren unglaubliche Schräglage der Schwerkraft zu spotten schien – das Ganze erzielte den gleichen Effekt wie ein Trickhaus auf dem Jahrmarkt, in dem das Wasser bergauf zu fließen und der Boden, der eben zu sein scheint, sich als gefährlich schräg entpuppt. Das Gleichgewicht musste ausschließlich mit dem Gefühl statt mit dem Auge gewahrt werden, und sie mussten sich nach dem Kompass richten, weil ihr Orientierungssinn auf diesem vielfach gewundenen Pfad durch den schwindelerregenden Wahnsinn des Chaos gelähmt wurde. Die Probleme des Pfadfindens waren jenen, die sich beim Marsch durch eine markierungslose Wüste stellen, genau entgegengesetzt. Es gab eine verwirrende Vielfalt ins Auge fallender Charakteristika, die das Gedächtnis überschwemmten und blockierten. Und die ungeheure schwarze Leere über ihnen lastete drückend auf ihrem Unterbewusstsein, das ohnehin schon die Bürde dieser genarbten, unsichtbaren Gesteinskuppel zu tragen hatte, die herabzustürzen drohte und von der schon der zehntausendste Teil sie wie Ameisen zerquetschen würde.

Ungefähr zwei Stunden und fünfhundert Meter später hatten sie das Chaos so weit überwunden, dass sie bis ans andere Ende der Höhle sehen konnten, wo sich das Dach herabsenkte, um sich mit dem Gewirr zerklüfteten, jungen Fallgesteins zu vereinen. Während der letzten halben Stunde hatte sich rings um sie her ein Geräusch verstärkt, das so allmählich aus dem Ambiente des Gurgelns und Rauschens tief unten heraufgestiegen war, dass sie es erst richtig wahrnahmen, als sie innehielten, um sich auszuruhen und den zurückgelegten Weg aufzuzeichnen. Die tausend Arme des Flusses unten verflochten sich immer enger, und die Töne, die die Höhle erfüllten, umfassten eine ganze Skala vom hellen Zimbelklang bis zum dröhnenden Bass. Es war ein Wasserfall, ein riesiger Wasserfall irgendwo hinter diesem Zusammenstoß von Dach und Geröll, der den Ausweg aus der Höhle zu blockieren schien.

Über eine Stunde suchten sie an der Geröllwand entlang, zwängten sich durch Felsspalten und von tonnenschweren Platten gebildete Zelte, fanden aber nirgends einen Durchlass. An diesem Ende des Chaos gab es keine Felsblöcke mehr, sondern nur rohe, junge Platten, von denen einige so groß waren wie ein Dorf-*fronfón*, andere senkrecht emporwuchsen, einige flach lagen oder unmögliche Winkel bildeten und wieder andere zu drei Vierteln ihrer Länge über Abgründe hinausragten, gehalten nur vom Gegengewicht einer zweiten Platte. Und unablässig verlockte sie das volle Brausen des Wasserfalls hinter diesem Einbruch, nach einem Durchgang zu suchen.

»Ruhen wir uns lieber ein bisschen aus!«, schrie Le Cagot endlich über den Lärm hinweg, setzte sich auf das Bruchstück einer Felsplatte, warf seinen Rucksack ab und kramte darin nach Zwieback, Käse und *xoritzo*. »Hast du keinen Hunger?«

Hel schüttelte den Kopf. Er kritzelte in seinem Notizbuch, wagte kühne Einschätzungen verschiedener Richtungen und, da das Klinometer seines Brunton-Kompasses in dem Chaos der Platten nutzlos war, sogar noch kühnere des Neigungswinkels.

»Könnte das da hinter der Wand die Ausmündung des Flusses sein?«, erkundigte sich Le Cagot.

»Ich glaube nicht. Wir haben erst etwas über die Hälfte der Entfernung zum Torrente von Holçarté zurückgelegt und sind mindestens noch zweihundert Meter zu hoch.«

»Und wir können nicht mal zum Wasser runter, um die Farbe reinzuschütten. Überaus ärgerlich, diese Wand! Und schlimmer noch: Der Käse ist alle. Wohin willst du?«

Hel hatte seinen Rucksack abgeworfen und begann freihändig an der Wand emporzuklettern. »Ich möchte mir mal ansehen, wie es da oben ausschaut.«

»Versuch's lieber etwas weiter links.«

»Warum? Siehst du da vielleicht irgendwas?«

»Nein. Aber ich sitze direkt in deiner Falllinie und fühle mich hier zu wohl, um mich zu erheben.«

Sie hatten bisher noch nicht daran gedacht, es mit der Spitze des Plattenbergs zu versuchen, denn selbst wenn es dort oben eine Möglichkeit zum Durchzwängen gab, würden sie unmittelbar über dem Wasserfall herauskommen, und diese tosende Kaskade war vermutlich unüberwindlich. Da Basis und Flanken des Gesteinshaufens jedoch keinen Durchlass boten, blieb ihnen wirklich nur noch die Spitze.

Eine halbe Stunde später hörte Le Cagot über sich ein Geräusch. Er legte den Kopf in den Nacken, damit der Schein seiner Lampe nach oben fiel. Hel kam im Dunkeln herabgeklettert. Als er die Felsplatte erreichte, ließ er sich erschöpft nieder und streckte sich lang aus, den Kopf auf seinen Rucksack, einen Arm über das Gesicht gelegt. Er war völlig ausgepumpt, keuchte vor Anstrengung, und das Glas seiner Helmlampe war bei einem Sturz gesprungen.

»Willst du wirklich nichts essen?«, erkundigte sich Le Cagot.

Hel, der die Augen geschlossen hatte, in keuchenden Stößen atmete und dem trotz der feuchten Kälte in der Höhle der Schweiß über Gesicht und Brust rann, reagierte auf diesen makabren Humor seines Begleiters, indem er die baskische Version des weltweiten Zeichens für Feindschaft zeigte: Er steckte den Daumen in seine Faust und schob sie Le Cagot unter die Nase. Dann ließ er die Hand sinken und blieb heftig keuchend liegen. Das Schlucken tat ihm weh; seine Kehle war so ausgedörrt, dass sie schmerzte. Le Cagot reichte ihm seinen *xahako*, und Hel trank gierig, hielt anfangs die Öffnung an die Zähne, weil er im Dunkeln nichts sehen konnte, entfernte sie dann immer weiter vom Mund und dirigierte den dünnen Weinstrahl weit nach hinten in seine Kehle. Er presste den Sack behutsam, aber gleichmäßig, schluckte immer, wenn sein Mund sich gefüllt hatte, und trank so lange, dass Le Cagot um seinen Wein bangte.

»Na?«, erkundigte er sich murrend. »Hast du einen Durchgang gefunden?«

Hel nickte grinsend.

»Wo bist du herausgekommen?«

»Direkt über dem Wasserfall.«

»Scheiße!«

»Nein, ich glaube, es gibt einen Weg rechts herum, durch das Sprühwasser nach unten.«

»Hast du ihn schon ausprobiert?«

Achselzuckend deutete Hel auf sein zersprungenes Lampenglas. »Ja. Aber ich schaffe es nicht allein. Du musst mich von oben sichern. Es gibt da eine gute Belegmöglichkeit.«

»Du hättest es nicht allein versuchen sollen. Eines Tages bringst du dich noch dabei um, Niko. Und dann tut es dir leid.«

Als er sich durch das verwirrende Labyrinth der Spalten gezwängt hatte und neben Hel auf einem schmalen Sims direkt über dem brausenden Wasserfall stand, war Le Cagot von Bewunderung überwältigt. Es ging hier sehr tief hinunter, und das Sprühwasser stieg wie eine Dunstwand durch die windstille Luft an der Wassersäule empor und brodelte und kochte wie ein Dampfbad von vierzig Grad Celsius. Alles, was sie in diesem Dunst erkennen konnten, war der Beginn des Falles dicht unter ihnen und rechts und links von ihrem Sims ein paar Meter glitschigen Felsens. Hel ging nach rechts voraus, wo der Sims sich bald – nur noch wenige Zentimeter breit – um die Kante der Höhlenöffnung herumzog. Es war ein abgerundeter Sims, über den sich anscheinend früher einmal der Wasserfall ergossen hatte. Wegen des kakophonischen Lärms, den das Wasser machte, konnten sie sich lediglich per Zeichensprache verständigen, als Hel seinem Freund den »guten« Belegplatz zeigte, den er gefunden hatte: einen Felsvorsprung, in den Le Cagot sich nur mit Mühe hineinzwängen konnte, um das Sicherungsseil um Hels Taille von dort aus schießen zu lassen, damit dieser sich langsam am Rand des Katarakts hinabarbeiten konnte. Die natürliche Abstiegslinie würde ihn durch die Gischt, durch den Wasservorhang und – hoffentlich – hinter diesen führen. Le Cagot, der grimmig über diesen »guten« Platz schimpfte, während er sich in die Spalte zwängte und einen Sicherungshaken in den Kalkstein über sich trieb, maulte verdrossen, ein Kletterhaken in Kalkstein sei nichts weiter als eine psychologische Dekoration.

Kurz darauf begann Hel den Abstieg; jedes Mal, wenn er zugleich einen Fußhalt und einen Riss im Felsen fand, in den er einen Haken schlagen und dann sein Seil durch die Öse ziehen konnte, hielt er inne. Zum Glück war der Fels noch ziemlich zerklüftet und bot ausreichend Finger- und Zehenhalt; der Richtungswechsel des Wasserfalls war erst vor relativ kurzer Zeit erfolgt, so dass das Wasser den Rand noch nicht hatte abschleifen können. Als er zwanzig Meter tief gekommen war und das Seil durch acht Karabinerhaken geführt hatte, wurde es gefährlich, es nachzuziehen: Der Widerstand des vor Nässe schweren Seils hob seinen Körper fast aus dem Fußhalt, und diese Schwächung der Position erfolgte natürlich gerade dann, wenn Le Cagot von oben Seil nachließ und daher am wenigsten in der Lage war, ihn zu halten, sollte er abrutschen.

Zentimeterweise schob er sich durch die Gischt, bis die öligschwarze, silbrig schimmernde Wand des Wasserfalls nur noch dreißig Zentimeter von seiner Helmlampe entfernt war; dann hielt er inne und bereitete sich auf den kritischsten Moment des Abstiegs vor.

Zuerst musste er eine Anzahl Haken einschlagen, damit er unabhängig von Le Cagot arbeiten konnte, der das Seil vielleicht gerade dann festhielt, wenn Hel unter dem Wasserfall angekommen war und, geblendet durch die herabstürzenden Wassermassen, nach Haltepunkten tastete, die er nicht sehen konnte, und wenn er zusätzlich das gesamte Gewicht des stürzenden Wassers mit Rücken und Schultern auszuhalten hatte. Er musste sich so viel lose Seillänge verschaffen, dass es durch den Wasservorhang reichte, denn vorher würde er nicht Luft holen können. Andererseits, je mehr Seil er sich gestattete, desto tiefer würde er fallen, sollte ihn die Kraft des Wassers umreißen. Er beschloss, drei Meter zu nehmen. Gern hätte er sich mehr gegönnt, damit das Seil nicht zu Ende ging, wenn er sich unter der Wassersäule befand, aber sein Verstand sagte ihm, dass drei Meter die oberste Grenze darstellten, denn damit würde er, sollte er fallen und das Bewusstsein lange genug verlieren, um ertrinken zu können, wenn er unter dem Wasser hing, aus der Falllinie des Katarakts herauspendeln.

Er schob sich an den metallisch glänzenden Wasservorhang heran, bis dieser nur noch wenige Zentimeter von seinem Gesicht entfernt war, und hatte sogleich das schwindelnde Gefühl, die Wassermassen ständen still, während er selbst durch das Tosen und die Gischt emporsteige. Er streckte die Hand durch den Vorhang, der sich zu einem schweren, pulsierenden Armband um sein Handgelenk schloss, und tastete nach dem geeignetsten Halt, den er finden konnte. Seine Finger schoben sich in einen scharfen kleinen Spalt, der hinter dem Wasser verborgen war. Er lag allerdings tiefer, als ihm lieb war, denn er wusste, das Gewicht des Wassers auf seinem Rücken würde ihn hinabdrücken, und ein höherer Handhalt wäre weit besser gewesen, weil der Druck seine Finger dann noch fester hineingepresst hätte. Aber es war der einzige Spalt, den er finden konnte, und außerdem begann seine Schulter vom ständigen Aufprall des Wassers auf seinen ausgestreckten Arm zu ermüden. Mehrmals holte er tief Luft und atmete jedes Mal restlos aus, denn wie er wusste, ist es weit eher das angesammelte

Kohlendioxyd in der Lunge, das den Menschen zum Luftholen zwingt, als der Mangel an Sauerstoff. Das letzte Mal atmete er besonders tief ein und spannte dabei sein Zwerchfell so weit es ging. Dann stieß er ein Drittel der Luft wieder aus und schwang sich in den Wasserfall hinein.

Es war fast komisch. Und eindeutig eine Antiklimax.

Der Wasservorhang war keine zwanzig Zentimeter dick, und mit derselben Bewegung, mit der er sich hineingehievt hatte, schwang er sich auch schon hindurch und hinter die Kaskade. Dort fand er einen festen Sims und darunter eine senkrechte Ecke mit einem Geröllhaufen, den man so leicht hinabklettern konnte, dass ein Kind den Abstieg hätte wagen können.

Der Weg war so klar und eindeutig, dass er ihn gar nicht erst auszuprobieren brauchte; deswegen kehrte Hel durch den Wasservorhang zurück und stieg zu Le Cagots Warteplatz hinauf, um ihm – den Kopf so eng an den seinen gepresst, dass ihre Helme aneinanderstießen – die Nachricht von der günstigen Situation ins Ohr zu brüllen. Sie beschlossen, das Seil hängen zu lassen, damit ihnen der Rückweg leichter wurde, und stiegen bis zum Fuß der mit Geröll angefüllten Ecke ab. Es war ein seltsames Phänomen: Sobald sie hinter den schwarzsilbernen Vorhang des Wasserfalls gelangten, konnten sie beinahe mit normaler Lautstärke sprechen, so als sperre das Wasser jedes Geräusch aus. Hinter dem Fall war es weit ruhiger als draußen. Je weiter sie abstiegen, desto zerrissener wirkte der glänzende Vorhang, denn eine Menge Wasser verwandelte sich in Gischt, und der Druck des Falls war an seinem Fuß wesentlich geringer als oben. Die große Masse hatte sich verteilt, und es war eher, als kletterten sie durch einen Platzregen als durch einen Wasserfall. Vorsichtig tasteten sie sich durch den blendenden eisigen Dunst über spiegelglatten, von jeglichem Geröll befreiten Felsboden. Der Sprühnebel wurde zunehmend dünner, und dann standen sie in der klaren dunklen Luft, und das Brausen des Falles blieb hinter ihnen zurück. Sie machten halt und sahen sich um. Es war überwältigend: Sie standen in einer Kristallhöhle von sehr viel menschlicheren Dimensionen als das schreckliche Chaos Le Cagots; es war eine regelrechte Touristenhöhle, allerdings ohne geeigneten Zugang für Touristen.

Obwohl es Verschwendung war, brachte die Neugier sie dazu, eine weitere Magnesiumfackel zu opfern.

Atemberaubend schön! Hinter ihnen wirbelten wogende Dunstwolken träge im Sog des stürzenden Wassers. Um sie herum und über ihnen waren die Wände, nass und tropfend, mit Aragonitkristallen besetzt, die zu glitzern begannen, sobald Le Cagot die Fackel schwenkte. Entlang der Nordwand kam ein erstarrter Wasserfall aus Flussstein den Fels herab und staute sich unten wie gefrorenes Karamell. Im Osten schienen gestaffelte, einander überlappende Vorhänge aus Kalkspat, zart und rasiermesserscharf, sanft in einer unmerklichen Höhlenbrise zu wehen. Dicht an den Wänden wiesen Haine von schlanken Kristallstalaktiten auf stumpfe Stalagmiten herab, und hier und da wurde der Wald von einer dicken Säule beherrscht, zusammengewachsen aus einer ganzen Gruppe dieser geduldigen Höhlenminerale.

Sie sprachen kein Wort, bis der gleißende Schein sich orangerot färbte, schließlich erlosch und das Glitzern der Wände in die tanzenden Lichtfunken in ihren Augen überging, die sich allmählich wieder dem relativ matten Licht ihrer Helmlampen anpassten. Le Cagots Stimme war ganz uncharakteristisch gedämpft, als er sagte: »Wir wollen sie Zazpiak-Bat-Höhle nennen.«

Hel nickte. *Zazpiak bat:* »Aus sieben werde eins«, das Motto all derer, welche die sieben baskischen Provinzen zu einer einzigen transpyrenäischen Republik vereinigen wollten. Ein unrealisierbarer Traum, dessen Erfüllung wahrscheinlich nicht einmal wünschenswert wäre, aber ein brauchbarer Ansporn für die Aktivitäten der Männer, die romantische Gefahr höher schätzten als sichere Langeweile, Männer, die vielleicht grausam und dumm sein konnten, niemals aber kleinlich oder feige. Daher war es nur recht und billig, dass der Wolkenkuckucksheim-Traum von einer geeinten baskischen Nation durch diese schier unzugängliche Märchenhöhle repräsentiert wurde.

Hel hockte sich nieder und stellte mit seinem Klinometer eine ungefähre Berechnung der Entfernung bis zum Kopf des Wasserfalls an, dann übte er sich ein wenig in Zahlenakrobatik. »Wir sind jetzt fast auf der Höhe des Torrente von Holçarté. Die Mündung kann nicht mehr weit von hier sein.«

»Ja«, antwortete Le Cagot, »aber wo ist der Fluss? Was hast du mit ihm gemacht?«

Wie immer, wenn der Weg relativ einfach war, übernahm Le Cagot jetzt die Führung durch die Zazpiak-Bat-Höhle. Sie wussten beide, dass Nikolai der bessere Felstaktiker war; Le Cagot brauchte das nicht erst einzugestehen, und Hel musste es nicht betonen. Die Führung wechselte mit der Beschaffenheit einer Höhle. Hel führte durch Schächte, an Wänden hinab, über Simse, während Le Cagot die Führung übernahm, sobald sie Höhlen und pittoreske Passagen betraten, die er somit »entdeckte« und taufte.

Während er voranging, erprobte Le Cagot in der Höhle seine Stimme, indem er eines jener klagenden, atonalen baskischen Lieder anstimmte, deren Klang den Beweis für die Fähigkeit seines Volkes lieferte, ästhetische Schmerzen zu ertragen. Das Lied war von der einmaligen baskischen Onomatopöie bestimmt, die über die bloße Nachahmung von Geräuschen und Klängen hinausgeht und eine Imitation von Emotionen darstellt. Im Refrain war von einem Mann die Rede, der eine Arbeit nachlässig *(kirrimarra)* und in verwirrter Hast *(tarrapatakan)* ausführte.

Als er das Ende der Kristallhöhle erreichte, hielt Le Cagot inne und blieb vor einer breiten niedrigen Galerie stehen, die sich vor ihnen wie ein schwarzer zahnlos grinsender Mund öffnete. Und sie hielt tatsächlich einen Witz bereit.

Le Cagot richtete seine Lampe in den Gang. Das Gefälle nahm ein wenig zu, aber auf nicht mehr als fünfzehn Grad, und die Passage war so hoch, dass man drinnen aufrecht stehen konnte. Es war eine Promenade, ein regelrechter Boulevard! Und noch interessanter war, dass es sich hier höchstwahrscheinlich um den letzten Teil des Höhlensystems handelte. Er tat einen Schritt vorwärts – und schlug unter dem lauten Geklapper seiner Ausrüstung der Länge nach hin.

Der Boden der Galerie war dick mit Tonmergel bedeckt, so glatt und glitschig wie Wagenschmiere, und Le Cagot schlitterte auf dem Rücken den Hang hinab – zuerst zwar nicht besonders schnell, aber doch unaufhaltsam, denn er war nicht in der Lage, seine unfreiwillige Rutschpartie zu stoppen. Fluchend tastete er nach einem Halt, doch alles war mit der schleimigen Masse bedeckt, und nirgends gab es Steine oder Felsvorsprünge, an denen er sich hätte festhalten können. Seine Anstrengungen bewirkten lediglich, dass sein Körper sich drehte und er nunmehr mit dem Kopf voran hinabrutschte, halb aufgerichtet, hilflos, wütend und lächerlich anzuschauen. Er bekam immer mehr Fahrt. Und Hel, oben am Eingang des Mergelschachts, musste zusehen, wie das Licht seiner Helmlampe kleiner wurde und langsam rotierte wie der Strahl eines Leuchtturms. Er konnte nichts tun. Die Situation war im Grunde komisch, doch wenn ein Abgrund am Ende des Schachtes lauerte …

Es gab keinen Abgrund am Ende des Schachts. Hel hatte noch niemals in solcher Tiefe eine Mergelrinne erlebt. In beträchtlicher Entfernung, etwa sechzig Meter vor ihm, kam das Licht plötzlich zum Stehen. Kein Laut war zu hören, kein Hilferuf. Hel fürchtete schon, Le Cagot sei gegen die Seitenwände des Ganges geschleudert worden und zerschmettert liegen geblieben.

Dann drang jedoch Le Cagots Stimme durch den Schacht herauf: brüllend vor Zorn und Wut, wegen der einander überlagernden Schwingungen kaum zu verstehen, aber ganz eindeutig im Ton zutiefst verletzten Stolzes. Nur ein Fetzen dieses von den Wänden ringsum widerhallenden Ausbruchs war auszumachen: »... bei den perforierten Eiern des heiligen Sebastian!«

Le Cagot war also unverletzt. Die Situation wäre einfach komisch gewesen, hätte er nicht ihre einzige Seilrolle mitgenommen, und nicht einmal dieser Stier von Urt konnte eine Seilrolle sechzig Meter weit bergauf werfen.

Hel stieß einen tiefen Seufzer aus. Er musste also zurück durch die Zazpiak-Bat-Höhle, durch die Basis des Wasserfalls, die Geröllecke hinauf, abermals durch den Wasservorhang und dann noch die schwierige Klettertour durch die eisige Gischt bewältigen, um das Seil zu holen, das sie dort hängen gelassen hatten, um sich den Rückweg zu erleichtern. Allein der Gedanke daran machte ihn müde.

Aber ... Er legte den Rucksack ab. Sinnlos, ihn mitzuschleppen. Dann rief er die Mergelrinne hinab, jeweils eine Pause zwischen den Worten machend, damit er trotz des Widerhalls zu verstehen war:

»Ich ... gehe ... Seil ... holen!«

Der Lichtpunkt unten bewegte sich. Le Cagot war aufgestanden. »Ja ... tu ... das!«, kam es zurück. Unvermittelt verschwand jedoch das Licht, und das Echo eines Körpers, der ins Wasser klatschte, drang herauf, gefolgt von einer Serie zorniger, brüllender, keuchender, spuckender Flüche. Dann war das Licht wieder da.

Hels Gelächter dröhnte weithin durch Galerie und Höhle. Le Cagot war anscheinend in den Fluss gefallen, der irgendwo da unten wieder aufgetaucht sein musste. Was für ein Anfängerfehler!

Noch einmal hallte Le Cagots Stimme durch die Mergelrinne herauf. »Wenn ... du ... runterkommst ... bringe ... ich ... dich um!«

Hel lachte und machte sich auf zum Wasserfall.

Eine Dreiviertelstunde später war er wieder oben am Mergelschacht und befestigte das Seil mit einem Klemmkeil in einem Riss.

Zuerst versuchte er es mit einer vom Seil gebremsten Rutschpartie auf beiden Füßen, doch damit hatte er kein Glück. Der Mergel war zu glatt. Im Handumdrehen saß er auf dem Hosenboden und rutschte mit den Füßen voran bergab, während sich zwischen seinen Beinen ein schlammiger Bug aus schwarzem Mergel bildete, der sich bis über die Hüften hinaufschob. Es war ein widerliches Zeug, ein unwürdiges Hindernis, zwar recht problematisch, doch ohne die Erhabenheit der echten Herausforderungen einer Höhle: Felsabstürze und verrottetes Gestein, senkrechte Schächte und knifflige Spalten. Es war eine Mücke von Problem, idiotisch und ärgerlich, dessen Überwindung keine Lorbeeren einbrachte. Mergelrinnen werden von allen Höhlenforschern gehasst, die schon einmal in ihnen herumrutschen mussten.

Als Hel lautlos an seine Seite glitt, hockte Le Cagot auf einer ebenen Felsplatte und aß Zwieback mit einem Stück *xoritzo*. Noch immer gekränkt über die beschämende Rutschpartie und tropfnass vom Sturz ins Wasser, ignorierte er den Freund ganz einfach. Hel sah sich um. Kein Zweifel, hier war das Höhlensystem zu Ende. Die Kammer besaß die Größe eines kleineren Hauses oder der Empfangshalle seines Châteaus in Etchebar. Augenscheinlich war sie zuweilen mit Wasser gefüllt, denn die Wände waren glatt und der Boden frei von Geröll. Die Platte, auf der Le Cagot seine Mahlzeit einnahm, bedeckte zwei Drittel des Fußbodens, und in der hinteren Ecke befand sich eine glatte kubische Vertiefung von etwa fünf Metern im Quadrat – ein regelrechter »Weinkeller« von Abflusskanal, der den tiefsten Punkt des gesamten Höhlensystems darstellte. Hel trat an den Rand des Weinkellers und richtete den Strahl seiner Lampe nach unten. Die Seitenwände waren glatt, aber es sah aus wie ein recht einfacher Eckenaufstieg, weshalb er sich wunderte, dass Le Cagot nicht hinabgeklettert war, um der Erste am Ende der Höhle zu sein.

»Ach, das wollte ich dir überlassen«, erklärte der Baske.

»Oho! Eine plötzliche Anwandlung von Fair play?«

»Du sagst es.«

Irgendetwas stimmte da nicht. Le Cagot war, obwohl Baske bis auf die Knochen, in Frankreich erzogen worden, und der französischen Mentalität ist der Begriff des Fair play vollkommen fremd; es ist ein Volk, das Generationen von Aristokraten hervorgebracht hat, aber keinen einzigen Gentleman; eine Kultur, in der das Legale die Fairness ersetzt; eine Sprache, in der das einzige Wort für ehrliches Spiel der geborgte englische Ausdruck ist.

Aber es hatte keinen Sinn, dazustehen und den Boden des Weinkellers jungfräulich bleiben zu lassen. Hel blickte hinab, suchte nach dem besten Halt.

... Augenblick mal! Dieses Klatschen vorhin. Le Cagot war ins Wasser gefallen. Aber wo war das Wasser?

Vorsichtig senkte Hel die Stiefelspitze in den Weinkeller. Nach ein paar Zentimetern durchbrach sie die Oberfläche eines Teiches, so klar und rein, dass er wie Luft wirkte. Die bizarren Formen der Felsen auf seinem Grund waren so scharf gezeichnet, dass niemand auf die Idee gekommen wäre, sie befänden sich unter Wasser.

»Du Mistkerl!«, flüsterte Hel vor sich hin. Dann lachte er laut auf. »Und du bist geradewegs da reingestiegen, wie?«

Kaum hatte er seinen Stiefel wieder herausgezogen, da verschwanden die Wellen von der Wasseroberfläche, geglättet von einer starken Saugströmung darunter. Hel kniete sich neben den Weinkeller und untersuchte ihn fasziniert. Die Oberfläche war keineswegs unbewegt; sie wurde von der starken

Strömung unten nur glattgezogen. Tatsächlich senkte sie sich sogar ein wenig, und als er den Finger hineinsteckte, spürte er ein kräftiges Zerren, während dahinter kleine Kielwasserwellen erschienen. Auf dem Grund der Vertiefung konnte er eine dreieckige Öffnung ausmachen – zweifellos der Abfluss des Wassers. Er hatte schon mehrmals derartige Trickteiche in Höhlen gesehen; Teiche, in die das Wasser ohne Blasen, die seine Strömung markierten, einfloss und deren Wasser vollkommen von den Mineralien und Mikroorganismen befreit war, die ihm gewöhnlich Farbe verleihen.

Er untersuchte die Wände der kleinen Höhle nach Spuren einer Hochwasserlinie. Anscheinend war der Ausfluss durch die dreieckige Röhre dort unten relativ konstant, während das Volumen des unterirdischen Flusses durch Regenfälle und Sickerwasser variierte. Diese ganze Kammer und die Mergelrinne hinter ihr dienten demnach als eine Art Zisterne, die den Unterschied zwischen Zufluss und Abfluss auffing. Das bot eine Erklärung dafür, dass so tief unter der Erdoberfläche Mergel auftauchte. Zweifellos war die Kammer, in der sie saßen, zeitweise mit Wasser gefüllt, das durch die lange Rinne zurückgestaut wurde. Ja, in den seltenen Fällen schwerer Wolkenbrüche endete der Wasserfall dort hinten vermutlich in einem flachen See, der den Boden der Zazpiak-Höhle bedeckte. Das war wohl auch der Grund für die abgestumpften Stalagmiten in der Kristallhöhle. Wären sie zu einem anderen Zeitpunkt gekommen, etwa in einer Woche nach heftigen Regenfällen, dann wäre ihre Expedition wahrscheinlich in der Zazpiak-Höhle zu Ende gewesen. Zwar hatten sie von Anfang an geplant, irgendwann später einmal, wenn sich die Zeitmessung mit dem Farbtest als günstig erwies, mit einer Taucherausrüstung die Mündung zu erforschen. Doch wenn sie in der Höhle oben auf einen seichten See gestoßen wären, hätte Hel unter Wasser kaum diese Mergelrinne gefunden, er wäre sie auch nicht hinabgeschwommen und hätte niemals diesen

Weinkellerabfluss entdeckt, durch dessen dreieckige Öffnung das Wasser bis zur Mündung schoss. Sie konnten von Glück sagen, dass sie ihre Expedition nach einer langen Trockenperiode unternommen hatten.

»Na?«, fragte Le Cagot mit einem Blick auf die Uhr. »Wollen wir die Farbe reinschütten?«

»Wie spät ist es?«

»Kurz vor elf.«

»Dann lass uns bis zur vollen Stunde warten. Das erleichtert die Berechnungen.« Hel blickte auf die unsichtbare Wasserfläche hinab. Kaum zu glauben, dass auf ihrem Grund, zwischen den klar erkennbaren Felsformationen, eine mächtige Strömung dahinschoss und sog. »Zwei Dinge wüsste ich gerne«, sagte er.

»Nur zwei?«

»Ich wünschte, ich wüsste, wie schnell dieses Wasser fließt. Und ob die dreieckige Röhre dort frei ist.«

»Nehmen wir an, wir bekommen eine günstige Zeitmessung – sagen wir, zehn Minuten –, wirst du dann versuchen durchzuschwimmen, wenn wir nächstes Mal runterkommen?«

»Selbstverständlich. Auch wenn's fünfzehn Minuten sind.«

Le Cagot schüttelte den Kopf. »Das ist zu lange, Niko. Fünfzehn Minuten durch eine solche Röhre, dazu braucht man eine Menge Seil, wenn ich dich, falls du auf Schwierigkeiten stößt, gegen den Strom wieder hochziehen muss. Nein, lieber nicht. Zehn Minuten ist das Maximum. Wenn's länger dauert, sollten wir passen. Es ist gar nicht so schlecht, wenn man Mutter Natur noch ein paar Geheimnisse lässt.«

Le Cagot hatte natürlich Recht.

»Hast du Brot in deinem Rucksack?«, erkundigte sich Hel.

»Was willst du damit?«

»Aufs Wasser legen.«

Le Cagot warf ihm ein Stück von seiner Baguette hinüber;

Hel legte es behutsam auf die Wasseroberfläche und beobachtete es genau. Langsam begann es zu sinken, schien in Zeitlupe durch klare Luft zu fallen, während es in den unsichtbaren Wellen pulste und vibrierte. Es war ein irrealer, unheimlicher Anblick, und die beiden Männer sahen fasziniert zu. Dann plötzlich, wie durch Zauberkraft, war das Brotstückchen verschwunden. Es war in die Strömung unten geraten und schneller, als das Auge folgen konnte, in die Röhre hineingesogen worden.

Le Cagot stieß einen leisen Pfiff aus. »Ich weiß nicht, Niko. Das sieht ziemlich gefährlich aus.«

Aber Hel traf bereits vorläufige Entscheidungen. Er würde ohne Schwimmflossen, mit den Füßen zuerst, in die Röhre hineingleiten müssen, denn bei dieser Strömung mit dem Kopf voran durch die Öffnung zu schießen wäre Selbstmord, falls er da drinnen auf einen blockierenden Felsbrocken stieß. Außerdem wollte er, sollte er nicht hindurchgelangen, mit dem Kopf zuerst wieder herauskommen, damit er Le Cagot am Sicherungsseil helfen konnte, indem er mit den Füßen ruderte.

»Das gefällt mir nicht, Niko. Das kleine Loch da unten könnte dich umbringen und, was weitaus schlimmer wäre, die Zahl meiner Bewunderer um einen reduzieren. Außerdem vergiss bitte nicht, dass das Sterben eine ernsthafte Angelegenheit ist. Wenn ein Mensch mit einer Sünde auf dem Gewissen stirbt, kommt er nach Spanien.«

»Wir haben einige Wochen Zeit, um uns alles genau zu überlegen. Wenn wir wieder draußen sind, werden wir in Ruhe darüber reden und sehen, ob es sich lohnt, eine Taucherausrüstung runterzuschaffen. Nach allem, was wir bis jetzt wissen, könnte unser Farbtest schließlich ergeben, dass die Röhre für einen Schwimmversuch zu lang ist. Wie viel Uhr ist es?«

»Gleich elf.«

»Dann wollen wir jetzt die Farbe reinschütten.«

Die fluoreszierende Farbe, die sie mitgebracht hatten, war

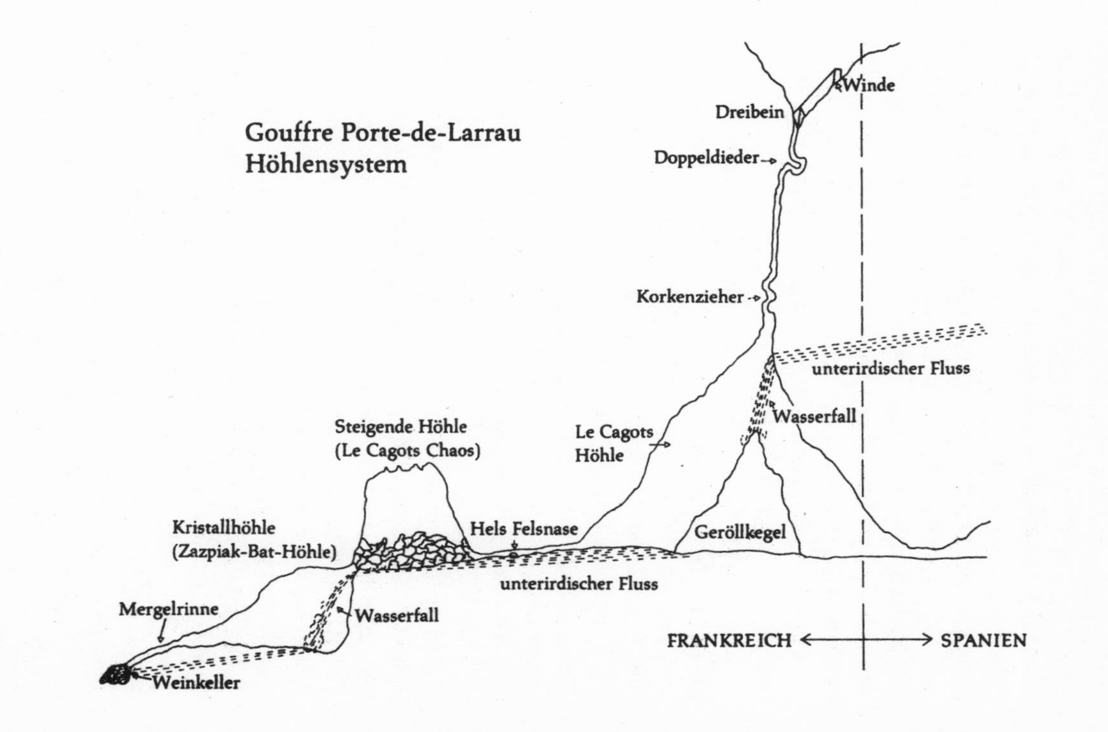
Gouffre Porte-de-Larrau
Höhlensystem
Winde
Dreibein
Doppeldieder
Korkenzieher
unterirdischer Fluss
Wasserfall
Le Cagots
Höhle
Steigende Höhle
(Le Cagots Chaos)
Kristallhöhle
(Zazpiak-Bat-Höhle)
Hels Felsnase
Geröllkegel
unterirdischer Fluss
Mergelrinne
Wasserfall
Weinkeller
FRANKREICH
SPANIEN

in Zweikilosäcken verpackt. Hel zerrte sie aus den Rucksäcken, Le Cagot schnitt die Ecken ab und reihte sie am Rand des Weinkellers auf. Als der große Zeiger auf zwölf stand, warfen sie alle vier Säcke hinein. Grellgrüner Rauch quoll aus den Schnitten, als die Säcke ins kristallklare Wasser hinabsanken. Zwei von ihnen verschwanden sofort durch die dreieckige Röhre, doch die beiden anderen blieben am Grund liegen, und ihre wolkigen Farbströme flossen horizontal auf die Röhre zu, bis endlich auch die nahezu leeren Säcke von der Strömung erfasst wurden. Drei Sekunden später war das Wasser wieder klar und still.

»Weißt du was, Niko? Ich habe beschlossen, diesen kleinen Teich Le Cagots Seele zu nennen.«

»Ach ja?«

»Ja. Weil er so klar und rein und durchsichtig ist.«

»Und so heimtückisch und gefährlich?«

»Weißt du, Niko, allmählich keimt in mir der Verdacht, dass du ein Mann der Prosa bist. Das ist ein Fehler.«

»Niemand ist vollkommen.«

»Fass dich an die eigene Nase.«

Der Rückweg zum Fuß des Geröllkegels verlief relativ schnell. Dieses neu entdeckte Höhlensystem war schließlich ein sehr sauberes und leichtes, ohne lange Kriechstrecken durch enge Passagen und um Einbrüche herum, ohne Abgründe, die es zu überwinden galt, denn der unterirdische Fluss wand sich durch ein hartes, festes Schieferbett.

Die jungen Basken an der Winde waren erstaunt, ihre Stimmen schon Stunden, bevor sie sie erwarteten, über die Kopfhörer des Feldtelefons zu vernehmen.

»Wir haben eine Überraschung für Sie«, sagte einer von ihnen über den Draht.

»Was denn?«, erkundigte sich Le Cagot.

»Warten Sie, bis Sie oben sind. Dann werden Sie's schon erfahren.«

Die lange Tour von der Spitze des Geröllkegels zum Beginn des Korkenzieherschachtes war für beide Männer überaus anstrengend. Der Druck auf Zwerchfell und Brustkorb durch das Hängen in den Fallschirmgurten ist unheimlich stark, und schon manch einer ist daran erstickt. Eben dieses Zusammenpressen des Zwerchfells war auch die Ursache für Christi Kreuzestod – ein Vergleich, der Le Cagots Aufmerksamkeit nicht entging und ihm entsprechende Bemerkungen entlockte.

Um die Tortur des Hängens in den Gurten und des Ringens nach Atem abzukürzen, traten die Burschen an der Winde heldenmütig in die Pedale, bis der Mann unten innerhalb des Korkenziehers Halt fand, sich ausruhen und ein bisschen Sauerstoff tanken konnte.

Hel kam als Letzter herauf; den größten Teil der Ausrüstung hatte er für zukünftige Expeditionen unten gelassen. Nachdem er den Doppeldieder an schlaffem Seil überwunden hatte, war es nur noch ein kurzes Stück bis zum Boden des *gouffre.* Und dann tauchte er aus der blendenden Finsternis auf ... in eine ebenso blendende Helligkeit.

Während sie unten die Höhle erforschten, war eine ungewöhnliche atmosphärische Inversion in die Berge eingedrungen und hatte das gefährlichste aller Wetterphänomene bewirkt: ein Whiteout.

Seit mehreren Tagen schon hatten Hel und seine Bergsteigerfreunde gewusst, dass sich die Wetterbedingungen auf ein Whiteout hin entwickelten, denn wie alle Basken der Haute Soule waren sie ständig, wenn auch unbewusst, auf die Wetterschemata eingestimmt, die man vom ausdrucksvollen baskischen Himmel ablesen kann, wenn die herrschenden Winde in ihrem uralten regelmäßigen Turnus um den Kompass streichen. Zuerst fegt *Ipharra,* der Nordwind, die Wolken fort und zaubert ein kaltes grünlich-blaues Licht in den baskischen Himmel, das die fernen Berge tönt und sie in Dunst hüllt. Das

Ipharra-Wetter ist nur von kurzer Dauer, denn bald schon dreht sich der Wind nach Osten und wird zum kühlen *Iduzkihaizea,* dem »sonnigen Wind«, der sich jeden Morgen erhebt, sich aber bei Sonnenuntergang legt, wodurch das Paradoxon kühler Nachmittage und warmer Abende bewirkt wird. Die feuchte und doch klare Luft schärft die Umrisse der Landschaft, vor allem, wenn die Sonne tief steht und ihre schrägen Strahlen die Struktur von Büschen und Bäumen hervorheben; die Feuchtigkeit mattiert jedoch die Einzelheiten der fernen Berge, tönt sie bläulich, macht ihre Umrisse weich, verwischt die Grenze zwischen Bergen und Himmel. Dann, eines Morgens, blickt man hinaus und stellt fest, dass die Luft kristallklar geworden ist, dass die fernen Berge ihren blauen Dunst verloren, dass sie sich enger ums Tal geschlossen haben und mit ihren messerscharfen Silhouetten in das kräftige Blau des Himmels eingeätzt sind. Dies ist die Zeit des *Hego-churia,* des »weißen Südostwindes.« Im Herbst beherrscht der *Hego-churia* nicht selten wochenlang das Wetter und bringt die großartigste Jahreszeit des Pays Basque mit sich. Mit einer Art schicksalhafter Gerechtigkeit wird der strahlende Glanz des *Hego-churia* dann vom wilden Toben des *Haize-hegoa* abgelöst, jenes knochentrockenen Südwindes, der um die Flanken der Berge brüllt, in den Dörfern Fensterläden zerschmettert und Dachziegel losreißt, schwache Bäume bricht und blendende Staubwirbel über den Erdboden jagt. Nach echtem Baskenbrauch, in dem das Paradoxe das Normale repräsentiert, ist dieser gefährliche Südwind samtwarm. Selbst während er die Täler hinabfegt und die ganze Nacht hindurch an den Häusern rüttelt, stehen die Sterne klar und groß am Himmel. Es ist ein kapriziöser Wind, der so plötzlich nachlässt, dass das Schweigen wirkt wie die Stille nach einem Schuss, nur um dann mit voller Wut wieder aufzuleben, die von Menschenhand geschaffenen Dinge zu zerstören, die von Gott geschaffenen Dinge zu testen und umzuformen und mit seinem unablässigen Kreischen um die Häuserecken und dem winselnden Klagen in den Schornsteinen die Menschen gereizt zu machen und an ihren Nerven zu zerren. Und weil der *Haize-hegoa* so kapriziös und gefährlich, so schön und unbarmherzig, so enervierend und sinnlich ist, wird er in baskischen Sprichwörtern oft als Symbol für die Frau verwendet. Wenn seine Kraft schließlich erschöpft ist, schwenkt der Südwind nach Westen um, von wo er Regen und dicke Wolken mitbringt, deren Bäuche sich düster-grau blähen, deren Ränder jedoch silbrig schimmern. Es gibt – wie für alles im Baskenland – auch für dieses Phänomen ein altes Sprichwort: *Hegoak hegala urean du* – »Der Südwind fliegt mit einem Flügel im Wasser.« Der Segen, den der Südwestwind bringt, fällt dicht und senkrecht und tut dem Boden wohl. Aber dann schwenkt er wieder um und bringt den *Haize-belza,* den »schwarzen Wind«, mit seinen kräftigen Böen, die den Regen waagerecht vor sich hertreiben und Schirme nutzlos, ja sogar auf komische Art heimtückisch werden lassen. Dann, eines Abends, lichtet sich der Himmel plötzlich, und der Wind an der Erdoberfläche erstirbt, obwohl die Strömungen in großer Höhe weiterhin Wolkenschichten über den Himmel jagen und sie zu Fetzen auseinanderreißen. Wenn die Sonne sinkt, werden chimärenhafte Archipele grauer Wolle südwärts gejagt, wo sie sich an den Flanken der hohen Berge golden und rostbraun auftürmen. Dieses Schauspiel von atemberaubender Schönheit dauert nur einen Abend. Am nächsten Morgen herrscht wieder das grünliche Licht des *Ipharra.* Der Nordwind ist zurückgekehrt. Der Zyklus beginnt von vorn. Obwohl die Winde, jeder mit seiner ausgeprägten Persönlichkeit, regelmäßig um den Kompass kreisen, kann man unmöglich behaupten, das baskische Wetter sei berechenbar; denn in manchen Jahren gibt es drei bis vier solcher Zyklen, in anderen hingegen nur einen. Außerdem gibt es innerhalb des jeweils vorherrschenden Windes Unterschiede an Stärke und Dauer. Ja, manchmal durchläuft der Wind in einer einzigen Nacht einen ganzen Turnus, und am nächsten Morgen scheint es, als sei eine der dominanten Phasen übersprungen worden. Und es gibt jene ausgewogenen Perioden zwischen zwei Winden, in denen keiner stark genug ist, die Oberhand zu gewinnen. Dann sagen die Gebirgsbasken: »Heute haben wir kein Wetter.«

Und wenn es kein Wetter gibt, keine Windregung in den Bergen, dann kommt zuweilen der schöne Killer: das Whiteout. Dicke Lagen von Nebel bilden sich, blendend weiß, weil sie von der grellen Sonne darüber aufgehellt werden. Ein starkes Whiteout macht die Augen tränen; es ist undurchdringlich, so dicht und hell, dass die ausgestreckte Hand einer blassen Geisterhand gleicht und die Füße sich in milchiger Grelle verlieren. Ein größeres Whiteout bringt Verhältnisse mit sich, die gefährlicher sind als Blindheit; es verursacht Schwindelgefühle und Sinnestäuschungen. Ein mit den baskischen Bergen wohlvertrauter Mann kann sich in der finstersten Nacht sicher bewegen. Dass er nicht sehen kann, löst eine kompensierende Schärfung der übrigen Sinne aus; das Streichen des Windes über seine Wange zeigt ihm an, dass er sich einem Hindernis nähert; leichte Geräusche rollender Steinchen verraten ihm den Neigungswinkel des Bodens und die Entfernung. Und die Schwärze ringsum ist niemals ungebrochen; die weit geöffneten Pupillen nehmen stets irgendwo am Himmel einen Schimmer wahr.

In einem Whiteout jedoch kommt es nicht zu diesen kompensierenden Sinnesreaktionen. Die begriffsstutzigen Augennerven, überflutet und gereizt vom Licht, melden dem zentralen Nervensystem hartnäckig, sie könnten sehen, und so entspannen sich Gehör und Tastsinn und schlummern ein. Kein Wind bringt subtile Anhaltspunkte für die Entfernung, denn Wind und Whiteout treten niemals gemeinsam auf. Und die Geräusche sind trügerisch, denn der Ton trägt zwar weit und klar durch die feuchtigkeitsgesättigte Luft, scheint aber wie unter Wasser von allen Seiten zugleich zu kommen.

In solch ein Whiteout stieg Hel nun aus der Finsternis des Kletterschachtes empor. Als er seine Fallschirmgurte ablegte, ertönte irgendwo oben am Rand des *gouffre* Le Cagots Stimme.

»Das ist die versprochene Überraschung.«

»Wie schön.«

Als Hel die Wand des *gouffre* emporkletterte, konnte er vage fünf Gestalten bei der Winde ausmachen. Er musste bis auf einen Meter herangehen, um in den anderen beiden die jungen Basken zu erkennen, die unten in der Holçarté-Schlucht kampiert hatten, um auf das Austreten der Farbe aus dem unterirdischen Fluss zu warten. »Seid ihr durch diese Suppe raufgestiegen?«, erkundigte sich Nikolai.

»Sie fing an sich zu bilden, als wir kamen. Wir haben es grade noch knapp geschafft.«

»Und wie sieht's weiter unten aus?«

Da sie alle Bergkenner waren, wussten sie, was er meinte.

»Noch grauer.«

»Viel grauer?«

»Viel grauer.«

Wenn der Nebel unten noch dichter war, wäre es Wahnsinn, in diesem Berggelände, das wie ein Schweizer Käse mit trügerischen Rissen und steilen *gouffres* durchsetzt war, hinabzusteigen. Sie würden also bergauf klettern müssen und hoffen, aus dem Nebel herauszukommen, bevor sie den Gipfel erreichten. Das ist immer das Beste in einem Whiteout, weil es relativ schwierig ist, berg*auf* zu fallen.

Allein hätte Hel es allerdings trotz des blendenden Nebels dank seiner besonderen Wahrnehmungsfähigkeiten durchaus geschafft. Er hätte sich auf die Kombination seines Proximitätssinnes und seiner eingehenden Kenntnis der Berge verlassen und sich vorsichtig durch das Terrain, das in dem blendenden Dunst verborgen lag, hinuntergetastet. Die Verantwortung für Le Cagot und die vier jungen Basken jedoch konnte er nicht auf sich nehmen.

Da es unmöglich war, weiter als einen Meter deutlich und weiter als drei Meter überhaupt etwas zu sehen, seilten sie sich an, und Hel führte bei diesem langsamen, vorsichtigen Aufstieg, wählte jeweils den längeren, bequemeren Weg um Felsbuckel, über Geröllhalden und am Rand tiefer *gouffres* entlang. Die Nebelwand wurde zwar nicht dichter, aber, je weiter sie sich der Sonne näherten, umso blendender. Nach einer Dreiviertelstunde brach Hel unvermittelt zu Sonnenlicht und freiem blauen Himmel durch, und die Szene, die sich ihm darbot, war wunderschön und ehrfurchtgebietend. In der absoluten Stille der Nebelschicht löste die nach oben durchbrechende Bewegung seines Körpers träge Wirbel und Wellen aus, die hinter ihm langsam weiterkreisten und in denen das Seil verschwand, das ihn mit dem Mann unter ihm verband, der zwar nur zehn Meter tiefer stand, aber vom Weiß verschluckt wurde. Er selbst schien auf einem strahlend weißen Plateau zu stehen, der Oberseite des dichten Nebels, der sich flach und reglos Hunderte von Kilometern weit erstreckte und alle Täler unten ausfüllte, als wäre es Schnee. Durch diese Nebeldecke ragten die Gipfel der baskischen Pyrenäen empor, im hellen Sonnenlicht klar und scharf wie Steinchen eines in weichem Gips verlegten Mosaiks. Und oben spannte sich der für das Baskenland typische dunkelblaue Himmel. Die Stille war so vollkommen, dass er das Rauschen und Klopfen des Blutes in seinen Schläfen hörte.

Dann vernahm er jedoch einen anderen Laut: die Stimme Le Cagots, der von unten fragte: »Sollen wir hier ewig rumstehen? Bei den klagenden Eiern des Jeremias, du hättest dich erleichtern sollen, bevor wir aufbrachen!« Und als er durch die Nebelschicht kam, fügte er noch hinzu: »Aha, ich verstehe. Du hast dieses baskische Schauspiel für dich allein bewundern wollen, während wir da unten wie Köder an der Angel hingen! Du bist selbstsüchtig, Niko.«

Die Sonne sank bereits, also gingen sie ein wenig schneller, damit sie, um die Bergflanke herum, noch vor Einbruch der

Dunkelheit den Schutz der höchsten *artzain xola* erreichten. Als sie ankamen, fanden sie sie schon von zwei alten Schäfern besetzt, die das Whiteout von der anderen Seite hier heraufgetrieben hatte. Ihre schweren Rucksäcke verrieten, dass sie sich nebenberuflich als Schmuggler betätigten. Die baskische Mentalität fühlt sich beim Schmuggeln wohler als beim Handeln, das Wildern liegt ihr mehr als das Jagen. Gesellschaftlich akzeptierte Betätigungen lassen in ihren Augen die rechte Würze vermissen.

Es gab einen Austausch von Begrüßungen und Wein. Als ein Flugzeug über ihnen erschien, machte Le Cagot das Zeichen der »Faust« für die Störenfriede, womit er sagen wollte, dass, wäre sein Wille Gesetz, diese Maschine vom Himmel fallen würde wie ein verwundeter Vogel, der spanische Boden mit den Leichnamen von zweihundert dummen Urlaubern auf dem Weg nach Lissabon übersät und somit die Welt von der Bürde der Übervölkerung befreit werden würde, weil jeder, der bei einem so perfekten Augenblick einfach weiterflog, eindeutig eine entbehrliche Kreatur sei.

Als Le Cagot sich erst einmal in Rage geredet hatte, begann er seine Verwünschungen auf alle Ausländer auszudehnen, die seine Berge entweihten: die Touristen, die Wanderer, die Jäger und vor allen Dingen die Skifahrer, die abscheuliche Maschinen in den Bergen installierten, weil sie zu verweichlicht waren, um selber bergauf zu steigen, und die hässliche Hotels und lärmende Après-Ski-Vergnügungsstätten bauten. Dieses dreckige Scheißvolk! Nur wegen dieser großmäuligen Skiläufer und ihrer kichernden Häschen hatte der Herrgott am achten Tag gesagt, er wolle auch Waffen erschaffen.

Einer der alten Schäfer nickte weise und bestätigte, dass diese Ausländer durch die Bank böse seien. »*Atzerri; otzerri.*«

Wie es das Ritual der Konversation zwischen Fremden verlangte, ergänzte Hel dieses uralte *dicton* mit dem Satz: »Aber ich glaube, *chori bakhoitzari eder bere ohantzea.*«

»Richtig«, antwortete Le Cagot. »*Zahar hitzak, zuhur hitzak.*«

Hel lächelte. Denn das war der erste baskische Satz gewesen, den er vor Jahren in seiner Zelle des Sugamo-Gefängnisses gelernt hatte. »Mit der eventuellen Ausnahme dieses einen«, sagte er.

Die alten Schmuggler erwogen seine Erwiderung einen Moment, dann lachten sie beide laut auf und schlugen sich auf die Knie. »Hori *phensatu zuenak, ongi afaldu zuen!*« (Ein Engländer mit einer klugen Story »ernährt sich davon«. Im Rahmen des baskischen Kulturkreises ist es der Zuhörer, der sich daran delektiert.)

Sie saßen schweigend, aßen und tranken bedächtig, während die Sonne unterging und das Gold und Rostrot der Wolkenbank erlosch. Einer der jungen Höhlenforscher streckte mit zufriedenem Knurren die Beine aus und erklärte, das sei das richtige Leben für ihn. Hel lächelte vor sich hin, denn er wusste, dass dies vermutlich keineswegs das richtige Leben für diesen jungen Mann bleiben würde, der von Fernsehen und Radio bereits affiziert worden war. Wie die meisten anderen jungen Basken auch würde er sich früher oder später in die Fabriken der Großstädte locken lassen, damit seine Frau einen Kühlschrank haben und er in einem Café mit Plastiktischchen Coca-Cola trinken konnte – das bequeme Leben, Produkt des französischen Wirtschaftswunders.

»Das hier ist wirklich ein schönes Leben«, bestätigte Le Cagot träge. »Ich bin viel gereist, habe die Welt in meiner Hand um und um gedreht wie einen Stein mit hübscher Maserung und habe dabei Folgendes entdeckt: Der Mensch ist am glücklichsten, wenn er ein Gleichgewicht zwischen seinen Bedürfnissen und seinem Besitz herstellt. Nun aber lautet die große Frage: Wie erreicht er dieses Gleichgewicht? Er könnte es tun, indem er seinen Besitz auf das Niveau seiner Bedürfnisse anhebt, aber das wäre dumm. Es würde nämlich bedeuten, dass er unnatürliche Dinge tun müsste – handeln, schachern, knausern, arbeiten. Ergo? Ergo erreicht der weise Mann dieses Gleichgewicht dadurch, dass er seine Bedürfnisse auf das Niveau seines Besitzes senkt. Und das tut man am besten, indem man die kostenlosen Dinge des Lebens schätzen lernt: Berge, Lachen, Poesie, Wein, von einem Freund dargeboten, ältere und dickere Frauen. Ja, und ich? Ich bin durchaus in der Lage, mich mit dem zufriedenzugeben, was ich besitze. Es geht nur darum, dass man von Anfang an genug davon abkriegt!«

»Le Cagot«, bat einer der alten Schmuggler, der es sich in einer Ecke der *artzain xola* bequem gemacht hatte. »Erzählst du uns eine Geschichte zum Einschlafen?«

»Ja«, stimmte sein Gefährte bei. »Erzähl uns etwas von alten Dingen.« Als echter Volkspoet, der lieber eine Geschichte erzählte als schrieb, begann Le Cagot mit seiner vollen Bassstimme Fabeln zu spinnen, während die anderen lauschten oder schlummerten. Jeder von ihnen kannte diese Geschichten, doch das Vergnügen daran lag in der Kunst des Erzählens. Und das Baskische ist eine Sprache, die sich weit besser zum Geschichtenerzählen eignet als zum Austausch von Informationen. Niemand kann lernen, das Baskische schön zu sprechen; das ist, wie Augenfarbe und Blutgruppe, eine Eigenschaft, die angeboren sein muss. Es ist eine sehr subtile Sprache mit ihrer umschreibenden Wortordnung, ihren vagen Deklinationen, ihren doppelten Konjugationen, sowohl synthetisch als auch periphrastisch, mit ihren alten »Erzähl«-Formen, die sich mit formalen Verbschemata mischen und nur von sehr wenigen Regeln bestimmt sind. Baskisch, das ist ein Lied, dessen Text die Ausländer wohl lernen können, dessen Melodie sie aber niemals beherrschen werden.

Le Cagot erzählte von der *Basa-andere*, der wilden Frau, die die Männer auf besonders angenehme Art und Weise tötet. Es ist weithin bekannt, dass die *Basa-andere* schön und für die

Liebe geschaffen ist und dass das weiche, goldene Haar, das ihren ganzen Körper bedeckt, seltsam anziehend wirkt. Hat ein Mann das Pech, ihr im Wald unversehens zu begegnen (man trifft sie immer an einem Bach kniend, wo sie das Haar auf ihrem Bauch mit einem goldenen Kamm strählt), dann wendet sie sich zu ihm um, bannt ihn mit einem bezaubernden Lächeln, legt sich zurück, hebt die Knie und bietet ihm ihren Körper dar. Ein jeder weiß, dass die Lust, die sie einem Mann schenkt, so überwältigend ist, dass er daran sterben muss, und dennoch sind zahllose Männer, den Rücken in der Agonie unvorstellbarer Lust gebogen, bereitwillig in den Tod gegangen.

Einer der alten Schmuggler behauptete, er habe einmal einen Mann in den Bergen gefunden, der genau auf diese Art gestorben sein müsse, denn in seinen glasigen, starren Augen habe eine schreckenerregende Mischung aus Angst und Lust gestanden.

Und der schüchternste der jungen Basken betete zu Gott, er möge ihm die Kraft zum Widerstand verleihen, sollte er jemals auf die *Basa-andere* mit ihrem goldenen Kamm treffen. »Du sagst, Le Cagot, dass sie am ganzen Körper mit goldenem Haar bedeckt ist? Ich kann mir behaarte Brüste einfach nicht vorstellen. Sind denn die Brustwarzen überhaupt zu sehen?«

Le Cagot schniefte und streckte sich auf dem Boden aus. »Um ehrlich zu sein, das kann ich dir nicht aus eigener Erfahrung sagen, mein Junge. Diese Augen haben die *Basa-andere* nie gesehen. Und ich bin froh darüber, denn wären wir uns einmal begegnet, wäre es die arme junge Dame gewesen, die vor lauter Lust hätte sterben müssen.«

Der Alte lachte, riss ein Paar Grashalme aus und warf sie nach dem Poeten. »Wahrlich, Le Cagot, du steckst so voller Scheiß, wie Gott voller Gnade ist.«

»Richtig«, gab Le Cagot ruhig zu. »Stimmt. Habt ihr schon mal die Geschichte gehört von der ...«

Als der Morgen kam, war der Nebel verschwunden, von den nächtlichen Winden davongefegt. Bevor sie aufbrachen, bezahlte Hel die jungen Männer für ihre Hilfe und bat sie, die Winde und den Dreifuß auseinanderzubauen und in einer Scheune in Larrau zu lagern, da sie bereits die nächste Expedition in ihre Höhle planten – und zwar diesmal mit Taucherausrüstung, denn die beiden, die unten bei der Mündung in die Holçarté-Schlucht postiert gewesen waren, hatten das Auftauchen der Farbe im Wasser acht Minuten nach der vollen Stunde vermerkt. Obwohl acht Minuten keine sehr lange Zeit sind, konnten sie doch eine beträchtliche Entfernung bedeuten, wenn man die Geschwindigkeit der Wasserströmung durch die dreieckige Röhre am Grund des Weinkellers in Betracht zog. Wenn aber diese Wasserröhre nicht blockiert oder zu eng war für einen Mann, würde ihnen vielleicht die Freude zuteilwerden, ihre Höhle vom Einstiegsschacht bis zur Mündung des unterirdischen Flusses zu durchmessen, bevor sie das Geheimnis ihrer Existenz mit der Höhlenforscherbruderschaft teilten.

Hel und Le Cagot trotteten und rutschten die Bergflanke bis zu dem schmalen Weg hinab, auf dem sie Hels Volvo abgestellt hatten. Hel versetzte der Tür nach seiner Gewohnheit einen kräftigen Tritt mit dem Stiefel und begutachtete die entstandene Delle voller Genugtuung. Dann stiegen sie ein und fuhren ins Dorf Larrau hinunter, wo sie haltmachten, um ein Frühstück aus Brot, Käse und Kaffee einzunehmen, nachdem sie sich zuvor den größten Dreck vom Körper geschrubbt hatten.

Die Wirtin war eine energische Witwe mit kraftvollem, üppigem Körper und einem breiten Lachen, die zwei Räume ihres Hauses als Café, Restaurant und Tabakladen benutzte. Mit Le Cagot verband sie seit vielen Jahren ein Verhältnis, denn jedes Mal, wenn die Lage in Spanien zu brenzlig für ihn wurde, kam er durch den Wald von Irraty, der an dieses Dorf grenzte, nach Frankreich herüber. Seit undenklichen Zeiten war der Wald von Irraty sowohl Zuflucht als auch Passierweg für Schmuggler und Banditen gewesen, die von den baskischen Provinzen unter spanischer in jene unter französischer Besatzung herüberwechselten. Aufgrund einer alten Tradition gilt es als unhöflich – und gefährlich –, jemandem, dem man in diesem Wald begegnet, zu zeigen, dass man ihn erkennt.

Als sie das Café betraten, noch nicht ganz trocken vom Waschen unter der Pumpe im Hof, wurden sie sofort von dem halben Dutzend alter Männer, die hier ihren vormittäglichen Schoppen tranken, mit Fragen bestürmt. Wie es gelaufen sei, oben im *gouffre*? Ob es wirklich eine Höhle unter dem Loch gebe?

Le Cagot bestellte, die Hand besitzergreifend auf der Hüfte der Wirtin, das Frühstück. Er brauchte nicht lange zu überlegen, wie er das Geheimnis der Höhle bewahren sollte, denn er verfiel automatisch in die baskische Gewohnheit, direkte Fragen mit einer irreführenden Umschreibung zu beantworten, die dennoch keine wirkliche Lüge war.

»Nicht alle Löcher führen zu Höhlen, meine Freunde.«

Die Augen der Wirtin funkelten voller Lust über seine Antwort, die sie als Zweideutigkeit verstand. Mit geschmeichelter Koketterie schob sie seine Hand von ihrer Hüfte.

»Und habt ihr spanische Grenzer getroffen?«, erkundigte sich einer.

»Nein, es blieb mir erspart, die Hölle mit weiteren Faschistenseelen belasten zu müssen. Freut Sie das, Hochwürden?« Mit diesen letzten Worten wandte sich Le Cagot an den hageren Priester, der im dunkelsten Winkel des Cafés hockte und sofort das Gesicht abgewandt hatte, als er und Hel eingetreten waren. Pater Xavier nährte einen glühenden Hass gegen Le Cagot und Hel. Obwohl er sich niemals selbst der Gefahr aussetzte, wanderte er unermüdlich von Grenzdorf zu Grenzdorf, predigte die Revolution und suchte die Ziele der baskischen

Unabhängigkeit an die der Kirche zu binden – die baskische Manifestation jener allgemeinen Bemühung seitens der Gotteshändler, sich nun, da die Welt kein guter Markt mehr für Höllendrohung und Seelenrettung war, in gesellschaftliche und politische Fragen einzumischen.

Der Hass des Priesters (den dieser selbst als »gerechten Zorn« bezeichnete) gegen Le Cagot beruhte auf der Tatsache, dass Lobpreisung und Heldenverehrung, die rechtmäßig den ordinierten Führern der Revolution zukamen, diesem skandalösen, Gott lästernden Mann galten, der einen Teil seines Lebens im Land der Wölfe, außerhalb des Pays Basque, verbracht hatte. Aber Le Cagot war wenigstens ein Sohn des Landes. Dieser Hel jedoch, mit dem verhielt es sich ganz anders. Der war ein Ausländer, der niemals zur Messe ging und mit einer asiatischen Frau zusammenlebte. Und es dünkte den Priester höchst ärgerlich, dass die jungen baskischen Höhlenkletterer, Burschen, die sich ihre Idole aus den Reihen der Priesterschaft hätten erwählen sollen, überall Geschichten von seinen Höhlenforschererfolgen verbreiteten und von den Zeiten, als er mit Le Cagot nach Spanien hinübergeschlichen und in ein Militärgefängnis in Bilbao eingedrungen war, um ETA-Häftlinge zu befreien. Hel gehörte zu jenen Männern, die die Revolution vergiften und ihre Energien von der Errichtung einer baskischen Theokratie ablenken konnten, jener letzten Festung des fundamentalistischen Katholizismus, die es in einem Land zu errichten galt, in dem christliche Praktiken primitiv und tief eingewurzelt waren und wo der Schlüssel zum Himmelstor eine unfehlbare Waffe der Macht darstellte. Kurz nachdem er sich in Etchebar niedergelassen hatte, begannen bei Hel anonyme Droh- und Hassbriefe einzutreffen. Zweimal kam es zu »spontanem« mitternächtlichen Lärmen vor seinem Château, und lebende Katzen wurden, in brennendes Stroh gewickelt, gegen die Hauswände geschleudert, wo sie ihre Todesqual laut herausschrien. Obwohl ihn die Erfahrung gelehrt hatte, diese fanatischen Priester zu verachten, die Kinder nur zu dem Zweck in den Tod locken, um die Frage der Sozialreform mit der Kirche verknüpfen und dadurch ihre Institution vor der natürlichen Atrophie angesichts von Wissen und Aufklärung schützen zu können, hätte er vielleicht dennoch diese primitive Belästigung ignoriert. Aber er gedachte das Baskenland, nun, da die japanische Kultur von westlichen Wertmaßstäben infiziert worden war, zu seiner Heimat zu machen und musste daher diesen Beleidigungen ein Ende setzen; denn die baskische Mentalität verspottet jeden, der sich lächerlich machen lässt. Die anonymen Briefe und das Geschrei des hysterischen frommen Mobs waren Manifestationen von Feigheit, und Hel hatte die Angst des Intellektuellen vor Feiglingen, die weitaus gefährlicher sind als tapfere Männer, sobald sie sich dem Gegner an Zahl überlegen wissen oder Gelegenheit haben, hinterrücks zuzuschlagen; denn Feiglinge müssen maximalen Schaden anrichten, weil sie die Vergeltung zu fürchten haben, sollte der Angegriffene überleben.

Durch Le Cagots Verbindungen entdeckte Hel den Urheber dieser feigen Aktionen, und einige Monate später traf er den Priester zufällig im Hinterzimmer eines Cafés von Sainte-Engrace, wo er stumm eine kostenlose Mahlzeit verzehrte und hin und wieder einen Blick zu Hel hinüberwarf, der mit mehreren Dorfbewohnern ein Glas Roten trank – mit Männern, die zuvor am Tisch des Priesters gesessen und seinen frommen Reden und falschen Weisheiten gelauscht hatten.

Als die Männer zu ihrer Arbeit aufbrachen, setzte sich Hel an den Tisch des Priesters. Pater Xavier wollte aufstehen, doch Hel packte sein Handgelenk und zwang ihn auf seinen Stuhl zurück. »Sie sind ein guter Mann, Hochwürden«, sagte er mit seiner leisen Gefängnisstimme. »Ein heiliger Mann. Und in diesem Moment sind Sie dem Himmel näher, als Sie ahnen. Essen Sie Ihren Teller leer, und hören Sie mir gut zu. Ich wünsche keine anonymen Briefe und keine weiteren Belästigungen mehr. Haben Sie mich verstanden?«

»Ich fürchte, ich verstehe nicht …«

»Essen Sie!«

»Was?«

»Essen Sie!«

Pater Xavier schob sich eine Gabel voll *piperade* in den Mund und kaute lustlos.

»Essen Sie schneller, Hochwürden. Füllen Sie Ihren Bauch mit Nahrung, die Sie sich nicht verdient haben.«

Die Augen des Priesters waren nass vor Wut und Angst, aber er schaufelte Gabel um Gabel in seinen Mund und schluckte so hastig, wie er nur konnte.

»Wenn Sie in dieser Gegend bleiben wollen, Hochwürden, und wenn Sie noch nicht bereit sind, vor Ihren Herrgott zu treten, werden Sie von jetzt an Folgendes tun: Jedes Mal, wenn wir uns in einem Dorf begegnen, werden Sie dieses Dorf sofort verlassen. Jedes Mal, wenn wir uns auf einem Weg treffen, werden sie von diesem Weg heruntertreten und mir, wenn ich vorbeigehe, den Rücken zuwenden. Sie können schneller essen!«

Der Priester erstickte fast, und als Hel ging, keuchte und würgte er in hilfloser Wut. Am selben Abend erzählte Nikolai die Geschichte seinem Freund Le Cagot mit der Anweisung, sie überall die Runde machen zu lassen. Er hielt es für unerlässlich, diesen Feigling öffentlich zu demütigen.

»He, warum antworten Sie mir nicht, Pater Esteka*?«, fragte Le Cagot. Der Priester erhob sich und verließ das Café. Le Cagot rief hinter ihm her: »*Holá!* Wollen Sie denn nicht Ihre *piperade* aufessen?«

Da sie katholisch waren, konnten die alten Männer im

* *Esteka* ist der baskische Ausdruck für »sexuelle Unzulänglichkeit«.

Café nicht gut lachen; da sie aber außerdem Basken waren, grinsten sie.

Le Cagot tätschelte der Wirtin den Hintern und schickte sie das Essen holen. »Ich glaube kaum, dass wir uns hier einen Freund gewonnen haben, Niko. Und er ist ein Mann, vor dem man sich hüten muss.« Le Cagot lachte. »Schließlich war sein Vater Franzose und sehr aktiv in der Résistance.«

Hel lächelte. »Hast du je einen Franzosen kennengelernt, der nicht dabei war?«

»Richtig. Es ist erstaunlich, dass Deutschland es geschafft hat, Frankreich mit so wenigen Divisionen zu halten, wenn man bedenkt, dass alle, die nicht die Ressourcen der Deutschen reduzierten, indem sie sich schlau und en masse ergaben und die Nazis so zwangen, sie zu ernähren, tapfer und kühn in der Résistance gekämpft haben. Gibt es auch nur *ein* Dorf ohne seine Place de la Résistance? Aber wir sollten doch wohl lieber fair sein; man muss nämlich wissen, was die Franzosen unter Résistance verstehen. Jeder Hotelier, der einem Deutschen zu viel berechnete, war in der Résistance. Jede Hure, die einem deutschen Soldaten den Tripper anhängte, war eine Freiheitskämpferin. Und alle, die zwar gehorchten, dabei aber böswillig mit einem fröhlichen *Bonjour* hinterm Berg hielten, waren Helden der Befreiungsfront.«

Hel lachte. »Bist du nicht ein bisschen zu hart gegen die Franzosen?«

»Es ist die Geschichte, die hart gegen sie ist. Ich meine die wirkliche Geschichte, nicht die *vérité à la Cinquième République,* wie sie in den französischen Schulen gelehrt wird. Ehrlich gesagt, bewundere ich die Franzosen mehr als alle anderen Ausländer. Denn in den Jahrhunderten, die sie als Nachbarn der Basken lebten, haben sie wertvolle Tugenden von ihnen gelernt – Verständnis, philosophische Einsicht, einen gewissen Sinn für Humor –, und das macht sie zu den besten unter den Fremden. Aber ich muss dennoch zugeben, dass sie ein lächerliches Volk sind, genau wie man eingestehen muss, dass die Briten Stümper, die Italiener unfähig, die Amerikaner neurotisch, die Deutschen romantische Wilde, die Araber bösartig, die Russen Barbaren sind und die Holländer Käse machen. Nimm zum Beispiel jene besondere Manifestation französischer Lächerlichkeit, die sie zu dem Versuch treibt, ihre kurzsichtige Hingabe an das Geld mit dem Streben nach dem Phantom der *gloire* zu verbinden. Dieselben Leute, die ihren Burgunder wegen eines geringen Profits verwässern, geben bereitwillig Millionen von Francs für die atomare Verseuchung des Pazifiks aus, in der Hoffnung, man werde sie für technologisch gleichrangig mit den Amerikanern halten. Sie sehen sich als den flinken David, der gegen den habgierigen Goliath kämpft. In den Augen der restlichen Welt gleichen ihre Unternehmungen der albernen Selbstgefälligkeit des verliebten Ameisenmännchens, das am Bein einer Kuh emporklettert und ihr versichert, es werde behutsam sein.«

Le Cagot blickte nachdenklich auf die Tischplatte. »Im Augenblick weiß ich nichts weiter über die Franzosen zu sagen.«

Die Witwe hatte sich zu ihnen an den Tisch gesetzt, rückte dicht an Le Cagot heran und presste ihr Knie gegen das seine. »He, Sie haben Besuch unten auf Etchehelia«, berichtete sie Hel, die baskische Bezeichnung für sein Château benutzend. »Ein junges Mädchen. Eine Ausländerin. Gestern Abend angekommen.«

Hel war keineswegs erstaunt darüber, dass sich die Nachricht bereits bis nach Larrau, drei Berge und fünfzehn Kilometer von seinem Wohnsitz entfernt, herumgesprochen hatte. Die Neuigkeit war zweifellos höchstens vier Stunden nach dem Eintreffen der Besucherin in allen umliegenden Dörfern bekannt gewesen.

»Was wissen Sie über das Mädchen?«, erkundigte er sich.

Die Witwe zuckte die Achseln und zog die Mundwinkel herunter, um anzudeuten, sie sei nur über ein paar unwichtige

Tatsachen informiert. »Sie hat *chez* Jaureguiberry Kaffee getrunken und konnte ihn dann nicht bezahlen. Sie ist den ganzen Weg von Tardets nach Etchebar zu Fuß gegangen und von den Bergen aus mehrmals gesehen worden. Sie ist jung, aber nicht zu jung zum Gebären. Sie trug kurze Hosen, die ihre Beine sehen ließen, und es heißt, dass sie einen vollen Busen hat. Sie wurde von Ihrer Freundin in Empfang genommen, die auch ihre Rechnung bei Jaureguiberry beglichen hat. Sie spricht mit englischem Akzent. Und die alten Klatschbasen im Dorf behaupten, sie sei eine Hure aus Bayonne, die vom Hof gejagt worden ist, weil sie mit dem Mann ihrer Schwester geschlafen hat. Sie sehen also, man weiß nur wenig über sie.«

»Sie ist jung und hat einen vollen Busen, sagst du?«, fragte Le Cagot neugierig. »Dann ist sie zweifellos auf der Suche nach mir, nach dem höchsten und vollendetsten Erlebnis.«

Die Witwe kniff ihn in den Oberschenkel.

Hel erhob sich. »Ich glaube, ich fahre jetzt nach Hause, bade und schlafe mich aus. Kommst du mit?«

Le Cagot warf der Witwe einen Seitenblick zu. »Was meinst du – soll ich mitfahren?«

»Ist mir doch egal, was du tust, Alter.« Doch als er aufstehen wollte, zog sie ihn am Gürtel auf den Stuhl zurück.

»Vielleicht bleibe ich doch lieber noch ein bisschen, Niko. Aber heute Abend werde ich kommen und mir dein junges Mädchen mit den nackten Beinen und dem großen Busen ansehen. Wenn sie mir gefällt, gebe ich dir möglicherweise die Ehre und dehne meinen Besuch etwas länger aus. Autsch!«

Hel bezahlte und ging zu seinem Volvo hinaus. Er trat diesem gegen den hinteren Kotflügel, stieg ein und fuhr nach Hause.

Nachdem er auf dem Dorfplatz von Etchebar geparkt und dem Dach seines Wagens zum Abschied einen Fausthieb versetzt hatte – er duldete keine Autos auf seinem Grundstück –, schritt Hel den Privatweg zum Château entlang und empfand dabei, wie immer, wenn er heimkehrte, eine väterliche Zuneigung zu diesem perfekten Haus aus dem siebzehnten Jahrhundert, in das er jahrelange Hingabe und Millionen von Schweizer Franken gesteckt hatte. Dieses Besitztum war ihm das Liebste auf der Welt, eine physische und emotionale Festung gegen das zwanzigste Jahrhundert.

Auf dem Pfad, der hinter dem schweren Tor zum Haus hinaufführte, blieb er stehen, um die Erde um einen frisch gepflanzten Strauch fester zu klopfen, und noch während er damit beschäftigt war, spürte er das Nahen jener vagen, diffusen Aura, die nur Pierre, seinem Gärtner, gehören konnte.

»*Bonjour, M'sieur*«, begrüßte ihn Pierre mit seiner Leierstimme, als er Hel durch den Nebel der seit dem Morgengrauen in regelmäßigen Abständen genossenen Gläser Roten erkannte.

Hel nickte ihm zu. »Wie ich höre, haben wir einen Gast, Pierre.«

»Das ist richtig. Ein junges Mädchen. Sie schläft noch. Die Frauen haben mir erzählt, sie ist eine Hure aus …«

»Ich weiß. Ist Madame schon aufgestanden?«

»Aber sicher! Sie wurde vor zwanzig Minuten über Ihre Ankunft unterrichtet.« Pierre blickte zum Himmel auf und nickte weise.

»Ah, ah, ah«, murmelte er dann kopfschüttelnd. Hel merkte, dass er eine Wettervoraussage machen wollte, so wie er es jedes Mal tat, wenn sie sich auf dem Grundstück begegneten. Alle Basken von Haute Soule sind überzeugt, aufgrund ihrer Abstammung aus dem Gebirge und der vielen baskischen Volksweisheiten, die sich mit Wettervorzeichen befassen, über eine besondere angeborene Gabe für meteorologische Prognosen zu verfügen. Pierres Voraussagen, mit einer ruhigen Gewissheit geäußert, die keineswegs darunter litt, dass seine Behauptungen sich regelmäßig als falsch erwiesen, bildeten seit fünfzehn Jahren, seit der Dorftrunkenbold von diesem Ausländer in den Rang eines Gärtners erhoben und zu dessen offiziellem Verteidiger gegen den Klatsch geworden war, das Hauptthema seiner Gespräche mit M'sieur Hel.

»Ah, M'sieur, es wird regnen, bevor der Tag zu Ende geht.« Pierre nickte mit ergebener Überzeugung. »Es hat also keinen Zweck, diese Blumen heute noch zu setzen.«

»Tatsächlich, Pierre?« Wie viele hundertmal hatten sie dieses Gespräch schon geführt?

»Ja, M'sieur. Gestern Abend waren die kleinen Wölkchen über den Bergen bei Sonnenuntergang rot und golden. Ein todsicheres Zeichen.«

»Wirklich? Aber die Regel lautet doch genau umgekehrt. Heißt es nicht: *Arrats gorriak eguraldi?*«

»So lautet die Regel, M'sieur. Aber ...«, mit schlau und verschmitzt glitzernden Augen tippte Pierre sich an die lange Nase, »... es kommt immer auf die Mondphase an.«

»Ach ja?«

Pierre nickte langsam mit geschlossenen Augen und lächelte herablassend über die Unwissenheit aller Ausländer, sogar solch eigentlich recht tüchtiger Männer wie M'sieur Hel. »Wenn der Mond zunimmt, lautet die Regel so, wie Sie eben sagten; aber wenn er abnimmt, ist es genau umgekehrt.«

»Ich verstehe. Dann heißt es bei abnehmendem Mond also: *Goiz gorriak dakarke uri?*«

Pierre krauste die Stirn; es war ihm unangenehm, zu einer eindeutigen Voraussage gezwungen zu werden. Er überlegte einen Moment, dann antwortete er: »Das kommt drauf an, M'sieur.«

»Davon bin ich überzeugt.«

»Und ... außerdem gibt es noch eine zusätzliche Komplikation.«

»Die Sie mir sicherlich erklären werden.«

Pierre warf einen unsicheren Blick in die Runde und wechselte zum Französischen über, um die Gefahr, die Erdgeister zu beleidigen – die natürlich nur Baskisch verstanden – zu vermeiden. »*Vous voyez, M'sieur, de temps en temps, la lune se trompe!*«

Hel atmete tief ein und schüttelte den Kopf. »Guten Morgen, Pierre.«

»Guten Morgen, M'sieur.« Pierre schlurfte den Pfad hinab, um nachzusehen, ob vielleicht noch etwas anderes seine Aufmerksamkeit erforderte.

Mit geschlossenen Augen vor sich hin träumend, saß Hel in der japanischen Holzwanne, deren Wasser ihm bis zum Hals reichte und so heiß war, dass das Hineingleiten eine Empfindung an der Grenze zwischen Schmerz und Wohltun ausgelöst hatte. Die Mädchen hatten den Badeofen eingeheizt, sobald sie hörten, dass Monsieur Hel von Larrau herüberkam, und als er sich gründlich abgeschrubbt und eine Schockdusche mit eiskaltem Wasser genommen hatte, war der japanische Zuber schon gefüllt, und durch die kleine Badestube wogte dichter Dampf.

Hana döste ihm gegenüber auf einer etwas erhöhten Bank, die es ihr gestattete, ebenfalls bis zum Hals im Wasser zu sitzen. Wie immer, wenn sie gemeinsam badeten, hatten sie ihre Beine lässig ineinander verschlungen.

»Möchtest du etwas über deine Besucherin hören, Nikolai?«

Hel schüttelte langsam den Kopf; er wollte sich nicht in seiner komatösen Entspannung stören lassen. »Später«, murmelte er nur.

Nach einer Viertelstunde war das Wasser so weit abgekühlt, dass sie sich im Zuber bewegen konnten, ohne Schmerz zu empfinden. Hel öffnete die Augen und lächelte Hana schläfrig zu. »Ich werde alt, meine Freundin. Nach ein paar Tagen in den Bergen ist das Bad für mich jetzt eher eine medizinische Notwendigkeit als ein Vergnügen.«

Hana erwiderte sein Lächeln und drückte seinen Fuß zwischen den ihren. »War es eine gute Höhle?«

Er nickte. »Eine bequeme. Eine Höhle zum Spazierengehen, ohne längere Kriechstrecken, ohne Siphons. Dennoch war die Anstrengung für meine Körperkräfte mehr als genug.«

Er stieg aus dem Badezuber und schob die gepolsterte Tür zurück, die den Baderaum von dem kleinen japanischen Garten trennte, an dem er seit fünfzehn Jahren arbeitete, um ihn vollkommen zu gestalten, und der nach seiner Schätzung in weiteren fünfzehn akzeptabel sein würde. Dampfwolken quollen an ihm vorbei in die kühle Luft hinaus, die sich auf seiner von der Hitze prickelnden und gespannten Haut angenehm erfrischend anfühlte. Er hatte die Erfahrung gemacht, dass ein heißes Bad, zwanzig Minuten leichte Meditation, eine Stunde Liebe und eine kurze Dusche belebender auf seinen Körper und Geist wirkten als eine ganze Nacht Schlaf; und diese Routine hielt er ein, wann immer er von einer Höhlenexpedition oder – in alten Zeiten – von einem konterterroristischen Unternehmen zurückkehrte.

Hana verließ die Wanne ebenfalls und zog einen leicht wattierten Kimono über ihren noch nassen Körper. Dann half sie ihm in seinen Badekimono, und sie wanderten nebeneinander durch den Garten. Er hielt kurz inne, um einen Klangstein in dem Bach zurechtzurücken, der dem kleinen Teich entsprang, denn im Augenblick war der Wasserstand niedrig, und der Ton, den der Bach auslöste, für seinen Geschmack zu hell. Die Badestube mit ihren dicken Holzbohlenwänden lag halb versteckt in einem Bambushain, der den Garten auf drei Seiten umgab. Ihr gegenüber stand ein niedriges Häuschen aus dunklem Holz und Papierschiebewänden, in dessen japanischem Zimmer er studierte und meditierte und in dessen »Waffenraum« er das Instrumentarium seines Berufs aufbewahrte, aus dem er sich kürzlich zurückgezogen hatte. Den Abschluss auf der vierten Seite des Gartens bildete die Rückseite des Châteaus, von dem die beiden japanischen Gebäude abgerückt waren, um die Perfektion seiner Marmorfassade nicht zu stören. Er hatte einen ganzen Sommer darauf verwandt, mit zwei Handwerkern, die er zu diesem Zweck eigens aus Kyushu hatte kommen lassen und die alt genug waren, um noch mit Holz und Dübeln umgehen zu können, an diesen japanischen Häusern zu arbeiten.

Vor einem niedrigen Lacktischchen kniend, mit Blick auf den japanischen Garten, nahmen sie eine leichte Mahlzeit ein, die aus Melonenbällchen (warm, um den Moschusgeschmack hervorzuheben), Reineclauden (grüngelb, eiskalt und saftig), ungewürzten Reiskuchen und einem halben Glas Irouléguy bestand.

Nach dem Essen erhob sich Hana. »Soll ich die Schiebetüren schließen?«

»Lass eine offen, damit wir den Garten sehen können.«

Hana lächelte. Nikolai und sein Garten ... Wie ein Vater mit einem zarten, jedoch eigensinnigen Kind! Der Garten war ihm das kostbarste seiner Besitztümer, und oft kam er unangekündigt von einer Reise zurück, zog sich schnell um und arbeitete stundenlang im Garten, bevor jemand erfuhr, dass er überhaupt zu Hause war. Für ihn war der Garten mit seinen subtilen Gliederungen eine Verwirklichung von *shibumi,* und die Tatsache, dass er seine höchste Vollendung vielleicht nicht mehr erleben würde, trug eine herbstliche Note von Wahrheit und Trauer zugleich in sich.

Sie ließ ihren Kimono fallen. »Wollen wir eine Wette abschließen?«

Er lachte. »Na schön. Der Gewinner bekommt ... Lass sehen ... Wie wär's mit einer halben Stunde ›Wonne des Rasiermessers‹?«

»Wunderbar! Ich werde sie sehr genießen.«

»Bist du deiner so sicher?«

»Mein lieber Freund, du warst drei Tage lang in den Bergen. Dein Körper hat Liebe akkumuliert, aber kein Ventil dafür gefunden. Du bist bei dieser Wette ziemlich im Nachteil.«

»Das werden wir sehen.«

Bei Hana und Nikolai war das Vorspiel ebenso sehr geistiger wie physischer Natur. Sie waren beide Liebeskundige der Stufe IV – sie durch ihre exzellente Ausbildung, er aufgrund der Selbstdisziplin, die er schon als Jugendlicher gelernt hatte, und dank seines Proximitätssinns, der es ihm ermöglichte, die Empfindungen seiner Partnerin zu belauschen und genau zu erkennen, wie stark ihre Klimaxkontraktionen gerade waren. Bei diesem Spiel ging es darum, den Partner zuerst zum Höhepunkt zu bringen, und es wurde ohne verbotene Techniken und Regeln gespielt. Der Sieger gewann die »Wonne des Rasiermessers«, eine intensiv entspannende und erregende Massage, bei der die Haut von Armen, Beinen, Brust, Rücken, Bauch und Schambein mit einem scharf geschliffenen Rasiermesser gestreichelt wird. Diese prickelnde Wonne und die im Hintergrund lauernde Gefahr eines Ausrutschers erfordern es, dass der Körper dessen, der die Massage erhält, völlig gelockert ist, weil sonst die Spannung und Lust nicht auszuhalten wären. Bezeichnenderweise beginnt die »Wonne des Rasiermessers« bei den Extremitäten, und wenn die Klinge sich den erogenen Zonen nähert, die vor Lust und dem drohenden Schatten der Angst allmählich in Glut geraten, fluten Wogen angenehmen Schauders über den Körper. Diese Technik involviert im Bereich der erogenen Zonen feine Nuancen, die zu beschreiben allzu gefährlich wäre.

Die »Wonne des Rasiermessers« gipfelt in einem schnellen oralen Liebesakt.

Wer von beiden die Wette gewann, indem er den anderen zuerst zum Höhepunkt brachte, wurde mit der »Wonne des Rasiermessers« belohnt, doch ihre Art, das Spiel zu betreiben, war von ganz besonderer Natur. Sie kannten einander so genau, dass sie sich gegenseitig sehr schnell bis zur Schwelle des Orgasmus bringen konnten, und so wurde der eigentliche Kampf dort ausgetragen, auf dem schmalen Grat zwischen Hingabe an die Lust und absoluter Selbstbeherrschung.

Erst nachdem er aus dem Sugamo-Gefängnis entlassen wurde und sein Leben im Westen begann, nahm Hels sexuelles Erleben allmählich Gestalt und Ausdruck an. Bis dahin hatte er nichts weiter als Amateurspielereien betrieben. Sein Verhältnis zu Mariko war im Grunde nicht körperlich, sondern vielmehr eine jugendliche Liebelei gewesen, und ihre ungeschickten sexuellen Experimente waren nichts als eine Fußnote zu dieser sanften und unsicher tastenden Zuneigung.

Mit den Tanaka-Schwestern erreichte Hel dann Stufe I der Liebeskunst, jenes gesunde, primitive Stadium sexueller Neugier, in dem kräftige junge Tiere, überschäumend in ihrem Drang, die Art zu erhalten, sich gegenseitig an ihren Körpern üben. Die Stufe I ist, obwohl plebejisch und monoton, äußerst lehrreich und aufrichtig, und Hel genoss die Zeit, die er in diesem Stadium verbrachte, sehr, bedauerte jedoch, dass die Instinkte so vieler Menschen durch die Zivilisation verkrüppelt werden, so dass sie die starke, schweißtreibende Liebeskunst der Stufe I nur ertragen können, wenn sie sich als Romanze, Liebe, Zuneigung oder auch nur als Selbstverwirklichung tarnt. In ihrer Verwirrung bauen sie Verbindungen auf den Treibsand der Leidenschaft. Hel hielt es für sehr bedauerlich, dass die ungebildete Masse Einblick in die romantische Literatur bekommen hatte, denn dadurch wurden Erwartungen aufgebaut, deren Erfüllung jenseits aller Wahrscheinlichkeit lag, und das trug viel zu jener ehelichen Pflichtvergessenheit bei, wie sie für die westlichen sexuell noch unreifen Menschen typisch ist.

Während seines kurzen Verweilens auf Stufe II – der Verwendung von Sex als psychologischem Aspirin, als soziale

Narkose, als eine Art Aderlass, um Fieber und inneren Druck zu senken – erhielt Hel einen flüchtigen Einblick in die Stufe IV sexueller Erfahrung. Und weil ihm klar wurde, dass die sexuelle Aktivität einen gewichtigen Teil seines Lebens ausmachen würde, und weil er Dilettantismus in jeder Form hasste, begann er sich systematisch zu präparieren. Professionelles taktisches Training erhielt er in Ceylon und in den exklusiven Bordellen von Madagaskar, wo er vier Monate verbrachte und bei Frauen jeglicher Rasse und Kultur in die Lehre ging.

Stufe III, die sexuelle Schlemmerei, ist wohl die höchste, die jemals von Okzidentalen, ja sogar von den meisten Orientalen erreicht wird. Hel brachte dieses Stadium gemächlich und mit beträchtlichem Appetit hinter sich, weil er jung, sein Körper kraftvoll und straff und seine Fantasie erfinderisch war. Es bestand keine Gefahr, dass er in den sexuellen schwarzen Messen künstlicher Stimulierung versank, mit der die perversen Jetsetter und die schmierigen Intellektuellen der literarischen Szene und der Filmwelt ihre abgestumpften Nervenenden und ihre erloschene Vorstellungskraft zu kompensieren suchten, indem sie sich einer in des anderen lauem Fleisch und Geilheit wälzten.

Schon auf der Stufe III begann Hel mit so verfeinerten Techniken wie Orgasmusverzögerung und mentalem Verkehr zu experimentieren. Er fand es amüsant, sexuelle Techniken mit der Go-Nomenklatur zu belegen. Bezeichnungen wie *aji keshi, ko, furikawari* und *hane* waren ausgezeichnete belehrende Bilder, während andere, wie etwa *kaketsugi, nozoki* und *yosumiru* auf die Liebeskunst nur mit einer gewaltsamen, an Prokrustes gemahnenden Verwendung der Metapher übertragen werden konnten.

Mit dreißig hatten Hels sexuelle Interessen und Fähigkeiten ihn ganz von selbst zur Stufe IV hingeführt, der »Endphase« des Spiels, in der Erregung und Orgasmus relativ triviale Abschlussgesten einer Partie sind, die die gesamte Geisteskraft und Klugheit des Meisterschafts-Go, das Training einer ceylonesischen Hure sowie die Ausdauer und Geschicklichkeit eines begabten Bergsteigers im sechsten Grad erfordert. Sein bevorzugtes Spiel war eine eigene Erfindung, die er »*kikashi*-Sex« nannte. Es konnte nur mit einem Partner gespielt werden, der ebenfalls Stufe IV der Liebeskunst erreicht hatte, und selbst dann nur, wenn beide sich besonders stark fühlten. Das Spiel fand in einem kleinen, ungefähr sechs *tatamis* umfassenden Raum statt. Beide Partner waren in konventionelle Kimonos gekleidet und knieten, die Rücken zwei einander gegenüberliegenden Wänden zugekehrt, voreinander. Jeder musste nun einzig und allein durch Konzentration bis an die Grenze des Höhepunkts gelangen und dort verharren. Körperlicher Kontakt war nicht gestattet, nur geistige Konzentration und Gesten, die mit einer Hand ausgeführt werden konnten.

Ziel dieses Spiels war es, den anderen zum Höhepunkt zu bringen, ehe man ihn selbst erreichte, und es gelang am besten, wenn es regnete.

Mit der Zeit ließ Hel vom *kikashi*-Sex ab, teils, weil es etwas zu anstrengend, teils, weil es eine einsame, selbstsüchtige Erfahrung war, ohne die Zuneigung und Zärtlichkeit des Nachspiels, das die schönsten Liebesstunden auszeichnet.

Hana hatte die Augen fest geschlossen; ihre Lippen spannten sich über den Zähnen. Sie versuchte sich aus der verzwickten Position zu befreien, in der er sie hielt, aber er gab nicht nach.

»Ich dachte, wir hätten vereinbart, dass du das nicht darfst«, flehte sie.

»Wir haben überhaupt nichts vereinbart.«

»Aber, Nikko ... Ich kann nicht! ... Ich kann nicht mehr zurückhalten! Du verdammtes Biest!«

Sie bog den Rücken durch und stieß vor Anstrengung, ihren Orgasmus zurückzuhalten, einen kleinen Quietscher aus.

Ihre Lust steckte Hel an, der nun endlich auch nachgab und

unmittelbar nach ihr zum Höhepunkt kam. Doch dann begann die Alarmglocke seines Proximitätssinns zu schrillen. Sie tat nur so! Ihre Aura tanzte nicht, wie es beim Höhepunkt der Fall sein musste! Er versuchte seinen Geist ganz zu entleeren und seinen Orgasmus zurückzuhalten, aber es war zu spät. Er hatte den Damm der Selbstbeherrschung durchbrochen.

»Du Teufel!«, stöhnte er, als er kam.

Sie lachte und gelangte wenige Sekunden nach ihm zum Höhepunkt.

Sie lag auf dem Bauch und summte schläfrig vor Vergnügen, als er das Rasiermesser langsam über ihren Hintern führte, einen geradezu perfekten Körperteil. Er küsste sie sanft und fuhr mit der Massage fort.

»In zwei Monaten ist deine Pflichtzeit bei mir vorüber, Hana.«

»Hmm-hmm.« Sie wollte sich den Genuss nicht vom Sprechen beeinträchtigen lassen.

»Hast du dir meinen Vorschlag überlegt? Hast du darüber nachgedacht, ob du bei mir bleiben möchtest?«

»Hmm-hmm.«

»Und?«

»Anh-nh-nh-nh-nh.« Der langgezogene Laut sollte bedeuten: »Zwing mich bitte nicht zum Reden.«

Er lachte, drehte sie auf den Rücken und setzte die Erregungsmassage mit äußerster Konzentration auf Technik und Details fort. Hanas körperlicher Zustand war ideal. Sie war Mitte dreißig, so jung also, wie eine Frau gerade noch sein kann, wenn sie trotzdem die Ausbildung und Erfahrung einer großen Liebeskünstlerin hat. Da sie ihren Körper aufs sorgfältigste pflegte und ihre ideale Mischung aus asiatischen, schwarzen und weißen Erbteilen sie alterslos erscheinen ließ, würde sie noch weitere fünfzehn Jahre in der Blüte des Lebens stehen. Es war eine Freude, sie anzusehen und sie zu berühren.

Ihr größter Vorzug lag in der Fähigkeit, Genuss rückhaltlos und anmutig zu akzeptieren.

Als die »Wonne des Rasiermessers« sich ihren erogenen Zonen genähert und sie ganz feucht und passiv gemacht hatte, beendete er das Spiel mit seinem klassischen schnellen Finale. Und eine Zeit lang lagen sie dann in jener entspannten Umarmung zweier Liebender, deren Körper im gleichen Rhythmus atmen.

»Ich *habe* darüber nachgedacht, ob ich bleiben soll, Nikko«, sagte sie jetzt, und ihre Stimme summte gegen seine Brust. »Es gibt viele Gründe, die mich dazu bewegen könnten. Dies ist der schönste Fleck auf der ganzen Erde. Ich werde dir immer dankbar sein dafür, dass du mir diesen verborgenen Winkel des Baskenlandes gezeigt hast. Du hast dir hier ein Leben in *shibumi*-Luxus geschaffen, das wahrhaftig sehr attraktiv ist. Und dann bist da noch du selbst, so ernst und unnachgiebig, wenn du mit der Außenwelt zu tun hast, aber so jungenhaft und unbeschwert in der Liebe. Ich kann dir einen gewissen Charme nicht absprechen.«

»Vielen Dank.«

»Und außerdem muss ich gestehen, dass man weit seltener einen in der Liebe vollendet gebildeten Mann findet als eine ausgezeichnet trainierte Frau. Aber ... es ist sehr einsam hier. Ich weiß zwar, dass ich jederzeit die Freiheit habe, nach Bayonne oder Paris zu fahren – und ich amüsiere mich großartig, wenn ich dort bin –, aber das Leben hier ist dennoch einsam für eine Frau, deren Interessen und Bedürfnisse so fein geschliffen worden sind wie die meinen, ungeachtet all deiner Aufmerksamkeiten und des Vergnügens an deiner Unterhaltung und trotz der kraftstrotzenden Unzüchtigkeiten unseres Freundes Le Cagot.«

»Das kann ich verstehen.«

»Für dich ist es etwas ganz anderes, Nikko. Du bist von Natur aus ein Einsiedler. Du verachtest die Außenwelt, du brauchst sie nicht. Auch ich finde die meisten Leute dort draußen langweilig oder ärgere mich über sie. Aber ich bin keine echte Einsiedlerin, und ich besitze eine stark ausgeprägte Neugier. Und dann … es gibt da noch ein anderes Problem.«

»Ja?«

»Nun, wie soll ich es ausdrücken? Persönlichkeiten wie meine und deine sind dazu geschaffen, andere zu dominieren. Jeder von uns sollte in der Gesellschaft wirken, der Masse prickelnde Würze und Struktur verleihen. Wir beide ganz allein zusammen an einem Ort, das ist wie eine Verschwendung von Pikantem in einem einzigen Gang einer sonst fade schmeckenden Mahlzeit. Verstehst du mich?«

»Heißt das, du bist entschlossen, mich zu verlassen, wenn deine Pflichtzeit um ist?«

Sie blies einen Atemstrom über die Haare auf seiner Brust hin. »Es heißt, dass ich mich noch nicht entschieden habe.« Eine Weile schwieg sie, dann fuhr sie fort: »Am liebsten hätte ich, glaube ich, das Beste von beiden Welten, verbrächte die Hälfte eines jeden Jahres hier, um mich auszuruhen und bei dir zu lernen, und die andere Hälfte dort draußen, wo ich mein Publikum in Erstaunen versetzen könnte.«

»Ich sehe nichts Unmögliches in dieser Idee.«

Sie lachte. »Es würde bedeuten, dass du dich jedes Jahr sechs Monate lang mit den braungebrannten, langbeinigen, geistlosen Nymphen der Côte Basque bescheiden müsstest. Schauspielerinnen, Fotomodelle und so weiter. Meinst du, dass du das fertigbrächtest?«

»Genauso leicht, wie du dich mit kräftigen jungen Männern mit prachtvollem Muskeltonus und ehrlichen, aber leeren Augen zufriedengeben könntest. Für uns beide wäre das, als lebten wir ausschließlich von Hors d'œuvres. Aber warum nicht? Hors d'œuvres können sehr schmackhaft sein, wenn sie auch übersättigen, ohne wirklichen Nährwert zu haben.«

»Ich muss es mir überlegen, Nikko. Der Gedanke ist sehr attraktiv.« Sie stützte sich auf einen Ellenbogen und blickte in seine halbgeschlossenen belustigten Augen hinab. »Aber die Freiheit ist auch attraktiv. Vielleicht fasse ich überhaupt keinen Entschluss.«

»Das wäre bereits eine Art Entschluss.«

Sie zogen sich an und gingen unter dem durchlöcherten Kupferkasten duschen, den der erste aufgeklärte Besitzer des Schlosses vor nahezu dreihundert Jahren konstruiert hatte.

Erst als sie im creme- und goldfarben ausgeschlagenen Salon beim Tee saßen, erkundigte Hel sich nach der Besucherin.

»Sie schläft noch. Als sie gestern Abend ankam, war sie verzweifelt. Sie ist von Rom nach Pau geflogen, bis Tardets per Anhalter gefahren und dann hierher zu Fuß marschiert. Obwohl sie sich Mühe gab, höflich Konversation zu machen und die Regeln des Anstands zu wahren, merkte ich sofort, dass sie bis ins Innerste erschüttert war. Sie fing beim Teetrinken an zu weinen. Weinte, ohne es selbst zu merken. Ich gab ihr etwas zur Beruhigung und brachte sie dann zu Bett. Doch in der Nacht hatte sie Albträume und wachte mehrmals auf. Also blieb ich auf ihrer Bettkante sitzen, streichelte ihr das Haar und sang ihr etwas vor, bis sie wieder ruhig geworden war und einschlief.«

»Was für Probleme hat sie denn?«

»Sie erzählte während der Nacht davon. Es hat da eine scheußliche Geschichte auf dem Flughafen von Rom gegeben. Zwei ihrer Freunde wurden erschossen.«

»Von wem?«

»Das hat sie nicht gesagt. Vielleicht weiß sie es selbst nicht.«

»Warum wurden die beiden erschossen?«

»Ich habe keine Ahnung.«

»Hat sie dir erzählt, warum sie zu uns gekommen ist?«

»Anscheinend waren sie alle drei hierher unterwegs. Sie hatte kein Geld bei sich, nur ihr Flugticket.«

»Hat sie dir ihren Namen genannt?«

»Ja. Hannah Stern. Ihr Onkel sei ein Freund von dir, sagte sie noch.«

Hel stellte die Tasse hin, schloss die Augen und stieß einen tiefen Seufzer aus. »Asa Stern war mein Freund. Er ist tot. Ich stand in seiner Schuld. Einmal wäre ich ohne seine Hilfe umgekommen.«

»Und diese Schuld – erstreckt sie sich auch auf das junge Mädchen?«

»Wir werden sehen. Was sagtest du noch – die Schießerei im Flughafen Rom war gestern Nachmittag?«

»Oder am Vormittag; ich bin mir nicht sicher.«

»Dann müsste es um zwölf in den Nachrichten kommen. Wenn sie aufwacht, schick sie bitte zu mir. Ich bin im Garten. Ach ja, ich glaube, Le Cagot wird heute zum Abendessen kommen – falls er seine Verpflichtungen in Larrau bis dahin erfüllt hat.«

Hel arbeitete anderthalb Stunden im Garten, stutzte hier, kontrollierte da, immer eine zurückhaltende, subtile Wirkung im Auge. Er war kein Künstler, aber er war sensibel; und so fehlte seinem Garten, dem wichtigsten Ausdruck seiner Sehnsucht nach Kreativität, zwar *sabi,* aber er wies die *shibui*-Züge auf, die die japanische Kunst von der mechanischen Dynamik der westlichen und der aufdringlichen Übertreibung der chinesischen unterscheiden. Sein Garten verströmte die süße Melancholie, die verzeihende Traurigkeit, die in der Vorstellungswelt der Japaner die Schönheit charakterisieren. Es herrschte eine beabsichtigte Unvollkommenheit und eine organische Schlichtheit, die zunächst ästhetische Spannungen erzeugte, um sie dann zu befriedigen, und die etwa so funktionierte wie Gleichgewicht und Ungleichgewicht in der westlichen Kunst.

Kurz vor zwölf brachte ihm ein Diener ein Transistorradio, und Hel hörte sich im Waffenraum die Mittagsnachrichten des BBC World Service an. Sie wurden von einer Frau gesprochen, deren unverwechselbare Stimme schon seit Jahren eine Quelle der Belustigung für die internationale anglophone Gemeinde bildete. Zu der ohnehin merkwürdigen, BBC-typischen Aussprache fügte sie nämlich noch einen abgehackten, halberstickten Ton, den ihre weltweite Zuhörerschaft seit langem für die Folge eines schlecht sitzenden Zäpfchens hielt, wenngleich es lebhafte Diskussionen und hohe Wetten zwischen denen gab, die behaupteten, das Zäpfchen bestehe aus Sandpapier, und jenen, die mehr zu der Eiswürfeltheorie tendierten.

Versteckt zwischen den alltäglichen Meldungen von stürzenden Regierungen, vom fallenden Dollar und über Bombenexplosionen in Belfast war eine Beschreibung des Massakers im Flughafen Rom. Zwei Japaner, später aufgrund der mitgeführten Papiere als im Auftrag des Schwarzen September arbeitende Angehörige der Japanischen Roten Armee identifiziert, hatten mit automatischen Waffen um sich geschossen und zwei junge Israelis getötet, deren Identität jedoch nicht bekanntgegeben wurde. Die zwei Japaner waren bei einem anschließenden Schusswechsel mit der italienischen Polizei und einigen Spezialagenten getötet worden, wie auch ein paar unschuldige Zivilisten. Und nun zu etwas erfreulicheren Meldungen …

»Mr. Hel?«

Er stellte das Radio ab und winkte der jungen Frau, die in der Tür stand. Sie trug frische Khakishorts und eine kurzärmlige Bluse, deren oberste drei Knöpfe offen standen. Im Hinblick auf Hors d'œuvres war sie wirklich ein appetitliches Häppchen: lange kräftige Beine, schlanke Taille, aggressiver Busen, rötliches, vom Waschen duftig-weiches Haar. Eher Soubrette als Heroine, befand sie sich in jenem kurzen, aufreizenden Stadium zwischen Fohlenhaftigkeit und voller Reife. Doch ihr Gesicht wirkte noch ganz weich und unerfahren; so verlieh der Schock, unter dem sie noch immer stand, ihren Zügen einen Ausdruck schmollender Verstocktheit.

»Mr. Hel?«, wiederholte sie unsicher.

»Kommen Sie her und nehmen Sie Platz, Miss Stern.«

Sie wählte einen Sessel unter einem Regal mit Metallgegenständen, die sie nicht als Waffen erkannte, und lächelte schwach. »Ich weiß nicht, warum, aber ich hatte Sie mir älter vorgestellt. Onkel Asa sprach immer von Ihnen als einem Freund, einem Mann seines Alters.«

»Wir waren auch gleichaltrig; wir gehörten derselben Ära an. Obwohl das nichts zur Sache tut.« Er musterte sie unverhohlen, versuchte sie einzuschätzen und fand sie unzulänglich.

Voll Unbehagen unter dem kalten Blick seiner flaschengrünen Augen suchte sie Zuflucht in oberflächlichem Geplauder. »Ihre Frau – Hana, meine ich – war wirklich sehr liebenswürdig zu mir. Sie hat in der vergangenen Nacht an meinem Bett gesessen und ...«

Er unterbrach sie mit einer knappen Handbewegung. »Erzählen Sie mir zunächst von Ihrem Onkel. Warum hat er Sie hergeschickt? Und dann berichten Sie mir die Einzelheiten des Zwischenfalls auf dem Flughafen von Rom. Außerdem müssen Sie mir erklären, wie Ihre Pläne aussehen und was ich damit zu tun habe.«

Von seinem geschäftsmäßigen Ton überrascht, atmete sie tief durch, sammelte sich und begann ihre Geschichte charakteristischerweise mit ihrer eigenen Person. Sie erzählte, dass sie in Skokie aufgewachsen sei, die Northwestern University besucht habe, aktives Interesse an politischen und sozialen Fragen genommen und nach dem Examen beschlossen habe, ihren Onkel in Israel zu besuchen – um ihre Wurzeln zu finden, ihr Judentum zu entdecken.

Bei ihren letzten Worten senkte Hel die Lider und stieß einen kurzen Seufzer aus. Mit einer ungeduldigen Handbewegung bat er sie fortzufahren.

»Onkel Asa hatte sich vorgenommen, die Hintermänner des Münchner Olympiaattentats zu bestrafen, aber das wissen Sie natürlich schon.«

»Gerüchteweise. In unseren Briefen haben wir derartige Dinge freilich niemals erwähnt. Als ich anfangs davon hörte, fand ich es sehr töricht von Ihrem Onkel, seinen Ruhestand aufzugeben und einen solchen Versuch zu wagen, zumal seine alten Freunde und Kontaktmänner doch längst entweder gestorben oder zu Politikern verkommen waren. Ich kann nur annehmen, dass es sich um die Verzweiflungstat eines Mannes handelte, der wusste, dass er an einer unheilbaren Krankheit litt.«

»Aber er hat unsere Zelle vor anderthalb Jahren organisiert, und die Krankheit brach erst vor wenigen Monaten aus.«

»Das ist nicht wahr. Ihr Onkel war schon seit mehreren Jahren krank. Es hatten sich zwischenzeitlich lediglich die Symptome gemildert. Zu dem Zeitpunkt, an dem er, wie Sie sagten, Ihre Zelle organisierte, bekämpfte er die Schmerzen mit Drogen. Das erklärt wohl sein getrübtes Denkvermögen.«

Hannah Stern blickte stirnrunzelnd zur Seite. »Das klingt aber nicht, als hielten Sie viel von meinem Onkel.«

»Im Gegenteil, ich hatte ihn sehr gern. Er war ein brillanter Denker und ein Mann mit einem hochherzigen Geist – ein Mann des *shibumi.*«

»Ein Mann des – was?«

»Lassen Sie nur. Ihr Onkel hat nie in die Terrorszene gepasst. Er war emotional dafür nicht geeignet, und das spricht sehr für ihn als Menschen. In besseren Zeiten hätte er das ruhige Leben eines Philosophen oder Gelehrten geführt. Doch er besaß einen leidenschaftlichen Sinn für Gerechtigkeit, und zwar nicht nur im Hinblick auf sein eigenes Volk. So wie die Dinge vor fünfundzwanzig Jahren in Israel lagen, standen leidenschaftlichen und hochherzigen Männern, die keine Feiglinge waren, nur sehr beschränkte Möglichkeiten offen.«

Hannah war nicht an Hels leise, beinahe flüsternde Gefängnisstimme gewöhnt, daher musste sie sich ziemlich weit vorneigen, um ihn verstehen zu können.

»Wenn Sie meinen, ich hätte Ihren Onkel nicht geschätzt, dann irren Sie sich sehr. Es gab vor sechzehn Jahren in Kairo eine Situation, in der er seine Sicherheit, möglicherweise sogar sein Leben riskierte, um mir zu helfen. Und was noch wichtiger ist, er riskierte darüber hinaus den Erfolg eines Projekts, dem er sich verschrieben hatte. Mich hatte eine Kugel in die Seite erwischt. Die Lage war so, dass ich es nicht wagen konnte, ärztliche Hilfe zu suchen. Als ich ihn traf, war ich zwei Tage lang mit einem blutdurchtränkten Stofffetzen unter dem Hemd durch Hintergassen geschlichen, weil ich mich nicht in ein Hotel traute. Ich war vom Fieber benommen. Nein, ich schätze ihn wirklich sehr. Und ich stehe in seiner Schuld.« Hel sagte es mit leiser monotoner Stimme, freilich ohne die Dramatik, die Hannah mit Aufrichtigkeit verbunden hätte. Er erzählte ihr diese Dinge, weil sie – um ihres Onkels willen – ein Anrecht darauf hatte, das Ausmaß seiner Ehrenschuld kennenzulernen. »Nach dieser Sache damals in Kairo habe ich Ihren Onkel nie wiedergesehen. Unsere Freundschaft wuchs im Laufe der Jahre aufgrund eines Briefwechsels, den wir beide als Ventil benutzten, um Ideen zu prüfen, Ansichten über Bücher auszutauschen, die wir lasen, über das Schicksal und das Leben an sich zu klagen. Wir waren zwei einander sehr nahestehende Fremde.« Hel fragte sich, ob das junge Mädchen eine derartige Verbindung überhaupt begreifen konnte. Nachdem er diese Frage verneint hatte, konzentrierte er sich auf das anstehende Problem. »Nun gut, nachdem sein Sohn in München ermordet worden war, bildete Ihr Onkel eine Zelle, die ihm bei seiner Strafexpedition helfen sollte. Wie viele Mitglieder, und wo sind sie jetzt?«

»Ich bin die Einzige, die übrig ist.«

»*Sie* haben mit zu der Zelle gehört?«

»Ja. Warum? Erscheint Ihnen das ...«

»Spielt keine Rolle.« Jetzt war Hel endgültig überzeugt, dass Asa Stern in drogenumnebelter Verzweiflung gehandelt hatte, als er dieses weiche College-Häschen in eine Aktionszelle aufnahm. »Wie groß war die Zelle?«

»Wir waren fünf. Wir nannten uns die Munich Five.«

Wieder ließ er die Lider sinken. »Wie dramatisch! Es gibt doch nichts Schöneres, als einen Stunt lauthals zu proklamieren.«

»Wie bitte?«

»Zu fünft in der Zelle? Ihr Onkel, Sie, die beiden in Rom Ermordeten – und wer war der fünfte? David O. Selznick?«

»Ich verstehe nicht, was Sie meinen. Der fünfte Mann kam bei einer Bombenexplosion in einem Café in Jerusalem um. Er und ich, wir waren ... wir waren ...« In ihren Augen glänzten Tränen.

»Natürlich waren Sie! Die aufregendere Variante einer Urlaubsromanze! Und eine der hübschen Nebenwirkungen, wenn man eine überzeugte junge Revolutionärin ist und die Verantwortung für die ganze Menschheit auf seinen Schultern trägt. Na schön. Erzählen Sie, wie weit Ihr Projekt gediehen war, als Asa starb.«

Hannah war verwirrt und verletzt. Dies war ganz und gar nicht der Mann, den ihr Onkel beschrieben hatte, der ehrliche Profi, der darüber hinaus ein kultivierter Mensch war, der seine Schulden bezahlte und sich weigerte, für die brutalsten unter den nationalen und kommerziellen Machthabern zu arbeiten. Wie konnte ihr Onkel nur einen Mann geschätzt haben, der so wenig menschliches Mitgefühl erkennen ließ? Der so wenig Verständnis zeigte?

Hel verstand sie natürlich nur allzu gut. Er hatte schon öfter hinter diesen fanatischen Amateuren aufräumen müssen. Er wusste, wenn der Sturm losbrach, liefen sie entweder feige davon oder sie schossen, wiederum aus Feigheit, jeden nieder, der ihnen vor die Waffe geriet.

Überrascht stellte Hannah fest, dass sie nicht weinen konnte, dass ihr Tränenfluss durch Hels kühles Festhalten an

Fakten und Informationen gehemmt wurde. Schniefend sagte sie: »Onkel Asa hatte Informanten in England. So erfuhr er, dass die beiden letzten Überlebenden der Münchner Attentäter zusammen mit einer Gruppe des Schwarzen September ein von Heathrow startendes Flugzeug entführen wollten.«

»Wie groß war die Gruppe?«

»Fünf bis sechs. Wir wussten es nicht genau.«

»Wussten Sie, welche von ihnen in München dabei waren?«

»Nein.«

»Sie wollten also einfach alle fünf umlegen?«

Sie nickte.

»Ich verstehe. Und Ihre Kontakte in England? Welcher Art sind die, und was werden sie für Sie tun?«

»Es sind Stadtguerilleros, die für die Befreiung Nordirlands von der englischen Gewaltherrschaft kämpfen.«

»O Gott!«

»Wissen Sie, irgendwie sind alle Freiheitskämpfer Brüder. Unsere Taktiken mögen verschieden sein, aber unsere Ziele sind letztlich die gleichen. Wir alle ersehnen den Tag, an dem ...«

»Bitte!«, unterbrach er sie. »Also, was wollten diese IRA-Brüder für Sie tun?«

»Na ja ... die Septembristen im Auge behalten. Uns Wohnungen beschaffen, sobald wir in London eintrafen. Und sie wollten uns mit Waffen versorgen.«

»›Uns‹, das heißt wohl Sie und die beiden, die in Rom umgekommen sind, wie?«

»Ja.«

»Ich verstehe. Nun gut, erzählen Sie mir jetzt bitte, was sich in Rom zugetragen hat. Laut BBC sind die Stuntmen Angehörige der Japanischen Roten Armee, die für die PLO arbeiteten. Ist das richtig?«

»Ich weiß es nicht.«

»Waren Sie denn nicht dort?«

»Ja! Natürlich war ich dort!« Sie riss sich zusammen. »Aber in dem Durcheinander … sterbende Menschen … Schüsse überall …« In ihrer Not erhob sie sich und kehrte diesem Mann, der sie, das spürte sie instinktiv, absichtlich quälte und testete, den Rücken zu. Sie nahm sich vor, nicht zu weinen, aber die Tränen kamen trotzdem. »Tut mir leid. Ich war völlig außer mir. Benommen. Ich erinnere mich nicht an alles.« Vor Nervosität und weil sie mit ihren Händen nichts anzufangen wusste, griff sie nach einer unscheinbaren Metallröhre auf dem Regal an der Wand über ihr.

»Nicht anfassen!«

Sie zuckte erschrocken zurück, weil er zum ersten Mal die Stimme erhoben hatte. Ein Anflug selbstgerechter Wut durchzuckte sie. »Ich wollte Ihre Spielsachen nicht kaputtmachen!«

»Aber die hätten Sie kaputtmachen können.« Seine Stimme klang wieder leise und melodisch. »Das ist eine Nervengasröhre. Wenn Sie am Schaft gedreht hätten, wären Sie jetzt tot. Und noch schlimmer: Ich auch.«

Sie schnitt eine Grimasse, zog sich vom Waffenregal zurück und trat an die offene Schiebetür, die in den Garten hinausführte. Sie lehnte sich an den Rahmen, um ihre Selbstbeherrschung zurückzugewinnen.

»Junge Dame, ich werde Ihnen helfen, sofern das möglich ist. Ich muss freilich gestehen, dass es vielleicht nicht möglich sein wird. Ihre kleine Amateurorganisation hat so ungefähr jeden erdenklichen Fehler gemacht, und sich mit den Schwachköpfen von der IRA zu verbinden war nicht der geringste davon. Dennoch schulde ich es Ihrem Onkel, Sie bis zu Ende anzuhören. Vielleicht kann ich Sie beschützen und dafür sorgen, dass Sie in den bourgeoisen Komfort Ihres Elternhauses zurückkehren, wo Sie Ihre sozialen Ambitionen ausleben können, indem Sie gegen die Verschmutzung der Nationalparks protestieren. Aber wenn ich Ihnen helfen soll, muss ich wissen, wie die Steine auf dem Brett liegen. Also heben Sie sich

Ihre Leidenschaft und Theatralik für Ihre Memoiren auf, und beantworten Sie meine Fragen so präzise und so knapp wie möglich. Wenn Sie dazu im Augenblick nicht in der Lage sind, können wir uns später unterhalten. Doch es kann sein, dass ich sehr schnell handeln muss. Im typischen Verlauf einer Partie wie dieser arbeitet die Zeit nach einem Präventivschlag – und das ist der Überfall auf dem Flughafen Rom vermutlich gewesen – für die anderen. Wollen Sie jetzt reden, oder wollen wir erst zu Mittag essen?«

Hannah glitt auf den *tatami*-Boden hinab. Sie lehnte sich mit dem Rücken an den Türrahmen und blickte hinaus. Vor dem sonnendurchfluteten Garten hob ihr Profil sich ab wie eine kostbare Kamee. Nach einer Weile sagte sie: »Entschuldigen Sie. Ich habe viel durchgemacht.«

»Das bezweifle ich nicht. Aber jetzt erzählen Sie mir von dem Überfall. Tatsachen und Eindrücke, keine Emotionen!«

Sie senkte den Blick und malte mit dem Fingernagel kleine Kreise auf ihren gebräunten Oberschenkel; dann zog sie die Knie an die Brust und umschlang sie mit den Armen. »Also gut. Avrim und Chaim gingen vor mir durch die Passkontrolle. Ich wurde von dem italienischen Beamten aufgehalten, der ein bisschen mit mir flirtete und auf meinen Busen starrte. Ich hätte wohl besser meine Bluse bis obenhin zugeknöpft. Schließlich stempelte er meinen Pass ab, und ich wollte in die Halle gehen. Dann fielen auf einmal Schüsse. Ich sah Avrim laufen ... und fallen ... sein Kopf war an der einen Seite ganz ... ganz ... Einen Moment, bitte.« Sie schniefte und holte mehrmals tief Luft. »Ich fing auch an zu laufen ... Alles rannte und schrie durcheinander ... Ein alter Mann mit weißem Bart wurde getroffen ... ein Kind ... eine dicke alte Frau. Dann kamen Schüsse von der anderen Seite der Halle und vom Balkon, und unsere Angreifer, die Asiaten, wurden getroffen. Dann kamen plötzlich keine Schüsse mehr, nur noch Schreie, und überall blutende, verletzte Menschen. Chaim lag bei den

Schließfächern, die Beine ganz komisch verdreht. Er war ins Gesicht getroffen worden. Und da bin ich … einfach weggegangen. Ich bin einfach weggegangen. Ich wusste nicht, was ich tat oder wohin ich wollte. Dann hörte ich den Aufruf für die Maschine nach Pau. Und ich bin einfach weitergegangen bis zum Flugsteig. Und … und das ist alles.«

»Na schön. Sehr gut. Und jetzt beantworten Sie mir noch Folgendes: Waren Sie selber auch eine Zielperson?«

»Wie bitte?«

»Hat irgendjemand direkt auf Sie geschossen?«

»Ich weiß es nicht! Woher soll ich das wissen?«

»Haben die Japaner automatische Waffen benutzt?«

»Was?«

»Haben die Schüsse rat-a-tat gemacht, oder bäng! bäng! bäng!«

Sie warf ihm einen bösen Blick zu. »Ich weiß, was eine automatische Waffe ist. Wir haben in den Bergen damit geübt.«

»Rat-a-tat oder bäng bäng?«

»Es waren Maschinenpistolen.«

»Und wurde jemand getroffen, der in Ihrer Nähe stand?«

Sie überlegte angestrengt, die Knie fest an die Lippen gepresst. »Nein. Niemand, der in meiner Nähe war.«

»Wenn Profis mit automatischen Waffen niemanden in Ihrer Nähe getroffen haben, dann waren Sie auch keine Zielperson. Möglicherweise hat man gar nicht gewusst, dass Sie zu den beiden gehörten. Vor allem, wenn Sie erst einige Zeit nach ihnen durch die Passkontrolle kamen. Na schön. Bitte, denken Sie jetzt ganz konzentriert an die Schüsse, die vom Balkon herunterkamen und die japanischen Killer töteten. Was ist Ihnen daran aufgefallen?«

Sie schüttelte den Kopf. »Gar nichts. Ich erinnere mich an überhaupt nichts. Es waren keine automatischen Waffen.« Sie warf Hel einen schiefen Blick zu. »Sie machten bäng bäng.«

Er lächelte. »So ist's richtig. Humor und Zorn sind uns jetzt weitaus nützlicher als die weicheren Gefühle. Also, der Rundfunk hat etwas von ›Spezialagenten‹ berichtet, die die italienischen Polizisten begleitet hätten. Können Sie mir über die etwas sagen?«

»Nein. Die Leute auf dem Balkon habe ich überhaupt nicht gesehen.«

Hel nickte und senkte den Kopf, die Handflächen fest zusammengepresst, die Zeigefinger an die Lippen gelegt. »Lassen Sie mir einen Moment Zeit; ich muss das alles erst gründlich durchdenken.« Er richtete die Augen auf das Flechtmuster der *tatamis* und verfolgte es mit starrem Blick, während er die erhaltenen Informationen rekapitulierte.

Hannah saß im Türrahmen auf dem Boden und schaute in den japanischen Garten hinaus, wo das von dem kleinen Bach reflektierte Sonnenlicht durch die Bambusblätter glitzerte. Sie war ein typisches Kind ihrer Klasse und Kultur, und als solchem fehlten ihr die inneren Ressourcen, die unabdingbar sind, will man die Wonne des Schweigens genießen. So aber wurde sie schon bald unruhig. »Warum gibt es keine Blumen in Ihrem ...«

Ohne aufzublicken hob er Schweigen gebietend die Hand.

Vier Minuten darauf schaute er sie an. »Was?«

»Wie bitte?«

»Irgendwas mit Blumen.«

»Ach so! Nicht weiter wichtig. Ich wollte nur wissen, warum Sie keine Blumen in Ihrem Garten haben.«

»Es gibt drei Blumen darin.«

»Drei Arten?«

»Nein. Drei Blumen. Jede davon ist das Symbol einer Blütezeit. Im Moment befinden wir uns allerdings zwischen zwei Blüteperioden. Nun gut, fassen wir mal zusammen, was wir bis jetzt wissen oder als sicher annehmen können. Dass der Überfall in Rom entweder von der PLO oder den Septembristen organisiert wurde, ist ziemlich eindeutig; ebenso, dass sie von Ihren Absichten Kenntnis erhalten hatten – vermutlich durch Ihre Londoner IRA-Kameraden, die ihre eigene Mutter in ein türkisches Serail verkaufen würden, wenn nur der Preis hoch genug wäre … und wenn die Türken nicht zu viel Selbstachtung besäßen, um von dem Angebot Gebrauch zu machen. Das Auftauchen der Fanatiker von der Japanischen Roten Armee dürfte auf Septembristen hinweisen; sie schicken öfter andere vor, um sich selbst den gefährlichen Teil zu ersparen, denn sie schätzen persönliche Risiken nicht sehr. Doch hier wird die Sache kompliziert. Die Stuntmen wurden innerhalb von Sekunden erledigt – von Männern, die oben auf dem Balkon postiert waren. Wahrscheinlich jedoch nicht von der italienischen Polizei, denn das war schnelle, saubere Arbeit. Ich möchte wetten, dass der Verrat verraten wurde. Aber warum? Der einzige Grund, der sich anbietet, wäre der, dass die japanischen Stuntmen nicht lebend geschnappt werden sollten. Und warum? Vielleicht, weil sie gar nicht von der JRA waren. Und das würde uns natürlich zur CIA bringen. Oder zur Muttergesellschaft, die der CIA übergeordnet ist. Und die die Macht über die ganze amerikanische Regierung in Händen hält.«

»Was ist denn das, die Muttergesellschaft? Davon habe ich noch nie gehört.«

»Davon haben nur wenige Amerikaner gehört. Es ist eine Kontrollorganisation der wichtigsten internationalen Öl- und Energiekonzerne. Die liegen schon ewig am Busen der Araber und benutzen diese armen unwissenden Tröpfe als Bauern im Schachspiel ihrer künstlich erzeugten Knappheiten und Profitschneidereien. Die Muttergesellschaft ist ein zäher Gegner; durch nationalistischen Druck kommt man nicht an sie heran. Denn obwohl sie einen riesigen Medienrummel um ihre treu-amerikanischen – oder -britischen oder -deutschen oder -holländischen – Töchter macht, sind das in Wirklichkeit internationale Infraregierungen, deren Patriotismus sich einzig im Profit ausdrückt. Es ist nicht unwahrscheinlich, dass auch Ihr

Vater Aktionär dieser Muttergesellschaft ist, genau wie die Hälfte aller lieben grauhaarigen alten Damen in Ihrem Land.«

Hannah schüttelte den Kopf. »Ich kann mir nicht vorstellen, dass die CIA mit den Leuten vom Schwarzen September gemeinsame Sache macht. Die Vereinigten Staaten unterstützen Israel; sie sind Verbündete.«

»Sie unterschätzen die Elastizität des Gewissens in Ihrem Land. Seit dem Ölembargo haben die Amerikaner eine scharfe Kehrtwendung gemacht. Ihre Hingabe an den Ehrbegriff sinkt im gleichen Maße, wie ihre Heizkosten steigen. Es ist eine typische Eigenschaft der Amerikaner, dass sie nur kurze Ausbrüche von Tapferkeit und Aufopferung kennen. Deswegen liegt ihnen Krieg weit mehr als verantwortungsbewusster Frieden. Denn der Gefahr können sie ins Auge sehen, nicht aber der Unbequemlichkeit. Sie vergiften ihre Luft, um Mücken zu töten. Sie erschöpfen ihre Energiequellen, um sich elektrische Messer anschaffen zu können. Wir dürfen nie vergessen, dass es in Vietnam stets genug Coca-Cola für die Soldaten gab.«

Hannah verspürte einen kleinen chauvinistischen Stich. »Halten Sie es für fair, derart zu verallgemeinern?«

»Ja. Verallgemeinerungen sind nur unangebracht, wenn man sie auf einzelne anwendet. Aber sie sind die einzig wirksame Möglichkeit, die Masse zu beschreiben. Und Ihr Land ist eine Demokratie, also eine Diktatur der Masse.«

»Ich weigere mich zu glauben, dass Amerikaner an diesem blutigen Terror auf dem Flughafen beteiligt waren. Unschuldige Kinder und alte Männer …«

»Sagt Ihnen der sechste August etwas?«

»Der sechste August? Nein. Warum?« Sie zog die Knie noch fester an ihre Brust.

»Ist nicht wichtig.« Hel erhob sich. »Ich muss ein bisschen über die Sache nachdenken. Wir unterhalten uns heute Nachmittag weiter.«

»Werden Sie mir helfen?«

»Wahrscheinlich. Aber vielleicht nicht so, wie Sie es sich vorstellen. Übrigens, können Sie einen gut gemeinten Rat verkraften?«

»Was denn für einen?«

»Es ist indiskret von einer jungen Dame, die so reichlich mit Schamhaaren gesegnet ist wie Sie, so kurze Shorts zu tragen und eine so offenherzige Körperhaltung einzunehmen. Es sei denn, Sie wollten beweisen, dass Ihr rotes Haar echt ist. Wollen wir jetzt essen?«

Der Lunch war auf einem runden Tischchen im westlichen Salon angerichtet, mit Blick auf den gepflegten Rasen und die Allee, die zum Haupttor hinabführte. Die *portes-fenêtres* standen offen, und die langen Vorhänge blähten sich träge im Wind, der einen leichten Zederndutt hereinwehte. Hana trug ein langes Kleid aus pflaumenblauer Seide. Als Hel und Hannah eintraten, lächelte sie ihnen zu, während sie letzte Hand an einen Tischschmuck aus zarten glockenförmigen Blüten legte. »Pünktlich wie immer. Der Lunch ist gerade serviert worden.« In Wirklichkeit wartete sie bereits seit zehn Minuten, doch es gehörte zu ihren Künsten, anderen das Gefühl zu geben, sie beherrschten die gesellschaftliche Etikette. Ein Blick in Hannahs Gesicht verriet ihr, dass die Unterredung mit Hel nicht gut für das Mädchen verlaufen war, daher nahm sie bereitwillig die Bürde der Konversation auf sich.

Als Hannah ihre gestärkte Leinenserviette entfaltete, bemerkte sie, dass ihr nicht das Gleiche serviert worden war wie Hana und Hel. Für sie gab es ein Stück Lammfleisch mit Pilaw und gedünsteten Zucchini, während die anderen nur frisches oder blanchiertes Gemüse mit ungeschältem Reis aßen.

Lächelnd erklärte ihr Hana: »Unser Alter und unsere früheren Ausschweifungen zwingen uns heute, mit dem Essen ein bisschen vorsichtig zu sein, mein Kind. Doch unseren Gästen muten wir diese spartanische Diät nicht zu. Und wenn ich selbst einmal verreise, nach Paris zum Beispiel, dann esse ich, als wäre ich halb verhungert. Essen ist für mich eine Art gezähmtes Laster. Eines, das besonders schwierig zu bändigen ist, wenn man in Frankreich lebt, wo das Essen, je nachdem, welchen Standpunkt man einnimmt, entweder das zweitbeste oder das schlechteste der Welt ist.«

»Wie meinen Sie das?«, erkundigte sich Hannah.

»Vom Standpunkt des Schlemmers aus betrachtet steht das französische Essen gleich hinter der klassischen chinesischen Küche an zweiter Stelle. Aber die Speisen werden so zubereitet, derart mit Saucen übergossen, gespickt und geschabt und gestopft und gewürzt, dass sie vom Nährwert her einer Katastrophe gleichkommen. Deswegen hat auch kein anderes westliches Volk einerseits so große Freude am Essen und andererseits so große Schwierigkeiten mit der Leber wie die Franzosen.«

»Und was halten Sie vom amerikanischen Essen?«, fragte Hannah mit ironischem Lächeln, denn sie gehörte zu den zahlreichen Amerikanern, die im Ausland ihre Weltläufigkeit dadurch beweisen wollen, dass sie alles Amerikanische herabsetzen.

»Darüber kann ich wirklich nicht urteilen; ich war noch nie in Amerika. Aber Nikolai hat dort gelebt, und er sagte mir, dass es bestimmte Gebiete gibt, auf denen die amerikanische Küche hervorragend ist.«

»Ach, wirklich?« Hannah musterte Nikolai hochmütig. »Es überrascht mich zu hören, dass Mr. Hel etwas Gutes über Amerika oder die Amerikaner zu sagen weiß.«

»Es sind nicht die Amerikaner, die mich so verärgern; es ist der Amerikanismus: eine gesellschaftliche Krankheit der postindustriellen Welt, die unweigerlich eine merkantile Nation nach der anderen anstecken muss und die nur deshalb als ›amerikanisch‹ bezeichnet wird, weil Ihr Volk den am weitesten fortgeschrittenen Fall dieser Krankheit darstellt. Es ist etwa so, wie man von der spanischen Grippe oder von der japanischen Enzephalitis Typ B spricht. Die Symptome des Amerikanismus sind der Verlust der Arbeitsethik, ein Schrumpfen der inneren Ressourcen und das ständige Bedürfnis nach äußerer Stimulierung, gefolgt von geistigem Verfall und moralischer Stumpfheit. Man erkennt das Opfer an seinem unablässigen Bemühen, Kontakt mit sich selbst zu finden, zu glauben, seine geistige Schwäche sei ein interessanter psychologischer Knacks, in seiner Flucht vor der Verantwortung einen Beweis dafür zu sehen, dass er und sein Leben weit offen seien für neue Erfahrungen. In den letzten Stadien ist der Erkrankte so tief gesunken, dass er nach der trivialsten aller menschlichen Beschäftigungen giert: dem Vergnügen. Was aber das Essen anbelangt, so wird niemand leugnen, dass die Amerikaner sich in einer kleinen Sparte wirklich auszeichnen – in der des Snack nämlich. Und ich argwöhne, dass darin eine vielsagende Symbolik liegt.«

»*Arrêtes un peu et sois sage*«, warnte Hana mit leichtem Kopfschütteln. Dann lächelte sie Hannah zu. »Ist er nicht grässlich, wenn er auf die Amerikaner zu sprechen kommt? Das ist ein Charakterfehler von ihm. Sein einziger, wie er mir versichert. Übrigens, Hannah, ich wollte Sie schon lange fragen, was Sie an der Universität gehört haben?«

»Was ich gehört habe?«

»Welches Fach Sie studiert haben«, erklärte Hel.

»Ach so! Soziologie.«

Er hätte es sich denken können. Soziologie, diese deskriptive Pseudowissenschaft, die ihre Ungenauigkeit mit statistischer Vernebelung tarnt, während sie sich in der schmalen Informationslücke zwischen Psychologie und Anthropologie mästet. Dieses Nichtstudium, das so viele Amerikaner wählen, um die vierjährigen intellektuellen Ferien zu rechtfertigen, mit denen man in den USA seine Jugend verlängert.

»Was haben Sie denn studiert?«, erkundigte sich Hannah gedankenlos bei ihrer Gastgeberin.

Hana lächelte vor sich hin. »Ach … ein bisschen Psychologie, Anatomie, Ästhetik … So in der Richtung.«

Hannah widmete sich ihren Zucchini und fragte beiläufig: »Sie beide sind nicht verheiratet, wie? Ich meine … Sie haben da gestern Abend diesen Scherz gemacht, dass Sie Mr. Hels Konkubine seien.«

Hanas Augen weiteten sich vor ungläubiger Verwunderung. Sie war diese taktlose Neugier, die im angelsächsischen Kulturkreis mit bewundernswerter Offenheit verwechselt wird, nicht gewöhnt. Hel bedeutete Hana mit schadenfroh-unschuldigem Blick, sie solle selber darauf antworten.

»Nun ja …«, begann Hana. »Es ist richtig, Mr. Hel und ich sind nicht verheiratet. Und es stimmt wirklich, dass ich seine Konkubine bin. Möchten Sie vielleicht ein Dessert? Wir haben gerade die erste Ernte der wunderbaren Kirschen aus Itxassou erhalten, auf die die Basken mit vollem Recht so stolz sind.«

Hel wusste, dass Hana nicht so leicht davonkommen würde, und beobachtete sie grinsend, als Hannah Stern fortfuhr: »Ich glaube, was Sie meinen, ist nicht Konkubine. Im Englischen ist eine Konkubine eine Frau, die für … na ja, für sexuelle Dienste engagiert wird. Ich glaube vielmehr, Sie meinen Mätresse. Aber auch dieser Begriff ist heute überholt. Jetzt sagt man ganz einfach, zwei Leute leben zusammen.«

Hana sah Hel hilfesuchend an. Er lachte und antwortete an ihrer Stelle: »Hanas Englisch ist in Wirklichkeit ausgezeichnet. Das mit dem Zucchino war nur ein Scherz. Sie kennt den Unterschied zwischen einer Mätresse, einer Konkubine und einer Ehefrau sehr genau. Eine Mätresse ist ihrer Entlohnung nicht sicher, eine Ehefrau bekommt keine; und beide sind sie Amateure. Aber jetzt versuchen Sie mal die Kirschen.«

Hel saß auf einer Steinbank mitten zwischen den Zuchtbeeten, die Augen geschlossen, das Gesicht zum Himmel gewandt. Wenn der Bergwind auch kühl war, so drang doch das matte Sonnenlicht durch seinen *yukata* und machte ihn warm und schläfrig. Er verharrte an der wohligen Schwelle zum Einschlummern, bis er die sich nähernde Aura einer Person wahrnahm, die bedrückt und sehr nervös sein musste.

»Setzen Sie sich, Miss Stern«, forderte er sie auf, ohne die Augen zu öffnen. »Ich muss Ihnen ein Kompliment über Ihr Verhalten bei Tisch machen. Sie haben kein einziges Mal von Ihren Problemen gesprochen und anscheinend gespürt, dass wir in diesem Haus die Welt nicht mit an den Esstisch nehmen. Ehrlich gesagt, ich hatte Ihnen so viel Taktgefühl nicht zugetraut. Die meisten Menschen Ihres Alters und Ihrer Herkunft sind so stark auf sich selbst bezogen, so intensiv mit dem beschäftigt, was sie gerade bewegt, dass ihnen nicht klar wird, wie entscheidend Stil und Form sind und dass Substanz nur ein vorübergehender Mythos ist.« Er öffnete die Augen und lächelte über seinen Aphorismus, den er mit extrabreitem amerikanischen Akzent vortrug: »Es kommt nicht darauf an, was man tut, sondern wie man es tut.«

Hannah hockte sich vor ihm auf die Marmorbalustrade, die Oberschenkel von ihrem Gewicht plattgedrückt. Sie war barfuß und hatte seinen Rat, weniger freizügige Shorts anzuziehen, nicht befolgt. »Sie sagten, wir müssten uns noch einmal unterhalten?«

»Ja. Aber zunächst möchte ich mich für meinen unhöflichen Ton entschuldigen, sowohl bei unserem Gespräch heute Vormittag als auch bei Tisch. Ich war ärgerlich und erzürnt. Ich lebe jetzt seit beinahe zwei Jahren im Ruhestand, Miss Stern. Ich übe den Beruf der Terroristeneliminierung nicht mehr aus; ich widme mich nur noch meinem Garten, der Höhlenforschung, dem Belauschen des Grases, wenn es wächst, und der Suche nach einem tiefen, inneren Frieden, den ich vor vielen Jahren verloren habe – verloren, weil gewisse Umstände mich mit Hass und Wut erfüllten. Und jetzt kommen Sie mit Ihrer Bitte um Hilfe daher, die ich um Ihres

Onkels willen nicht zurückweisen kann. Und mir droht die Gefahr, wieder in diesen Beruf voll Gewalt und Angst zurückzumüssen. Und diese Angst ist ein beträchtlicher Faktor meines Ärgers über Sie. Denn meine Arbeit birgt stets ein gewisses Quantum Risiko. Und ganz gleich, wie gut man ausgebildet ist, wie vorsichtig, wie kaltblütig – die Chancen, dass man hätte scheitern können, summieren sich im Lauf der Jahre; und dann kommt eine Zeit, da Pech und Risiko schwer in die Waagschale fallen. Nicht, dass ich bei meiner Arbeit Glück gehabt hätte – ich misstraue dem Glück –, aber ich bin auch nie sehr vom Pech verfolgt worden. Daher wartet ein gerüttelt Maß an Unglück auf mich. Ich habe häufig die Münze geworfen, und immer lag der Kopf oben. Also warten ungefähr zwanzig Jahre Adler auf ihre Chance. Aber egal! Was ich Ihnen erklären wollte, war der Grund für meine Unhöflichkeit Ihnen gegenüber. Es geschah hauptsächlich aus Angst. Und aus Verärgerung. Inzwischen hatte ich Zeit zum Nachdenken. Und ich glaube, ich weiß, was ich zu tun habe. Zum Glück ist die richtige Handlungsweise in diesem Fall zugleich auch die sicherste.«

»Heißt das, dass Sie mir nicht helfen wollen?«

»Im Gegenteil. Ich werde Ihnen helfen, indem ich Sie nach Hause schicke. Meine Schuld Ihrem Onkel gegenüber erstreckt sich zwar auf Sie, da er Sie zu mir geschickt hat; aber sie erstreckt sich nicht auf irgendeine abstrakte Vorstellung von Rache oder auf eine Organisation, der Sie angehören.«

Sie blickte stirnrunzelnd weg, zu den Bergen hinüber. »Diese Auffassung Ihrer Verpflichtung meinem Onkel gegenüber ist äußerst bequem für Sie selbst.«

»Wie sich herausgestellt hat, ja.«

»Aber ... mein Onkel hat der Jagd nach diesen Killern seine letzten Lebensjahre gewidmet, und wenn ich jetzt nichts unternehme, wäre das alles umsonst gewesen.«

»Sie können gar nichts unternehmen. Ihnen fehlt die Ausbildung, die Erfahrung, die Organisation. Sie hatten ja nicht mal einen Plan, der diesen Namen verdient hätte.«

»Hatten wir doch!«

Er lächelte. »Nun gut. Betrachten wir einmal Ihren Plan. Sie sagten, die Leute des Schwarzen September wollten eine Maschine von Heathrow entführen. Ihre Gruppe sollte vermutlich im Augenblick der Entführung zuschlagen. Hätten Sie sie im Flugzeug überfallen oder ehe sie an Bord gingen?«

»Das weiß ich nicht.«

»Das wissen Sie nicht?«

»Nach Onkel Asas Tod war Avrim der Anführer. Er hat uns nicht mehr gesagt, als er für unerlässlich hielt – für den Fall, dass einer von uns gefangen genommen würde oder dergleichen. Aber ich glaube nicht, dass wir sie in der Maschine angreifen wollten. Ich glaube, wir hätten sie auf dem Flugsteig exekutiert.«

»Und wann sollte der Überfall stattfinden?«

»Am Morgen des Siebzehnten.«

»Bis dahin sind es noch sechs Tage. Warum wollten Sie dann so früh nach London? Warum sich sechs Tage lang exponieren?«

»Wir wollten ja gar nicht nach London. Wir wollten hierher, zu Ihnen. Onkel Asa wusste genau, dass wir ohne ihn nicht viel Aussicht auf Erfolg hatten. Er hatte gehofft, er würde durchhalten, um uns begleiten und führen zu können. Das Ende kam zu schnell für ihn.«

»Dann hat *er* Sie hierhergeschickt? Das glaube ich nicht.«

»Er hat uns nicht direkt hergeschickt. Er hat nur mehrmals von Ihnen gesprochen. Er sagte, falls wir in Schwierigkeiten gerieten, könnten wir Sie aufsuchen, und Sie würden uns helfen.«

»Sicher hat er gemeint, dass ich Ihnen nach dem Überfall bei der Flucht helfen würde.«

Sie zuckte die Achseln.

Er seufzte. »Dann wollten Sie also zu dritt bei Ihren IRA-Kontaktleuten in London die Waffen abholen, sich sechs Tage lang in der Stadt rumtreiben, ein Taxi nach Heathrow nehmen, in die Flughalle stürmen, die Zielpersonen im Warteraum ausmachen und sie abknallen. War das Ihr Plan?«

Ihre Kinnmuskeln spannten sich; sie wandte den Blick ab. So formuliert, klang es tatsächlich ziemlich dumm.

»Und damit, Miss Stern, stellt sich trotz Ihres Abscheus und Ihres Entsetzens über den Zwischenfall in Rom heraus, dass Sie genau die gleiche blutige Gewalttat planten – eine blindwütige Schießerei auf einem überfüllten Flugsteig. Tote Kinder, erschossene alte Frauen, herumfliegende Fleischfetzen, während die überzeugten jungen Revolutionäre sich mit blitzenden Augen und wehenden Haaren ihren Weg in die Geschichte freischießen. War es das, was Sie geplant hatten?«

»Wenn Sie damit sagen wollen, dass wir nicht anders sind als diese Killer, die die Sportler in München ermordet oder meine Kameraden in Rom erschossen haben ...«

»Der Unterschied liegt auf der Hand. *Das* waren gut organisierte Profis.« Er unterbrach sich. »Verzeihen Sie. Sagen Sie mir bitte Folgendes: Was für Hilfsquellen hatten Sie?«

»Hilfsquellen?«

»Ja. Abgesehen von Ihren IRA-Kontakten – und ich glaube, die können wir unbesorgt vergessen –, auf was für Ressourcen stützten Sie sich? Waren die Burschen, die in Rom starben, gut ausgebildet?«

»Avrim, ja. Chaim hatte, glaube ich, bis dahin noch nie mit solchen Dingen zu tun gehabt.«

»Und Geld?«

»Geld? Nun, wir hofften, Sie würden uns etwas geben. Viel brauchten wir ja nicht. Wir dachten, dass wir ein paar Tage hierbleiben könnten, mit Ihnen reden, uns Rat und Anweisungen holen. Dann wollten wir direkt nach London fliegen und dort am Tag vor dem Unternehmen eintreffen. Was wir brauchten, war nur das Geld für den Flug und ein bisschen was für Extraausgaben.«

Hel schloss die Augen. »Sie armes, dummes, todbringendes Mädchen! Wenn ich so etwas ausführen wollte wie das, was ihr im Sinn hattet, würde das zwischen hundert- und hundertfünfzigtausend Dollar kosten. Ganz abgesehen von meinem Honorar. Das wären nur die Kosten für das Arrangement. Es ist teuer, hineinzukommen, und es ist häufig noch teurer, wieder herauszukommen. Ihr Onkel hätte das wissen müssen.« Er blickte zum Horizont hinauf. »So langsam gerate ich zu der Auffassung, dass er einen Selbstmordangriff geplant hatte.«

»Das glaube ich nicht! Er hätte uns niemals in den Tod geführt, ohne uns etwas davon zu sagen!«

»Er wollte Sie vermutlich gar nicht nach vorn schicken. Er wollte euch drei Kinder wohl nur als Rückendeckung benutzen und hoffte, das Unternehmen selbst ausführen zu können, so dass ihr in der allgemeinen Verwirrung entkommen könntet. Und außerdem …«

»Was, außerdem?«

»Nun, wir dürfen nicht vergessen, dass er wegen seiner starken Schmerzen schon ziemlich lange Medikamente nahm. Wer weiß denn, was er sich gedacht hat? Wer weiß denn, wie viel ihm zuletzt überhaupt noch von seiner Denkfähigkeit geblieben war?«

Sie zog ein Knie an die Brust, umschlang es mit den Armen, und wieder wurden ihre roten Schamhaare sichtbar. Sie presste die Lippen auf ihr Knie und starrte darüber hinweg in den Garten hinaus. »Ich weiß nicht, was ich tun soll.«

Hel betrachtete sie durch halb geschlossene Lider. Armes verirrtes Küken! Suchte Sinn und Aufregung im Leben, während ihre Kultur und Herkunft sie dazu verdammten, einen Kaufmann zu heiraten und mit ihm Werbemanager in die Welt zu setzen. Sie war verängstigt und unsicher und doch immer noch nicht ganz bereit, ihre Liebelei mit Gefahr und Bedeutung aufzugeben und zu einem Leben der Ordnung und des Besitzes zurückzukehren. »Es bleibt Ihnen wirklich kaum eine Wahl. Sie müssen nach Hause. Es wird mir eine Freude sein, Ihnen das Ticket zu bezahlen.«

»Ausgeschlossen!«

»Es wird Ihnen nichts anderes übrigbleiben.«

Sekundenlang lutschte sie an ihrem Knie. »Mr. Hel – darf ich Sie Nikolai nennen?«

»Auf gar keinen Fall!«

»Mr. Hel, Sie wollen mir klarmachen, dass Sie mir nicht helfen werden. Stimmt's?«

»Ich helfe Ihnen, indem ich Ihnen zur Heimkehr rate.«

»Und wenn ich mich weigere? Wenn ich auf eigene Faust weitermache?«

»Sie würden scheitern – und mit ziemlicher Sicherheit umkommen.«

»Das weiß ich. Die Frage ist, könnten Sie zulassen, dass ich es allein versuche? Würde Ihr Schuldgefühl meinem Onkel gegenüber das gestatten?«

»Sie bluffen.«

»Und wenn ich das nicht tue?«

Hel wandte den Blick ab. Durchaus möglich, dass dieses bourgeoise Frätzchen durchtrieben genug war, ihn in ihre Sache mit hineinzuziehen, oder ihn wenigstens zwang zu entscheiden, wie weit Loyalität und Ehrgefühl bei ihm gingen. Er bereitete sich darauf vor, sie und sich selbst zu testen, als er spürte, dass sich jemand näherte. Er fühlte, dass es nur Pierre sein konnte, und als er sich umdrehte, sah er auch wirklich den Gärtner vom Schloss her auf sie zuschlurfen.

»Guten Tag, M'sieur, M'selle. Muss ein angenehmes Leben sein, wenn man Zeit hat, sich zu sonnen.« Er zog einen gefalteten Zettel aus der Tasche seines blauen Arbeitskittels und überreichte ihn Hel mit feierlichem Ernst; dann erklärte er, dass er sich nicht aufhalten könnte, weil es tausend Dinge zu tun gäbe, und trottete in Richtung seines Torhäuschens davon, denn es war Zeit, den Tag durch ein weiteres Glas erträglicher zu machen.

Hel las die Nachricht, die Pierre gebracht hatte.

Dann faltete er den Zettel wieder zusammen und klopfte sich damit gegen die Lippen. »Wie es scheint, Miss Stern, werden wir doch nicht frei wählen können, wie wir handeln wollen. In Tardets sind drei Fremde eingetroffen, die Fragen stellen. Über mich und, weit beunruhigender, auch über Sie. Man beschreibt mir die Fremden als Engländer oder *Amérlos* – die Leute im Dorf können die Akzente nicht unterscheiden. Sie werden von französischer Sonderpolizei begleitet, und die scheint überaus kooperativ zu sein.«

»Aber woher könnte jemand wissen, dass ich hier bin?«

»Da gibt es tausend Möglichkeiten. Ihre Freunde, die in Rom umgebracht wurden – trugen die Flugtickets bei sich?«

»Ich glaube schon. Das heißt, ja. Jeder hatte sein eigenes Ticket. Aber die waren nicht hierher, sondern für Pau ausgestellt.«

»Nahe genug. Ich bin nicht ganz unbekannt.« Hel schüttelte den Kopf über diesen weiteren Beweis ihres Dilettantismus. Profis kauften immer Tickets nach Orten, die weit über ihren Bestimmungsort hinaus lagen, denn Buchungen wurden computerisiert und waren somit den Regierungsstellen und der Muttergesellschaft zugänglich.

»Was glauben Sie, wer diese Männer sein könnten?«, fragte Hannah.

»Ich weiß es nicht.«

»Und was werden Sie tun?«

Er zuckte die Achseln. »Sie zum Abendessen einladen.«

Nachdem er Hannah verabschiedet hatte, saß Hel eine halbe Stunde allein in seinem Garten; er beobachtete, wie sich schwere Gewitterwolken um die Bergrücken sammelten, und dachte über die Konstellation der Steine auf dem Brett nach. Etwa gleichzeitig kam er zu zwei voneinander unabhängigen Feststellungen: Es würde noch heute Abend regnen, und der klügste Schritt dem Feind gegenüber würde es sein, selbst die Initiative zu ergreifen.

Vom Waffenraum aus telefonierte er mit dem Hotel Dabadie, wo die Amerikaner abgestiegen waren. Der Anruf erforderte ein gewisses Maß an Verhandlungsgeschick. Die Dabadies würden die drei *Amérlos* zwar gern diesen Abend zum Dinner ins Château hinaufschicken, aber da sei das Problem der Mahlzeiten, die sie eigens für die Gäste zubereitet hätten. Schließlich verdiente ein Hotel sein Geld an den verkauften Mahlzeiten und nicht an den Zimmern. Hel versicherte ihnen, es sei nur angemessen und durchaus gerecht, die bestellten Mahlzeiten auf die Rechnung zu setzen. Es sei weiß Gott nicht die Schuld der Dabadies, dass die Fremden sich erst im letzten Moment entschlossen hätten, bei Monsieur Hel zu speisen. Geschäft sei Geschäft. Und da Lebensmittelverschwendung Sünde sei, wäre es vielleicht am besten, wenn die Dabadies das Vorbereitete selbst äßen und den Abbé dazu einlüden.

Er fand Hana in der Bibliothek, wo sie, die komische kleine rechteckige Brille auf der Nase, die sie zum Lesen brauchte, am Fenster saß und in ein Buch vertieft war. Als er eintrat, blickte sie ihm über den Rand der Brille hinweg entgegen. »Gäste zum Essen?«, fragte sie.

Er streichelte ihr die Wange. »Ja, drei. Amerikaner.«

»Wie schön! Dann haben wir mit Hannah und Le Cagot eine richtige Dinnerparty beisammen!«

»Die haben wir.«

Sie legte ein Lesezeichen ins Buch und klappte es zu. »Gibt es Ärger, Nikko?«

»Ja.«

»Hat es etwas mit Hannah und ihren Schwierigkeiten zu tun?«

Er nickte.

Sie lachte unbekümmert. »Und erst heute Morgen, als du mich aufgefordert hast, jeweils die Hälfte eines Jahres bei dir zu verbringen, wolltest du mich damit überreden, dass du die Ruhe und Einsamkeit deines Hauses angepriesen hast.«

»Es wird bald wieder friedlich bei uns sein. Schließlich habe ich mich zur Ruhe gesetzt.«

»Kannst du das denn? Kann man sich wirklich ganz aus einem solchen Beruf zurückziehen? Aber ich muss mich beeilen! Wenn wir Gäste erwarten, muss ich jemanden ins Dorf schicken. Hannah wird etwas zum Anziehen brauchen. In diesen Shorts kann sie unmöglich zum Dinner kommen, jedenfalls nicht mit ihrer reichlich unbekümmerten Einstellung zu sittsamen Posen.«

»Ach wirklich? Ist mir noch gar nicht aufgefallen.«

Ein lautes Begrüßungsgebrüll von der Allee, ein Krach, als die *portes-fenêtres* im Salon so kräftig zugeschlagen wurden, dass das Glas klirrte, ein geräuschvolles Suchen nach Hana, die in der Bibliothek saß, eine stürmische Umarmung mit einem laut schmatzenden Kuss auf die Wange, ein Schrei nach wenigstens einer Andeutung von Gastfreundschaft in Gestalt eines Gläschens Wein, und das ganze Haus wusste, dass Le Cagot von seinen Pflichten in Larrau zurückgekehrt war. »Also, wo ist das junge Mädchen mit dem üppigen Busen, von dem das ganze Tal redet? Bringt sie zu mir, auf dass sie ihrem Schicksal begegne!«

Hana erklärte ihm, die junge Dame ruhe sich aus, doch Nikolai arbeite in seinem japanischen Garten.

»Den will ich nicht sehen! Von dem habe ich in den letzten drei Tagen genug gehabt. Hat er dir schon von meiner Höhle erzählt? Ich musste deinen Nikolai praktisch hindurchschleppen. Es ist traurig, Hana, aber er wird langsam alt. Zeit, dass du an deine Zukunft denkst und dich nach einem alterslosen

Mann umsiehst – vielleicht nach einem robusten baskischen Poeten?«

Lachend antwortete Hana, sein Bad werde in einer halben Stunde bereit sein. »Und du könntest dich ein bisschen feinmachen. Wir erwarten Gäste zum Dinner.«

»Aha, Publikum! Wunderbar. Na schön, dann hole ich mir meinen Wein in der Küche. Habt ihr noch diese junge Portugiesin?«

»Wir haben mehrere.«

»Dann werde ich ein paar Kostproben machen. Und warte nur, bis du mich in Gala siehst! Vor ein paar Monaten habe ich mir einen wirklich eleganten Anzug zugelegt, aber bisher hatte ich noch keine Gelegenheit, ihn vorzuführen. Ein Blick auf mich in meinen neuen Kleidern, und du wirst dahinschmelzen wie Butter in der Sonne, bei den Eiern ...«

Hana warf ihm einen Blick zu, und sofort befleißigte er sich einer dezenteren Ausdrucksweise.

»... bei der Ekstase der heiligen Therese. Na, dann will ich mich mal in die Küche verdrücken.« Türenschlagend und laut nach Wein rufend, stapfte Le Cagot davon.

Hana sah ihm lächelnd nach. Vom ersten Augenblick ihrer Bekanntschaft an hatte er sie liebgewonnen, und seine polternde Art, ihr Komplimente zu machen, war Teil eines ständigen Sperrfeuers hyperbolischer Galanterie. Sie ihrerseits schätzte sein raues ehrliches Wesen und freute sich, dass Nikolai in diesem legendären Basken einen so treuen und unterhaltsamen Freund gefunden hatte. Sie sah tatsächlich eine legendäre Gestalt in ihm, einen Dichter, der für sich selbst eine exzentrische, romantische Rolle geschaffen hatte und nun den Rest seines Lebens damit verbrachte, sie zu spielen. Einmal hatte sie Hel gefragt, was wohl die Ursache dafür sei, dass der Barde sich mit dieser Fassade eines schelmischen Buffo panzern musste. Die Einzelheiten durfte Hel ihr nicht verraten, denn damit hätte er einen Vertrauensbruch begangen, obwohl Le Cagot selbst gar nicht wusste, dass er sich ihm anvertraut hatte, weil ihr Gespräch an einem Abend stattgefunden hatte, an dem der Poet in tiefe Trauer und Nostalgie versunken und darüber hinaus stockbetrunken gewesen war. Vor vielen Jahren war der sensible junge Mann, der später die Rolle des Le Cagot übernehmen sollte, Professor für baskische Literatur gewesen und hatte einen Lehrstuhl in Bilbao innegehabt. Er heiratete eine schöne und sanfte spanische Baskin, und sie bekamen ein Kind. Eines Abends nahm er ohne besonderes Engagement an einer Studentendemonstration gegen die Unterdrückung der baskischen Kultur teil. Seine Frau begleitete ihn, obwohl sie sich nicht für Politik interessierte. Die Guardia Civil sprengte die Demonstration mit Waffengewalt. Die junge Frau wurde erschossen. Le Cagot wurde verhaftet und verbrachte die nächsten drei Jahre im Gefängnis. Als ihm endlich die Flucht gelang, erfuhr er, dass sein Kind während seiner Haftzeit gestorben war. Der junge Mann begann zu trinken und beteiligte sich an sinnlosen und entsetzlich gewalttätigen Aktionen gegen die Regierung. Er wurde abermals verhaftet; er entkam wiederum, aber den jungen Gelehrten gab es nicht mehr. An seine Stelle war Le Cagot getreten, die unverwundbare Karikatur, Le Cagot, der durch seine patriotische Lyrik, seine Anteilnahme an der Sache der baskischen Separatisten und seine überlebensgroße Persönlichkeit zur Legende wurde. Den Namen, mit dem er seine selbst erschaffene Figur belegte, hatte er sich von den Cagots ausgeborgt, jenen Unberührbaren, die einst eine besondere Spielart des Christentums praktizierten, wodurch sie sich den Zorn und Hass ihrer baskischen Nachbarn zuzogen. Die Cagots suchten im Jahre 1514 mit einer Bittschrift an Papst Leo X. um Beistand gegen diese Verfolgungen nach. Der wurde ihnen zwar grundsätzlich gewährt, doch die Beschränkungen und Demütigungen, die sie ertragen mussten, gingen unverändert bis zum Ende des neunzehnten Jahrhunderts weiter, als sie aufhörten, als eigenständige Gruppe zu existieren. Die Verfolgungen nahmen verschiedene Formen an. Sie mussten an ihrer Kleidung das ins Auge fallende Zeichen der Cagots in Gestalt eines Gänsefußes tragen. Sie durften nicht barfuß gehen. Sie durften keine Waffen tragen. Sie durften keine öffentlichen Plätze besuchen, und selbst beim Betreten einer Kirche mussten sie eine speziell für sie eingebaute niedrige Seitentür benutzen, die noch heute in vielen Dorfkirchen zu sehen ist. Sie durften bei der Messe nicht neben den anderen Gläubigen sitzen und nicht das Kreuz küssen. Sie konnten zwar Land pachten und es bebauen, aber sie durften ihre Produkte nicht verkaufen. Bei Todesstrafe war ihnen verboten, außerhalb ihrer Gruppe zu heiraten oder sexuelle Beziehungen zu pflegen.

Alles, was den Cagots blieb, waren die handwerklichen Berufe. Viele Jahrhunderte lang waren sie, dies war eine Beschränkung und zugleich ein Privileg, die einzigen Holzfäller, Zimmerleute und Tischler des Landes. Später rekrutierten sich aus ihren Reihen auch die baskischen Maurer und Weber. Weil man ihre missgestalteten Körper komisch fand, wurden sie zu den Wandermusikanten und Schauspielern ihrer Zeit, und das meiste von dem, was heutzutage im Baskenland als Volkskunst und -brauchtum bewundert wird, stammt in Wirklichkeit von den verachteten Cagots.

Lange war man der Ansicht, die Cagots seien ein eigenes Volk, das aus dem östlichen Europa stammte und das die Westgoten vor sich hergetrieben hatten, bis sie, wie Endmoränen vor einem Gletscher, in den unwirtlichen Pyrenäen deponiert wurden. Doch die jüngste Forschung hat Anzeichen dafür gefunden, dass es sich um isolierte Gruppen baskischer Aussätziger handelte, ursprünglich aus Gründen der Prophylaxe geächtet, durch ihre Krankheit körperlich geschwächt und durch erzwungene Inzucht schließlich mit deutlich erkennbaren Charakteristika gezeichnet. Diese Theorie würde auch einen großen Teil der verschiedenen Beschränkungen, die ihnen auferlegt wurden, erklären.

Der Volksmund behauptet, die Cagots und ihre Nachkommen hätten keine Ohrläppchen gehabt. Bis auf den heutigen Tag werden in den traditionsgebundeneren Baskendörfern kleinen Mädchen im Alter von fünf bis sechs Jahren die Ohrläppchen durchstochen, damit sie Ringe darin tragen können. Ohne den Grund für diese Tradition zu kennen, folgen die Mütter dem uralten Brauch, um zu demonstrieren, dass ihre Töchter Ohrläppchen besitzen.

Heute sind die Cagots verschwunden; sie sind entweder ausgestorben oder sie haben sich mit der baskischen Bevölkerung vermischt (es ist riskant, Letzteres in einer baskischen Kneipe auszusprechen), und ihr Name wird nur noch als Schimpfwort für bucklige alte Frauen benutzt.

Der junge Dichter, dessen Sensibilität durch die Ereignisse verhärtet worden war, wählte Le Cagot als Pseudonym, um die allgemeine Aufmerksamkeit auf die prekäre Situation der zeitgenössischen baskischen Kultur zu lenken, die Gefahr läuft unterzugehen wie die unterdrückten Barden und Minnesänger vergangener Zeiten.

Kurz vor sechs trottete Pierre zum Dorfplatz von Etchebar hinunter; die kumulative Wirkung seiner gleichmäßig über den Tag verteilten Schoppen hatte ihn inzwischen so weit von der Tyrannei der Schwerkraft befreit, dass er halb gleitend, halb schwebend in Richtung Volvo zu navigieren vermochte. Er sollte zwei Ensembles abholen, die Hana telefonisch bestellt hatte, nachdem sie Hannah nach ihrer Kleidergröße gefragt und sie in europäische Maße umgerechnet hatte. Und außer den Kleidern sollte Pierre dann noch drei Dinnergäste aus dem Hotel Dabadie abholen. Nachdem er den Türgriff zweimal verfehlt hatte, zog Pierre seine Baskenmütze tiefer in die Stirn und konzentrierte seine gesamte Aufmerksamkeit auf die nicht unbeträchtliche Aufgabe, in den Wagen zu steigen, was ihm zuletzt auch tatsächlich gelang. Doch da fiel ihm plötzlich ein, dass er etwas vergessen hatte. Er schlug sich an die Stirn, stieg umständlich wieder aus, versetzte dem hinteren Kotflügel, M'sieur Hels Ritual imitierend, einen kräftigen Tritt und zwängte sich auf den Fahrersitz zurück. Bei seinem angeborenen, typisch baskischen Misstrauen allem Technischen gegenüber beschränkte Pierre den Gebrauch der Gänge stets auf den ersten und den Rückwärtsgang und fuhr grundsätzlich mit gezogenem Choke, wobei er die ganze Straßenbreite samt beiden Rändern beanspruchte. Vereinzelte Schafe, Kühe, Menschen und wacklige Solex-Mopeds, die unerwartet vor seiner Stoßstange auftauchten, verschonte er, indem er das Lenkrad scharf herumriss und sich dann, ganz auf sein Gefühl vertrauend, zur Straßenmitte zurücktastete. Von der verweichlichenden Einrichtung der Fußbremse hielt er nicht viel, und auch die Handbremse betrachtete er ausschließlich als Instrument zum Parken. Da er stets anhielt, ohne die Kupplung zu treten, ersparte er sich die Mühe, den Motor abzustellen, der jedes Mal, wenn er sein Ziel erreicht hatte und den Bremshebel anzog, fürchterlich bockte und abgewürgt wurde. Zum Glück für die Bauern und die Dorfbewohner zwischen dem Château und Tardets eilte dem Alten das Klappern und Rattern des verbeulten Volvos mit seinen losen Kotflügeln einen halben Kilometer voraus, so dass den meisten noch Zeit genug blieb, sich schnell hinter einen Baum zu retten oder über eine Steinmauer zu setzen. Pierre empfand einen gerechtfertigten Stolz auf seine Fahrkünste, denn noch nie hatte er einen Unfall gebaut. Und das war umso löblicher, als er doch immer wieder rücksichtslosen und leichtsinnigen Fahrern begegnete, die er beobachtete, wie sie im Graben oder auf dem Trottoir landeten oder sich ineinander verkeilten, während er mit überlegener Miene ein Stoppschild ignorierte oder in der verkehrten Richtung durch eine Einbahnstraße fuhr. Aber es war weniger die ungeschickte Waghalsigkeit der anderen Fahrer, die Pierre so störte, als vielmehr deren Unverschämtheit ihm gegenüber, denn häufig riefen sie ihm vulgäre Dinge nach, und er konnte schon nicht mehr zählen, wie oft er im Rückspiegel einen Finger, eine Faust oder sogar einen ganzen Unterarm gesehen hatte, die ihm voller Wut die *figue* zeigten.

Pierre brachte den Volvo bockend und hustend auf der Mitte des Marktplatzes von Tardets zum Stehen und kletterte mühsam hinter dem Lenkrad hervor. Nachdem er sich den Zeh an der verbeulten Tür wundgestoßen hatte, begab er sich auf seine Botengänge, freilich nicht ohne zuvor mit alten Freunden gemütlich ein Gläschen geleert zu haben.

Niemand fand es verwunderlich, dass Pierre dem Wagen beim Ein- und Aussteigen jeweils einen Schlag oder Tritt versetzte, denn Volvodreschen war im südwestlichen Frankreich inzwischen zu einer allgemein geübten Sitte geworden, die mitunter sogar in so weit entfernten Orten wie etwa Paris gepflegt wurde. Ja, von Touristen in die kosmopolitischen Zentren der ganzen Welt getragen, entwickelte Volvodreschen sich allmählich zu einem richtigen Kult, und das freute Nikolai Hel, denn er hatte damit angefangen.

Als er vor einigen Jahren für das Château einen Allzweckwagen suchte, hatte Hel den Rat eines Freundes befolgt und sich einen Volvo zugelegt, weil der meinte, ein so teurer und dabei so hässlicher, so unbequemer, so lahmer und so viel Sprit schluckender Wagen müsste zum Ausgleich dafür bestimmt andere Vorzüge besitzen. Und tatsächlich wurde ihm versichert, diese Vorzüge seien Robustheit und guter Service. Sein Kampf gegen den Rost begann am dritten Tag; und viele kleine Konstruktions-, Design- und Einrichtungsfehler (falsch gefluchtete Räder, durch die seine Reifen nach fünftausend Kilometern abgefahren waren, ein Scheibenwischer, der peinlichst jeden Kontakt mit dem Glas vermied, ein Kofferraumschloss, das man mit beiden Händen betätigen musste, so dass das

Ein- und Ausladen zu einer Burlesque ungeschickter Bewegungen wurde) erforderten ständige Besuche bei dem einhundertfünfzig Kilometer entfernten Händler. Nach dessen Ansicht allerdings hatte sich der Hersteller um diese Probleme zu kümmern, nach Meinung des Herstellers wiederum lag die Verantwortung beim Händler. Und so beschloss Nikolai, nachdem er monatelang höfliche, aber vage Briefe desinteressierten Bedauerns von der Firma erhalten hatte, in den sauren Apfel zu beißen und den Wagen für den strapaziösen Transport von Schafen oder für das Bugsieren von Ausrüstungsgegenständen über steile holprige Bergpfade einzusetzen, in der Hoffnung, die Karre werde dann bald auseinanderfallen und den Erwerb eines Fahrzeugs mit einer verlässlicheren Service-Infrastruktur rechtfertigen. Aber leider hatte sich zwar der gute Ruf der Firma als falsch erwiesen, der Ruf des Wagens, robust zu sein, schien jedoch berechtigt, denn wenn er auch schlecht lief, so lief er jedenfalls unentwegt. Unter anderen Umständen hätte Hel Ausdauer als Vorzug einer Maschine betrachtet und geschätzt; doch in der Aussicht, dass nun seine Probleme noch jahrelang weiterzugehen drohten, fand er keinen Trost.

Als er daher einmal Pierres Kunstfertigkeit als Chauffeur erlebt hatte, gedachte Hel die Marter abzukürzen, indem er Pierre gestattete, den Wagen zu fahren, wann immer er wollte. Aber auch dieser Plan schlug fehl, weil ein ironisches Schicksal den guten Pierre vor jedem Unfall bewahrte. Und so lernte Hel seinen Volvo allmählich als eine der eher komischen Bürden des Lebens zu akzeptieren, gestattete es sich jedoch, seiner Frustration dadurch Ausdruck zu verleihen, dass er dem Wagen beim Ein- und Aussteigen jedes Mal einen Tritt oder einen Fausthieb versetzte.

Es dauerte nicht lange, und seine Höhlenforscherfreunde begannen ebenfalls seinen Volvo zu treten, wenn sie an ihm vorbeikamen – zuerst aus Spaß, dann aus Gewohnheit. Binnen kurzem versetzten sie und ihre Kameraden sogar einem jeden Volvo, den sie passierten, einen Schlag. Und mit der Unlogik aller Modetorheiten begann sich das Volvodreschen überallhin auszubreiten – hier in Gestalt eines Protests gegen das Establishment, dort als Ausdruck jugendlichen Übermuts, hier als Symbol des Antimaterialismus, dort als Manifestation des Insidertums.

Auch Besitzer anderer Volvos begannen diese Mode zu tolerieren, weil sie so ihre Weltläufigkeit unter Beweis stellen konnten. Es gab sogar Volvobesitzer, die insgeheim ihre eigenen Wagen verbeulten, um sich ganz unverdient den Ruf des Kosmopoliten zu verschaffen. Es liefen außerdem hartnäckige, wenn auch vermutlich unzutreffende Gerüchte um, nach denen Volvo plante, ein vorverbeultes Modell auf den Markt zu bringen, um die Schickeria für ein Automobil zu gewinnen, das alle anderen Vorzüge der Sicherheit der Passagiere geopfert hatte (obwohl bei vielen Modellen noch Firestone-500-Reifen verwendet wurden) und das sich vor allem an jene wohlhabenden Egozentriker wandte, die meinten, die Erhaltung ihres Lebens sei für das Schicksal der Menschheit von ausschlaggebender Bedeutung.

Nach dem Duschen fand Hel im Ankleidezimmer seinen Anzug im edwardianischen Stil aus feinem schwarzem Wollstoff bereitgelegt, der Gäste im schlichten Straßenanzug oder solche in Abendgarderobe vor dem peinlichen Gefühl bewahren sollte, entweder zu fein oder zu salopp angezogen zu sein. Oben an der Haupttreppe traf er Hana, die ein bodenlanges Kleid im Kanton-Stil trug, das von der gleichen gesellschaftlichen Mehrdeutigkeit war wie sein Anzug.

»Wo ist Le Cagot?«, erkundigte er sich, als sie in den kleinen Salon hinuntergingen, in dem sie ihre Gäste erwarten wollten. »Ich habe seine Anwesenheit heute schon mehrmals gespürt, aber ich habe ihn weder gehört noch gesehen.«

»Ich nehme an, er ist auf seinem Zimmer und zieht sich um.« Hana stieß ein leises Lachen aus. »Er hat mir erklärt, sein neuer Anzug werde mich so überwältigen, dass ich hingerissen in seine Arme sinken müsste.«

»O Gott!« Le Cagots Geschmack, sowohl was Kleider als auch was alle anderen gesellschaftlichen Dinge betraf, neigte zu opernhafter Übertreibung. »Und Miss Stern?«

»Sie war beinahe den ganzen Nachmittag auf ihrem Zimmer. Du scheinst sie bei eurem Gespräch heute recht unsanft behandelt zu haben.«

»Hm-m-m.«

»Sie wird herunterkommen, sobald Pierre ihre Kleider bringt. Möchtest du die Speisefolge hören?«

»Nein, danke. Ich bin überzeugt, sie ist perfekt.«

»Das nicht, aber angemessen. Diese Gäste geben uns Gelegenheit, den Rehbock loszuwerden, den der alte Monsieur Ibar uns geschenkt hat. Er hängt jetzt eine gute Woche und dürfte gerade richtig sein. Gibt es etwas Besonderes, das ich über unsere Gäste wissen sollte?«

»Es sind Fremde für mich. Sogar Feinde, wenn ich mich nicht täusche.«

»Wie soll ich sie behandeln?«

»Wie alle Gäste unseres Hauses. Mit deinem ganz besonderen Charme, bei dem sich jeder Mann interessant und bedeutend vorkommt. Ich möchte diese Leute aus dem Gleichgewicht bringen, sie verunsichern. Es sind Amerikaner. Ähnlich wie wir beiden uns bei einem Barbecue unbehaglich fühlen würden, leiden sie bei einem eleganten Dinner an gesellschaftlichem Schwindelgefühl. Selbst ihr *gratin,* der Jetset, ist kulturell gesehen so unecht wie die Küche an Bord eines Flugzeugs.«

»Was in aller Welt ist ein ›Barbecue‹?«

»Ein primitives Stammesritual, bei dem Pappteller, Ellbogen, verbranntes Fleisch, *hush puppies* und Bier die Hauptrolle spielen.«

»Ich wage nicht zu fragen, was *hush puppies* sind.«

»Das ist auch besser so.«

Sie saßen, die Finger ineinander verflochten, in dem dämmrigen Salon. Die Sonne war hinter den Bergen versunken, und durch die offenen *portes-fenêtres* drang ein silbriger Schimmer, der vom Parkboden aufstieg und bis in die Äste der schwarzgrünen Fichten drang, ein Schauspiel, das durch die Nähe des drohenden Gewitters flüchtig und daher besonders liebenswert erschien.

»Wie lange hast du in Amerika gelebt, Nikko?«

»Ungefähr drei Jahre, gleich nachdem ich Japan verlassen hatte. Ich habe sogar jetzt noch eine Wohnung in New York.«

»Ich wollte New York schon immer einmal sehen.«

»Du wärst enttäuscht. New York ist eine verängstigte Stadt, in der jedermann mit hängender Zunge dem Geld nachjagt: die Bankiers ebenso wie die Straßenräuber, die Geschäftsleute ebenso wie die Huren. Wenn du auf der Straße in ihre Augen blickst, siehst du darin zweierlei: Angst und Wut. Es sind reduzierte Menschen, die hinter dreifach verschlossenen Türen hocken. Sie kämpfen gegen Männer, die sie nicht hassen, und schlafen mit Frauen, die sie nicht lieben. Sie treiben haltlos in einer zersplitterten Gesellschaft und borgen sich Brosamen und Abfälle von allen Kulturen der Welt. Kir ist ein beliebtes Getränk bei jenen, die immer ›in‹ sein wollen; und sie bevorzugen Perrier, obwohl sie in einem Dorf namens Saratoga selbst eines der besten Mineralwässer der Welt fördern. Ihre feinsten französischen Restaurants bieten Mahlzeiten, für die wir hier dreißig Francs bezahlen würden, um das Zehnfache an, und der Service zeichnet sich durch eine unerträgliche Hochnäsigkeit der Kellner aus, die zumeist ungeschliffene Bauern sind, aber zufällig die Speisekarte lesen können. Aber die Amerikaner lassen sich gern von Kellnern schlecht behandeln. Denn daraus ergibt sich die einzige Möglichkeit für sie, ein Urteil über die Qualität der Speisen abzugeben. Andererseits, wenn man unbedingt in einer amerikanischen Großstadt leben will – was selbst im besten Fall immer noch eine grausame und ausgefallene Strafe ist –, dann schon lieber im echten New York als in seinen Imitationen weiter im Inland. Und es gibt wirklich auch einiges Positive an New York. Harlem besitzt echte Atmosphäre. Die städtische Bibliothek ist adäquat. Es gibt einen Mann namens Jimmy Fox, der ist der beste Barmixer von ganz Nordamerika. Und zweimal bin ich sogar in ein Gespräch über das Wesen des *shibui* geraten – nicht *shibumi*, natürlich nicht! Denn es liegt eher in der Kapazität ihres merkantilen Geistes, über die Charakteristika des Schönen zu sprechen als über das Wesen der Schönheit an sich.«

Hana riss ein langes Streichholz an und entzündete die Lampe auf dem Tischchen vor ihnen. »Aber ich erinnere mich, dass du einmal gesagt hast, dein Besitz in Amerika gefiele dir.«

»O ja, aber der liegt nicht in New York. Ich habe ein paar Tausend Hektar Land in Wyoming, in den Bergen.«

»Wy-om-ing. Das klingt romantisch. Ist es schön dort?«

»Eher erhaben, würde ich sagen. Die Landschaft ist zu zerklüftet und rau, um schön zu sein. Im Vergleich zu unseren Pyrenäen wirkt Wyoming wie eine flüchtige Tuschzeichnung neben einem Ölgemälde. Die amerikanische Landschaft ist an vielen Orten attraktiv. Leider ist sie von Amerikanern bewohnt. Aber Entsprechendes könnte man natürlich auch von Griechenland oder Irland sagen.«

»Ja. Ich weiß genau, was du meinst. Ich war auch schon einmal in Griechenland. Ich habe dort ein Jahr lang im Dienst eines Reeders gestanden.«

»Ach ja? Davon hast du mir nie erzählt.«

»Es war nicht erwähnenswert. Er war sehr reich und sehr vulgär, und er versuchte, Klasse und Prestige zu kaufen, gewöhnlich in Gestalt auffallender Ehefrauen. Während ich bei ihm war, umgab ich ihn mit ruhigem Komfort. Etwas anderes hat er nie von mir verlangt. Aber zu der Zeit konnte er auch nichts anderes mehr verlangen.«

»Ich verstehe. Ah, da ist Le Cagot!«

Hana hatte ihn nicht kommen hören, weil Le Cagot leise die Treppe heruntergeschlichen war, um sie mit seiner strahlenden Pracht zu überraschen. Hel musste lächeln, denn dem Freund ging eine Aura voraus, die jungenhaften Mutwillen und verschmitzte Freude verriet.

Er stand an der Tür, deren Rahmen sein massiger Körper fast ausfüllte, und breitete die Arme aus, um seine eleganten neuen Kleider zur Geltung zu bringen. »Seht her! Schau doch, Niko! Gleich wirst du vor Neid platzen!«

Offenbar hatte er sich den Abendanzug bei einem Theaterverleih besorgt. Es war ein bunt zusammengewürfeltes Kostüm, das mit der weißseidenen Halsbinde an Stelle einer Krawatte und der reichbestickten Brokatweste, von zwei Reihen Rheinkieselknöpfen verziert, wohl dem *fin de siècle* entstammte. Der schwarze, ziemlich lange Schwalbenschwanz war an den Aufschlägen mit grauer Seide überzogen. Mit seinem frisch gewaschenen, in der Mitte gescheitelten Haar und dem buschigen Bart, der über die Halsbinde herunterreichte, wirkte er wie ein russischer Großfürst in mittleren Jahren, der als Glücksspieler verkleidet auf einem Mississippi-Dampfer reist. Die große Teerose am Revers mutete seltsamerweise korrekt an und stand durchaus im Einklang mit diesem Potpourri robusten schlechten Geschmacks. Den langen *makila* wie ein Spazierstöckchen schwingend, schritt Le Cagot stolzgeschwellt auf und ab. Der *makila* befand sich schon seit Generationen im Besitz seiner Familie; das glattpolierte Eschenholz wies zahlreiche Narben und Kerben auf, und von dem Marmorknauf fehlte ein Stück – Beweise dafür, dass der Stock von Großvätern und Urgroßvätern zur Selbstverteidigung benutzt worden war. Der Knauf eines *makila* lässt sich abschrauben, woraufhin man eine zwanzig Zentimeter lange Klinge in der Hand hält, während der Stock in der Linken dem Parieren von Schlägen dient und der schwere Marmorknauf eine wirksame Schlagwaffe darstellt. Der *makila,* heute fast ausschließlich zum Schmuck und nur bei offiziellen Anlässen getragen, spielte in früheren Zeiten eine sehr wichtige Rolle für die persönliche Sicherheit eines Basken, wenn er nachts allein auf der Straße war oder im Gebirge umherwanderte.

»Das ist wirklich ein schöner Anzug!«, lobte Hana mit gut gespieltem Ernst.

»Nicht wahr? Meinst du nicht auch?«

»Wie bist du an dieses … diesen Anzug gekommen?«, erkundigte sich Hel.

»Eine gewisse Person hat ihn mir verehrt.«

»Wegen einer verlorenen Wette?«

»Keineswegs. Er ist das Geschenk einer Frau, als Anerkennung für … Aber Einzelheiten zu verraten wäre ungalant. Also, wann wird gegessen? Wo bleiben die Gäste?«

»Sie kommen gerade die Allee herauf.« Hel erhob sich und ging in die Empfangshalle hinüber.

Le Cagot spähte durch die *portes-fenêtres,* konnte aber nichts erkennen; Abenddämmerung und Gewitter hatten den letzten Silberschimmer verschlungen. Da er jedoch an Hels Proximitätssinn gewöhnt war, vertraute er darauf, dass sich tatsächlich irgendjemand dem Haus näherte.

Im selben Augenblick, als Pierre draußen nach dem Griff der Türglocke langte, öffnete Hel. Er hatte die Kronleuchter der Halle im Rücken, und so konnte er die Gesichter seiner drei Gäste genau betrachten, während das seine im Schatten lag. Er erkannte in einem von ihnen eindeutig den Anführer, der zweite war ein offenbar schießwütiger CIA-Typ, Jahrgang '53, und der dritte ein Araber mit wenig ausgeprägter Persönlichkeit. Alle drei zeigten Spuren emotionaler Erschöpfung, eine Folge der Fahrt über die Bergstraße ohne Scheinwerfer und mit Pierre am Steuer.

»Bitte, kommen Sie herein.« Hel trat zur Seite, um sie in die Empfangshalle vorausgehen zu lassen, wo Hana ihnen lächelnd entgegenkam.

»Es ist wirklich sehr freundlich von Ihnen, unsere Einladung so kurzfristig anzunehmen. Ich bin Hana. Das ist Nikolai Hel. Und dies hier ist unser lieber Freund, Monsieur Le Cagot.« Sie bot allen dreien die Hand.

Der Anführer fand als Erster seine Selbstsicherheit wieder. »Guten Abend. Darf ich vorstellen? Mr. Starr. Mr. ... Haman. Und mein Name ist Diamond.« Das letzte Wort wurde von einem Donnerschlag unterstrichen.

Hel lachte laut auf. »Wie peinlich! Die Natur scheint in melodramatischer Stimmung zu sein.«

CHATEAU D'ETCHEBAR

Nach ihrer halsbrecherischen Autofahrt mit Pierre in dem verbeulten Volvo gewannen die drei Gäste den ganzen Abend keinen Boden mehr unter den Füßen. Diamond hatte eigentlich geplant, Hel gegenüber sofort zur Sache zu kommen, aber das war offenbar unmöglich. Während Hana die kleine Gesellschaft vor dem Dinner zu einem Glas Lillet in den blaugoldenen Salon führte, blieb Diamond ein wenig zurück und sagte zu Hel: »Ich nehme an, Sie möchten wissen, warum ...«

»Nach dem Essen!«

Diamond erstarrte für einen Augenblick; dann lächelte er mit der Andeutung einer Verbeugung, eine Geste, die er sofort als zu gekünstelt bereute. Dieser verdammte Donnerschlag!

Hana schenkte ein, reichte Canapés herum und leitete das Gespräch so souverän, dass Darryl Starr sie schon bald »Ma'am« nannte und das Gefühl hatte, ihr Interesse an Texas und texanischen Problemen sei Ausdruck einer kaschierten Bewunderung für ihn selbst; der PLO-Lehrling, der sich Haman nannte, grinste und nickte bei jedem Beweis der Fürsorge für seine Bequemlichkeit und sein Wohlergehen. Sogar Diamond ertappte sich dabei, dass er ihr seine Eindrücke vom Baskenland schilderte und sich geistreich und bedeutend vorkam. Alle fünf Männer erhoben sich, als Hana sich entschuldigte, sie müsse sich um die junge Dame kümmern, die mit ihnen zu Abend essen werde.

Eine fast greifbare Stille entstand, als sie gegangen war, und

Hel ließ die daraus erwachsende Peinlichkeit ungerührt auf seinen Gästen lasten, während er sie mit zurückhaltender Belustigung musterte.

Es war Darryl Starr, der mit einer geeigneten Bemerkung das Schweigen brach. »Schönes Haus haben Sie hier.«

»Möchten Sie es besichtigen?«, erkundigte sich Hel.

»Tja, also ... Nein, machen Sie meinetwegen keine Umstände.«

Hel sprach ein paar Worte auf Baskisch mit Le Cagot, der zu Starr hinüberging, ihn mit rauer Bonhomie am Arm packte, aus dem Sessel emporzog und sich erbot, ihm Garten und Waffenraum zu zeigen. Starr versicherte, er fühle sich durchaus wohl, wo er sei, und lehnte dankend ab, doch Le Cagots Grinsen war von einem unmissverständlichen schmerzhaften Griff um Starrs Oberarm begleitet.

»Machen Sie mir das Vergnügen, mein lieber Freund«, sagte er.

Starr zuckte, so gut es ging, mit den Schultern und folgte ihm.

Diamond war beunruhigt, hin- und hergerissen zwischen dem dringenden Wunsch, die Situation in den Griff zu bekommen, und einem Impuls, den er selbst als kindisch erkannte, nämlich zu beweisen, dass seine gesellschaftlichen Umgangsformen ebenso geschliffen waren wie die Hels. Er merkte, dass sowohl er als auch die Situation manipuliert wurden, und das missfiel ihm. Um überhaupt etwas zu sagen, bemerkte er: »Wie ich sehe, trinken Sie vor dem Dinner nichts, Mr. Hel.«

»Ganz recht.«

Nikolai hatte nicht die Absicht, es Diamond leichtzumachen, indem er auf höfliche Eröffnungszüge reagierte; er würde einfach jede Geste annehmen und die Last der Initiative immer wieder an Diamond zurückgeben, der lachend meinte: »Wissen Sie, ich muss sagen, Ihr Fahrer ist wirklich ein merkwürdiger Kerl.«

»Ach ja?«

»Ja. Er hat den Wagen auf dem Dorfplatz abgestellt, und wir mussten den Rest des Weges zu Fuß zurücklegen. Ich war überzeugt, dass uns das Gewitter einholen würde.«

»Ich dulde keine Autos auf meinem Grundstück.«

»Ja, aber stellen Sie sich vor, nachdem er den Wagen geparkt hatte, versetzte er der vorderen Tür einen Tritt, der zweifellos eine Beule hinterlassen hat.«

Hel entgegnete stirnrunzelnd: »Wie merkwürdig! Ich werde ihn zur Rede stellen müssen.«

In diesem Moment traten Hana und Miss Stern ein. Das Mädchen wirkte elegant und begehrenswert in dem zartgemusterten sommerlichen Kleid, das sie aus der von Hana besorgten Kollektion gewählt hatte. Hel beobachtete Hannah genau, als ihr die beiden Herren vorgestellt wurden, und wider Willen musste er die Selbstbeherrschung und Gelassenheit bewundern, mit der sie die Männer begrüßte, die den Mord an ihren Kameraden in Rom zu verantworten hatten. Hana winkte sie an ihre Seite und lenkte die allgemeine Aufmerksamkeit geschickt auf Hannahs Jugend und Schönheit, während sie gleichzeitig das Mädchen so behutsam leitete und führte, dass nur Hel das Gefühl der Irrealität wahrnahm, von dem Hannah beherrscht wurde. Einmal, als er ihrem Blick begegnete, nickte er ihr ob ihrer Selbstsicherheit anerkennend zu. Dieses Mädchen hatte also doch Substanz. Vielleicht, wenn sie vier bis fünf Jahre mit einer Frau wie Hana zusammenleben könnte ... Wer weiß?

Aus der Halle erklang dröhnendes Gelächter, und gleich darauf kam Le Cagot, den Arm um Starrs Schulter gelegt, wieder herein. Der Texaner wirkte ziemlich verunsichert, und sein Haar war zerzaust, doch Le Cagot hatte seinen Auftrag erfüllt: das Schulterholster unter Starrs linker Achsel war leer.

»Ich weiß ja nicht, wie es um euch steht, liebe Freunde«, sagte Le Cagot in seinem akzentreichen Englisch mit dem übermäßig gerollten *r* eines Franzosen, der diesen schwierigen Konsonanten endlich beherrscht, »aber ich bin halb verhungert. *Bouffons!* Ich könnte für drei essen!«

Das Dinner, beim Schein von zwei Kerzenleuchtern auf dem Tisch und einigen Wandlampen serviert, war zwar nicht üppig, aber gut: Forelle aus dem nahen *gave,* Rehbraten mit Cumberlandsoße und frisches Gemüse, auf japanische Art zubereitet. Die einzelnen Gänge waren durch Gespräche unterbrochen, und zum Abschluss wurde vor dem Dessert aus Obst und Käse ein erlesener Salat serviert. Jedes *entrée* und *relevé* war von den entsprechenden Weinen begleitet, und das besondere Problem von Wild in Obstsauce löste ein feiner Rosé, der den Geschmack zwar nicht eigens unterstrich, ihn aber auch nicht abschwächte. Mit leichtem Unbehagen bemerkte Diamond, dass Hel und Hana während der ersten Gänge nur Reis und Gemüse zu sich nahmen und sich den anderen erst beim Salat anschlossen. Außerdem trank zwar die Gastgeberin Wein mit ihnen, Hels Glas wurde jedoch aus jeder Flasche kaum mehr als benetzt, so dass er insgesamt nicht einmal ein ganzes Glas leerte.

»Sie trinken gar nicht, Mr. Hel?«, erkundigte er sich.

»Aber ja, das sehen Sie doch! Nur finde ich zwei Schluck Wein eben nicht köstlicher als einen.«

Als Weinkenner zu gelten und in ihrem vergeblichen Bemühen, Geschmacksnuancen zu beschreiben, pseudopoetisch zu werden ist eine Sucht unter den gesellschaftlich gewandteren Amerikanern, und Diamond hielt sich für einen Experten. Er schlürfte, bewegte den Wein mit der Zunge und kostete geräuschvoll, als er den Rosé, der zum Rehbraten serviert wurde, probierte. Endlich sagte er: »Ahhh, Tavel ist noch lange nicht gleich Tavel.«

Hel runzelte die Stirn. »Nun ... das ist sicher richtig«, murmelte er.

»Aber das *ist* doch ein Tavel, nicht wahr?«

Als Hel daraufhin nur die Achseln zuckte und diskret das Thema wechselte, bekam Diamond vor Verlegenheit eine Gänsehaut im Nacken. Er war so sicher gewesen, dass es Tavel war!

Während des ganzen Dinners wahrte Hel ein distanziertes Schweigen; er ließ Diamond nur selten aus den Augen, obwohl sein Blick auf einen imaginären Punkt dicht hinter ihm gerichtet schien. Mühelos entlockte Hana den Gästen nacheinander Histörchen und Witze und freute und amüsierte sich so darüber, dass jeder das Gefühl hatte, alle anderen an Klugheit und Charme zu übertreffen. Selbst Starr, der nach der groben Behandlung durch Le Cagot einsilbig und schmollend dagesessen hatte, erzählte Hana schon bald von seiner Jugend in Flatrock, Texas, und seinen abenteuerlichen Kämpfen gegen die *Gooks* in Korea.

Le Cagot widmete sich anfangs ausschließlich der Aufgabe, sich mit Speisen vollzustopfen. Aber es dauerte nicht lange, und die Enden seiner vornehmen Halsbinde hingen schlaff herab, der lange Schwalbenschwanz wurde beiseitegelegt, und als er bereit war, die Unterhaltung an sich zu reißen und die Gäste ausführlich mit seinen herzhaften und nicht selten schlüpfrigen Geschichten zu amüsieren, saß er hemdsärmelig in seiner auffallenden Weste mit den Knöpfen aus Rheinkiesel da. Sein Platz war unmittelbar neben Hannah, und plötzlich legte er aus heiterem Himmel seine große warme Hand auf ihren Oberschenkel, drückte ihn freundschaftlich und sagte: »Schönes Kind, antworten Sie mir jetzt mal ganz ehrlich: Beabsichtigen Sie, Ihr unbezähmbares Verlangen nach mir heftig zu bekämpfen? Oder haben Sie schon die Waffen gestreckt? Ich frage nur, damit ich weiß, wie ich vorgehen soll. Inzwischen aber essen Sie, mein Kind, essen Sie! Sie werden all Ihre Kräfte brauchen. Also! Die Herren sind aus Amerika, eh? Ich war schon drei Mal in Amerika. Deswegen ist auch mein Englisch so gut. Man könnte mich wirklich für einen Amerikaner halten, eh? Bei meinem Akzent, meine ich.«

»O ja, zweifellos!«, antwortete Diamond, dem es allmählich dämmerte, wie wichtig für Männer wie Hel und Le Cagot die Symbolik des guten Stils sogar ihren Feinden gegenüber war, und der ihnen beweisen wollte, dass er bei jedem Spiel mithalten konnte.

»Aber sobald die Leute die Lauterkeit in meinen Augen leuchten sähen und die Musik meiner Gedanken vernähmen, wäre ich natürlich durchschaut. Dann würden Sie erkennen, dass ich kein Amerikaner sein kann.« Hel suchte ein Lächeln hinter der Serviette zu verbergen.

»Sie sind recht hart gegen die Amerikaner«, sagte Diamond zu Le Cagot gewandt.

»Mag sein«, gab der zu. »Und vielleicht bin ich auch ungerecht gegen sie. Aber wir kriegen hier nur den Abschaum zu sehen: Pfeffersäcke auf Urlaub mit ihren aufdringlichen Weibern, Soldaten mit ihren kaugummikauenden Papiermachépüppchen, junge Leute, die ›zu sich selbst finden‹ wollen, oder – und das sind die Allerschlimmsten – akademische Kulis, denen es immer wieder gelingt, die zuständigen Gremien davon zu überzeugen, dass es der Welt besser erginge, ließe man sie mit einem saftigen Stipendium auf Europa los. Manchmal habe ich den Eindruck, Amerikas Hauptexportartikel sind zerstreute Professoren auf Bildungsurlaub. Stimmt es eigentlich, dass jeder Amerikaner über fünfundzwanzig einen Doktortitel hat?« Le Cagot hielt die Zügel fest in der Hand, und nun begann er mit einer seiner Abenteuergeschichten, die sich, wie all seine Erzählungen, auf ein tatsächliches Erlebnis stützte, aber von ihm mit zahlreichen Ausschmückungen versehen wurde, um der eher langweiligen Wahrheit die nötige Würze zu geben. Überzeugt, dass Le Cagot die Situation noch eine ganze Weile unter Kontrolle behalten würde, ließ Hel sein Gesicht zu einer höflich-belustigten Miene erstarren und begann in Gedanken jene Züge zu erwägen und zu ordnen, mit denen er nach dem Dinner das Spiel eröffnen wollte.

Le Cagot hatte sich wieder an Diamond gewandt. »Ich werde für Sie mal ein bisschen Licht in die Geschichte bringen, amerikanischer Gast meines Freundes. Ein jeder weiß, dass Basken und Faschisten seit Anbeginn der Menschheitsgeschichte Gegner sind. Aber nur wenige kennen den wirklichen Grund für diese uralte Feindschaft. Es war eigentlich unsere Schuld, muss ich gestehen. Vor vielen Jahren hörten die Basken nämlich auf, einfach an den Straßenrand zu scheißen, und damit entzogen wir der Falange ihre Hauptnahrungsquelle. Das ist die hochheilige Wahrheit, das schwöre ich bei Methusalems gerunzelten …«

»Beñat?«, wurde er von Hana unterbrochen, die mit einem Kopfnicken auf das junge Mädchen wies.

»… bei Methusalems gerunzelten *Brauen*. Was ist los mit dir, Hana?«, fragte er, und seine Augen waren vor gekränkter Unschuld feucht. »Glaubst du vielleicht, ich hätte meine Manieren vergessen?«

Hel schob seinen Stuhl zurück und stand auf. »Mr. Diamond und ich haben etwas Geschäftliches zu besprechen. Ich schlage vor, dass ihr den Cognac auf der Terrasse nehmt – bevor das Gewitter losbricht.«

Als sie aus der großen Halle in den japanischen Garten hinaustraten, ergriff Hel Diamond beim Arm. »Gestatten Sie mir, Sie zu führen. Ich habe vergessen, eine Laterne mitzunehmen.«

»Ach? Ich bin natürlich über Ihren legendären Proximitätssinn informiert, aber ich wusste nicht, dass Sie auch im Dunkeln sehen können.«

»Kann ich auch nicht. Aber wir befinden uns auf meinem eigenen Grund und Boden. Vielleicht darf ich Ihnen raten, das nicht zu vergessen.«

Im Waffenraum entzündete Hel zwei Spirituslampen und winkte Diamond zu einem niedrigen Tischchen, auf dem eine Flasche und Gläser standen. »Bedienen Sie sich. Ich komme gleich wieder.« Er trug eine Lampe zu einem Bücherschrank, in dem Kästen mit zahllosen Karteikarten standen, insgesamt ungefähr zweihunderttausend. »Darf ich annehmen, dass Diamond Ihr richtiger Name ist?«

»Sie dürfen.«

Hel suchte nach der entsprechenden Schlüsselkarte, auf der sämtliche Querverweise zu Diamond vermerkt waren. »Und Ihr Vorname?«

»Jack O.« Diamond musste lächeln, als er Hels primitive Kartothek in Gedanken mit seinem eigenen, hochentwickelten Informationssystem Fat Boy verglich. »Ich sah keine Veranlassung, einen Decknamen zu benutzen, da ich annahm, die Ähnlichkeit zwischen mir und meinem Bruder würde Ihnen ohnehin nicht entgehen.«

»Ihr Bruder?«

»Erinnern Sie sich nicht an ihn?«

»Nicht so ohne weiteres.« Leise vor sich hin murmelnd, blätterte Hel einen Karteikasten durch. Da seine Kartei in sechs Sprachen abgefasst war, hatte er die Stichwörter phonetisch geordnet. »D. DA, D-Ai, D-AI-M ... Ah, da haben wir's ja! Diamond, Jack O. Nehmen Sie sich einen Drink, Mr. Diamond. Mein Ordnungssystem ist ein wenig umständlich, und seit ich mich zur Ruhe gesetzt habe, hatte ich wenig Übung in seiner Benutzung.«

Diamond war überrascht, dass Hel sich überhaupt nicht an seinen Bruder erinnerte. Um seine momentane Verwirrung zu kaschieren, griff er zur Flasche und studierte das Etikett. »Armagnac?«

»Hm-m-m.« Hel prägte sich einen Querverweis ein und suchte nach der entsprechenden Karte. »Wir sind hier ganz in der Nähe des Armagnac-Gebietes. Sie werden diesen hier sehr alt und sehr gut finden. Aha, Sie stehen also im Dienste der Muttergesellschaft, wie? Dann darf ich wohl annehmen, dass Sie durch Ihren Computer bereits eine ganze Menge Informationen über mich bekommen haben. Deswegen müssen Sie mir schon noch ein bisschen Zeit lassen, damit ich mit Ihnen gleichziehen kann.«

Diamond nahm sein Glas, wanderte damit im Zimmer umher und betrachtete die ungewöhnlichen Waffen in ihren Gestellen und auf den Regalen an der Wand. Einige von ihnen kannte er: die Nervengasröhre, druckluftgetriebene Glassplitterprojektoren, Trockeneisgewehre und so fort. Andere dagegen waren ihm fremd: einfache Metallscheiben, ein Apparat, der aus zwei kurzen Hickorystäben, verbunden mit einem Metallstück, bestand, ein winziger Kegel, gearbeitet wie ein Fingerhut, der in eine nadelscharfe Spitze auslief. Auf dem Tisch neben der Armagnac-Flasche entdeckte er eine kleine französische Automatic.

»Eine recht gewöhnliche Waffe inmitten all dieser Exotika«, bemerkte er.

Hel blickte von der Karteikarte auf, die er gerade studierte. »Ach ja, ich habe sie auch gesehen, als wir hereinkamen. Die ist nicht von mir. Sie gehört Ihrem Begleiter, diesem ungehobelten Cowboy aus Texas. Ich dachte, er würde sich ohne Waffe wohler fühlen.«

»Sie sind ein sehr fürsorglicher Gastgeber!«

»Vielen Dank.« Hel legte die Karte, die er gerade gelesen hatte, beiseite und zog eine andere Schublade auf, um unter dem nächsten Stichwort weiterzusuchen. »Diese Automatic ist übrigens sehr aufschlussreich. Offenbar hatten Sie beschlossen, wegen der lästigen Durchsuchung auf den Flughäfen unbewaffnet zu reisen. Ihr Mann bekam die Waffe erst, als Sie hier gelandet waren. Ihr Fabrikat verrät mir, dass nur die französische Polizei Ihnen dazu verholfen haben kann. Und das bedeutet, dass Sie die französischen Behörden in der Tasche haben.«

Diamond zuckte die Achseln. »Frankreich braucht eben auch Öl. Genau wie jede andere Industrienation.«

»Ja. *Ici on n'a pas d'huile, mais on a des idées.*«

»Und das heißt?«

»Eigentlich gar nichts. Ein Werbespruch der innenpolitischen Propaganda hier. Also wie ich sehe, war der Major Diamond aus Tokio Ihr Bruder. Das ist interessant – wenn auch nicht allzu sehr.« Nun, da er darauf achtete, bemerkte Hel eine gewisse Ähnlichkeit zwischen den beiden: das schmale Gesicht, die stechenden schwarzen engstehenden Augen, die sichelförmige Nase, die schmale Ober- und die schwere blutleere Unterlippe, eine gewisse Gespanntheit im Ausdruck.

»Ich dachte, Sie hätten das sofort erraten, als Sie meinen Namen hörten.«

»Ach, im Grunde hatte ich ihn fast vergessen. Schließlich war unsere Rechnung beglichen. Dann arbeiten Sie also in der Frühpensionierungsabteilung der Muttergesellschaft, wie? Das passt wahrhaftig zur Karriere Ihres Bruders.«

Vor einigen Jahren hatte die Muttergesellschaft entdeckt, dass ihre Direktoren nach dem fünfzigsten Lebensjahr merklich an Produktivität nachließen – und zwar genau zu dem Zeitpunkt, da die Gesellschaft ihnen die höchsten Gehälter bezahlte. Das Problem wurde Fat Boy unterbreitet, der eine Lösung in Gestalt der Frühpensionierungsabteilung fand, die das unerwartete Hinscheiden eines unauffälligen Prozentsatzes dieser Herren organisierte, was gewöhnlich im Urlaub und meist aufgrund eines scheinbaren Schlaganfalls oder Herzinfarkts bewerkstelligt wurde. Die Summen, die die Muttergesellschaft damit einsparte, waren beträchtlich. Bevor Diamond zum Kontrolleur der Muttergesellschaft über CIA und NSA avancierte, war er der Leiter dieser Abteilung gewesen.

»… und so scheint es, dass beide, Sie und Ihr Bruder, eine Möglichkeit gefunden haben, ihren angeborenen Sadismus mit den Bequemlichkeiten und Vorteilen der Arbeit für eine Großorganisation zu vereinbaren, er bei Armee und CIA, Sie bei den Ölkonzernen. Sie sind beide Produkte des amerikanischen Traums, des merkantilen Irrglaubens. Nichts weiter als gescheite junge Männer, die um jeden Preis weiterkommen wollen.«

»Aber wenigstens ist keiner von uns zum gedungenen Mörder geworden.«

»Unsinn! Jeder, der für eine Firma arbeitet, die Luft und Wasser verschmutzt und vergiftet und Bodenschätze ausbeutet, ist ein Mörder. Die Tatsache, dass Sie und Ihr unbeweinter Bruder aus dem institutionellen und patriotischen Hinterhalt morden, befreit Sie nicht von dem Vorwurf, Mörder zu sein. Es bedeutet lediglich, dass Sie beide Feiglinge sind.«

»Glauben Sie, ein Feigling würde sich so in die Höhle des Löwen wagen, wie ich es hier bei Ihnen getan habe?«

»Eine gewisse Sorte von Feiglingen, ja. Die nämlich, die Angst vor der eigenen Feigheit hat.«

Diamond stieß ein hohles Lachen aus. »Sie hassen mich wirklich, nicht wahr?«

»Ganz und gar nicht. Denn Sie sind kein Mensch, Sie sind der bloße Lakai einer Organisation. Man kann nicht Sie als Individuum hassen; man kann nur die gesamte Bande hassen. Auf jeden Fall gehören Sie nicht zu denen, die so intensive Gefühle wie Hass erwecken. Abscheu wäre eine treffendere Bezeichnung.«

»Und trotz aller Geringschätzung, die Sie aufgrund Ihrer Abstammung und Ihrer Erziehung gegen uns hegen, sind es solche wie ich – wir, die Sie höhnisch als Kaufmannskaste abtun –, die Sie engagieren und von Ihnen ihre schmutzige Arbeit tun lassen.«

Hel zuckte gelassen die Achseln. »Das ist schon immer so gewesen. Während der ganzen Menschheitsgeschichte haben die Händler sich feige hinter die Mauern der Städte verkrochen, während die Ritter kämpften, um sie zu beschützen; und die Händler haben zum Dank dafür immer gekatzbuckelt und gedienert und die Speichellecker gespielt. Doch eigentlich kann man es ihnen nicht verdenken. Sie sind nicht zum Mut erzogen worden. Und warum auch: Tapferkeit kann man nicht auf die Bank tragen.« Hel las die letzte Karteikarte und warf sie auf den Stapel, den er später wieder einordnen würde. »Na schön, Diamond. Jetzt weiß ich, wer Sie und was Sie sind. Das heißt, jedenfalls weiß ich so viel über Sie, wie ich es für nötig halte.«

»Ich nehme an, Sie haben Ihre Informationen vom Gnom?«

»Ein großer Teil davon stammt von der Person, die Sie den Gnom nennen.«

»Wir würden viel darum geben zu wissen, wie dieser Mann zu seinen Informationen gelangt.«

»Zweifellos. Natürlich würde ich es Ihnen nicht sagen, selbst wenn ich es wüsste. Aber Tatsache ist, dass ich nicht die geringste Ahnung habe.«

»Aber Sie kennen seine Identität und seinen Aufenthaltsort?«

Hel lachte. »Selbstverständlich! Der Herr und ich, wir sind alte Freunde.«

»Er ist nicht mehr und nicht weniger als ein Erpresser.«

»Unsinn! Er ist ein Meister in der Kunst der Informationsbeschaffung. Er hat noch nie Geld dafür genommen, dass er die Fakten verschweigt, die er aus der ganzen Welt zusammenträgt.«

»Nein, aber er versorgt Männer wie Sie mit Informationen, die sie vor Verfolgung durch Regierungen schützen, und damit verdient er eine Menge Geld.«

»Dieser Schutz ist auch eine Menge Geld wert. Aber wenn es Sie beruhigt, Diamond: Der Mann, den Sie den Gnom nennen, ist schwer krank. Er wird das Ende dieses Jahres wohl nicht mehr erleben.«

»Dann werden Sie also bald schutzlos sein.«

»Er wird mir fehlen, weil er ein geistreicher, charmanter Mensch ist. Doch geschäftlich ist sein Verlust für mich nicht weiter relevant. Ich habe mich, wie Fat Boy Ihnen sicher verraten hat, ganz vom Metier zurückgezogen. Also, wie ist es – wollen wir jetzt zur Sache kommen?«

»Vorher hätte ich noch eine Frage an Sie.«

»Ich habe ebenfalls eine Frage an Sie, aber lassen wir das lieber bis später. Und damit wir keine Zeit mit langen Erläuterungen vergeuden, gestatten Sie mir, Ihnen die Lage mit ein paar Sätzen zu schildern, und Sie korrigieren mich, sobald ich mich irre.« Hel lehnte sich mit dem Rücken an die Wand; sein Gesicht lag im Schatten, seine leise Gefängnisstimme klang monoton. »Beginnen wir mit dem Mord an den israelischen Sportlern in München durch den Schwarzen September. Zu den Getöteten gehörte Asa Sterns Sohn. Asa Stern schwört Rache. Zu diesem Zweck organisiert er eine jämmerliche kleine Amateurzelle – denken Sie wegen der Unwirksamkeit seiner Bemühungen aber bitte nicht schlecht von Mr. Stern; er war ein guter Mann, doch er war unheilbar krank und stand zeitweilig unter Drogen. Der arabische Geheimdienst bekommt Wind von seiner Aktivität. Die Araber bitten – wahrscheinlich durch einen OPEC-Vertreter – die Muttergesellschaft, diesen Störfaktor auszuschalten. Die Muttergesellschaft überträgt Ihnen die Aufgabe in der Erwartung, dass Sie dafür Ihre CIA-Rowdies einsetzen. Sie hören, dass die Vergeltungszelle – ich glaube, sie nannten sich die Munich Five – nach London unterwegs ist, um die letzten Überlebenden der Münchner Attentäter zu beseitigen. Die CIA arrangiert einen Präventivschlag auf dem Flughafen Rom. Übrigens, vermute ich richtig, dass die beiden Schwachköpfe drüben im Haus an diesem Überfall beteiligt waren?«

»Ja, das stimmt.«

»Und Sie wollen sie nun bestrafen, indem Sie sie zwingen, die Trümmer zu beseitigen?«

»So ungefähr.«

»Sie gehen ein großes Risiko ein, Mr. Diamond. Ein einfältiger Mitarbeiter ist gefährlicher als ein gescheiter Gegner.«

»Das ist meine Sache.«

»Gewiss. Nun gut, Ihre Leute erledigen den Auftrag in Rom unvollständig und machen dabei sehr viel Dreck. Im Grunde sollten Sie froh sein, dass sie überhaupt etwas erledigen konnten. Bei dieser Kombination von arabischer Intelligenz und CIA-Kompetenz können Sie von Glück sagen, dass die Burschen nicht den falschen Flughafen erwischt haben. Aber das ist, wie Sie richtig bemerkten, Ihre Sache. Irgendwann – vermutlich als der Überfall in Washington rekapituliert wurde – fanden Sie heraus, dass die Israelis gar nicht nach London wollten. Sie hatten Flugtickets nach Pau bei sich. Und Sie entdeckten, dass eines der Zellenmitglieder, jene Miss Stern, mit der Sie vorhin gegessen haben, von Ihren Killern übersehen worden war. Ihr Computer konnte eine Verbindung zwischen Asa Stern und mir nachweisen, und das Flugziel Pau bestätigte Ihren Verdacht. War es so?«

»Mehr oder weniger.«

»Gut. Das wäre die Vorgeschichte. Jetzt ist der Ball, glaube ich, in Ihrem Feld.«

Diamond hatte sich noch nicht entschieden, wie er sein Anliegen vortragen sollte und welche Kombination von Drohungen und Versprechungen am ehesten geeignet wäre, Nikolai Hel zu neutralisieren. Um Zeit zu gewinnen, deutete er auf ein Paar Pistolen mit merkwürdig gebogenem Griff, der an altmodische Duellwaffen erinnerte, und mit Neun-Zoll-Doppelläufen, die sich an der Mündung trichterförmig verbreiterten. »Was ist denn das?«

»Schrotpistolen, sozusagen.«

»Schrotpistolen?«

»Ja. Ein holländischer Industrieller hat sie eigens für mich anfertigen lassen. Ein Dankgeschenk für einen sehr heiklen Auftrag, bei dem ich seinen Sohn befreien sollte, der von molukkischen Terroristen in einem Eisenbahnzug gefangen gehalten wurde. Wie Sie sehen, hat jede Pistole zwei Hämmer, die gleichzeitig auf spezielle Schrotpatronen mit schweren Ladungen aus Fünf-Millimeter-Kugeln fallen. Sämtliche Waffen in diesem Raum sind jeweils für eine bestimmte Situation konstruiert worden. Diese hier zum Beispiel sind für Nahschüsse im Dunkeln bestimmt oder um beim Eindringen in ein Haus ein Zimmer voller Menschen in Sekundenschnelle auszuschalten. Bei zwei Meter Abstand von der Mündung bestreuen sie eine Fläche von einem Meter Durchmesser.« Hels flaschengrüne Augen musterten Diamond aufmerksam.

»Beabsichtigen Sie, den Abend mit Gesprächen über Waffen zu verbringen?«, fragte er dann.

»Nein. Ich vermute, Miss Stern hat Sie gebeten, ihr bei der Beseitigung der Septembristen, die jetzt in London sind, zu helfen?«

Hel nickte wortlos.

»Und sie hielt es für selbstverständlich, dass Sie ihr helfen würden – wegen Ihrer Freundschaft mit ihrem Onkel?«

»Sie war dieser Ansicht.«

»Und was beabsichtigen Sie zu tun?«

»Ich beabsichtige, mir Ihre Offerte anzuhören.«

»Meine Offerte?«

»Das machen Kaufleute doch, nicht wahr? Offerten?«

»Ich würde es nicht direkt als Offerte bezeichnen.«

»Wie würden Sie es dann nennen?«

»Ich würde von der Vorlage einer Abschreckungsaktion sprechen, die zum Teil bereits in Kraft getreten ist, zum Teil abrufbereit steht, für den Fall, dass Sie so töricht sein und versuchen sollten, uns zu behindern.«

Hels Lippen verzogen sich zu einem Lächeln, das seine Augen nicht teilten. Er machte eine kreisende Handbewegung, die Diamond aufforderte fortzufahren.

»Ich gebe zu, dass es unter anderen Umständen weder die Muttergesellschaft noch die arabischen Länder, denen wir eng verbunden sind, kümmern würde, was mit diesen mordlustigen Irren von der PLO geschieht. Aber innerhalb der arabischen Gemeinschaft herrschen im Augenblick kritische Zeiten, und die PLO ist zu einer Art Banner geworden, um das sich andere scharen, mehr zu einer Frage der Public Relations als des privaten Engagements. Aus diesem Grund ist die Muttergesellschaft verpflichtet, sie zu schützen. Und das heißt, dass man Ihnen nicht gestatten wird, die Leute auszuschalten, die diese Maschine in London entführen wollen.«

»Und wie will man mich daran hindern?«

»Erinnern Sie sich, dass Ihnen einmal mehrere Tausend Morgen Land in Wyoming gehörten?«

»Darf ich annehmen, dass das Tempus, das Sie wählen, kein grammatikalischer Lapsus ist?«

»Ganz recht. Ein Teil dieses Besitzes liegt in Boyle County, der Rest in Custer County. Wenn Sie sich an die Countyverwaltungen wenden, werden Sie erfahren, dass es keinerlei Unterlagen über den Erwerb dieses Grundstücks durch Sie gibt. Im Gegenteil, die Akten beweisen, dass das fragliche Land schon seit vielen Jahren einer der Muttergesellschaft angegliederten Organisation gehört. Es gibt dort ein bisschen Kohle, die man im Tagebau abräumen kann.«

»Wollen Sie andeuten, dass man mir das Land zurückgeben wird, wenn ich mich kooperativ verhalte?«

»Keineswegs. Dieses Land, der größte Teil Ihrer Altersversorgung, ist Ihnen zur Strafe dafür genommen worden, dass Sie es überhaupt wagen, sich in die Angelegenheiten der Muttergesellschaft einzumischen.«

»Darf ich annehmen, dass diese Strafe auf Ihre persönliche Initiative zurückgeht?«

Diamond legte den Kopf auf die Seite. »Ich hatte das Vergnügen, sie auszutüfteln.«

»Sie sind ein bösartiges, kleines Schwein. Wollen Sie andeuten, dass man das Land schonen und die Kohle nicht abbauen wird, wenn ich mich aus der Londoner Affäre heraushalte?«

Diamond schob die Unterlippe vor. »Tja, also, ich fürchte, eine solche Zusage kann ich nicht machen. Amerika braucht all seine natürlichen Energiequellen, um von Importen unabhängig zu werden.« Er lächelte über diese Nachäfferei abgedroschener Parteischlagworte. »Und außerdem: Schönheit kann man nicht auf die Bank tragen.« Er genoss seinen Triumph.

»Dann verstehe ich nicht, was das soll, Diamond. Wenn Sie mir das Land wegnehmen und zerstören, was immer ich auch tue – welches Druckmittel bleibt Ihnen dann noch, um meine Handlungsweise zu beeinflussen?«

»Wie gesagt, die Wegnahme Ihres Grundbesitzes ist nur ein Warnschuss vor den Bug. Und eine Strafe.«

»Ich verstehe. Eine ganz persönliche Strafe. Von Ihnen. Für Ihren Bruder?«

»Ganz recht.«

»Er hatte den Tod verdient, das wissen Sie. Man hat mich drei Tage lang gefoltert. Selbst jetzt, nach all diesen Operationen, ist mein Gesicht noch nicht wieder voll beweglich.«

»Er war mein Bruder! Und jetzt betrachten wir mal die übrigen Sanktionen, die Ihnen drohen, falls Sie nicht zur Zusammenarbeit bereit sind. Unter der Rubrik KL443, Codenummer 45-389-75, hatten Sie schätzungsweise anderthalb Millionen Dollar in Gold auf der Bundesbank in Zürich liegen. Das war beinahe der gesamte Rest des Vermögens, mit dem Sie sich zur Ruhe setzen wollten. Bitte, beachten Sie wiederum das Tempus.«

Hel schwieg einen Moment. »Auch die Schweizer brauchen Öl.«

»Auch die Schweizer brauchen Öl«, echote Diamond. »Das Geld wird sieben Tage nach der erfolgreichen Flugzeugentführung durch die Septembristen wieder auf Ihrem Konto erscheinen. Sie sehen also, statt ihre Pläne zu vereiteln und sie gar zu töten, wäre es weit günstiger für Sie, alles zu tun, was in

Ihrer Macht steht, um sicherzustellen, dass die Palästinenser Erfolg haben.«

»Und mein Geld in der Schweiz dient außerdem Ihnen als ganz persönlicher Schutz, wie?«

»Genau. Sollte mir oder meinen Begleitern etwas zustoßen, solange wir Ihre Gäste sind, wird dieses Geld spurlos verschwinden – aufgrund eines simplen Buchungsfehlers.«

Hel trat an die Schiebetür, die in seinen japanischen Garten hinausführte. Der Regen war da, er trommelte auf den Kies und ließ die Spitzen der schwarz-silbrig glänzenden Blätter vibrieren. »Ist das alles?«

»Noch nicht ganz. Wir sind uns darüber im Klaren, dass Sie wahrscheinlich noch einige Hunderttausend hier und da als Notgroschen deponiert haben. Eine Persönlichkeitsanalyse, die Fat Boy von Ihnen gemacht hat, bestätigte uns, es sei durchaus möglich, dass Sie Empfindungen wie Loyalität einem verstorbenen Freund und seiner Nichte gegenüber allen Erwägungen Ihres persönlichen Vorteils voranstellen würden. Resultat selektiver Fortpflanzung und der Unterweisung in japanischen Ehrbegriffen, nicht wahr? Auf diesen törichten Schachzug sind wir ebenfalls vorbereitet. Zunächst einmal ist für MI-5 und MI-6 Alarmstufe I gegeben worden; sie werden Ausschau nach Ihnen halten und Sie verhaften, sobald Sie den Fuß auf englischen Boden setzen. Zu ihrer Unterstützung sind die französischen Organe für innere Sicherheit angewiesen, dafür zu sorgen, dass Sie Ihre unmittelbare Umgebung nicht verlassen. Ihre Personenbeschreibung hängt überall aus. Sobald man Sie außerhalb Ihres eigenen Dorfes entdeckt, wird ohne Warnung auf Sie geschossen. Nun bin ich zwar vertraut mit Ihren zahlreichen früheren Erfolgen wider alle Chancen, und mir ist durchaus klar, dass die Kräfte, die wir mobilisiert haben, für Sie nur einen Störfaktor darstellen und keine wirksame Abschreckung. Aber wir verfolgen diese Strategie dennoch, und zwar aus taktischen Gründen. Die Muttergesellschaft muss *deutlich sichtbar* alles tun, was in ihrer Macht steht, um die Londoner Septembristen zu schützen. Sollte sich dieser Schutz als unwirksam erweisen – und ich hoffe beinahe, dass er es tut –, muss die Muttergesellschaft *deutlich sichtbar* Strafen verhängen – Strafen von einer Intensität, die unsere arabischen Freunde zufriedenstellt. Und Sie wissen ja, wie diese Leute sind. Um ihren Rachedurst zu stillen, wären wir gezwungen, etwas sehr Durchgreifendes und sehr ... Fantasievolles zu tun.«

Hel schwieg einen Moment. »Ich sagte Ihnen zu Beginn unserer Plauderei, dass ich eine Frage an Sie hätte, Krämer. Hier ist sie. Warum sind Sie hierhergekommen?«

»Das sollte sich doch von selbst beantworten.«

»Vielleicht habe ich mich nicht klar genug ausgedrückt. Warum sind *Sie* gekommen? Warum haben Sie keinen Boten geschickt? Warum zeigen Sie mir Ihr Gesicht und gehen das Risiko ein, dass ich mich an Sie erinnere?«

Einen Moment starrte Diamond ihn an. »Ich will ehrlich zu Ihnen sein ...«

»Brechen Sie meinetwegen nur nicht mit liebgewordenen Gewohnheiten!«

»Ich wollte Sie persönlich vom Verlust Ihres Grundbesitzes in Wyoming unterrichten. Ich wollte Ihnen persönlich das ganze Ausmaß der Strafen ausmalen, die ich ersonnen habe, sollten Sie die Unvorsichtigkeit begehen, der Muttergesellschaft nicht zu gehorchen. Das bin ich meinem Bruder schuldig.«

Hels ausdrucksloser Blick richtete sich auf Diamond, der steif vor Trotz dastand, einen Schimmer in seinen Augen, der die Angst in ihm verriet. Er hatte einen gefährlichen Schritt gewagt, dieser Krämer. Er hatte den Schutz der Gesetze und Systeme verlassen, hinter denen sich Organisationslakaien wie er gewöhnlich verbergen und aus denen sie ihre Macht schöpfen, und war das Risiko eingegangen, Nikolai Alexandrowitsch Hel sein Gesicht zu zeigen. Diamond war sich im Unterbewussten klar über seine abhängige Anonymität, über seine Rolle als gesellschaftliches Insekt, das hektisch in den Nestern von Profit und Erfolg herumstöberte. Wie andere seiner Kaste auch, fand er inneren Trost in der Cowboylegende. In diesem Augenblick sah Diamond sich selbst als mannhaften Individualisten, der mutig die staubige Straße einer Hollywood-Kulisse entlangschreitet, die Hand nur Zentimeter über dem Computer in seinem Holster. Es ist bezeichnend für die amerikanische Kultur, dass der Cowboy zu ihrem prototypischen Helden wurde: ein ungebildeter, ungeschliffener Wanderarbeiter der Viktorianischen Zeit. Im Grunde war Diamonds Rolle absurd: der Tom Mix des Big Business als Gegner eines *yojimbo* mit Garten. Diamond verfügte über das ausgedehnteste Computersystem der Welt; Hel hatte ein paar Karteikarten. Diamond hatte alle Regierungen des industrialisierten Westens in der Tasche; Hel hatte ein paar baskische Freunde. Diamond repräsentierte Atomenergie, die Ölvorräte der Erde, die Symbiose von Militär und Industrie, die korrupten und korrumpierenden Regierungen, eingesetzt von einer Masse, die sich der Verantwortung entledigen wollte; Hel dagegen repräsentierte *shibumi,* ein verblasstes Konzept zurückhaltender Schönheit. Und doch war deutlich, dass Hel bei jedem Kampf, den sie ausfechten mochten, einen nicht unbeträchtlichen Vorteil besaß.

Hel wandte den Blick ab und schüttelte unmerklich den Kopf. »Es muss sehr unangenehm sein, Ihre Rolle zu spielen.«

Während des beiderseitigen Schweigens hatten sich Diamonds Fingernägel tief in seine Handflächen gegraben. Jetzt räusperte er sich. »Was immer Sie von mir halten mögen, ich kann nicht glauben, dass Sie die Ihnen noch verbleibenden Jahre für eine Geste opfern wollen, die bei niemandem Anerkennung fände, außer bei diesem unbedarften bourgeoisen Küken, das ich beim Dinner kennengelernt habe. Ich glaube, ich weiß schon, was Sie tun werden, Mr. Hel. Sie werden diese Angelegenheit in aller Ruhe überdenken und zu dem Schluss kommen, dass eine Handvoll sadistischer Araber es nicht wert sind, dieses Heim und das Leben, das Sie sich hier aufgebaut haben, für sie zu opfern; Sie werden einsehen, dass Ihre Ehrenschuld sich nicht auf die verzweifelten Hoffnungen eines kranken und von Drogen verwirrten Mannes erstreckt; und am Ende werden Sie sich entschließen, nicht einzugreifen. Einer der Gründe für diese Entscheidung wird sein, dass Sie es für unter Ihrer Würde halten, eine leere Geste der Tapferkeit zu machen, nur um mich, einen Mann, den Sie verabscheuen, zu beeindrucken. Ich erwarte keineswegs, dass Sie mir auf der Stelle eine Verzichtserklärung geben. Das wäre demütigend, zu schmerzlich für Ihr kostbares Gefühl für Würde. Aber schließlich werden Sie es doch tun. Um ehrlich zu sein, ich wünschte fast, Sie würden stur bleiben. Es wäre ein Jammer, wenn all die Strafen, die ich mir für Sie ausgedacht habe, nicht verwirklicht würden. Aber zum Glück für Sie besteht der Aufsichtsratsvorsitzende der Muttergesellschaft darauf, dass die Septembristen nicht behindert werden. Wir arrangieren nämlich gerade die sogenannten Friedensgespräche von Camp David, in deren Verlauf Israel gezwungen werden wird, die Truppen von seinen südlichen und östlichen Grenzen abzuziehen. Als Abfallprodukt dieser Gespräche wird die PLO aus dem Machtspiel im Nahen Osten hinausgedrängt werden. Die Leute haben ihren Zweck als Störfaktor erfüllt. Aber der Vorsitzende will, dass wir die Palästinenser so lange in Sicherheit wiegen, bis dieser Coup stattfinden kann. Wie Sie sehen, Mr. Hel, schwimmen Sie in tiefen Gewässern und haben es mit Mächten zu tun, die jenseits der Dimensionen von Schrotpistolen und hübschen Gärtchen liegen.«

Hel musterte Diamond einen Moment schweigend. Dann wandte er sich dem Garten zu. »Dieses Gespräch ist beendet«, erklärte er ruhig.

»Ich verstehe.« Diamond zog eine Visitenkarte aus der Tasche. »Sie können mich unter dieser Nummer erreichen. Ich werde in etwa zehn Stunden wieder in meinem Büro sein. Sobald Sie mir mitteilen, dass Sie sich entschlossen haben, sich nicht in diese Angelegenheit einzumischen, werde ich sofort die Freigabe Ihres Schweizer Bankkontos veranlassen.«

Da Hel seine Anwesenheit nicht mehr zu bemerken schien, legte Diamond die Visitenkarte auf den Tisch. »Für diesmal gibt es zwischen uns nichts mehr zu besprechen, also werde ich jetzt aufbrechen.«

»Was? Ach ja. Sie finden sicher allein hinaus, Diamond. Hana wird Ihnen Kaffee servieren, bevor sie Sie und Ihre Lakaien ins Dorf zurückbringen lässt. Pierre hat sich während der letzten Stunden zweifellos so gut mit Wein gestärkt, dass er sich in der richtigen Verfassung befindet, um Ihnen eine unvergessliche Fahrt zu bescheren.«

»Na schön. Aber zuerst ... Da war noch diese Frage, die ich Ihnen stellen wollte.«

»Ja, ich höre?«

»Der Rosé, den es zum Essen gab. Was war das?«

»Ein Tavel natürlich.«

»Habe ich es doch gewusst!«

»Nein, das haben Sie nicht. Sie haben es nur fast gewusst.«

Der Teil des Gartens, der sich bis zu dem japanischen Häuschen erstreckte, war eigens angelegt worden, um auf den Regen lauschen zu können. In jeder Regenzeit arbeitete Hel wochenlang barfuß und nur mit durchnässten Shorts bekleidet am Einstimmen dieses Gartenstücks. Die Wasserrinnen und -röhren wurden gebohrt und geformt, Pflanzen um- und abermals umgesetzt, Kies verteilt und Klangsteine im Wasserlauf arrangiert, bis das Zusammenspiel des sopranhohen Zischens des Regens auf dem Kies, des basstiefen Tropfens auf breitblättrigen Pflanzen, der flötendünnen Resonanz zitternder Bambusblätter und des Kontrapunktes im gurgelnden Bachlauf so ausgeglichen war, dass, wenn man in der Mitte des mit *tatamis* ausgelegten Zimmers saß, kein Laut den anderen übertönte. Der konzentrierte Zuhörer konnte eine Schwingung aus dem Hintergrund hervorholen oder, wenn er seine Aufmerksamkeit auf eine andere richtete, die erste zurücksinken lassen, so wie ein an Schlaflosigkeit Leidender sich auf das Ticken einer Uhr einstimmen kann, wann immer er will. Die Konzentration, die erforderlich ist, um das Instrument eines gut gestimmten Gartens zu beherrschen, genügt, um die alltäglichen Sorgen und Ängste vergessen zu lassen, doch diese schmerzstillende Eigenschaft ist nicht das Hauptziel des Gärtners, dem das Anlegen eines Gartens wichtiger sein muss als der Genuss daran.

Hel saß im Waffenraum und hörte den Regen, aber ihm fehlte die innere Ruhe, ihm zu lauschen. Es lag ein negatives *aji* in dieser Affäre. Sie war nicht aus einem Guss, und sie war auf gefährliche Weise … persönlich. Es war Hels Taktik, gegen das Muster der Steine auf dem Spielbrett zu kämpfen, nicht aber gegen inkonsequente Gegner aus Fleisch und Blut. In diesem Fall würden Schritte aus unlogischen Motiven heraus unternommen werden; menschliche Filter würden sich zwischen Ursache und Wirkung schieben. Das Ganze roch nach Leidenschaft und saurem Schweiß.

Mit einem tiefen Atemzug stieß Hel einen langen Seufzer aus. »Nun?«, fragte er laut. »Was halten Sie von all dem?«

Er bekam keine Antwort. Er spürte, wie ihre Aura zwischen dem Wunsch zur Flucht und der Angst, sich zu rühren, hin und her zuckte. Er schob die Tür zum Teezimmer auf und winkte sie zu sich herein.

Hannah Stern stand an der Tür, die Haare klatschnass vom Regen; das durchweichte Kleid klebte ihr am Körper. Es war ihr unangenehm, beim Horchen ertappt zu werden, aber ihr Trotz hinderte sie daran, sich zu entschuldigen. In ihren Augen überwog die schwerwiegende Bedeutung der anstehenden Angelegenheit die Rücksicht auf gesellschaftliche Normen und höfliches Verhalten. Hel hätte ihr erklären können, dass die »kleineren« Tugenden auf lange Sicht diejenigen sind, die wirklich zählen. Auf Höflichkeit ist mehr Verlass als auf die gefühlsbeladenen Tugenden des Mitgefühls, der Nächstenliebe und der Aufrichtigkeit; schlichtes Fair play ist wichtiger als abstrakte Gerechtigkeit. Die Haupttugenden neigen stets dazu, sich unter dem Druck bequemer Rationalisierung aufzulösen. Gute Manieren aber sind und bleiben gute Manieren; sie halten dem Sturm der Ereignisse unwandelbar stand.

Hel hätte ihr dies alles erklären können, aber er war an ihrer geistigen Weiterbildung nicht interessiert und hatte auch kein Verlangen danach, das Unvollkommene zu garnieren. Sie hätte ohnehin nur die Worte verstanden, und selbst wenn sie deren Bedeutung ergründete – was nützten die Barrieren und Fundamente guter Manieren einer Frau, die ihr Leben in irgendeinem Scarsdale verbringen würde?

»Nun?«, fragte er abermals. »Was halten Sie also davon?«

Hannah schüttelte den Kopf. »Ich hatte ja keine Ahnung, dass die so ... so organisiert, so ... so kaltblütig sind! Ich habe Ihnen eine Menge Scherereien gemacht, nicht wahr?«

»Ich mache Sie für nichts, was bisher geschehen ist, verantwortlich. Ich weiß schon lange, dass ich dem Schicksal gegenüber noch eine Schuld zu begleichen habe. In Anbetracht der Tatsache, dass meine Arbeit gegen die Normen der sozialen Struktur verstoßen hat, hätte ich eine gewisse Menge Pech erwarten sollen. Ich habe dieses Pech nicht gehabt, daher habe ich eine Schicksalsschuld, eine Portion Antichance gegen mich. Sie waren nur das Vehikel zur Wiederherstellung des Schicksalsgleichgewichts, aber ich halte Sie nicht für die Ursache. Können Sie mir folgen?«

Sie zuckte die Achseln. »Was werden Sie tun?«

Das Gewitter zog ab; der aufsteigende Wind blies vom

Garten herein und ließ Hannah in ihrem nassen Kleid erschauern.

»Da drüben in der Kommode liegen wattierte Kimonos. Ziehen Sie das nasse Zeug aus.«

»Danke, es geht schon.«

»Tun Sie, was ich Ihnen sage! Die tragische Heldin mit einem Schnupfen ist eine allzu absurde Vorstellung.«

Es passte zu ihren zu kurzen Shorts, der zu weit aufgeknöpften Bluse und dem Erstaunen, das Hannah vortäuschte (das sie aber selbst für echt hielt), wenn Männer sie als Objekt betrachteten, dass sie jetzt ihr nasses Kleid ablegte, bevor sie den trockenen Kimono hervorholte. Sie hätte sich nie eingestanden, dass sie aus ihrem begehrenswerten Körper, der verfügbar zu sein schien, gesellschaftlichen Nutzen zog. Und wenn sie darüber nachgedacht hätte, dann hätte sie ihren automatischen Exhibitionismus als gesundes Akzeptieren des eigenen Körpers bezeichnet, als den begrüßenswerten Mangel an Hemmungen.

»Was werden Sie tun?«, fragte sie abermals, als sie sich in den warmen Kimono hüllte.

»Richtiger wäre es zu fragen: was werden *Sie* tun? Wollen Sie noch immer weitermachen? Sich von der Brücke stürzen in der Hoffnung, dass ich hinterherspringe?«

»Würden Sie das denn tun? Hinterherspringen?«

»Ich weiß es nicht.«

Hannah starrte in den dunklen Garten hinaus und wickelte sich fester in den bequemen Kimono. »Ich weiß nicht … Ich weiß nicht … Gestern erst war alles noch so klar. Ich wusste genau, was ich zu tun hatte, was der richtige und gerechte Weg war.«

»Und nun?«

Sie zuckte die Achseln und schüttelte den Kopf. »Ihnen wäre es sicher lieber, wenn ich nach Hause zurückkehrte und alles vergäße, nicht wahr?«

»Ja. Und das könnte unter Umständen gar nicht so einfach sein, wie Sie glauben. Diamond weiß über Sie Bescheid. Es wird ein bisschen Mühe kosten, Sie heil und sicher nach Hause zu befördern.«

»Und was wird aus den Septembristen, die unsere Sportler in München ermordet haben?«

»Oh, die werden sterben. Jeder Mensch muss einmal sterben.«

»Aber ... wenn ich nun einfach nach Hause fliege, wäre dann Avrims und Chaims Tod nicht sinnlos gewesen?«

»Allerdings. Es war ein sinnloser Tod, aber daran kann nichts, was Sie tun, etwas ändern.«

Hannah trat ganz nahe an Hel heran und blickte mit verwirrter, verzweifelter Miene zu ihm auf. Sie wollte in den Arm genommen, getröstet werden, wollte hören, dass alles bald wieder gut sein würde.

»Sie werden ziemlich rasch entscheiden müssen, was Sie nun anfangen wollen. Kommen Sie, wir gehen ins Haus zurück. Heute Nacht können Sie alles in Ruhe überschlafen.«

Sie fanden Hana und Le Cagot auf der vom Regen abgekühlten Terrasse. Ein böiger Wind war dem Gewitter gefolgt, und die Luft roch frisch und rein. Als sie näher kamen, ging Hana auf sie zu und griff mit einer unbewussten Geste des Trostes nach Hannahs Hand.

Le Cagot lag auf einer Steinbank, die Augen geschlossen, das Cognacglas noch zwischen den Fingern; dann und wann ging sein schwerer Atem in leichtes Schnarchen über.

»Er ist mitten in einer Geschichte eingeschlafen«, berichtete Hana.

»Hana«, sagte Hel, »Miss Stern wird nur noch heute Nacht bei uns bleiben. Würdest du bitte dafür sorgen, dass ihre Sachen bis morgen früh gepackt sind? Ich möchte sie auf die Hütte raufbringen.« Er wandte sich an Hannah. »Ich habe eine Hütte in den Bergen. Dort werden Sie sicher sein, bis ich mir überlegt habe, wie ich Sie heil zu Ihren Eltern zurückschicken kann.«

»Ich habe noch nicht entschieden, ob ich nach Hause will.«

Statt einer Antwort versetzte Hel Le Cagots Stiefel einen Tritt. Der stämmige Baske zuckte zusammen und schmatzte ein paarmal mit den Lippen. »Wo war ich stehen geblieben? Ach ja, ich wollte dir gerade von den drei Nonnen in Bayonne erzählen. Also, als ich die kennenlernte ...«

»Nein, Beñat, diese Geschichte wolltest du nicht erzählen, weil du dich in Damengesellschaft befindest.«

»Wirklich? Na gut! Sehen Sie, schönes Mädchen, diese Geschichte würde nämlich Ihre Leidenschaft entflammen. Und wenn Sie wirklich zu mir kommen, dann möchte ich, dass es aus eigenem Antrieb geschieht und nicht aus blinder Lust. Was ist aus unseren Gästen geworden?«

»Die sind längst fort. Vermutlich schon in die Staaten zurückgekehrt.«

»Niko, ich möchte dir jetzt in aller Offenheit mal was sagen. Mir gefallen diese Kerle nicht. In ihren Augen lauert Feigheit, das macht sie gefährlich. Du musst in Zukunft entweder eine bessere Sorte Gäste einladen oder riskieren, dass du meine Gönnerschaft verlierst. Hana, du wunderbare, begehrenswerte Frau – möchtest du mit mir ins Bett gehen?«

Hana lächelte. »Nein, danke, Beñat.«

»Ich bewundere deine Selbstbeherrschung. Wie ist es mit Ihnen, kleines Mädchen?«

»Sie ist müde«, antwortete Hana für sie.

»Na ja, ist vielleicht auch ganz gut so. Es würde sonst ein bisschen eng werden in meinem Bett, mit diesem molligen portugiesischen Küchenmädchen. Also! Ich entziehe euch jetzt mit Bedauern den Reiz und den Charme meiner Gegenwart, aber diese herrliche Maschine, die mein Körper ist, muss jetzt entleert werden und anschließend ruhen. Gute Nacht,

Freunde.« Stöhnend kam er auf die Füße und wollte gehen; doch da bemerkte er Hannahs Kimono. »Was sehen meine alten Augen? Was ist aus Ihrem Kleid geworden? Aber Niko! Gier ist ein großes Laster. Na ja … Dann gute Nacht.«

Hana hatte ihm sanft die Spannung aus Rücken und Schultern massiert, während er träge auf dem Bauch lag; jetzt streichelte sie sein Haar, bis er beinahe eingeschlafen war. Sie streckte sich über ihm aus, schmiegte ihren Schoß an sein Gesäß, ihre Arme und Beine an die seinen, schützte ihn mit ihrem warmen Körper, schenkte ihm Ruhe und Entspannung. »Du bist in Schwierigkeiten, nicht wahr?«, flüsterte sie.

Er murmelte zustimmend.

»Was wirst du tun?«

»Ich weiß noch nicht. Zunächst einmal das Mädchen von hier fortschaffen. Möglicherweise denken sie, ihr Tod würde meine Schuld ihrem Onkel gegenüber aufheben.«

»Bist du sicher, dass sie sie nicht finden werden? In diesen Tälern gibt es kein Geheimnis.«

»Nur die Männer in den Bergen werden wissen, wo sie ist. Und das sind meine Leute; die sprechen nicht mit der Polizei – aus Prinzip und Tradition.«

»Und was dann?«

»Ich weiß es nicht. Ich muss darüber nachdenken.«

»Soll ich dir Lust verschaffen?«

»Nein, ich bin zu verkrampft. Lass mich heute mal selbstsüchtig sein und dir Lust bereiten.«

LARUN

Hel erwachte bei Tagesanbruch und arbeitete zwei Stunden im Garten, bevor er sich mit Hana in dem mit *tatamis* ausgelegten Zimmer mit Blick auf den frisch geharkten Kiesweg, der sich bis zum Bach hinabzog, zum Frühstück setzte. »Mit der Zeit, Hana, wird es ein ganz akzeptabler Garten werden. Ich hoffe, dass du dann hier bist, um ihn mit mir zu genießen.«

»Ich habe mir die Sache überlegt, Nikko. Die Idee hat einen gewissen Reiz. Du warst sehr überzeugend, letzte Nacht.«

»Ich musste Stress abbauen. Das ist ein Vorteil.«

»Wenn ich selbstsüchtig wäre, würde ich hoffen, dass du immer so im Stress bist.«

Er lachte. »Ach ja! Würdest du im Dorf anrufen und für Miss Stern den nächsten Flug in die Vereinigten Staaten buchen? Die Route ist Pau–Paris, Paris–New York, New York–Chicago.«

»Dann verlässt sie uns also?«

»Noch nicht gleich. Ich kann noch nicht riskieren, sie ohne Deckung zu lassen. Aber die Buchung wird im Computer der Fluggesellschaft gespeichert und sofort an Fat Boy weitergereicht werden. Das wird sie von ihrer Fährte abbringen.«

»Und wer ist ›Fat Boy‹?«

»Ein Computer. Mein größter Feind. Er rüstet dumme Menschen mit Informationen aus.«

»Du klingst bitter, heute Morgen.«

»Bin ich auch. Ich bemitleide mich sogar.«

»Ich wollte diesen Ausdruck vermeiden, aber er ist zutreffend. Und so was passt nicht zu dir.«

»Ich weiß.« Er lächelte. »Kein Mensch auf der Welt würde es wagen, mich derart zu kritisieren, Hana. Du bist ein Schatz.«

»Es ist meine Aufgabe, ein Schatz zu sein.«

»Stimmt. Übrigens, wo ist Le Cagot? Ich habe ihn noch gar nicht herumpoltern hören.«

»Er ist vor einer Stunde mit Miss Stern losgezogen. Er will ihr ein paar verlassene Dörfer zeigen. Ich muss sagen, sie schien recht guter Laune zu sein.«

»Die Seichten erholen sich immer schnell. Einem Kissen

kann man keine Wunden schlagen. Wann kommen sie zurück?«

»Spätestens zum Lunch. Ich habe Beñat einen *gigot*-Braten versprochen. Du sagtest, dass du Hannah zur Hütte hinaufbringen willst. Wann werdet ihr aufbrechen?«

»In der Abenddämmerung. Ich werde beobachtet.«

»Wirst du die Nacht über oben bleiben.«

»Ja. Ich glaube schon. Der Rückweg ist mir im Dunkeln zu gefährlich.«

»Ich weiß, du magst Hannah nicht, aber ...«

»Ich mag ihren Typ nicht, diese Nervenkitzel suchenden Mittelklasseweiber, die sich mit der Erregung des Terrors und der Revolution aufputschen. Ihre bloße Existenz hat mich bereits eine Menge gekostet.«

»Wirst du sie bestrafen, wenn du oben bei ihr bleibst?«

»Darüber habe ich noch nicht nachgedacht.«

»Sei nicht zu hart mit ihr. Sie ist ein gutes Kind.«

»Sie ist vierundzwanzig. In diesem Alter hat man kein Recht mehr, ein Kind zu sein. Und außerdem ist sie nicht gut. Sie ist höchstens nett.«

Er wusste nur zu gut, was Hana meinte, als sie von »bestrafen« sprach. Er hatte gelegentlich an jungen Frauen, die ihn verärgert hatten, Vergeltung geübt, indem er mit ihnen ins Bett gegangen war und sein ganzes technisches Geschick und seine exotische Ausbildung eingesetzt hatte, um ihnen ein Erlebnis zu verschaffen, das sie danach nie wieder erreichten und ihr Leben lang vergeblich in anderen Liebesabenteuern oder Ehen suchten.

Was Hana betraf, so empfand sie keinerlei Eifersucht auf Hannah; das wäre ihr lächerlich vorgekommen. Während der zwei Jahre, die sie bisher zusammen verbracht hatten, war ihnen beiden immer wieder die Möglichkeit gegeben gewesen, kleinere Reisen zu unternehmen und sexuelle Abwechslung zu suchen, eine Befriedigung ihrer physischen Neugier, die ihren

Appetit schärfte und im Vergleich das, was sie aneinander besaßen, umso kostbarer erscheinen ließ. Hana hatte einmal im Scherz geklagt, er habe bei diesem Arrangement das bessere Los gezogen, denn ein sexuell gut ausgebildeter Mann könne mit einer bereitwilligen Amateurin jederzeit relativ befriedigende Höhen der Lust erreichen, während es auch der begnadetsten und erfahrensten Frau schwerfalle, mit dem ungeschickten Instrument eines übereifrigen Mannes mehr zu erzielen als einen leichten Anflug von Lust. Dennoch vergnügte sie sich gelegentlich mit einem der muskulösen jungen Männer aus Paris oder von der Côte d'Azur, genoss ihn aber hauptsächlich als Objekt physischer Schönheit: ein Spielzeug.

Sie fuhren die gewundene Talstraße entlang, die schon in die Schatten des sinkenden Abends getaucht war. Die Berge, die zu ihrer Linken schroff emporragten, wirkten wie gesichtslose geometrische Formen, während die zu ihrer Rechten von den horizontalen Strahlen der untergehenden Sonne rosig und bernsteingelb gefärbt wurden. Als sie aus Etchebar abfuhren, hatte Hannah begeistert von ihrem schönen Spaziergang mit Le Cagot erzählt, der sie durch die verlassenen Dörfer des Hochlands geführt hatte, wo ihr auffiel, dass die abwandernden Bauern von jeder Kirchturmuhr die Zeiger entfernt hatten. Le Cagot erklärte ihr, die Leute hätten es für unerlässlich gehalten, die Uhrzeiger zu demontieren, weil ja niemand mehr da war, der die Uhren aufziehen konnte, und man durfte doch nicht zulassen, dass Gottes Uhren falsch gingen. Diese Strenge des primitiven baskischen Katholizismus drückte sich auch in einem Memento mori am Turm einer der verlassenen Kirchen aus: »Jede Stunde verwundet, die letzte tötet.«

Jetzt war sie schweigsam, eingeschüchtert von der einsamen Schönheit der Berge, die so schroff aus dem engen Tal emporstiegen, dass sie überzuhängen schienen. Zweimal runzelte Hel die Stirn, warf ihr einen flüchtigen Blick zu und stellte fest, dass ihr Ausdruck sanft und ihr Mund zu einem stillen Lächeln verzogen war. Die Alphadisposition ihrer Aura, ganz und gar ungewöhnlich und unerwartet bei einem Menschen, den er als naseweises Nichts eingestuft hatte, zog ihn an und überraschte ihn. Es waren Schwingungen der Ruhe und des inneren Friedens. Er wollte sie gerade nach ihrem Entschluss hinsichtlich der Septembristen fragen, als seine Aufmerksamkeit von einem Wagen abgelenkt wurde, der ihnen nun mit Standlicht folgte und immer mehr aufholte. Der Gedanke schoss ihm durch den Kopf, Diamond oder seine Lakaien von der französischen Polizei könnten erfahren haben, dass er das Mädchen in ein sicheres Versteck bringen wollte, und seine Hände packten das Lenkrad fester, während er sich die Einzelheiten der Straße einprägte und überlegte, wo er den Wagen zum Überholen zwingen und ihn dann in den Abgrund drängen konnte, der sich links neben ihnen entlangzog. Er hatte einen ausführlichen Lehrgang im offensiven Fahren mitgemacht und fuhr seither wegen solcher Notfälle wie diesem hier nur noch so schwere Wagen wie seinen verdammten Volvo.

Die Straße verlief nie geradeaus, sondern folgte in Windungen und Kurven dem Verlauf der Schlucht. Es gab keine Möglichkeit zum ungefährdeten Überholen, doch das würde französische Autofahrer, die ja für ihre pubertäre Überholsucht weithin berüchtigt sind, natürlich nicht stören. Der Wagen hinter ihnen rückte immer näher, bis er nur mehr einen knappen Meter von Hels Stoßstange entfernt war. Der Fahrer blendete auf und drückte ununterbrochen auf die Hupe, und in einer engen, unübersichtlichen Kurve raste er schließlich an ihnen vorbei.

Hel entspannte sich erleichtert und verlangsamte das Tempo, um ihn ungefährdet vorbeizulassen. Das Hupen und Aufblenden verrieten ihm, dass es sich nicht um einen Mordversuch handelte. Kein Profi würde einen Überfall so unbedacht ankündigen. Ihr Verfolger war nichts weiter als ein kindischer französischer Autofahrer.

Väterlich tadelnd schüttelte Hel den Kopf, als der PS-schwache Peugeot beim Überholmanöver den Motor quälte; die Handknöchel des jungen Fahrers leuchteten schneeweiß am Lenkrad, und seine Augen schienen vor Anstrengung, den Wagen auf der Straße zu halten, beinahe aus ihren Höhlen zu quellen.

Im Lauf der Zeit hatte Hel die Erfahrung gemacht, dass nur ältere nordamerikanische Autofahrer dank der großen Entfernungen, die sie gewohnheitsmäßig auf guten Straßen und mit starken Motoren zurücklegen, gegen das Auto als Spielzeug und Männlichkeitssymbol gefeit sind. Die infantile Rücksichtslosigkeit der französischen Fahrer ärgerte ihn zwar ziemlich oft, aber doch nicht so sehr wie die der Italiener, die ihr Auto als Verlängerung des Penis, oder die der Briten, die es als Ersatz dafür benutzen.

Als sie das Tal durchquert hatten, ging es auf einer ungepflasterten Straße, die sich wand wie eine Schlange im Todeskampf, ungefähr eine halbe Stunde in Richtung auf die Berge von Larun steil empor. Einige der Haarnadelkurven waren zu eng für den Wendekreis des Volvo, und er musste mehrmals zurücksetzen, manchmal sogar bis an den mit Schotter bedeckten Rand des Abgrunds. Er musste ständig im ersten Gang fahren, und die Straße stieg so steil an, dass sie wieder aus der Nacht auftauchten, die sich schon über das Tal gesenkt hatte, und nun im wechselnden Zwielicht des Hochgebirges weiterfuhren: blendende Helle in der Windschutzscheibe, sobald sie sich nach Westen wandten, und gleich darauf, wenn ein Felsvorsprung die sinkende Sonne verdeckte, pechschwarze Nacht.

Doch bald endete auch diese primitive Straße, und sie fuhren auf schwach ausgeprägten Wagenspuren weiter, die sich in die stoppelige Bergwiese eingedrückt hatte. Die untergehende

Sonne stand jetzt als riesiger roter Ball am Himmel und verschmolz bald darauf mit dem flammenden Horizont. Die Schneefelder auf den Gipfeln hoch über ihnen glühten rosig, dann violett und endlich purpurn vor dem schwarzen Firmament. Die ersten Sterne glitzerten links im Osten, während im Westen rings um den blutroten Rand der sinkenden Sonne der Himmel noch dunstig-blau schimmerte.

Bei einem Granitfelsen machte Hel halt und zog die Handbremse an. »Von hier aus müssen wir zu Fuß weiter. Es sind noch ungefähr zweieinhalb Kilometer.«

»Bergauf?«, erkundigte sich Hannah.

»Meistens, ja.«

»Gott, Ihre Berghütte liegt aber wirklich einsam!«

»Das ist ihr größter Vorzug.« Sie stiegen aus und holten Hannahs Rucksack, wobei sie wieder einmal die unvermeidliche Frustration beim Betätigen des diabolischen Kofferraumverschlusses erlebten. Sie waren schon zwanzig Meter weit gegangen, da fiel ihm ein, dass er sein Ritual vergessen hatte. Anstatt umzukehren, hob er jedoch einfach einen scharfkantigen Stein auf und schleuderte ihn nach dem Wagen – ein gut gezielter Wurf, der eines der hinteren Fenster traf und ein großes Spinnennetz aus gesprungenem Sicherheitsglas hinterließ.

»Was sollte denn das?«, fragte ihn Hannah.

»Nur eine Geste. Mensch gegen System. Gehen wir. Sie halten sich dicht hinter mir. Ich kenne den Pfad auswendig.«

»Wie lange muss ich denn allein hier oben bleiben?«

»Bis ich weiß, was ich mit Ihnen anfangen soll.«

»Bleiben Sie wenigstens heute Nacht hier?«

»Ja.«

Eine volle Minute verstrich, bis sie endlich sagte: »Gott sei Dank.«

Er schlug ein zügiges Tempo an, denn das Tageslicht erlosch rasch. Hannah war jung und kräftig und konnte mühelos mit ihm Schritt halten. Sie ging schweigend, fasziniert von dem schnellen und doch subtilen Farbwechsel des Sonnenuntergangs im Gebirge, hinter ihm her. Abermals, wie schon zuvor unten im Tal, entdeckte er eine überraschende Alphaschattierung in ihrer Aura – jenes rasch aufflackernde, mittelstarke Signal, das er mit Meditation und Seelenfrieden verband, aber keineswegs mit den charakteristischen Signaturschwingungen westlicher Menschen.

Als sie die letzte Bergwiese vor der engen Schlucht überquerten, die zur Hütte hinaufführte, blieb Hannah unvermittelt stehen.

»Was ist?«

»Schauen Sie doch! Die Blumen. Solche habe ich noch nie gesehen.« Sie beugte sich zu den hartstengeligen, goldbestäubten Glöckchen hinab, die im letzten Schimmer des Abendlichts gerade noch zu erkennen waren.

Hel nickte. »Sie blühen nur auf dieser und noch auf einer anderen Wiese dort drüben.« Er zeigte nach Westen, zur Tafel der Drei Könige hinüber, die in der Dämmerung versank. »Wir sind hier knapp über zwölfhundert Meter hoch. Sowohl hier als auch auf dem Berg da drüben wachsen sie nur in dieser Höhe. Die Einheimischen nennen sie Herbstaugen, aber die meisten Leute haben sie noch nie gesehen, weil sie nur drei, vier Tage lang blühen.«

»Wunderschön! Aber es ist doch schon fast dunkel, und sie sind trotzdem immer noch offen.«

»Ihre Blüten schließen sich nie. Man sagt, sie lebten nur so kurze Zeit, dass sie nicht zu schlafen wagen.«

»Wie traurig!«

Er zuckte die Achseln.

Sie saßen einander an einem kleinen Tisch gegenüber und aßen zu Abend, während sie durch die Spiegelglaswand auf die steile enge Schlucht, den einzigen Zugang zur Hütte, hinausblickten. Normalerweise hätte es Hel Unbehagen bereitet, von Kerzen beleuchtet vor einer großen Glaswand zu sitzen, während die Landschaft draußen im Dunkeln lag. Aber das doppelte Spiegelglas war kugelsicher.

Die Hütte war aus einheimischen Steinen gebaut und sehr einfach aufgeteilt: Es gab nur einen einzigen großen Raum mit einem frei tragenden Schlafbalkon. Als sie ankamen, hatte er Hannah zunächst mit sämtlichen Eigenheiten der Hütte vertraut gemacht. Der Bach, der aus einem ewigen Schneefeld weiter oben entsprang, floss direkt unter der Hütte hindurch, so dass man das Wasser durch eine Falltür holen konnte, ohne das Haus verlassen zu müssen. Der vierhundert Liter fassende Öltank, der Herd und Ofen speiste, war mit den gleichen Steinen verkleidet wie die Hütte, damit er nicht durch Schüsse beschädigt werden konnte. Eine Stahlplatte schützte die einzige Tür. Die Speisekammer war aus dem Granitfelsen herausgehauen worden, der eine Wand der Hütte bildete, und enthielt Lebensmittelvorräte für dreißig Tage. In die kugelsichere Spiegelglaswand war eine kleine Scheibe eingelassen, die man herausbrechen konnte, um durch die Öffnung in die tiefer gelegene Schlucht zu feuern, die jeder, der sich der Hütte näherte, heraufkommen musste. Die Wände dieser Schlucht waren glatt, und alle als Deckung geeigneten Felsblöcke waren herausgestemmt und hinuntergerollt worden.

»Mein Gott, hier könnte man sich ja ewig gegen eine ganze Armee verteidigen!«, rief Hannah aus.

»Nicht gegen eine Armee, und nicht auf ewig, aber es würde eine kostspielige Belagerung werden.« Von einem Gestell nahm er ein halbautomatisches Gewehr mit Zielfernrohr und reichte es ihr. »Können Sie damit umgehen?«

»Tja ... Ich glaube schon.«

»Aha. Nun, die Hauptsache ist, dass Sie schießen, wenn Sie jemanden die Schlucht heraufkommen sehen, der keinen *xahako* bei sich trägt. Ob Sie ihn treffen oder nicht, ist unwichtig. Der Knall eines Schusses trägt weit hier in den Bergen, und binnen einer halben Stunde wird Hilfe zur Stelle sein.«

»Was ist ein ... äh ...«

»Ein *xahako* ist ein Weinschlauch so wie der hier. Jeder Schäfer und Schmuggler in diesen Bergen weiß, dass Sie hier sind. Sie alle sind meine Freunde. Und alle tragen *xahakos* bei sich. Nur ein Fremder käme ohne.«

»Bin ich wirklich in so großer Gefahr?«

»Das weiß ich nicht.«

»Aber warum sollten die mich denn umbringen wollen?«

»Ich bin gar nicht sicher, dass sie es wollen. Aber möglich wäre es schon. Vielleicht glauben sie, mein Interesse an dem Überfall in London würde erlöschen, wenn Sie nicht mehr am Leben wären und ich nichts mehr unternehmen könnte, um meine Schuld Ihrem Onkel gegenüber abzutragen. Das wäre allerdings ein sträflicher Irrtum, denn wenn man Sie umbrächte, während Sie in meiner Obhut sind, wäre ich gezwungen, einen Gegenschlag zu führen. Doch wir haben es hier mit Kaufmanns- und Soldatenmentalitäten zu tun, und deren intellektuelles Idiom ist nun einmal die Dummheit. Aber jetzt wollen wir ausprobieren, ob Sie mit allen Einrichtungen hier fertigwerden.«

Er unterwies sie im Anzünden von Ofen und Herd, im Wasserschöpfen aus dem Bach durch die Falltür und im Nachladen des Gewehrs. »Übrigens, vergessen Sie nicht, täglich von diesen Mineraltabletten zu nehmen. Das Wasser unter der Hütte ist Schmelzwasser. Es enthält also keine Salze und würde mit der Zeit die Mineralien aus Ihrem Körper herausschwemmen.«

»Großer Gott, wie lange muss ich denn hierbleiben?«

»Ich weiß nicht. Eine Woche, vielleicht auch zwei. Sobald die Septembristen das Flugzeug entführt haben, sind Sie wieder in Sicherheit.«

Während er aus Lebensmittelkonserven in der Speisekammer ein Abendessen zusammenstellte, war sie in der Hütte umhergeschlendert.

Und nun saßen sie sich an dem runden Tischchen vor der Glaswand gegenüber. Das Kerzenlicht warf weiche Schatten auf ihr junges Gesicht, das noch keine erkennbaren Züge von Persönlichkeit und Erfahrung trug. Sie hatte während der Mahlzeit geschwiegen und mehr Wein getrunken als gewöhnlich, und jetzt waren ihre Augen feucht und schimmerten. »Ich möchte Ihnen sagen, dass Sie sich meinetwegen keine Sorgen mehr zu machen brauchen. Ich weiß jetzt, was ich tun muss. Heute Morgen habe ich beschlossen, nach Hause zurückzukehren und mir Mühe zu geben, all diesen Zorn und dieses … Hässliche zu vergessen. Es passt nicht in meine Welt. Und außerdem ist mir klar geworden, dass das alles … ich weiß nicht recht … dass das alles irgendwie unwichtig ist.« Geistesabwesend spielte sie mit der Kerzenflamme, strich mit dem Finger so schnell hindurch, dass sie sich nicht daran verbrannte. »Ich habe gestern Nacht etwas sehr Merkwürdiges erlebt. Unheimlich. Aber wunderschön. Und die Nachwirkung spürte ich heute den ganzen Tag lang.«

Hel dachte an die Alphaschwingungen, die er wahrgenommen hatte.

»Ich konnte nicht einschlafen. Da stand ich auf und wanderte im Dunkeln in Ihrem Haus herum. Schließlich ging ich in den Garten hinaus. Die Luft war kühl, aber es war windstill. Ich setzte mich an den Bach und beobachtete das dunkle Glitzern des Wassers. Ich starrte hinein, ohne an etwas Bestimmtes zu denken, und dann plötzlich spürte ich … Es war ein Gefühl, fast wie eine Erinnerung aus meiner Kindheit. Auf einmal waren der Druck, die Verwirrung und die Angst verschwunden. Sie lösten sich auf, und ich fühlte mich ganz leicht. Ich hatte das Gefühl, als würde ich irgendwo hingetragen, an einen Ort, an dem ich noch nie gewesen bin, den ich aber trotzdem sehr gut kenne. Es war sonnig und still, und überall um mich herum wuchs Gras; und ich schien alles begreifen zu können. Beinahe als wäre ich ... Ach, ich weiß nicht. Beinahe als wäre ich ... Autsch!« Hastig zog sie die Hand zurück und steckte den verbrannten Finger in den Mund.

Hel schüttelte lachend den Kopf, und sie lachte mit. »Das war dumm von mir«, sagte sie.

»Stimmt. Ich glaube, Sie wollten ausdrücken, es war beinahe so, als wären Sie und das Gras und die Sonne eins, Teile eines übergeordneten Ganzen.«

Den Finger an den Lippen, starrte sie ihn verblüfft an. »Woher wissen Sie das?«

»Auch andere Menschen haben schon ein solches Erlebnis gehabt. Sagten Sie nicht, dass Sie sich an ähnliche Empfindungen aus Ihrer Kindheit erinnern?«

»Na ja, nicht direkt erinnern. Nein, eigentlich überhaupt nicht erinnern. Es ist einfach so: Als ich dort war, hatte ich das Gefühl, dass es nichts Neues und Unbekanntes für mich sei. Es war etwas, das ich zuvor schon erlebt hatte – aber ich erinnere mich nicht wirklich daran, es schon einmal erlebt zu haben. Verstehen Sie, was ich sagen will?«

»Ich glaube schon. Sie könnten teilgehabt haben an der atavistischen ...«

»Warten Sie, ich weiß! Tut mir leid, ich wollte Sie nicht unterbrechen, aber ich kann Ihnen sagen, wie es war. Es war wie das schönste High, wenn man Pot geraucht hat oder was anderes, wenn man in einer ganz großartigen Stimmung ist und alles einfach perfekt läuft. Na ja, nicht ganz genau so, denn mit Gras kriegt man das ja nicht so hin, aber es war, wie man sich vorstellt, dass es sein könnte. Wissen Sie, was ich meine?«

»Nein.«

»Sie haben noch nie Pot oder was Ähnliches genommen?«

»Nein. Das habe ich nicht nötig. Meine inneren Ressourcen sind vollkommen intakt.«

»Na ja. Jedenfalls so ungefähr war das.«

»Aha. Was macht Ihr Finger?«

»Ach, dem geht's gut. Wissen Sie, nachdem letzte Nacht dieses Gefühl vorbei war, saß ich da, in Ihrem Garten, ganz ausgeruht und mit klarem Kopf. Und war überhaupt nicht mehr konfus. Ich wusste, dass es keinen Sinn hat, die Septembristen bestrafen zu wollen. Mit Gewalttätigkeit erreicht man nichts. Sie führt zu nichts. Jetzt will ich, glaube ich, nur noch nach Hause. Und erst mal versuchen, mich selbst zu finden. Und dann vielleicht ... Ach, ich weiß nicht. Sehen, was um mich herum geschieht. Mich damit auseinandersetzen.« Sie schenkte sich noch ein Glas Wein ein und trank es aus; dann legte sie Hel die Hand auf den Arm. »Ich glaube, ich habe Ihnen viel Ärger gemacht.«

»Der amerikanische Ausdruck dafür ist, wenn ich mich recht entsinne, ›ein Geschwür am Arsch‹.«

»Ich wünschte, ich könnte das irgendwie wiedergutmachen.«

Er lächelte über ihre ungeschickte Anspielung.

Sie schenkte sich noch ein Glas Wein ein und fragte: »Glauben Sie, Hana hat etwas dagegen, dass Sie hier sind?«

»Warum sollte sie?«

»Na ja, ich meine ... Glauben Sie, sie hat etwas dagegen, dass wir die Nacht zusammen verbringen?«

»Was wollen Sie mit dieser Formulierung ausdrücken?«

»Was? Na ja ... dass wir zusammen schlafen werden.«

»Zusammen schlafen?«

»Im selben Zimmer, meine ich. Sie wissen genau, was ich meine.«

Er musterte sie wortlos. Dass sie die mystische Entrückung erlebt hatte, selbst wenn es sich bei ihr nur um ein einmaliges, durch eine Überlast von Spannung und Verzweiflung ausgelöstes Erlebnis handelte und nicht um die Funktion eines Geistes in Ausgeglichenheit und Frieden, verlieh ihr in seinen

Augen einen gewissen Wert. Doch diese neue Anerkennung war nicht ganz frei von einer Art Neid darauf, dass dieses Schäfchen mit dem Spatzengehirn in der Lage sein sollte, einen Zustand zu erreichen, der ihm seit Jahren und vielleicht für immer verschlossen blieb. Er analysierte diesen Neid bei sich als unreif, doch das genügte nicht, um ihn zu vertreiben.

Sie hatte stirnrunzelnd in die Kerzenflamme gestarrt und ihre Gefühle zu ordnen versucht. »Ich muss Ihnen etwas sagen.«

»Müssen Sie wirklich?«

»Ich möchte aufrichtig zu Ihnen sein.«

»Sparen Sie sich die Mühe.«

»Aber ich möchte es! Schon lange ehe ich Sie kennenlernte, musste ich häufig an Sie denken ... Es war so etwas Ähnliches wie Tagträumen. All die Geschichten, die mir mein Onkel von Ihnen erzählte. Ich war wirklich verblüfft, wie jung Sie sind – wie jung Sie aussehen, meine ich. Und ich glaube, wenn ich meine Gefühle untersuche, dann gibt es da eine Art Vaterprojektion. Da sitzen Sie nun vor mir, die große Legende in Fleisch und Blut. Ich war ängstlich und verwirrt, und Sie haben mich beschützt. Ich erkenne die psychologischen Impulse, die mich zu Ihnen hinziehen, genau. Sie nicht?«

»Haben Sie schon mal an die Möglichkeit gedacht, dass Sie ein vorwitziges kleines Frauenzimmer mit einem gesunden und unkomplizierten Verlangen nach Zärtlichkeit sein könnten? Oder finden Sie das psychologisch zu wenig subtil?«

Sie sah ihn an und nickte ernst. »Sie verstehen es ausgezeichnet, einem den Kopf zurechtzurücken, nicht wahr? Sie lassen Ihrem Gegenüber nicht viel, um seine Blöße zu bedecken.«

»Ganz recht. Und vielleicht ist es tatsächlich unhöflich von mir. Tut mir leid. Aber ich glaube, die Wahrheit sieht so aus: Sie sind allein, einsam, verwirrt. Sie wollen gestreichelt und getröstet werden. Aber Sie wissen nicht, wie Sie darum bitten sollen, weil Sie ein Produkt der westlichen Kultur sind; also bieten Sie mir etwas an, bieten mir Ihren Körper im Tausch für Zärtlichkeit. Das ist kein ungewöhnlicher Handel für die Frauen des Westens. Denn schließlich sind sie darauf angewiesen, mit den Männern des Westens Handel zu treiben, deren Auffassung vom sozialen Austausch starr und borniert ist und die für gutes Geld nackten Sex verlangen, weil das nun einmal die einzige Form des Handelns ist, die ihnen kein Unbehagen bereitet. Miss Stern, wenn Sie es wünschen, dürfen Sie heute Nacht mit mir schlafen. Ich werde Sie in den Armen halten und Sie trösten, wenn es das ist, was Sie wollen.«

Dankbarkeit und zu viel Wein ließen ihre Augen feucht werden. »Ja, o ja. Das möchte ich.«

Aber das Tier, das tief im Menschen lauert, lässt sich nur selten von guten Vorsätzen an die Kette legen. Als ihre Zärtlichkeiten seinen Körper weckten und er von ihr die Alpha-Theta-Synkopierung empfing, die sexuelle Erregung begleitet, da war seine Reaktion nicht ausschließlich von dem Wunsch geleitet, sie vor einer Zurückweisung zu bewahren.

Sie war außerordentlich reif und bereit; all ihre Nervenenden warteten dicht unter der Oberfläche und waren beinahe beängstigend empfänglich. Da sie noch jung war, erwies es sich als etwas schwierig, ständig Feuchtigkeit in ihr zu erzeugen, von diesem rein mechanischen Nachteil abgesehen konnte er sie jedoch ohne besondere Anstrengung auf dem Höhepunkt halten.

Als sich ihre Augen öffneten, bat sie flehend: »Nein … bitte … Nicht schon wieder! Ich kann nicht mehr! Ich sterbe, wenn es noch einmal kommt!« Doch ihre unwillkürlichen Kontraktionen kamen immer schneller, und dann keuchte sie im vierten Orgasmus, den er hinzog, bis ihre Fingernägel sich in den Flor des Teppichs krallten.

Er dachte an Hanas Warnung, Hannahs zukünftige Erlebnisse nicht durch einen Vergleich zu trüben, und außerdem reizte es ihn nicht, selber zum Höhepunkt zu kommen; also holte er sie langsam zurück, streichelte und beruhigte sie, während ihre Gesäß-, Bauch- und Oberschenkelmuskeln nach den wiederholten Orgasmen vor Erschöpfung zitterten und sie still, halb bewusstlos und mit einem Gefühl, als müsse ihr das Fleisch von den Knochen schmelzen, dalag.

Er wusch sich im eisigen Schneewasser; dann stieg er auf den Balkon hinauf und legte sich schlafen.

Kurze Zeit später spürte er, dass sie sich lautlos näherte. Er rückte beiseite, machte ihr Platz in seinen Armen, in seinem Schoß. Kurz vor dem Einschlafen sagte sie träumerisch: »Nikolai?«

»Bitte nennen Sie mich nicht beim Vornamen«, murmelte er.

Sie schwieg eine Weile. »Mr. Hel? Erschrecken Sie bitte nicht darüber, es ist sicher nur etwas Vorübergehendes. Aber in diesem Augenblick liebe ich Sie.«

»Seien Sie doch nicht albern!«

»Wissen Sie was?«

Er antwortete nicht.

»Ich wünschte, es wäre Morgen und ich könnte hinausgehen und Ihnen einen Strauß von diesen Blumen pflücken ... von diesen Herbstaugen, die wir vorhin gesehen haben.«

Er lachte und zog sie an sich. »Gute Nacht, Miss Stern.«

ETCHEBAR

Es war schon später Vormittag, als Hana das Klatschen einer Steinplatte im Bach hörte und, als sie aus dem Château trat, Hel mit aufgekrempelten Hosenbeinen, die Unterarme tropfnass, damit beschäftigt fand, die Klangsteine umzuarrangieren.

»Ob ich wohl jemals Perfektion erreichen werde, Hana?«

Sie schüttelte den Kopf. »Das kannst nur du allein beurteilen, Nikko. Ist Hannah sicher in der Hütte untergebracht?«

»Ja. Ich glaube, die Mädchen haben inzwischen das Wasser heiß gemacht. Hast du Lust, mit mir zu baden?«

»Selbstverständlich.«

Sie saßen einander gegenüber, die Füße wie immer ineinander verschlungen, die Augen geschlossen, ihre Körper schwerelos.

»Ich hoffe, du warst nett zu ihr«, murmelte Hana schläfrig.

»War ich.«

»Und du? Wie war es für dich?«

»Für mich?« Er öffnete die Augen. »Madame, haben Sie im Moment etwas Dringendes auf Ihrem Terminkalender?«

»Ich muss in meinem *carnet de bal* nachsehen, aber möglicherweise kann ich Ihnen zu Gefallen sein.«

Kurz nach Mittag, als er hoffen durfte, dass das örtliche Telefonnetz wenigstens andeutungsweise funktionierte, meldete Hel ein Transatlantikgespräch mit der Nummer an, die Diamond ihm gegeben hatte. Er hatte beschlossen, der Muttergesellschaft mitzuteilen, dass Hannah Stern nach Hause zurückkehren und die Septembristen in Ruhe lassen werde. Er vermutete, dass Diamond bei dem Gedanken, Nikolai Hel abgeschreckt zu haben, persönliche Genugtuung empfinden würde, aber so wie ein Lob aus seinem Munde ihn nie hätte mit Stolz erfüllen können, so vermochte ihn Diamonds Verachtung auch nicht zu beschämen.

Es würde über eine Stunde dauern, bis das träge und senile französische Fernsprechsystem sein Gespräch durchgestellt hatte, und er wollte sich die Wartezeit mit einem Inspektionsgang über seinen Besitz verkürzen. Er fühlte sich unbeschwert, versöhnlich gestimmt gegen jeden und alles, und er genoss jene allgemeine Euphorie, die erlebt, wer knapp einer Gefahr entronnen ist. Aus einer Konstellation nicht ganz klar umrissener Gründe hatte er sich dagegen gesträubt, in eine Angelegenheit hineingezogen zu werden, die von persönlichen Gefühlen und Leidenschaften bestimmt war.

Als er durch das Ligusterlabyrinth auf dem Ostrasen schlenderte, begegnete er Pierre, der sich in seinem gewohnten Nebel weinseliger Zufriedenheit befand. Der Gärtner blickte zum Himmel auf und verkündete feierlich: »Ah, M'sieur. Es wird bald einen Sturm geben. Alle Zeichen deuten darauf hin.«

»Ach ja?«

»O gewiss, daran besteht kein Zweifel. Die kleinen Morgenwölkchen treiben auf die Flanke des *ahuñe-mendi* zu. Die ersten *ursoa* sind heute Mittag das Tal hinaufgezogen. Die *sagarra* hat ihre Blätter im Wind gedreht. Das sind zuverlässige Zeichen. Ein Sturm ist unvermeidlich.«

»Schade. Wir könnten ein bisschen Regen gebrauchen.«

»Stimmt, M'sieur. Aber sehen Sie! Da kommt M'sieur Le Cagot. Wie elegant er aussieht!«

Le Cagot kam ihm über den Rasen entgegen, immer noch in der zerdrückten, theatralischen Pracht seines Anzugs von vor zwei Tagen. Als er sich näherte, schwankte Pierre mit der Erklärung davon, es gäbe viele tausend Dinge zu tun, die seine besondere Aufmerksamkeit erforderten.

Hel begrüßte seinen Freund. »Ich habe dich eine ganze Weile nicht gesehen, Beñat. Wo hast du gesteckt?«

»*Bof*. Ich war oben in Larrau bei der Witwe, der ich das Feuer im Leib löschen musste.« Le Cagot wirkte unruhig, seine Scherze klangen mechanisch und einstudiert.

»Eines Tages, Beñat, wird diese Witwe dich in die Falle locken, und dann bist du ... He, was ist los mit dir? Was ist passiert?«

Le Cagot legte ihm beide Hände auf die Schultern. »Ich habe schlechte Nachrichten für dich, mein Freund. Etwas Schreckliches ist geschehen. Das junge Mädchen mit den prallen Brüsten ... Dein Besuch ...«

Hel schloss die Augen und wandte den Kopf ab. Nach einer Weile fragte er leise: »Tot?«

»Leider, ja. Ein *Contrabandier* hörte die Schüsse. Als er die Hütte erreichte, war sie schon tot. Man hat sie … Sie haben oft, sehr oft auf sie geschossen.«

Hel holte lange und tief Luft und hielt dann den Atem einen Moment zurück; endlich stieß er ihn langsam aus, um so den ersten Schock zu absorbieren und den Ansturm einer sinnverwirrenden Wut zu betäuben. Seine Gedanken vollkommen abgeschaltet, schlug er den Rückweg zum Château ein, während Le Cagot ihm, sein Schweigen respektierend, in kurzem Abstand folgte.

Zehn Minuten lang saß Hel auf der Schwelle des *tatami*-Zimmers und starrte in den Garten hinaus; Le Cagot hockte zusammengesunken neben ihm. Dann wurde sein Blick plötzlich wieder klar, und er sagte tonlos: »Also gut. Wie sind sie in die Hütte gelangt?«

»Das brauchten sie gar nicht. Sie wurde auf der Wiese unterhalb der Schlucht gefunden. Anscheinend hatte sie Blumen gepflückt. Sie hielt einen dicken Strauß in der Hand, als man sie fand.«

»Kleines Dummchen«, sagte Hel in einem Ton, der beinahe liebevoll klang. »Weiß man, wer sie erschossen hat?«

»Ja. Heute, ganz früh am Morgen, wurden unten in Lescun zwei Ausländer gesehen. Ihre Beschreibung passt auf den *Amérlo* aus Texas und diese kleine Rotznase von Araber.«

»Aber woher wussten sie, wo sie sich aufhielt? Nur unsere Leute waren darüber informiert.«

»Es gibt nur eine Möglichkeit. Jemand muss uns verraten haben.«

»Einer von *unseren* Leuten?«

»Ich weiß, ich weiß!« Le Cagot presste die Worte zwischen zusammengebissenen Zähnen hervor. »Ich habe mich umgehört. Früher oder später werde ich rauskriegen, wer es war.

Und dann, bei den prophetischen Eiern Josephs in Ägypten, dann schwöre ich, dass die Klinge meiner *makila* sein schwarzes Herz durchbohren wird!« Le Cagot schämte sich und war empört darüber, dass einer seiner eigenen Landsleute, ein Baske aus seinen Bergen, so große Schande über sein Volk gebracht hatte. »Was meinst du, Niko? Wollen wir sie uns schnappen, diesen *Amérlo* und den Araber?«

Hel schüttelte den Kopf. »Die sitzen inzwischen in einer Maschine mit Kurs auf die Vereinigten Staaten. Aber ihre Zeit wird kommen.«

Le Cagot schlug die Fäuste so hart gegeneinander, dass die Haut über einem Fingerknöchel platzte. »Aber *warum,* Niko? Warum haben sie so ein winziges Küken umgebracht? Was konnte sie denn schon groß anrichten, das arme Kind?«

»Sie wollten verhindern, dass ich eingreife. Sie glaubten, sie könnten meine Schuld dem Onkel gegenüber tilgen, indem sie die Nichte umbrachten.«

»Darin irren sie sich natürlich.«

»Selbstverständlich.« Hel richtete sich auf; sein Verstand begann jetzt mit völlig anderen Schwingungen zu arbeiten. »Wirst du mir helfen, Beñat?«

»Ob ich dir helfen werde? Lässt Spargel deine Pisse stinken?«

»Man hat hier überall in der Gegend Männer des französischen Sicherheitsdienstes mit dem Auftrag verteilt, mich umzulegen, falls ich versuche, die Gegend zu verlassen.«

»*Bof!* Der einzige Charme dieser Sicherheitspolizisten ist ihre sagenhafte Unfähigkeit.«

»Trotzdem können sie mir lästig werden. Und möglicherweise haben sie ja auch Glück. Wir müssen sie neutralisieren. Erinnerst du dich an Maurice de Lhandes?«

»Der Mann, den sie den Gnom nennen? Natürlich!«

»Ich muss mich mit ihm in Verbindung setzen. Wenn ich nach England gelangen will, brauche ich seine Hilfe. Heute Nacht werden wir über die Berge nach Spanien gehen, nach San

Sebastián. Ich brauche ein Fischerboot, das mich die Küste entlang nach Saint-Jean-de-Luz bringt. Könntest du das arrangieren?«

»Würde eine Kuh an Lots Frau lecken?«

»Übermorgen fliege ich von Biarritz nach London. Man wird sämtliche Flughäfen überwachen. Aber sie haben nicht genügend Leute, und das ist günstig für uns. Ich möchte, dass ab übermorgen Mittag an die Behörden Meldungen durchsickern, ich sei in Oloron, Pau, Bayonne, Bilbao, Mauléon, Saint-Jean-Pied-de-Port, Bordeaux, Sainte-Engrace und Dax gesehen worden – überall zur selben Zeit. Ich will, dass ihr Kommunikationssystem in Verwirrung gerät, damit die Meldung aus Biarritz nur ein Tropfen in einem Strom von Informationen ist. Wird das gehen?«

»Ob das gehen wird? Hat ... Mir fällt gerade kein passendes Sprichwort dafür ein. Natürlich wird es gehen, Niko. Jetzt ist es wieder wie früher, nicht wahr?«

»Leider.«

»Mich nimmst du natürlich mit!«

»Nein. So etwas ist nichts für dich.«

»*Holá!* Lass dich nur nicht von den grauen Haaren in meinem Bart täuschen! In diesem Körper lebt ein junger Mann! Ein sehr ungebärdiger junger Mann!«

»Das ist es nicht. Wenn ich in ein Gefängnis einbrechen oder eine Wachstation wegpusten müsste, dann gäbe es keinen, den ich lieber mitnähme als dich. Aber diesmal handelt es sich um etwas, das nicht mit Mut allein zu bewältigen ist. Diesmal muss ich unauffällig vorgehen.«

Nach seiner Gewohnheit war Le Cagot vor die Tür des *tatami*-Zimmers getreten, hatte sich abgewandt und seine Hose aufgeknöpft, um sich beim Sprechen zu erleichtern. »Glaubst du etwa, ich könnte nicht unauffällig sein? Ich bin die Diskretion persönlich! Ich bin ein Chamäleon, ich kann mich jeder Umgebung anpassen und mich unsichtbar machen!«

Hel musste lächeln. Dieser selbst erschaffene Volksmythos, der da vor ihm stand, prächtig anzusehen in seinem zerdrückten *fin-de-siècle*-Abendanzug, dessen Rheinkieselknöpfe an der Brokatweste in der Sonne glitzerten, dieser Bulle, der seine Baskenmütze tief über die Sonnenbrille herabgezogen hatte, dessen rostroter stahlgrau melierter Bart so lang war, dass er die seidene Halsbinde bedeckte, und der die sturmerprobte *makila* unter den Arm geklemmt hatte, während er mit einer Hand seinen Penis hielt und Urin verspritzte wie ein Schuljunge – dieser Mann behauptete, diskret und unauffällig zu sein?

»Nein. Ich möchte dich lieber nicht mitnehmen, Beñat. Du kannst mir viel besser helfen, wenn du arrangierst, um was ich dich gebeten habe.«

»Und dann? Was soll ich tun, während du weg bist und dich amüsierst? Beten und Däumchen drehen?«

»Ich will dir was sagen. Während ich unterwegs bin, kümmerst du dich um die Vorbereitungen für die Erforschung deiner Höhle, ja? Du schaffst den Rest der Geräte, die wir brauchen, den Einstiegsschacht hinunter. Die Taucheranzüge, die Pressluftflaschen. Und wenn ich zurück bin, werden wir versuchen, sie vom Eingang bis zum Ende zu durchklettern. Was hältst du davon?«

»Besser als nichts. Aber viel ist es wirklich nicht.«

Ein Dienstmädchen kam herein und meldete Hel, im Haus werde nach ihm verlangt.

Er fand Hana mit dem Telefonhörer in der Linken, die Rechte über die Sprechmuschel gelegt, in der Küche. »Es ist dieser Mr. Diamond. Der Rückruf aus den Vereinigten Staaten.«

Hel schaute das Telefon an, dann senkte er den Blick zu Boden. »Sag ihm, er wird bald von mir hören.«

Sie hatten ihre Mahlzeit im *tatami*-Zimmer beendet und beobachteten nun den abendlichen Wechsel der Schatten draußen im Garten. Er hatte ihr gesagt, dass er ungefähr eine Woche lang fort sein würde.

»Hat es mit Hannah zu tun?«

»Ja.« Er sah keine Veranlassung, ihr mitzuteilen, dass das Mädchen tot war.

Nach kurzem Schweigen sagte sie: »Wenn du zurückkommst, ist mein Aufenthalt bei dir bald zu Ende.«

»Ich weiß. Und du wirst dich entscheiden müssen, ob du unser gemeinsames Leben fortsetzen möchtest.«

»Ich weiß.« Sie senkte den Blick, und zum ersten Mal entdeckte er einen Anflug von Röte auf ihren Wangen. »Nikko? Wäre es eigentlich sehr dumm, wenn wir daran dächten zu heiraten?«

»Heiraten?«

»Ach, lass nur. Ein dummer Gedanke, der mir durch den Kopf ging. Ich glaube, ich würde es selbst nicht wollen.« Sie hatte die Idee sehr behutsam vorgetragen und war vor seiner ersten Reaktion sofort zurückgeschreckt.

Minutenlang blieb er in Gedanken versunken sitzen. »Nein, dieser Vorschlag ist überhaupt nicht dumm. Wenn du dich entschließt, mir Jahre deines Lebens zu schenken, müssen wir natürlich etwas unternehmen, um deine Zukunft zu sichern. Lass uns darüber sprechen, wenn ich wieder zurück bin.«

»Ich könnte nie wieder davon anfangen, Nikko.«

»Das ist mir klar, Hana. Aber ich kann es.«

Vierter Teil • Uttegae

SAINT-JEAN-DE-LUZ/BIARRITZ

Das offene Fischerboot pflügte durch den Wellenpfad des untergehenden Mondes, Quecksilber auf dem Meer, ein Effekt, wie vom Pinsel eines Kitschaquarellisten hingetupft. Der Dieselmotor tuckerte asthmatisch und keuchte noch einmal auf, als er abgestellt wurde. Der Kiel lief knirschend auf den Kiesstrand, und das Boot legte sich schräg. Hel kletterte über Bord; dann stand er, den Seesack über der Schulter, knietief in der Brandung. Sein Winken wurde vom Boot aus mit einer unbestimmten Geste erwidert, und er watete, die Leinenhose schwer vom Wasser, auf die verlassene Küste zu. Die geflochtenen Sohlen seiner Espadrilles bohrten sich tief in den Sand. Der Motor hustete, begann von neuem sein rhythmisches Tuckern, und das Boot hielt wieder aufs Meer hinaus, an der stumpfschwarzen Küste entlang mit Kurs auf Spanien.

Vom Grat einer Düne aus sah er die Lichter der Cafés und Bars rings um den kleinen Hafen von Saint-Jean-de-Luz, wo die Fischerboote sich verschlafen auf dem öligen Wasser ihrer Liegeplätze wiegten. Er verlagerte das Gewicht des Seesacks ein wenig und machte sich auf den Weg ins Café zum Walfisch, um seine telegraphische Bestellung zu bestätigen. Der Cafébesitzer war Chefkoch in Paris gewesen, ehe er sich in seinem Heimatdorf zur Ruhe setzte. Es machte ihm Spaß, gelegentlich seine Kunst beweisen zu können, vor allem, wenn Monsieur Hel ihm im Hinblick auf Speisenfolge und Unkosten Carte blanche gab. Das Dinner sollte im Haus von Monsieur de Lhandes zubereitet und serviert werden, jenes »vornehmen kleinen Gentleman«, der in einer alten Villa am Meer wohnte und sich niemals auf den Straßen von Saint-Jean-de-Luz blicken ließ, weil seine Physiognomie schlecht erzogene Kinder zu Bemerkungen, ja vielleicht sogar zu Spott hätte hinreißen können. Monsieur de Lhandes war Liliputaner, kaum mehr als einen Meter groß, obwohl über sechzig Jahre alt.

Als Hel an die Hintertür klopfte, spähte Mademoiselle Pinard zunächst misstrauisch durch einen Vorhang; doch dann verzog sich ihr Gesicht zu einem strahlenden Lächeln, und sie öffnete mit einladender Geste die Tür. »Ah, Monsieur Hel! Herzlich willkommen! Es ist schon viel zu lange her, dass wir Sie zuletzt gesehen haben. Kommen Sie, kommen Sie nur herein! Mein Gott, Sie sind ja ganz nass! Monsieur de Lhandes freut sich schon sehr auf das Abendessen mit Ihnen!«

»Ich möchte Ihren Fußboden nicht nass machen, Mademoiselle Pinard. Darf ich meine Hose ausziehen?«

Mademoiselle Pinard errötete und gab ihm entzückt einen Klaps auf die Schulter. »Aber Monsieur Hel! Spricht man so mit einer Dame? Nein, diese Männer!« Getreu ihrem altbewährten Ritual unschuldiger Flirterei erschien sie verwirrt und erfreut zugleich. Mademoiselle Pinard war etwas über fünfzig; sie war schon immer etwas über fünfzig gewesen. Hochgewachsen und dürr mit trockenen nervösen Händen und einem alles andere als geschmeidigen Gang, war sie mit einem Gesicht geschlagen, das viel zu lang war für ihre winzigen Augen und den schmalen Mund, so dass es zum größten Teil aus Stirn und Kinn zu bestehen schien. Wäre dieses Gesicht charakteristischer geprägt gewesen, hätte man sie hässlich nennen müssen; so aber war sie bloß unscheinbar. Mademoiselle Pinard war aus dem Holz, aus dem alte Jungfern geschnitzt sind, und ihrer unantastbaren Tugend hatte der Umstand, dass sie seit nunmehr dreißig Jahren Bernard de

Lhandes' Gefährtin, Krankenschwester und Geliebte war, keineswegs Abbruch getan.

Mademoiselle Pinard war eine von den Frauen, die »*Zut!*« sagen, oder »*Ma foi!*«, wenn sie einmal über die Grenzen des guten Geschmacks hinaus entrüstet sind.

Als sie ihn in das Zimmer führte, in dem er bei jedem seiner Besuche übernachtete, sagte sie leise: »Monsieur de Lhandes geht es im Augenblick gar nicht gut, müssen Sie wissen. Ich bin froh, dass Sie ihm heute Abend Gesellschaft leisten, aber Sie müssen sehr vorsichtig sein. Er ist dem Herrgott sehr nahe. Wochen, höchstens ein paar Monate noch, sagt der Arzt.«

»Ich werde vorsichtig sein, Darling. So, da wären wir. Möchten Sie mit hereinkommen, während ich mich umziehe?«

»Aber Monsieur!«

Hel zuckte die Achseln. »Na schön. Doch eines Tages wird Ihre Verteidigungsbastion in sich zusammenfallen, Mademoiselle Pinard. Und dann ... Oh, aber dann!«

»Sie Ungeheuer! Und Sie wollen ein Freund von Monsieur de Lhandes sein? Nein, diese Männer!«

»Wir sind alle Opfer unseres Appetits, Mademoiselle. Hilflose Opfer. Sagen Sie, wie weit ist das Dinner?«

»Der Chef und seine Gehilfen klappern schon den ganzen Tag in der Küche herum. Alles ist fertig.«

»Dann sehen wir uns beim Dinner und befriedigen unseren Appetit gemeinsam.«

»Aber Monsieur!«

Sie nahmen das Abendessen im größten Zimmer des Hauses ein, in einem Raum, dessen Wände von Regalen mit Büchern gesäumt waren, die, ohne jede Ordnung gestapelt und aufgereiht, von de Lhandes' begeistertem Lerneifer zeugten. Da er es für abscheulich hielt, beim Essen zu lesen – also eine Passion durch die andere zu verwässern –, war de Lhandes auf die

Idee gekommen, Bibliothek und Speisezimmer zu kombinieren, und der lange Refektoriumstisch diente nun beiden Beschäftigungen. Zu dritt saßen sie an einem Ende dieses Tisches, Bernard de Lhandes am Kopfende, Hel zu seiner Rechten und Mademoiselle Pinard links von ihm. Wie fast alle seine Möbel waren Tisch und Stühle verkürzt worden und jetzt etwas zu hoch für de Lhandes und etwas zu niedrig für seine seltenen Gäste. Doch das, so hatte de Lhandes einmal zu Hel gesagt, sei ja das Wesen des Kompromisses: ein Zustand, der niemanden ganz zufriedenstellt, der aber jedem das beruhigende Gefühl verleiht, der andere sei ebenfalls benachteiligt.

Die Mahlzeit war fast beendet, und nun ruhten und plauderten sie zwischen den letzten Gängen. Es hatte Newa-Kaviar mit heißen, in Servietten servierten Blinis gegeben, Saint-Germain-Royal (an dem de Lhandes eine Spur zu viel Minze kritisierte), Suprême de Sole aus Château Yquem, Wachteln in Asche (de Lhandes meinte, Walnussholz wäre bestimmt besser für das Feuer gewesen, das Aroma der Eichenspäne sei jedoch auch akzeptabel), Lammrücken à la Edward VII. (de Lhandes bedauerte, dass er nicht kalt genug sei, räumte aber ein, dass Hels Vorkehrungen ein wenig überstürzt erfolgt waren), Riz à la Grecque (die Spur zu viel roten Pfeffers schrieb de Lhandes dem Geburtsort des Küchenchefs zu), Morcheln (die Spur zu wenig Zitronensaft schrieb de Lhandes dem Charakter des Küchenchefs zu), florentinische Artischockenböden (die krasse Unausgewogenheit von Gruyère und Parmesan in der Sauce Mornay schrieb de Lhandes dem Starrsinn des Küchenchefs zu, denn man hatte ihn früher schon auf diesen Fehler hingewiesen) und Salat Danitschew (den de Lhandes zu seiner leichten Verärgerung perfekt fand).

Von jedem Gang kostete de Lhandes nur die winzigsten Bissen, die es ihm gerade noch gestatteten, das Zusammenspiel der einzelnen Geschmacksnuancen am Gaumen zu genießen. Denn sein Herz, seine Leber und das Verdauungssystem waren derart ruiniert, dass der Arzt ihm nur völlig ungewürzte Speisen gestattete. Hel aß schon aus Gewohnheit sehr wenig. Und Mademoiselle Pinards Appetit war zwar gut, doch ihre Auffassung von erlesenen Tischmanieren gestattete ihr nur kleine Häppchen, an denen sie endlos mit mahlenden Bewegungen der Vorderzähne mümmelte wie ein Kaninchen, während sie sich mit der Serviette häufig und geziert die schmalen Lippen betupfte. Ein Grund dafür, dass der Chef des Cafés zum Walfisch ab und zu so bereitwillig ein großes Essen für Monsieur Hel zubereitete, war das üppige Festmahl, an dem sich seine Familie und seine Freunde stets später an einem solchen Abend delektieren durften.

»Es ist eine Schande, wie wenig wir essen, Nikolai«, sagte de Lhandes mit seiner erstaunlich tiefen Stimme. »Du mit deiner mönchischen Einstellung zum Essen, und ich mit meiner ruinierten Gesundheit! Wenn ich so in den Speisen herumstochere, komme ich mir vor wie ein stinkreicher Zehnjähriger in einem Luxusbordell.«

Mademoiselle Pinard verschwand sekundenlang hinter ihrer Serviette.

»Und diese Fingerhüte voll Wein!«, klagte de Lhandes. »Oh Gott, dass ich so tief gesunken bin! Ich, ein Mann, der dank Wissen und Geld die Völlerei zur großen Kunst erhoben hatte! Das Schicksal ist entweder ironisch oder gerecht, ich weiß es nicht. Aber sieh mich an! Ich esse, als wäre ich eine blutleere Nonne, die ihre Träume vom jungen Curé büßen muss!«

Die Serviette verbarg Mademoiselle Pinards Erröten.

»Wie krank bist du wirklich, alter Freund?«, erkundigte sich Hel. Offenheit war eine alte Gewohnheit zwischen ihnen.

»Todkrank. Mein Herz gleicht eher einem Schwamm als einer Pumpe. Ich habe mich jetzt seit – wie lange? – fünf Jahren zurückgezogen. Und von diesen fünf Jahren habe ich vier der lieben Mademoiselle Pinard nicht mehr von Nutzen sein können – es sei denn, als Zuschauer natürlich.«

Die Serviette.

Den Abschluss des Dinners bildeten eine Eisbombe, Früchte, *glaces variées*s – kein Cognac, keine Digestifs –, dann zog sich Mademoiselle Pinard zurück, damit die Herren sich ungestört unterhalten konnten.

De Lhandes rutschte von seinem Stuhl herunter und begab sich – zweimal innehaltend, um Atem zu schöpfen – zum Kamin, wo er sich in einen niedrigen Sessel setzte, der ihn nichtsdestoweniger zwang, die Beine lang auf den Sitz zu strecken.

»Für mich sind alle Sessel *chaises-longues,* mein Freund.« Er lachte. »Also gut. Was kann ich für dich tun?«

»Ich brauche Hilfe.«

»Selbstverständlich. Obwohl wir gute Kameraden sind, würdest du nicht mitten in der Nacht mit einem Boot angefahren kommen, nur um ein Dinner zu schmähen, indem du mit der Gabel darin herumstocherst. Wie du weißt, habe ich mich seit mehreren Jahren aus dem Informationsgeschäft zurückgezogen, aber ich habe immer noch ein paar Brosamen aus alten Zeiten übrig und werde dir helfen, so gut ich kann.«

»Ich muss dir aber gestehen, dass man mir mein Geld genommen hat und ich dich nicht sofort bezahlen kann.«

De Lhandes winkte ab. »Ich schicke dir eine Rechnung aus der Hölle. Du wirst sie an den angesengten Ecken erkennen. Geht es um eine Einzelperson oder um eine Regierung?«

»Um eine Regierung. Ich muss nach England. Man wird mich dort erwarten. Es handelt sich um eine sehr schwerwiegende Angelegenheit, daher muss mein Ansatzpunkt entsprechend wirksam sein.«

De Lhandes seufzte. »O je! Ich wollte, es wäre Amerika. Gegen die habe ich etwas in der Hand, da würde die Freiheitsstatue sich sofort hinlegen und die Beine breitmachen. Aber England? Gar nichts. Bruchstücke und Kleinkram. Einiges davon allerdings ziemlich saftig, aber etwas wirklich Großes – leider nein.«

»Was hast du denn?«

»Ach, nur das Übliche. Nichts Besonderes. Homosexualität im Foreign Office …«

»Das ist nicht neu.«

»Auf dieser Ebene aber interessant. Und ich habe Fotos. Es gibt wohl kaum etwas so Lächerliches wie die Körperhaltungen eines Mannes bei der Liebe. Vor allem, wenn er nicht mehr zu den Jüngsten zählt. Was habe ich sonst noch? Ach ja … ein bisschen Ungebärdigkeit in der königlichen Familie? Eine abgeblockte Untersuchung des Flugzeugunglücks, das diesen … du weißt schon, wen … das Leben gekostet hat?« De Lhandes blickte zur Decke empor und überlegte, was er sonst noch in den Akten hatte. »Ach ja, es gibt Beweise dafür, dass das Techtelmechtel zwischen den arabischen Ölinteressen und der City doch weit intimer ist als allgemein angenommen wird. Und eine Menge über einzelne Regierungsangehörige – zumeist steuerliche und sexuelle Unregelmäßigkeiten. Bist du ganz sicher, dass du nichts über die Vereinigten Staaten willst? Ich habe da einen richtigen Knüller. Eine unverkäufliche Information. Zu groß für beinahe jeden herkömmlichen Zweck. Das wäre, als wollte man ein Ei mit einem Vorschlaghammer aufklopfen.«

»Nein, danke, es muss unbedingt England betreffen. Ich habe keine Zeit, von Washington aus einen indirekten Druck auf London zu inszenieren.«

»Hm-hm-hm. Ich will dir was sagen. Du nimmst einfach den ganzen Krempel. Sorge dafür, dass er veröffentlicht wird, schön ein Knallbonbon nach dem anderen. Ein Skandälchen nach dem anderen. Alle zusammengenommen werden das Vertrauen in die Regierung erschüttern – du weißt ja, wie. Ein einzelner Pfeil allein ist nicht stark genug, aber gebündelt … Wer weiß? Mehr kann ich dir leider nicht bieten.«

»Dann muss es eben auch so reichen. Wollen wir es wie üblich arrangieren? Ich nehme die Fotokopien? Und wir benutzen ein ›Druckknopf‹-Auslösesystem mit den deutschen Zeitschriften als Hauptempfänger?«

»Das hat bisher noch nie versagt. Bist du sicher, dass dir nicht doch etwas an dem bronzenen Hymen der Freiheitsstatue liegt?«

»Ich wüsste nicht, was ich damit anfangen sollte.«

»Na ja, wäre auch im günstigsten Fall eine recht schmerzhafte Veranstaltung. Also – kannst du heute Nacht hierbleiben?«

»Wenn es geht, gern. Ich fliege morgen Mittag von Biarritz ab und darf nicht vorzeitig erkannt werden. Die Polizei hat ein Kopfgeld auf mich ausgesetzt.«

»Schade. Sie sollten dich lieber als den letzten überlebenden Vertreter deiner Spezies unter Naturschutz stellen. Weißt du, Nikolai Alexandrowitsch, ich habe in letzter Zeit über dich nachgedacht. Nicht oft, denn wenn man den kritischen Moment des Lebens erreicht, verbringt man nicht mehr viel Zeit damit, über die Nebendarsteller in der eigenen Farce nachzudenken. Und eine der am schwersten verdaulichen Erkenntnisse ist für den Egozentriker die, dass er in jeder Biografie außer der seinen eine Nebenrolle spielt. Ich bin Statist in deinem Leben, du in meinem. Wir kennen uns seit über zwanzig Jahren, von unseren Geschäften abgesehen aber – und von den Geschäften muss man immer absehen – haben wir insgesamt vielleicht zwölf Stunden intimer Gespräche und aufrichtiger Anteilnahme an den Gedanken und Gefühlen des anderen miteinander verbracht. Ich kenne dich, Nikolai, praktisch einen Tag. Im Grunde ist das gar nicht so schlecht. Die meisten guten Freunde und Ehepaare, und das ist nur selten ein und dasselbe, könnten sich nach einem ganzen Leben, in dem sie Heim und Ärger, territoriale Abgrenzungen und Auseinandersetzungen miteinander geteilt haben, nicht zwölf Stunden ehrlicher Anteilnahme rühmen. Und so kenne ich dich einen Tag, mein Freund, und habe dich lieben gelernt. Ich muss mich selber sehr dafür loben, denn es ist nicht leicht, dich zu lieben. Bewundern? Ja, natürlich. Respektieren? Wenn die Angst ein Bestandteil des Respektes ist, dann selbstverständlich. Aber lieben? Das ist etwas ganz anderes, weil die Liebe nämlich den Wunsch zur Vergebung birgt, und es ist sehr schwer, dir zu vergeben. Halb heiliger Asket, halb Vandale und Marodeur, bietest du dich der Vergebung einfach nicht an. In der einen Gestalt stehst du über ihr, in der anderen darunter. Und du verachtest sie in jedem Fall. Ja, man hat sogar das Gefühl, du würdest einem Menschen, der dir vergibt, niemals vergeben. – Das bedeutet möglicherweise nicht viel, aber es rollt so schön von der Zunge, und ein Lied besteht nun einmal aus Text *und* Melodie. – Und nachdem ich dich zwölf Stunden lang kenne, wage ich es, dich zu komprimieren, auf eine Definition zu reduzieren, und bezeichne dich als mittelalterlichen Antihelden.«

Hel lächelte. »Ein mittelalterlicher Antiheld? Was in aller Welt soll denn das sein?«

»Wer hat das Wort, du oder ich? Ich bitte mir ein bisschen schweigenden Respekt vor den Sterbenden aus. Es kommt zum Teil daher, dass du Japaner bist – kulturell gesehen, meine ich. Nur in Japan fiel die klassische Epoche mit der mittelalterlichen zusammen. Im Westen werden Philosophie, Kunst, politische und gesellschaftliche Ideale alle mit Perioden vor oder nach dem Mittelalter identifiziert – mit Ausnahme jener glanzvollen Steinbrücke zu Gott, der Kathedrale. Nur in Japan war das feudale Stadium zugleich auch das philosophische. Uns im Westen ist die Vorstellung des Kriegerpriesters, des Kriegerwissenschaftlers, ja sogar des Kriegerindustriellen geläufig. Aber der Kriegerphilosoph? Nein, diese Vorstellung stört unseren Sinn für das Konventionelle. Wir sprechen von ›Tod und Gewalttat‹, als wären die beiden zwei Manifestationen desselben Impulses. In Wirklichkeit ist der Tod gerade das Gegenteil der Gewalttat, die ja stets mit dem Kampf ums

Leben verbunden ist. Unsere Philosophie konzentriert sich auf die Bewältigung des Lebens; eure auf die Bewältigung des Todes. Wir suchen Erkenntnis; ihr sucht Würde. Wir lernen festzuhalten; ihr lernt loszulassen. Sogar die Bezeichnung ›Philosoph‹ ist irreführend, denn unsere Philosophen sind stets von dem Bedürfnis geleitet worden, ihre Erkenntnisse mitzuteilen, ja, aufzudrängen; während die euren – möglicherweise aus selbstsüchtigen Impulsen – damit zufrieden waren, ihren separaten und privaten Frieden zu finden. Für den Okzidentalen liegt etwas beunruhigend Feminines in eurer Auffassung von Männlichkeit – im Sinne von *yang-isch,* falls diese Wortschöpfung dein Ohr nicht beleidigt. Kaum von den Schlachtfeldern zurück, legt ihr weiche Gewänder an und schlendert mit bewunderndem Mitgefühl für die fallende Kirschblüte durch eure Gärten; und ihr seht sowohl in der Sanftmut als auch in der Tapferkeit Manifestationen der Männlichkeit. Auf uns wirkt das zumindest kapriziös, wenn nicht gar heuchlerisch. Übrigens, was macht dein Garten?«

»Er macht sich.«

»Und das heißt?«

»Er wird mit jedem Jahr schlichter.«

»Da! Siehst du? Diese gottverdammte Neigung der Japaner zum Paradoxen, das sich als Syllogismus entpuppt! Sieh dich an! Ein Kriegergärtner! Du bist wahrhaftig ein mittelalterlicher Japaner, genau wie ich sagte. Und außerdem bist du ein Antiheld – nicht in dem Sinn, in dem Kritiker und Gelehrte, die danach gieren, Titel vor ihre Namen hängen zu dürfen, diese Bezeichnung benutzen und oft genug missbrauchen. Denn was die Antihelden nennen, sind doch in Wirklichkeit nur unglaubwürdige Helden oder attraktive Bösewichter – der dicke Polizist oder Richard III. Der wahre Antiheld hingegen ist eine Variation des Helden – nicht ein Clown mit einer Hauptrolle, auch kein Zuschauer, der seine gewalttätigen Fantasien ausleben darf. Sondern der Antiheld führt, wie der klassische Held, die Massen zur Erlösung. Es gab eine Zeit in der Komödie der menschlichen Entwicklung, da schien die Rettung in Richtung auf Ordnung und Organisation zu liegen, und so organisierten und führten alle großen Helden des Westens ihre Gefolgsleute gegen den Feind: das Chaos. Jetzt begreifen wir, dass der Erzfeind nicht das Chaos, sondern die Organisation, nicht Divergenz, sondern Angleichung, nicht Primitivismus, sondern Fortschritt ist. Und der neue Held – der Antiheld – macht aus dem Angriff auf die Organisation, aus der Zerstörung des Systems eine Tugend. Jetzt sehen wir ein, dass die Rettung für die Menschheit in der nihilistischen Richtung liegt, aber wie weit entfernt, das wissen wir immer noch nicht.« De Lhandes hielt inne, um Atem zu holen, dann schien er fortfahren zu wollen. Doch unvermittelt traf sich sein Blick mit dem Hels, und er begann zu lachen. »Ach was! Genug davon. Außerdem habe ich eigentlich gar nicht mit dir gesprochen.«

»Das war mir seit einiger Zeit klar.«

»Es ist Tradition in westlichen Tragödien, dass man einem Mann vor seinem Tod eine längere Rede zu halten gestattet. Sobald er in die unerbittliche Maschinerie des Schicksals geraten ist, die ihn zu seinem pathetischen Abgang befördert, kann nichts mehr, was er sagt oder tut, sein Los ändern. Aber es ist ihm gestattet, seinen Fall darzulegen und ausgiebig mit den Göttern zu hadern – und sei es in jambischen Trimetern.«

»Auch wenn er dadurch den Fluss der Erzählung stört?«

»Zum Teufel damit! Für zwei Stunden Narkose gegen die Realität, zwei Stunden der ungefährlichen, da nachempfundenen Beteiligung an der Welt der Taten und des Todes, sollte man bereit sein, den Preis von einigen Minuten der Einsicht zu zahlen. Strukturell perfekt oder nicht. Aber wie du willst. Na schön. Sag mal, erinnern sich die Regierungen noch an den ›Gnom‹? Und suchen sie immer noch den Erdball ab in der

Hoffnung, seinen Schlupfwinkel zu finden, und knirschen sie noch vor frustrierter Wut mit den Zähnen?«

»Das tun sie allerdings, Maurice. Erst kürzlich war so ein *Amérlo*-Schuft bei mir und hat nach dir gefragt. Er hätte seine Genitalien geopfert, um zu erfahren, wie du an deine Informationen kommst.«

»Wirklich? Nun, wenn er ein *Amérlo* ist, hätte er vermutlich nicht viel riskiert. Was hast du ihm geantwortet?«

»Ich habe ihm alles gesagt, was ich weiß.«

»Und das ist nichts. Gut. Offenheit ist eine Tugend. Weißt du, in Wirklichkeit habe ich gar keine besonders subtilen oder komplizierten Informationsquellen. Nein, die Muttergesellschaft und ich schöpfen aus denselben Daten. Ich habe nämlich Zugang zu Fat Boy, und zwar habe ich mir die Dienste eines der höhergestellten Computersklaven gekauft, eines Mannes namens Llewellyn. Mein Vorteil liegt nur darin, dass ich es besser verstehe als sie, zwei und zwei zusammenzuzählen. Oder, genauer gesagt, ich bin in der Lage, anderthalb und einzweidrittel so zu addieren, dass zehn herauskommt. Ich bin nicht besser informiert als sie; ich bin lediglich gerissener.«

Hel lachte. »Sie würden so ziemlich alles dafür geben, dich zu finden und zum Schweigen zu bringen. Du bist sehr lange der Bambus unter ihren Fingernägeln gewesen.«

»Ha! Das zu wissen verschönt meine letzten Tage, Nikolai. Den Regierungslakaien ein Ärgernis zu sein hat mir das Leben lebenswert gemacht. Und es war ein gefahrvolles Leben. Wenn man mit Informationen handelt, hortet man Waren, die sehr schnell zu Ladenhütern werden. Im Gegensatz zu Cognac werden Informationen billiger, je älter sie sind. Nichts ist langweiliger als die Sünden von gestern. Und manchmal habe ich recht teure Stücke erworben, nur um mitansehen zu müssen, wie sie durch undichte Stellen ruiniert wurden. Ich weiß noch, wie ich einmal ein ganz heißes Ding aus den Vereinigten Staaten gekauft hatte: das, was dann später als Watergate-Skandal bekannt wurde. Und während ich die Ware auf Lager hatte und darauf wartete, dass du oder ein anderer Internationaler sie als Waffe gegen die amerikanische Regierung kaufen würde, spürten ein paar ehrgeizige Reporter die Story auf, erkannten darin eine Chance, ihr Glück zu machen – *et voilà.* Das Material war über Nacht wertlos für mich geworden. Mit der Zeit verfasste jeder dieser Verbrecher ein Buch oder trat in einer Fernsehsendung auf, wo er seinen Anteil an der Vergewaltigung der amerikanischen Bürgerrechte beschrieb, und jeder wurde von der stupiden amerikanischen Öffentlichkeit reichlich dafür bezahlt, die anscheinend eine merkwürdige Neigung hat, sich die Nase in die eigene Scheiße stoßen zu lassen. Findest du es nicht auch ungerecht, dass ich jetzt mit unbrauchbarer Ware im Wert von mehreren Hunderttausend Dollar dasitze, während sogar der Meisterbösewicht ein Vermögen verdient, indem er im Fernsehen mit diesem britischen Blutsauger auftritt, der doch hinlänglich bewiesen hat, dass er sich für Geld bei jedem anbiedert, sogar bei Idi Amin? Ein wahrhaft seltsamer Beruf, den ich da ausübe.«

»Hast du dein Leben lang mit Informationen gehandelt, Maurice?«

»Bis auf ein kurzes Zwischenspiel als Basketballchampion, ja.«

»Alter Esel!«

»Hör zu, lass uns mal einen Moment ernst bleiben. Du hast gesagt, das, was du planst, wäre schwierig. Ich würde mir nie anmaßen, dir einen Rat zu erteilen, aber hast du dir mal überlegt, dass du eine ganze Zeit lang im Ruhestand gelebt hast? Ist deine geistige Kondition noch intakt?«

»So ziemlich. Ich betreibe viel Höhlensport, und dank des Trainings wird mein Verstand von der Angst nicht allzu sehr blockiert. Und zum Glück arbeite ich ja bloß gegen die Briten.«

»Das ist allerdings ein Vorteil. Die Burschen von MI-5 und MI-6 gehen üblicherweise so subtil vor, dass ihre Fehlschläge gar nicht auffallen. Und trotzdem ... Irgendetwas stimmt nicht bei dieser Sache, Nikolai Alexandrowitsch. Es liegt etwas in deinem Ton, das mich beunruhigt. Nicht direkt Zweifel, aber ein gewisser gefährlicher Fatalismus. Hast du beschlossen, diesmal draufzugehen?«

Hel schwieg eine Weile. »Du bist ein ausgezeichneter Beobachter, Maurice.«

»*C'est mon métier.*«

»Ich weiß. Ja, Maurice, es stimmt etwas nicht, es ist etwas sehr Schmutziges an diesem Fall. Mir ist klar, dass ich durch meine Rückkehr aus dem Ruhestand das Schicksal herausfordere. Und ich glaube, dass diese Angelegenheit mich letztlich vernichten wird. Nicht die Aufgabe, die vor mir liegt. Die Septembristen, um die es dabei geht, werde ich relativ leicht von der Last ihres Lebens befreien können. Aber danach wird die Sache bedenklich. Man wird versuchen, mich zu bestrafen. Vielleicht akzeptiere ich die Strafe, vielleicht auch nicht. Wenn nicht, werde ich wieder an die Front gehen. Ich verspüre eine gewisse ...«, er zuckte die Achseln, »... eine gewisse emotionale Ermüdung. Nicht direkt fatalistische Resignation, sondern eher eine gefährliche Indifferenz. Wenn sich die Würdelosigkeiten häufen, wäre es möglich, dass ich keinen besonderen Grund mehr sehe, mich ans Leben zu klammern.«

De Lhandes nickte. Diese Einstellung Hels hatte er gespürt. »Ich verstehe. Gestatte mir einen Vorschlag, alter Freund. Wie du sagst, erweisen mir die Regierungen die Ehre, immer noch meinen Tod herbeizusehnen. Sie würden eine Menge darum geben zu erfahren, wer und wo ich bin. Falls du in die Klemme gerätst, hast du meine Erlaubnis, mit dieser Information zu handeln.«

»Maurice!«

»Nein, nein! Ich leide nicht an einem Anfall don-quijotischer Heldenmütigkeit. Ich bin zu alt, um einer derartigen Kinderkrankheit zum Opfer zu fallen. Aber es wäre der letzte Streich, den wir ihnen spielen könnten. Denn siehst du, du würdest ihnen eine taube Nuss verkaufen. Bis sie hier sind, werde ich schon längst tot sein.«

»Vielen Dank, aber das könnte ich niemals tun. Nicht deinetwegen, sondern meinetwegen.« Hel erhob sich. »Tja, ich brauche ein bisschen Schlaf. Die nächsten vierundzwanzig Stunden werden anstrengend sein. Fast ausschließlich geistige Arbeit, ohne die Belebung körperlicher Gefahr. Vor Tagesanbruch muss ich fort.«

»Nun gut. Ich für meinen Teil werde, glaube ich, noch ein paar Stunden aufbleiben und die Freuden eines schlechten Lebens Revue passieren lassen.«

»Schön. *Au revoir,* alter Freund.«

»Nein, nicht *au revoir,* Nikolai.«

»Ist es so nahe?«

De Lhandes nickte.

Hel beugte sich hinab und küsste seinen Kameraden auf beide Wangen. »*Adieu,* Maurice.«

»*Adieu,* Nikolai.«

Er war schon an der Tür, als de Lhandes ihn noch einmal zurückhielt.

»Ach, Nikolai. Würdest du mir einen Gefallen tun?«

»Jeden.«

»Estelle ist in diesen letzten Jahren wunderbar zu mir gewesen.

Wusstest du, dass sie Estelle heißt?«

»Nein.«

»Also, ich möchte ihr eine Freude machen, eine Art Abschiedsgeschenk. Würdest du zu ihr hineinschauen? Zweite Tür oben an der Treppe. Und sag ihr bitte hinterher, dass es ein Geschenk von mir war.«

Hel nickte. »Es wird mir ein Vergnügen sein, Maurice.«

De Lhandes starrte ins verlöschende Feuer. »Ihr auch, hoffe ich«, murmelte er.

Hel richtete seine Ankunft auf dem Flughafen von Biarritz so ein, dass er sich nur kurze Zeit ungeschützt in der Öffentlichkeit aufhalten musste. Er hatte Biarritz, das nur geografisch zum Baskenland gehört, noch nie richtig gemocht; Deutsche, Engländer und die internationale Schickeria hatten es zu einer Art Brighton an der Biscaya herabgewürdigt.

Er war noch keine fünf Minuten in der Halle, als sein Proximitätssinn jene direkte und intensive Observation wahrnahm, die er bereits erwartet hatte, da er wusste, dass man an allen Ausreisepunkten nach ihm Ausschau halten würde. Er lehnte sich an die Bartheke, wo er einen *jus d'ananas* trank, und ließ den Blick über die Menge wandern. Sofort entdeckte er den jungen französischen Beamten der Sonderpolizei in gewollt unauffälligem Zivil mit Sonnenbrille. Er stieß sich von der Theke ab und ging geradewegs auf den Mann zu. Je näher er ihm kam, desto deutlicher spürte er die Nervosität und Verwirrung des jungen Burschen.

»Entschuldigen Sie, Monsieur«, begann Hel in einem mit starkem deutschen Akzent gewürzten Französisch, »ich bin gerade angekommen und weiß nicht, wie ich jetzt weiter muss nach Lourdes. Könnten Sie mir vielleicht helfen?«

Unsicher musterte der junge Beamte Hels Gesicht. Der Mann entsprach im Wesentlichen der Beschreibung, das heißt, bis auf die dunkelbraunen Augen. (Hel trug gefärbte Kontaktlinsen.) Im Signalement stand jedoch nichts davon, dass er Deutscher war. Und außerdem hätte er ja das Land verlassen müssen, statt anzukommen. Mit ein paar kurzen Worten verwies der Polizist ihn an die Information.

Als er davonging, spürte Hel, wie ihm der Mann nachstarrte, aber seine Konzentration war jetzt deutlich von Verwirrung beeinträchtigt. Er würde dieses Zusammentreffen natürlich melden, doch ohne die nötige Überzeugung. Und das Zentralbüro würde in diesem Augenblick aus einem halben Dutzend Städtchen gleichzeitig Meldungen von Hels Auftauchen erhalten. Dafür sorgte Le Cagot.

Als Hel die Wartehalle durchquerte, rannte ihm ein flachshaariger Junge zwischen die Beine. Er fing das Kind auf, damit es nicht stürzte.

»Rodney! Oh, bitte verzeihen Sie, Monsieur!« Die hübsche Frau Ende zwanzig war sofort zur Stelle, entschuldigte sich bei Hel und tadelte das Kind in einem Atemzug. Sie war Engländerin und trug ein leichtes Sommerkleid, dessen großzügiger Ausschnitt nicht nur ihre Sonnenbräune zeigte, sondern auch die Stellen, die weiß geblieben waren. Mit einem Wortschwall jenes brutal verstümmelten Französisch, das aus der Überzeugung der Briten resultiert, Ausländer, die etwas Wichtiges zu sagen hätten, würden sich zweifellos in einer normalen Sprache ausdrücken, erklärte die Frau, der Junge sei ihr Neffe, sie befinde sich mit ihm auf der Rückreise von einem kurzen Urlaub, werde die nächste Maschine nach England nehmen, sei unverheiratet und heiße Alison Browne, hinten mit einem *e*.

»Mein Name ist Nikolai Helm.«

»Freut mich sehr, Mr. Hel.«

Das war's. Sie hatte das *m* nicht gehört, weil sie nicht darauf vorbereitet war. Sie war eine britische Agentin, die die Aktionen der Franzosen unterstützen sollte.

Hel antwortete ihr, er hoffe, sie bekämen in der Maschine Plätze nebeneinander, worauf sie ihn verführerisch anlächelte und versprach, mit dem Ticketverkäufer darüber zu reden. Er erbot sich, sie und den kleinen Rodney zu einem Obstsaft einzuladen, und sie akzeptierte mit der Bemerkung, normalerweise nähme sie von fremden Herren keine Einladungen an, doch dies sei eine Ausnahme, denn schließlich wären sie ja buchstäblich übereinandergestolpert. (Gekicher.)

Während sie mit ihrem Taschentuch eifrig an einem Saftflecken auf Rodneys Kragen herumtupfte, wobei sie sich so weit vorbeugte, dass man nicht übersehen konnte, dass sie keinen BH trug, entschuldigte sich Hel für einen Moment.

In einer Geschenkboutique erstand er ein billiges Souvenir von Biarritz, einen passenden Karton, eine Schere und Einwickelpapier: einen Bogen weißes Seidenpapier und einen Bogen teure Metallfolie. Alles zusammen nahm er mit auf die Herrentoilette, verpackte hastig das Geschenk, kehrte an die Bar zurück und überreichte das Päckchen Rodney, der zu weinen begonnen hatte und heftig an Miss Brownes Hand zerrte.

»Nur eine Kleinigkeit zum Andenken an Biarritz. Hoffentlich haben Sie nichts dagegen?«

»Na ja, eigentlich sollte ich es nicht annehmen. Aber da es für den Jungen ist … Unser Flug ist übrigens schon zweimal aufgerufen worden. Sollten wir nicht an Bord gehen?«

Hel erklärte ihr, die Franzosen mit ihrer zwanghaften Sucht nach Ordnung pflegten die Flüge immer viel zu früh auszurufen; man habe noch reichlich Zeit. Er versuchte sie abzulenken und plauderte über die Möglichkeit, sich in London wiederzusehen. Zum Dinner vielleicht?

Im letzten Moment erst gingen sie zum Flugsteig hinüber, wo Hel sich vor Miss Browne und dem kleinen Rodney in die Warteschlange einreihte. Sein Seesack passierte die Röntgenkontrolle ohne Schwierigkeiten. Während er eilig auf die Maschine zuschritt, die ihre Turbinen schon auf Touren brachte, hörte er hinter sich Miss Brownes laute Proteste und die ärgerlichen Fragen der Sicherheitsbeamten. Als das Flugzeug startete, blieb Hel das Vergnügen, die verführerische Miss Browne und den kleinen Rodney zur Seite zu haben, erspart.

Die Passagiere, die durch den Zoll mussten, wurden je nach ihrem Status zu verschiedenen Warteschlangen gewiesen: »Britische Staatsangehörige«, »Commonwealth-Angehörige«, »EG-Angehörige« und »Sonstige«. Da Hel mit seinem costaricanischen Pass reiste, zählte er eindeutig zu den »Sonstigen«. Er kam jedoch gar nicht erst dazu, sich in die entsprechende Schlange einzureihen, denn zwei lächelnde junge Männer traten auf ihn zu, deren stämmige Körper ihre ziemlich auffälligen Carnaby-Street-Anzüge deformierten und deren breite Gesichter sich ausdruckslos hinter Schnauzbart und Sonnenbrille verbargen. Wie immer, wenn er sich modernen jungen Männern gegenübersah, rasierte Hel sie in Gedanken und schnitt ihnen die Haare, um sich zu vergewissern, mit wem er es wirklich zu tun hatte.

»Bitte kommen Sie mit, Mr. Hel«, sagte der eine, während der andere ihm den Seesack abnahm. Dann nahmen sie ihn in die Mitte und eskortierten ihn zu einer Tür ohne Klinke am Ende der Ankunftshalle.

Auf zweimaliges Klopfen öffnete ein uniformierter Beamter die Tür von innen und trat zur Seite, um sie durchzulassen. Wortlos gingen sie bis ans Ende eines langen fensterlosen Korridors in Behördengrün, wo sie abermals an eine Tür klopften. Ihnen öffnete ein junger Mann, der aus derselben Gussform stammte wie die beiden Wachen, und dann erklang eine vertraute Stimme.

»Nur herein, Nikolai! Wir haben gerade noch Zeit für ein Gläschen Brandy und einen kleinen Plausch, bevor du die Maschine für den Rückflug nach Frankreich besteigst. Lassen Sie sein Gepäck nur hier – ja, danke. Und Sie drei warten bitte draußen.«

Hel nahm in einem Sessel neben dem niedrigen Teetischchen Platz und winkte ab, als sein Gegenüber fragend die Brandyflasche hob. »Ich dachte, man hätte dich endlich kassiert, Fred.«

Sir Wilfred Pyles spritzte einen Schuss Soda in seinen Brandy. »So etwa das Gleiche hatte ich von dir angenommen. Aber da sitzen wir nun, wie zwei Kopfgeldjäger im Western, und wieder einmal auf gegnerischen Seiten. Genau wie früher. Willst du wirklich keinen? Nein? Na schön, irgendwo auf der Welt wird die Sonne wohl hinter der Rahnock stehen – also dann Prost!«

»Wie geht's deiner Frau?«

»Besser denn je.«

»Grüß sie schön, wenn du sie siehst.«

»Hoffentlich nicht so bald! Sie ist letztes Jahr gestorben.«

»Das tut mir leid.«

»Überflüssig. Haben wir jetzt genug Konversation getrieben?«

»Was mich betrifft, ja.«

»Gut. Also, man hat mich aus der Mottenkiste geholt, als von unseren Petroleumherren die Nachricht kam, du seist unterwegs hierher. Ich soll mich deiner annehmen. Vermutlich dachte man sich, ich könnte am besten mit dir fertigwerden, nachdem wir beide, du und ich, dieses Spielchen schon so oft betrieben haben. Man hat mich beauftragt, dich hier abzufangen, dich möglichst über dein Begehren auf unserem vernebelten Eiland auszuhorchen und dafür zu sorgen, dass du in eine Maschine verfrachtet wirst, die dich dorthin zurückbringt, von wo du gekommen bist.«

»So leicht haben die sich das vorgestellt?«

Sir Wilfred schwenkte sein Brandyglas. »Nun ja, du weißt doch, wie diese jungen Leute sind. Immer schön nach den Vorschriften und bloß keine Komplikationen.«

»Und was meinst du selber dazu, Fred?«

»Tja, ich bin der Meinung, dass es bestimmt nicht so einfach sein wird. Ich befürchte, dass du mit ein paar recht unangenehmen Druckmitteln gekommen bist, die du von deinem Freund, dem Gnom, erworben hast. Wenn mich nicht alles täuscht, liegen die Fotokopien in deinem Gepäck.«

»Ganz oben drauf. Du solltest sie dir mal ansehen.«

»Das werde ich auch, wenn du nichts dagegen hast.« Sir Wilfred öffnete den Reißverschluss des Seesacks und nahm einen Aktenhefter heraus. »Gibt es da drin vielleicht sonst noch was, wovon ich wissen sollte? Rauschgift? Subversive oder pornographische Literatur?«

Hel lächelte.

»Nein? Das hatte ich fast befürchtet.« Er schlug den Aktenhefter auf und begann die Informationen Blatt für Blatt durchzusehen, während sich seine dichten weißen Augenbrauen bei jedem unangenehmen Punkt hoben. »Übrigens«, erkundigte er sich zwischendurch, »was in aller Welt hast du nur mit Biss Browne angestellt?«

»Miss Browne? Ich kenne keine ...«

»Aber, aber! Keine Ausflüchte zwischen alten Feinden! Wie wir hörten, sitzt sie im Augenblick in einem französischen Untersuchungsgefängnis, während die Franzmänner immer wieder ihr Gepäck durchwühlen. Der Bericht, den wir erhielten, war ziemlich ausführlich; man hatte sogar die amüsante Tatsache nicht ausgelassen, dass sich der Kleine, der ihr als Tarnung diente, prompt in die Hosen gemacht hat und ihm das Konsulat nun neue Kleider kaufen muss.«

Hel konnte nicht anders, er musste lachen.

»Na los doch! Unter uns. Was hast du mit ihr gemacht?«

»Tja, also, sie kam auf mich zu mit einer Finesse wie ein Furz im Bathyskaph, und ich habe sie neutralisiert. Eure Ausbildung ist auch nicht mehr das, was sie früher mal war. Das dumme Ding hat ein Geschenk angenommen.«

»Was für ein Geschenk?«

»Nur ein billiges Souvenir von Biarritz. In Seidenpapier verpackt. Aber ich hatte aus Metallfolie die Silhouette eines Revolvers ausgeschnitten und zwischen die Seidenpapierlagen geschoben.«

Sir Wilfred verschluckte sich fast vor Lachen. »Und dann hat der Röntgenschirm jedes Mal, wenn das Päckchen durchkam, einen Revolver ausgemacht, und die armen Beamten konnten nichts finden! Köstlich! Darauf muss ich einen trinken.« Er schenkte sich noch einmal ein und widmete sich dann wieder den inkriminierenden Informationen, wobei er sich gelegentlich einen Ausruf gestattete, wie etwa: »Ach, wirklich? Hätte ich nicht von ihm gedacht. – Aha, darüber wissen wir schon seit längerem Bescheid. Trotzdem sollte es nicht an die Öffentlichkeit dringen. – Ach du liebe Zeit! Das ist aber wirklich hässlich! Wie in aller Welt kann er das nur erfahren haben?«

Als er alle Unterlagen gesichtet hatte, stieß Sir Wilfred die Blätter sorgfältig mit dem unteren Rand auf den Tisch, um sie zu ordnen, und legte sie in den Aktenhefter zurück. »Nichts dabei, was uns als Einzelinformation erpressen könnte.«

»Das ist mir durchaus klar, Fred. Aber insgesamt? Jeden Tag etwas davon an die deutsche Presse?«

»Hm. Dann allerdings ... Das würde sich jetzt, wo die Wahlen bevorstehen, katastrophal auf das Vertrauen in die Regierung auswirken. Ich nehme an, die Informationen sind durch den ›Druckknopf‹-Modus gesichert?«

»Selbstverständlich.«

»Hatte ich befürchtet.«

Informationen durch den »Druckknopf«-Modus zu sichern bedeutete, alles war so arrangiert, dass sie sofort an die Presse gegeben wurden, wenn nicht eine bestimmte Nachricht bis zwölf Uhr mittags eines jeden Tages eintraf. Hel hatte eine Liste von dreizehn Adressen bei sich, an die er jeden Vormittag ein Telegramm schicken sollte. Zwölf davon waren blinde Adressen, eine gehörte einem Mitarbeiter von Maurice de Lhandes, der bei Empfang der Meldung einen weiteren Mittelsmann anrufen sollte, der wiederum de Lhandes selbst benachrichtigen musste. Der zwischen Hel und de Lhandes verabredete Code war einfach und beruhte auf einem wenig bekannten Gedicht von Barro; aber die Geheimdienstler würden mehr als vierundzwanzig Stunden benötigen, um den einen Buchstaben des einen Wortes aus der Nachricht herauszufiltern, der als Auslösesignal galt. Die Bezeichnung »Druckknopf« war von einer Art menschlicher Bombe entlehnt, die so funktionierte, dass die Ladung nicht detonieren konnte, solange der Mann auf einen Knopf drückte. Jeder Versuch aber, ihn anzugreifen oder zu erschießen, führte unweigerlich dazu, dass er den Knopf losließ.

Sir Wilfred überdachte die Situation einen Moment. »Es stimmt, deine Informationen könnten Schaden anrichten. Aber wir haben strikten Befehl von der Muttergesellschaft, dieses Geschmeiß vom Schwarzen September zu beschützen, und wir haben genauso wenig Lust, den Zorn der Muttergesellschaft auf unsere Häupter herabzubeschwören, wie jedes andere Industrieland auch. Wie es scheint, muss ich zwischen zwei Übeln wählen.«

»Ja, so scheint es.«

Sir Wilfred schürzte die Unterlippe und musterte Hel abschätzend durch zusammengekniffene Lider. »Was du hier tust, Nikolai, ist ein äußerst gefährliches Unterfangen – uns so einfach in die Arme zu laufen. Man muss dir sehr viel geboten haben, um dich anzuheuern.«

»Im Gegenteil. Für diesen Auftrag werde ich nicht bezahlt.«

»Hm. Darauf hätte ich als zweite Möglichkeit getippt.« Er stieß einen langen Seufzer aus. »Gefühle sind tödlich, Nikolai. Aber das weißt du natürlich. Na schön, ich will dir was sagen. Ich werde meinen Vorgesetzten deine Informationen vorlegen. Wir müssen abwarten, was sie dazu zu sagen haben. Bis dahin werde ich dich wohl irgendwo verstecken müssen. Wie wär's, hättest du Lust, ein, zwei Tage auf dem Land zu verbringen?

Ich führe schnell ein paar Telefonate, damit die Regierungsknaben ihren Denkapparat in Gang setzen, und dann bringe ich dich mit meiner Karre raus.«

MIDDLE BUMLEY

Sir Wilfreds tadellos erhaltener 1931er Rolls knirschte über den Kies einer gewundenen Privatauffahrt und hielt an der *porte cochère* eines langgestreckten Hauses, dessen Charme hauptsächlich in seinem ästhetischen Wirrwarr lag, hervorgerufen durch das planlose Nebeneinander vieler verschiedener architektonischer Impulse.

Über den Rasen kam ihnen eine sportliche Frau unbestimmbaren Alters in Begleitung zweier junger Mädchen Mitte zwanzig entgegen.

»Ich glaube, du wirst es hier recht amüsant finden, Nikolai«, sagte Sir Wilfred. »Unser Gastgeber ist ein alter Esel, aber er ist nicht anwesend. Die Frau ist ein bisschen überspannt, aber die Töchter sind durchaus gefällig. Sie haben sich in dieser Hinsicht sogar einen gewissen Ruf erworben. Wie findest du das Haus?«

»In Anbetracht eurer britischen Neigung zur Angeberei durch Understatement – so wie du deinen Rolls als alte Karre bezeichnest – wundert es mich, dass du das Haus nicht als siebenunddreißig rauf, sechzehn runter beschrieben hast.«

»Ah, Lady Jessica!«, wandte Sir Wilfred sich an die Dame im rüschenbesetzten Sommerkleid, dessen undefinierbare Farbe sie wahrscheinlich als »Rosenasche« bezeichnet hätte. »Dies ist der Gast, von dem ich Ihnen am Telefon erzählt habe. Nikolai Hel.«

Ihre feuchte Hand drückte die seine. »Freut mich, Sie hier bei uns zu haben. Sie kennenzulernen, meine ich. Das ist Broderick, meine Tochter.«

Hel schüttelte einem übermäßig mageren jungen Mädchen die Hand. Ihre Augen wirkten riesig in dem abgezehrten Gesicht.

»Ein seltsamer Name für ein Mädchen, ich weiß«, fuhr Lady Jessica fort, »aber mein Mann wollte unbedingt einen Jungen – ich meine, er wollte einen Jungen in dem Sinne, dass er einen Sohn zeugen wollte – nicht in dem anderen Sinn –, du meine Güte, was müssen Sie von ihm denken? Aber stattdessen kriegte er Broderick – oder vielmehr, wir kriegten sie.«

»In dem Sinne, dass Sie ihre Eltern waren?« Hel suchte dem hageren Mädchen seine Hand zu entziehen.

»Broderick ist Model«, erklärte die Mutter.

Das hatte Hel sich schon gedacht. Sie trug den leeren Ausdruck, die gewisse Schlaffheit der Haltung und die verkrümmte Wirbelsäule zur Schau, die das aktuelle Modeideal kennzeichneten.

»Nichts Besonderes, wirklich.« Broderick versuchte unter ihrem dick aufgetragenen Make-up zu erröten. »Nur hier und da mal ein Gelegenheitsjob für eine internationale Zeitschrift.«

Die Mutter tätschelte ihr den Arm. »Sag bitte nicht ›Gelegenheitsjob‹, mein Kind. Was soll Mr. Hel nur von dir denken!«

Ein Räuspern ihrer zweiten Tochter veranlasste Lady Jessica zu den Worten: »Ach ja, und das hier ist Melpomene. Es wäre denkbar, dass sie eines Tages zur Bühne geht.«

Melpomene war ein kräftiges Mädchen mit üppigem Busen, stämmigen Knöcheln, dicken Unterarmen, rosigen Wangen und klarem Blick. Ohne Hockeyschläger wirkte sie irgendwie unvollkommen. Ihr Händedruck war fest und energisch. »Nennen Sie mich einfach Pom. Das tun alle.«

»Äh ... wenn wir uns jetzt ein bisschen frischmachen dürften?«, schlug Sir Wilfred vor.

»Aber natürlich! Die Mädchen werden Ihnen alles zeigen –

ich meine natürlich, wo Ihre Zimmer sind und so. Nein, was müssen Sie von uns denken!«

Als Hel seinen Seesack auspackte, klopfte Sir Wilfred an die Tür und kam herein. »Na, was hältst du von diesem Versteck, Nikolai? Dürfte für ein paar Tage bestimmt ganz gemütlich sein, während die Oberen über das Unvermeidliche nachdenken, eh? Ich habe mit ihnen telefoniert, und sie meinen, sie würden morgen früh zu einem Entschluss kommen.«

»Sag mal, Fred – habt ihr die Septembristen observieren lassen?«

»Deine Zielpersonen? Selbstverständlich.«

»Angenommen, deine Regierung stimmt meinem Vorschlag zu. Dann müsste ich das gesamte Hintergrundmaterial haben, das euch zur Verfügung steht.«

»Hab ich mir schon gedacht. Übrigens, ich habe den Herren versichert, dass du diese Aktion – sollte ihr Entschluss entsprechend ausfallen – ohne Hinweis auf ein geheimes Einverständnis oder gar eine Verantwortung unsererseits durchführen wirst. Das ist doch richtig, nicht wahr?«

»Nicht ganz. Aber ich kann es so einrichten, dass die Muttergesellschaft, auch wenn sie einen Verdacht hat, niemals ein geheimes Einverständnis *nachweisen* kann.«

»Na ja, immer noch besser als nichts.«

»Zum Glück hast du mich abholen lassen, bevor ich durch die Passkontrolle kam; also taucht meine Ankunft nicht in euren Computern und somit auch nicht in den ihren auf.«

»Darauf würde ich mich allerdings nicht verlassen. Die Muttergesellschaft hat Millionen von Augen und Ohren.«

»Stimmt. Weißt du auch wirklich ganz genau, dass dies hier ein absolut sicheres Haus ist?«

»Aber ja! Die Damen sind zwar nicht gerade das, was man als sehr subtil bezeichnen könnte, doch sie besitzen eine Eigenschaft, die mindestens ebenso viel wert ist: Sie sind ahnungslos. Sie haben nicht die geringste Vorstellung von dem, was wir hier tun. Sie wissen nicht mal, womit ich mein Geld verdiene. Und der Herr des Hauses – falls man ihn so bezeichnen kann – macht uns schon gar keine Schwierigkeiten. Wir lassen ihn nämlich nur selten ins Land.«

Sir Wilfred erklärte, Lord Biffen lebe als Doyen einer Schar altersschwacher Steuerhinterzieher in der Dordogne, die sie zum Unbehagen und Abscheu der einheimischen Bauern heimgesucht haben. Die Biffens seien ein typisches Beispiel ihrer Art: irischer Adel, in jeder zweiten Generation finanziell durch einen Schuss amerikanisches Metzgerblut saniert. Der jetzige Lord hatte sich in seiner Sucht, möglichst viele Steuern zu hinterziehen, übernommen und in zwielichtige Geschäfte in den Freihäfen der Bahamas eingelassen. Dadurch hatte die Regierung ihn und seinen britischen Besitz in der Hand, und er verhielt sich kooperativ, indem er in Frankreich blieb, solange man es von ihm verlangte, wo er auf seine Art den gerissenen Geschäftsmann spielte, indem er den einheimischen Frauen antike Möbel und Automobile abschwindelte, stets darauf bedacht, die Post vor seiner Frau abzufangen, damit sie seinen miesen kleinen Schurkereien nicht auf die Spur kam. »Ein alter Dummkopf! Du kennst den Typ. Auffallende Krawatten, Shorts zu Straßenschuhen und Kniestrümpfen. Aber die Frau und die Töchter samt dem Besitz hier sind für uns zuweilen recht nützlich. Was hältst du denn nun von der Alten?«

»Ein bisschen allzu besessen.«

»Mhm. Ich weiß, was du meinst. Nur, wenn du fünfundzwanzig Jahre bloß das gekriegt hättest, was der alte Knabe zu bieten hat, wärst du wohl auch ein bisschen spermabesessen. Aber wollen wir jetzt nicht hinuntergehen?«

Am nächsten Morgen nach dem Frühstück schickte Sir Wilfred die Damen fort und machte es sich mit seiner letzten Tasse Kaffee bequem. »Ich habe heute Morgen schon mit den Oberen telefoniert, Nikolai. Sie sind zur Kooperation bereit – unter einigen Bedingungen allerdings.«

»Die aber möglichst minimal sein sollten.«

»Erstens verlangen sie die Zusicherung, dass diese Informationen nie wieder gegen sie verwendet werden.«

»Die hättest du ihnen sofort geben können. Du weißt genau, dass der Mann, den ihr den Gnom nennt, die Originale immer sofort vernichtet, wenn der Handel abgeschlossen ist. Auf dieser Gepflogenheit beruht sein guter Ruf.«

»Ganz recht. Und ich werde sie auch dahingehend beruhigen. Die zweite Bedingung lautet, ich soll ihnen Bericht erstatten, das heißt, ihnen versichern, dass ich deinen Plan sorgfältig geprüft habe, dass ich ihn für wasserdicht halte und sicher bin, dass die Regierung nicht unmittelbar hineingezogen wird.«

»In unserem Geschäft ist nie etwas wasserdicht.«

»Na schön. Also annähernd wasserdicht. Du wirst mich daher ins Vertrauen ziehen, mich über die Einzelheiten deiner hinterhältigen Machenschaften informieren müssen.«

»Bestimmte Einzelheiten kann ich dir erst geben, wenn ich euren Observationsbericht über die Septembristen gelesen habe. Aber ich kann's dir in groben Zügen umreißen.«

Binnen einer Stunde hatten sie sich auf Hels Vorschlag geeinigt, obwohl Sir Wilfred Bedenken wegen des Verlustes der Maschine hatte, da es sich ausgerechnet um eine Concorde handelte. »... und es hat uns ohnehin Mühe genug gekostet, der Welt das verdammte Ding aufzuschwatzen.«

»Meine Schuld ist es nicht, dass es sich bei der fraglichen Maschine um dieses unwirtschaftliche, umweltverschmutzende Monstrum handelt.«

»Gewiss. Gewiss.«

»Es sieht also jetzt folgendermaßen aus, Fred: Wenn eure Leute ihre Rolle gut spielen, müsste der Stunt ablaufen, ohne dass die Muttergesellschaft Beweise für eure Mitarbeit hat.

Einen besseren Plan konnte ich in den zwei Tagen, die mir blieben, nicht ausknobeln. Also, was meinst du?«

»Die Einzelheiten wage ich meinen Oberen nicht mitzuteilen. Das sind Politiker – der unzuverlässigste Menschenschlag überhaupt. Aber ich werde ihnen erklären, dass ich den Plan unserer Kooperation für wert erachte.«

»Gut. Wann bekomme ich die Observationsberichte über die Septembristen?«

»Werden heute Nachmittag durch Kurier gebracht. Weißt du was, Nikolai? Mir ist da etwas eingefallen. So wie dein Plan aussieht, brauchst du im Grunde gar nicht dabei zu sein. Wir könnten die Araber allein beseitigen, und du könntest sofort nach Frankreich zurückkehren.«

Hel sah Sir Wilfred zehn Sekunden lang schweigend an. Dann brachen beide gleichzeitig in lautes Gelächter aus.

»Na schön ...«, Sir Wilfred winkte ab, »versuchen kann man's ja. Gehen wir jetzt erst mal zum Lunch. Und vielleicht bleibt sogar noch etwas Zeit für einen kleinen Mittagsschlaf, bevor die Observationsberichte eintreffen.«

»Ich wage kaum auf mein Zimmer zu gehen.«

»Wirklich? Haben sie dich letzte Nacht auch heimgesucht?«

»Allerdings. Aber ich habe sie prompt rausgeworfen.«

»Spare in der Zeit, dann hast du in der Not, sage ich immer.«

Sir Wilfred saß dösend, gewärmt von der hinter der Terrasse versinkenden Sonne, in seinem Sessel. Auf der anderen Seite des weißen Gartentischchens sah Hel die Observationsberichte über die PLO-Aktivitäten durch.

»Da haben wir's!«, sagte er schließlich.

»Wie bitte? Hm? Was haben wir?«

»Ich hatte in der Liste der Kontakte und Bekanntschaften, die die Septembristen seit ihrer Ankunft hier gemacht haben, nach etwas ganz Bestimmtem gesucht.«

»Wonach denn?«

»Sie waren zweimal mit diesem Mann zusammen, den ihr als ›Pilgrim Y‹ identifiziert habt. Er arbeitet bei einem Küchenservice für die Fluggesellschaften.«

»Ach wirklich? Ich kenne die Akten nicht. Ich wurde in diese Sache erst – unfreiwillig, muss ich betonen – hineingezogen, als du auftratest. Was war das mit deinem Küchenservice?«

»Nun, die Septembristen würden natürlich niemals versuchen, ihre Waffen durch eure Sperren zu schmuggeln. Sie ahnen doch nicht, dass eure Regierung passiv mit ihnen kooperiert. Deswegen musste ich herausfinden, wie sie ihre Waffen an Bord bringen wollten. Sie haben auf eine recht abgedroschene Methode zurückgegriffen. Die Waffen kommen mit den vorbereiteten Mahlzeiten an Bord. Die Küchenlieferwagen werden nur oberflächlich durchsucht. In ihnen kann man praktisch alles schmuggeln.«

»Dann weißt du also jetzt, wo ihre Waffen versteckt sind. Na und?«

»Ich weiß, wo sie sich die Waffen holen müssen. Und genau dort werde ich mich aufhalten.«

»Und was ist mit dir? Wie willst du deine eigenen Waffen an Bord bringen, ohne einen Beweis für unsere Mittäterschaft zu hinterlassen?«

»Ich bringe meine Waffen ganz offen durch alle Kontrollen.«

»Ach ja! Wie konnte ich das vergessen. *Hoda korosu*, und so. Einen Mann mit einem Trinkstrohhalm erstechen. Hat uns viel Ärger bereitet, all die Jahre hindurch.«

Hel klappte die Akte zu. »Bis zum Abflug der Maschine haben wir noch zwei Tage Zeit. Womit wollen wir die verbringen?«

»Mit Ausruhen – hier, nehme ich an. Wo wir in Deckung sind.«

»Wirst du dich zum Dinner umziehen?«

»Nein, ich glaube, ich werde heute Abend gar nicht zum Essen kommen. Ich hätte deinem Beispiel folgen und auf den Mittagsschlaf verzichten sollen. Musste mich mit allen beiden rumschlagen. Und werde vermutlich bis an mein Lebensende humpeln.«

HEATHROW

Die Maschine war fast bis auf den letzten Platz besetzt, die Passagiere nur Erwachsene, von dem Typ, der sich den Zuschlag für eine Concorde leisten kann. Paare plauderten; Stewards und Stewardessen beugten sich über Sitze und gaben die beruhigenden Laute routinierter Kindermädchen von sich; Geschäftsleute fragten einander, in welcher Branche sie tätig seien; Platznachbarn, die sich nicht kannten, äußerten jene Nichtigkeiten, die ihnen zu Verabredungen in Montreal verhelfen sollten; die auffällig Eifrigen steckten die Nase in Geschäftsunterlagen und -berichte oder fingerten ostentativ an Taschendiktiergeräten herum; die Ängstlichen plapperten ständig davon, wie sehr sie sich auf den Flug freuten, und versuchten angestrengt, lässig zu wirken, während sie verstohlen die Broschüren über die Notausgänge und über das Verhalten im Falle einer Gefahr studierten.

Ein muskulöser junger Araber und seine gut gekleidete Begleiterin nahmen in der letzten Reihe Platz, nur durch einen Vorhang vom Serviceraum getrennt, wo die Lebensmittel und Drinks lagerten. Neben dem Vorhang hatte ein Steward Aufstellung genommen, der mit ausdruckslosen flaschengrünen Augen auf das Araberpaar hinablächelte.

Zwei andere junge Araber, scheinbar wohlhabende Studenten, kamen an Bord und wählten Plätze in der Mitte der Passagierkabine. Kurz ehe die Türen geschlossen wurden, kam dann noch ein fünfter Araber, der wie ein Geschäftsmann aussah, durch die Fluggastbrücke in die Maschine geeilt und erklärte dem Steward an der Tür hastig, er habe es gerade noch geschafft, obwohl er bis zum letzten Moment aufgehalten worden sei. Er ging bis ganz nach hinten durch, setzte sich und nickte dem arabischen Paar über den Gang hinweg freundlich zu.

Mit ohrenbetäubendem Brüllen wuchteten die Turbinen die Concorde vom Flugsteig fort, und bald schwang sich der flachnasige Pterodaktylus in die Lüfte.

Als das Zeichen zum Öffnen der Sicherheitsgurte aufleuchtete, erhob sich die hübsche Araberin. »Geht es hier zur Damentoilette?«, erkundigte sie sich schüchtern lächelnd bei dem grünäugigen, braungebrannten Steward.

Der Mann hatte eine Hand hinter dem Vorhang verborgen. Während er ihr Lächeln erwiderte, drückte er auf einen Knopf, und zwei weiche Gongschläge echoten durch die Kabine. Sofort senkten alle hundertsechsunddreißig Passagiere, bis auf die PLO-Araber, den Kopf und starrten angestrengt auf die Rückenlehnen der Sitze vor ihnen.

»Dort drüben, bitte, Madam«, sagte Hel und hielt ihr den Vorhang auf.

Im selben Moment richtete der arabische Geschäftsmann eine undeutliche Frage an Hel, die dessen Aufmerksamkeit ablenken sollte, während die junge Frau die Waffen aus dem Speisebehälter holte.

»Aber gern, Sir«, antwortete Hel, die Frage scheinbar missverstehend. »Ich werde Ihnen sofort eine bringen.«

Als er sich umwandte und der jungen Frau folgte, zog er seinen Kamm aus der Tasche und schloss den Vorhang hinter sich.

»He, warten Sie!«, rief der arabische Geschäftsmann, aber Hel war schon verschwunden.

Drei Sekunden später kam er mit einer Zeitschrift in der Hand zurück. »Tut mir leid, Sir, aber wir haben leider kein Exemplar des *Paris Match* mehr an Bord. Darf ich Ihnen dafür diese anbieten?«

»Idiot!«, murmelte der Geschäftsmann, der unsicher auf den geschlossenen Vorhang starrte. Hatte dieser grinsende Dummkopf das Mädchen denn nicht bemerkt? War sie, als er ihr nachging, tatsächlich in die Damentoilette gelaufen? Wo *war* sie?

Eine ganze Minute verging. Die vier Araber waren zutiefst beunruhigt darüber, dass das Mädchen nicht wie geplant mit einer automatischen Waffe in der Hand wieder auftauchte, und so entging es ihnen auch, dass alle anderen Passagiere mit gesenktem Kopf dasaßen und auf die Rückenlehnen der Vordersitze starrten.

Unfähig, sich noch länger zu beherrschen, erhoben sich die beiden arabischen Studenten, die in der Mitte der Passagierkabine gesessen hatten, und gingen nach hinten. Als sie sich dem lächelnden, vor sich hin träumenden Steward mit den grünen Augen näherten, wechselten sie beunruhigte Blicke mit dem älteren Geschäftsmann und dem muskulösen Begleiter der jungen Frau. Der ältere Araber bedeutete den beiden mit einem Kopfnicken, hinter den Vorhang zu gehen.

»Kann ich Ihnen helfen?«, erkundigte sich Hel, der die Zeitschrift zu einem festen Zylinder gerollt hatte.

»Toilette«, murmelte der eine, während der andere sagte: »Schluck Wasser.«

»Werde ich Ihnen sofort servieren, Sir«, sagte Hel. »Die Toilette natürlich nicht«, scherzte er mit dem größeren der beiden.

Sie gingen an ihm vorbei, und er folgte ihnen hinter den Vorhang.

Vier Sekunden später kam er wieder heraus, einen besorgten Ausdruck im Gesicht. »Sir«, sagte er vertraulich zu dem älteren Geschäftsmann, »sind Sie vielleicht zufällig Arzt?«

»Arzt? Nein. Warum?«

»Ach, nichts weiter. Keine Sorge. Der Gentleman hatte einen kleinen Unfall.«

»Einen Unfall?«

»Keine Sorge. Ich hole jemanden von der Kabinencrew zu Hilfe. Nichts Ernstes.«

Hel hielt einen Trinkbecher aus Plastik in der Hand, den er zusammengedrückt und in der Mitte geknickt hatte.

Der Geschäftsmann erhob sich und trat in den Mittelgang.

»Wenn Sie nur für einen Augenblick bei ihm bleiben könnten, Sir, während ich jemanden hole«, sagte Hel, der dem Geschäftsmann ins Serviceabteil folgte.

Zwei Sekunden später stand er wieder auf seinem Posten und schaute mit jenem Ausdruck unbestimmten Mitgefühls über die Passagiere hin, dessen sich alle Flugstewards befleißigen. Als sein Blick den beunruhigten Augen des muskelbepackten jungen Mannes neben ihm begegnete, zwinkerte er ihm zu und sagte: »Es war nichts weiter. Schwindelanfall, vermutlich. Vielleicht zum ersten Mal in einer Überschallmaschine. Der andere Gentleman kümmert sich um ihn. Leider spreche ich kein Arabisch.«

Eine Minute verging. Noch eine. Die Nervosität des muskulösen jungen Mannes wuchs, während dieser idiotische Steward, der neben ihm stand, einen populären Schlager summte, mit leerem Blick vor sich hin starrte und mit dem Namensschild aus Plastik spielte, das an seinem Jackenaufschlag steckte.

Eine weitere Minute verging.

Der muskulöse junge Mann konnte sich nicht länger beherrschen. Er sprang auf und riss den Vorhang zur Seite. Auf dem Boden lagen seine vier Kameraden in der schlaffen Pose des Todes. Die Kante des Namensschildes spürte er schon nicht mehr; der Hirntod trat ein, bevor er den Boden berührte.

Abgesehen von dem zischenden Brüllen der Flugzeugmotoren herrschte Stille in der Maschine. Alle Passagiere starrten stur geradeaus. Die Angehörigen der Kabinencrew standen unbeweglich und blickten unbeirrt auf die bunt bemalte Plastikwand vor ihnen.

Hel griff zum Bordtelefon. Seine leise Stimme klang metallisch über den Draht. »Bitte bleiben Sie ruhig, meine Herrschaften. Blicken Sie nicht nach hinten. Wir werden in fünfzehn Minuten landen.« Er legte den Hörer auf und wählte die Pilotenkanzel. »Geben Sie die Nachricht genau nach Anweisung heraus. Anschließend öffnen Sie den Umschlag in Ihrer Tasche und befolgen die gegebenen Landevorschriften.«

Die Pterodaktylus-Nase senkte sich wieder, die Concorde schoss brüllend hinab und setzte zur Landung auf einem vorübergehend geräumten Militärflugplatz in Nordschottland an. Als die Maschine zum Stehen kam und die Turbinen ausliefen, wurde der Notausgang geöffnet, und Hel trat auf die Gangway hinaus, die man an die Maschine herangerollt hatte. Anschließend bestieg er den alten 1931er Rolls, der der Concorde quer übers Flugfeld gefolgt war, und sie fuhren davon.

Kurz bevor sie zum Kontrollgebäude abbogen, drehte Hel sich noch einmal vorsichtig um und sah, dass die Passagiere ebenfalls ausstiegen und sich unter der Leitung des Mannes, der die Rolle des Oberstewards gespielt hatte, in Viererreihen neben der Maschine aufbauten. Fünf große Militärbusse überquerten das Flugfeld, um die Leute abzuholen.

Sir Wilfred saß an dem verkratzten Holzschreibtisch des Kontrollbüros und trank einen Whisky, während Hel die Stewarduniform mit seinem eigenen Anzug vertauschte.

»Hat die Durchsage glaubwürdig geklungen?«, erkundigte sich Hel.

»Äußerst dramatisch. Überaus wirksam. Der Pilot meldete, dass die Maschine entführt werde, und brach mitten in der Durchsage ab. Von da an kam nichts mehr als Schweigen und statisches Rauschen.«

»Und war er auf einem offenen Kanal, so dass auch unabhängige Quellen euren Bericht bestätigen können?«

»Er muss von mindestens einem halben Dutzend Funkstellen im Nordatlantik gehört worden sein.«

»Gut. Also dann werden eure Suchflugzeuge morgen mit Berichten von treibenden Flugzeugtrümmern zurückkommen, ja?«

»Absolut richtig.«

»Man wird Meldung machen, dass das Wrack gefunden ist, und dann wird die Nachricht über den BBC World Service gesendet, dass es Anhaltspunkte für eine Explosion gibt und dass man annimmt, eine Bombe im Besitz der arabischen Flugzeugentführer sei versehentlich explodiert und habe die Maschine zerrissen?«

»Genau.«

»Wie sehen eure Pläne hinsichtlich der Maschine aus, Fred? Die Versicherungen werden doch sicher neugierig sein.«

»Das überlass mal uns. Und wenn nichts anderes von unserem Empire übrig bleiben sollte, so werden wir doch immer noch jene Neigung zum Doppelspiel behalten, die uns den Titel ›Perfides Albion‹ eingetragen hat.«

Hel lachte. »Na schön. Es muss ziemlich schwierig gewesen sein, so viele Agenten aus ganz Europa zusammenzuholen und sie die Passagiere mimen zu lassen.«

»Allerdings. Und die Piloten nebst Crew waren RAF-Angehörige, denen nur sehr wenig Zeit blieb, sich auf einer Concorde zurechtzufinden.«

»Das sagst du mir jetzt!«

»Hätte ich dich nervös machen sollen, alter Freund?«

»Es tut mir leid, dass ich dich mit dem Problem belasten musste, hundertfünfzig Leute in das Geheimnis einzuweihen. Aber es war die einzige Möglichkeit, den Stunt durchzuführen, ohne eure Regierung der Rache der Muttergesellschaft auszusetzen. Und schließlich waren es ja eure eigenen Leute.«

»Stimmt schon. Doch das ist immer noch keine Gewähr für ewige Zuverlässigkeit. Aber ich habe dafür gesorgt, dass dieses Problem ebenfalls gelöst wird.«

»Wirklich? Wie denn?«

»Was glaubst du wohl, wohin die Busse fahren?«

Hel rückte seine Krawatte zurecht und zog den Reißverschluss seines Seesacks zu. »Alle hundertfünfzig?«

»Es gibt keine andere Möglichkeit, die absolut wasserdicht wäre, alter Freund. Und in zwei Tagen werden wir die Eliminierungscrew auch noch eliminieren müssen. Aber alles hat seine positive Seite, wenn man nur eifrig genug danach sucht. Sieh mal, in unserem Land herrscht momentan ein ziemlich lästiges Arbeitslosenproblem, und diese Aktion wird für gescheite junge Männer und Frauen eine große Anzahl von Positionen im Geheimdienst frei machen.«

Hel schüttelte den Kopf. »Fred, du bist wirklich ein hartgesottenes altes Fossil!«

»Mit der Zeit kriegt sogar die Seele eine Hornhaut. Willst du wirklich keinen Abschiedsdrink?«

Fünfter Teil • Shicho

CHATEAU D'ETCHEBAR

Seine Muskeln entspannten sich im kochend heißen Wasser, sein Körper wurde schwerelos, und Hel döste träumerisch vor sich hin, während er Hanas Füße locker mit den seinen umschloss. Es war ein kühler Tag für die Jahreszeit. Dichter, wogender Dampf füllte das kleine Badehaus.

»Du warst sehr müde, als du gestern Abend nach Hause kamst«, sagte Hana nach einem längeren schläfrigen Schweigen.

»Soll das eine Kritik sein?«, murmelte er, ohne die Lippen zu bewegen.

Sie lachte ein wenig. »Im Gegenteil. Müdigkeit ist bei unseren Spielen höchstens von Vorteil.«

»Da hast du Recht.«

»War deine Reise … erfolgreich?«

Er nickte.

Sie zeigte, was seine Angelegenheiten betraf, niemals Neugier; das verbot ihre Erziehung, doch die hatte sie andererseits auch gelehrt, ihm stets Gelegenheit zu verschaffen, von seiner Arbeit zu sprechen, falls er dazu Lust hatte. »Und deine Geschäfte? Waren es die gleichen wie damals, als wir uns in China kennenlernten?«

»Dasselbe Genre, aber eine andere Kategorie.«

»Und diese unangenehmen Männer, die uns hier besucht haben – hatten die auch damit zu tun?«

»Sie waren nicht an Ort und Stelle, aber sie waren der

Feind.« Sein Ton änderte sich. »Hör zu, Hana. Ich möchte, dass du Urlaub machst. Geh für ein paar Wochen nach Paris oder ans Mittelmeer.«

»Erst zehn Stunden wieder zu Hause, und schon willst du mich loswerden?«

»Es könnte mit diesen ›unangenehmen Männern‹, wie du sie nennst, Ärger geben. Und ich will dich in Sicherheit wissen. Außerdem«, er lächelte, »könntest du wahrscheinlich die Würze von ein oder zwei kräftigen jungen Burschen gebrauchen.«

»Und was ist mit dir?«

»Ach, ich werde für den Feind praktisch unerreichbar sein. Ich gehe in die Berge und arbeite in der Höhle, die Beñat und ich entdeckt haben. Dort werden sie mich bestimmt nicht finden.«

»Wann soll ich abreisen, Nikko?«

»Heute noch. Sobald du kannst.«

»Und du meinst nicht, dass ich hier, unter dem Schutz unserer Freunde aus den Bergen, in Sicherheit bin?«

»Diese Kette ist gerissen. Der kleinen Miss Stern ist etwas zugestoßen. Jemand hat uns verraten.«

»Ich verstehe.« Sie drückte seinen Fuß zwischen den ihren. »Sei vorsichtig, Nikko.«

Das Wasser war so weit abgekühlt, dass behutsame Bewegungen möglich waren, und Hel schöpfte sich mit den Fingern Wellen heißeren Wassers über den Bauch. »Hana? Du sagtest neulich, du könntest das Thema Heirat nicht mehr aufs Tapet bringen, und ich antwortete darauf, dass ich es könnte und es auch tun würde. Jetzt ist es so weit.«

Lächelnd schüttelte sie den Kopf. »Ich habe während der letzten Tage lange darüber nachgedacht, Nikko. Nein, keine Ehe. Das wäre zu albern für Menschen wie dich und mich.«

»Also willst du fort von hier?«

»Nein.«

»Was dann?«

»Ich möchte gar keine Pläne machen! Leben wir einfach jeweils nur für einen Monat zusammen, ja? Vielleicht für immer – aber wir wollen jeweils nur für einen Monat planen. Wäre dir das recht, Nikko?«

Er lächelte und schob seine Füße zwischen die ihren. »Ich habe dich sehr gern, Hana.«

»Ich habe dich sehr gern, Nikolai.«

»Bei den skeptischen Eiern des ungläubigen Thomas! Was geht hier vor?« Le Cagot hatte die Tür zur Badestube aufgerissen und ließ beim Eintreten unwillkommene kühle Luft herein. »Fabriziert ihr beide euer privates Whiteout? Schön, dass du wieder da bist, Niko! Du musst dich einsam gefühlt haben ohne mich.« Er lehnte sich an den großen Holzzuber und stützte das Kinn auf den Rand. »Und dich wiederzusehen, Hana, ist besonders schön. Weißt du, dass ich dich zum ersten Mal ganz erblicke? Ich will ehrlich zu dir sein: Du bist eine begehrenswerte Frau. Und das ist ein großes Lob von dem begehrenswertesten Mann der Welt, also trag es mit Würde.«

»Raus hier!«, knurrte Hel ihn an – nicht, weil ihm seine und Hanas Nacktheit peinlich war, sondern weil Le Cagots Neckereien wirkungslos verpufft wären, wenn er nicht so tat, als schnappte er nach dem Köder.

»Er schreit mich an, um seine Freude über das Wiedersehen zu verbergen, Hana. Ein uralter Trick. Heilige Mutter im Himmel, was hast du für schöne Brüste! Bist du sicher, dass unter deinen Vorfahren nicht auch ein paar Basken waren? He, Niko, wann wollen wir nachsehen, ob es am anderen Ende von Le Cagots Höhle Luft und Licht gibt? Die Pressluftflaschen sind unten, der Taucheranzug – alles bereit.«

»Von mir aus können wir heute noch aufbrechen.«

»Und wann?«

»In zwei Stunden. Und jetzt raus!«

»Gut. Dann bleibt mir noch Zeit für einen Besuch bei eurem portugiesischen Küchenmädchen. Also, ich gehe. Und ihr müsst sehen, wie ihr ohne meine Gesellschaft zurechtkommt.« Er knallte die Tür so energisch hinter sich zu, dass der Dampf wild durcheinanderwirbelte.

Sie liebten sich und frühstückten miteinander, und dann begann Hana ihre Koffer zu packen. Sie hatte beschlossen, nach Paris zu reisen, weil die Pariser Bourgeoisie Ende August noch Urlaub machte und die Stadt deshalb auf angenehme Weise leer sein würde.

Hel werkelte eine Zeit lang im Garten, der nach seiner Abwesenheit ein bisschen ungepflegt wirkte. Hier fand ihn Pierre.

»Ah, M'sieur, die Wetterzeichen sind ganz durcheinander.«

»Wirklich?«

»Wirklich. Es regnet seit zwei Tagen, und jetzt kann weder der Ostwind noch der Nordwind die Oberhand gewinnen, und was das zu bedeuten hat, wissen Sie ja.«

»Nein, aber Sie werden es mir zweifellos sofort erklären.«

»Es wird gefährlich sein im Gebirge, M'sieur, nebelig. Jetzt ist die Zeit der Milchsuppe.«

»Sind Sie sicher?«

Pierre tippte sich mit dem Zeigefinger an die bläulich schimmernde Säufernase, eine Geste, die besagen sollte, es gäbe Dinge zwischen Himmel und Erde, die nur ein Baske mit Sicherheit wissen könnte, und eines davon sei das morgige Wetter.

Hel zog aus Pierres Versicherungen einigen Trost. Wenigstens würden sie sich bestimmt nicht mit einem Whiteout herumschlagen müssen.

Der Volvo rollte auf den Dorfplatz von Larrau, wo sie die jungen Basken abholen wollten, die die Pedalwinde bedienten. Sie parkten vor dem Café der Witwe, während eines der Kinder, die an der Kirchenmauer *pala* spielten, herübergelaufen kam und Hel den Freundschaftsdienst erwies, der Kühlerhaube des Wagens mit seinem Stock einen kräftigen Hieb zu versetzen, wie er es von ihm schon so oft gesehen hatte. Hel dankte dem Jungen und folgte Le Cagot ins Café.

»Warum hast du deine *makila* mitgenommen, Beñat?« Er bemerkte erst jetzt, dass Le Cagot seinen alten baskischen Stockdegen unter den Arm geklemmt hatte.

»Weil ich mir geschworen habe, ihn so lange bei mir zu tragen, bis ich den Schurken gefunden habe, der das arme kleine Mädchen verraten hat. Und dann werde ich, bei den säuglingsmordenden Eiern des Herodes, seine Brust damit durchlöchern. Komm, trinken wir einen mit der Witwe! Ich werde ihr eine Freude machen und ihr die Hand aufs Hinterteil legen.«

Die jungen Basken, die schon seit dem Morgen auf sie warteten, gesellten sich zu ihnen und diskutierten eifrig bei einem Glas Wein die Frage, ob es M'sieur Hel wohl gelingen würde, durch den unterirdischen Fluss ans Tageslicht hinauszuschwimmen. Sobald diese Exkursion erfolgreich abgeschlossen war, sollte das Höhlensystem offiziell als entdeckt gemeldet werden. Und dann konnten sie endlich selbst hinabsteigen und – was noch wichtiger war – später ausführlich davon berichten.

Zweimal schob die Witwe Le Cagots Hand fort; dann hatte sie ihre Tugendhaftigkeit deutlich genug demonstriert und ließ ihn ihre breite Kehrseite tätscheln, während sie neben dem Tisch stehen blieb und dafür sorgte, dass sein Glas stets gefüllt war.

Kurz darauf öffnete sich im Hintergrund die Tür zur Toilette, und Pater Xavier betrat die niedrige Bar; seine Augen glänzten vom stärkenden Wein und der Ekstase des Fanatismus.

»Nun?«, wandte er sich an die jungen Basken. »Sitzt ihr jetzt schon mit diesem Ausländer und seinem unzüchtigen

Freund zusammen? Trinkt ihren Wein und lauscht ihren Lügen?«

»Sie müssen sich heute Morgen aber einen reichlich großen Schluck von Seinem Blut genehmigt haben, Pater Esteka«, erwiderte Le Cagot. »Sie haben ja wirklich ein Quäntchen Courage geschluckt.«

Pater Xavier fauchte etwas Unverständliches vor sich hin und ließ sich an einem Tisch am anderen Ende des Raumes nieder.

»Holá!«, fuhr Le Cagot fort. »Wenn Ihr Mut gar so groß ist, warum kommen Sie dann nicht mit uns in die Berge hinauf, he? Wir werden in ein unergründliches Loch hinabsteigen, aus dem es keinen Ausgang gibt. Ein kleiner Vorgeschmack auf die Hölle für Sie – damit Sie sich daran gewöhnen.«

»Lass ihn«, ermahnte Hel den Freund leise. »Soll dieser lächerliche Bastard doch im eigenen Hass schmoren.«

»Gottes Auge ist überall!«, fauchte der Priester und funkelte Hel wütend an. »Seinem Zorn entgeht niemand.«

»Halt den Mund, Betschwester!«, sagte Le Cagot. »Sonst kriegst du meine *makila* dorthin, wo es dem Bischof peinlich wäre!«

Hel legte ihm beschwichtigend die Hand auf den Arm. Dann tranken sie ihren Wein aus und gingen.

GOUFFRE PORTE-DE-LARRAU

Hel hockte auf der flachen Steinplatte, die ihr Basislager neben dem Geröllkegel begrenzte, und schaltete die Helmlampe ab, um die Batterien zu schonen. Er lauschte übers Feldtelefon auf Le Cagots niemals abreißenden Strom von Geplauder, Geschimpfe und Gesang, mit dem er beim Herabklettern die beiden jungen Basken oben an der Pedalwinde anfeuerte und unterhielt. Am unteren Ende des Korkenziehers machte er eine Atempause, bevor er sich in Le Cagots Höhle und hinunter in den Wasserfall abseilen ließ, wo er dann, sich ständig drehend, hängen bleiben musste, während die beiden Helfer oben das Seil abklemmten und die Trommeln auswechselten.

Nachdem er ihnen befohlen hatte, sich zu beeilen und ihn nicht ewig dort baumeln zu lassen wie Christus am Kreuz, wenn er nicht hinaufkommen und ihnen beträchtlichen körperlichen Schaden zufügen sollte, rief er: »Achtung, Niko – ich komme runter!«

»Ist ja auch die Richtung, in der die Schwerkraft wirkt«, bemerkte Hel, der Ausschau hielt nach dem Licht von Le Cagots Helmlampe, das durch den Nebel des Wasserfalls auftauchen musste.

Ein paar Meter unterhalb der Erweiterung des Schachtes zur Höhle wurde das Seil angehalten, und der Baske am Telefon erklärte, sie müssten jetzt die Trommeln auswechseln.

»Beeilt euch ein bisschen!«, forderte Le Cagot. »Diese eiskalte Dusche tut meiner Männlichkeit Abbruch.«

Hel dachte gerade über das Problem nach, wie sie die schwere Pressluftflasche bis in den Weinkeller am Ende des Höhlensystems schaffen sollten, und war froh, dass er sich dabei auf Le Cagots Stierkräfte verlassen konnte, als ein erstickter Ruf durch die Telefonleitung kam. Gleich darauf ertönte ein scharfer Knall. Seine erste Reaktion war der Gedanke, es müsse etwas gerissen sein. Ein Seil? Das Dreibein? Instinktiv versteifte sich sein Körper in kinästhetischem Mitgefühl für Le Cagot. Zwei weitere kurze Explosionen. Schüsse!

Dann Stille.

Hel sah, durch die Gischt des Wasserfalls verzerrt, Le Cagots Lampe jedes Mal aufblitzen, wenn sich der Freund langsam am Ende des Seils drehte.

»Was zum Teufel ist da los?«, erkundigte sich Le Cagot durchs Telefon.

»Keine Ahnung.«

Jetzt kam eine dünne, ferne Stimme über den Draht. »Ich habe Sie gewarnt, Mr. Hel. Ich habe Ihnen geraten, sich aus dieser Sache rauszuhalten.«

»Diamond?«, fragte Hel überflüssigerweise.

»Ganz recht. Der Kaufmann. Der, der es nicht wagen würde, Ihnen Auge in Auge gegenüberzutreten.«

»Nennen Sie das Auge in Auge?«

»Nah genug ist es.«

Le Cagots Stimme klang durch den furchtbaren Druck auf Brust und Zwerchfell, den das Hängen in den Gurten verursachte, halb erstickt.

»Was ist da los?«

»Diamond?« Hel zwang sich zur Ruhe. »Was ist mit den Jungens an der Winde?«

»Beide tot.«

»Aha. Hören Sie. Ich bin es doch, den Sie wollen, nicht wahr? Und ich befinde mich unten in der Höhle – nicht am Seil. Der da am Seil hängt, das ist mein Freund. Ich kann Ihnen erklären, wie Sie ihn runterlassen müssen.«

»Wie käme ich dazu?«

Im Hintergrund hörte Hel Darryl Starrs Stimme. »Das ist der Scheißkerl, der mir die Kanone abgenommen hat. Lassen Sie den bloß hängen. Soll er sich bis in alle Ewigkeit da unten weiterdrehen, das Schwein!«

Dann ertönte ein kindisches Kichern: der PLO-Clown, den sie Haman nannten.

»Wie kommen Sie darauf, dass ich mich in Ihre Angelegenheiten eingemischt habe?«, fragte Hel im Plauderton, obgleich er fieberhaft Zeit zum Nachdenken zu gewinnen suchte.

»Die Muttergesellschaft hat ihre Spione auch ganz in der Nähe unserer englischen Freunde – nur um sich ihrer absoluten Loyalität zu versichern. Ich glaube, Sie haben unsere Miss Biffen kennengelernt, Sie wissen doch, das junge Fotomodell?«

»Wenn ich hier rauskomme, Diamond …«

»Sparen Sie sich den Atem, Hel. Zufällig weiß ich, dass Sie in ›einem unergründlichen Loch‹ stecken, ›aus dem es keinen Ausweg gibt‹.«

Hel atmete tief durch. Genau das waren Le Cagots Worte nachmittags im Café der Witwe gewesen.

»Ich habe Sie gewarnt«, fuhr Diamond fort, »dass wir einen Gegenschlag von einer Intensität führen würden, die die sadistischen Neigungen unserer arabischen Freunde befriedigt. Sie werden schön langsam sterben, und das wird unseren Verbündeten Genugtuung verschaffen. Übrigens habe ich auch für ein anschauliches Mahnmal Ihrer Bestrafung gesorgt. Ihr kostbares Château? Vor anderthalb Stunden hat es aufgehört zu existieren.«

»Diamond …« Hel wusste eigentlich gar nichts zu sagen, aber er wollte Diamond am anderen Ende der Leitung ein bisschen festhalten. »Le Cagot bedeutet Ihnen nichts. Warum wollen Sie ihn da hängen lassen?«

»Weil es eine Beigabe ist, die unsere arabischen Freunde belustigen wird.«

»Hören Sie, Diamond – es werden bald andere Männer kommen, um die beiden oben abzulösen. Sie werden uns finden und herausholen.«

»Das ist nicht wahr. Das ist sogar eine enttäuschend plumpe Lüge. Aber um jeder Möglichkeit, dass jemand zufällig auf den Tatort stößt, zuvorzukommen, werde ich Leute raufschicken, die Ihre Baskenfreunde hier oben begraben, den ganzen Kram abmontieren und Felsbrocken über das Loch wälzen, um den Einstieg zu verdecken. Das sage ich Ihnen aus reiner Menschenfreundlichkeit, damit Sie sich keine falschen Hoffnungen machen.«

Hel antwortete nicht.

»Wissen Sie noch, wie mein Bruder aussah, Hel?«

»Vage.«

»Gut. Vergessen Sie's nicht.«

Es knackte in den Kopfhörern, die oben abgenommen und achtlos beiseitegeworfen wurden.

»Diamond? Diamond?« Hel umklammerte die Telefonleitung mit den Fingern. Aber das einzige Geräusch war jetzt Le Cagots mühsames Atmen.

Hel schaltete seine Helmlampe und die mit der Batterie verbundene Zehnwattbirne an, damit Le Cagot unter sich etwas sehen konnte und sich nicht so verlassen fühlte.

»Na, was sagst du dazu, alter Freund?«, kam Le Cagots halberstickte Stimme über die Leitung. »Nicht gerade der Exitus, den ich für diese malerische Erscheinung, die ich für mich erfunden habe, gewählt hätte.«

Einen verzweifelten Augenblick lang erwog Hel den Versuch, an den Felswänden emporzuklettern, vielleicht sogar bis über Le Cagots Position hinaus, und ein Seil zu ihm hinabzulassen.

Unmöglich! Es würde Stunden dauern, bis er mit Bohrer und Expansionshaken diese glatte überhängende Wand bewältigt hätte, und Le Cagot wäre schon längst tot, erstickt in den Gurten, die ihm schon jetzt die Luft aus den Lungen pressten.

Konnte Le Cagot sich vielleicht der Gurte entledigen und am Seil bis zum Einstieg in den Korkenzieher hinaufklettern? Doch es war sehr unwahrscheinlich, dass er es von dort aus unangeseilt bis an die Oberfläche schaffte.

Er unterbreitete Beñat trotzdem den Vorschlag per Telefon.

Le Cagots Stimme war nur noch ein heiseres Flüstern. »Kann nicht ... Rippen ... Wassergewicht ...«

»Beñat!«

»Um Gottes willen, was ist denn?«

Hel war eine letzte Möglichkeit eingefallen: das Telefonkabel. Es war zwar nicht fest verankert, und die Chance, dass es das Gewicht eines Mannes aushielt, war gering; aber es bestand die winzige Hoffnung, dass es sich oben irgendwo verfangen, vielleicht in das Kletterseil verheddert hatte.

»Beñat? Kommst du an das Telefonkabel? Kannst du deine Gurte durchschneiden?«

Le Cagot hatte keine Luft mehr zum Antworten, doch an den Vibrationen des Telefonkabels erkannte Hel, dass er seinen Anweisungen zu folgen versuchte. Eine Minute verging. Zwei. Hoch unter dem Höhlendach tanzte das verschwommene Licht der Helmlampe. Le Cagot klammerte sich ans Telefonkabel, säbelte mit letzter Kraft, am Rande der Bewusstlosigkeit, an den Haltegurten herum.

Er packte das nasse Telefonkabel, so fest er konnte, und durchtrennte den letzten Gurt. Sein Gewicht zerrte am Kabel – und riss es ab.

»Jesus!«, schrie er.

Seine Helmlampe kam auf Hel zugestürzt. Das Kabel ringelte sich zu Hels Füßen. Mit dumpfem Klatschen schlug Le Cagots Körper an der Kuppe des Geröllkegels auf, prallte ab, rollte inmitten einer Lawine von Steinen und Schutt weiter und blieb keine zehn Meter von Hel entfernt mit dem Kopf nach unten liegen.

»Beñat!«

Hel eilte zu ihm. Er war nicht tot. Der Brustkorb war eingedrückt; in keuchenden Stößen drang blutiger Schaum aus seinem Mund. Der Helm hatte zwar den ersten Aufprall abgefangen, sich aber dann gelöst. Le Cagot blutete aus Nase und Ohren. Da er mit dem Kopf nach unten hing, erstickte er an seinem eigenen Blut.

So behutsam wie möglich hob Hel Le Cagots Oberkörper an und bettete ihn bequemer. Es spielte keine Rolle mehr, ob er ihm durch die Bewegung schadete; der Mann lag im Sterben. Hel verfluchte die unverwüstliche baskische Konstitution, die seinem Freund eine schnelle Erlösung durch den Tod verwehrte.

Le Cagots Atem ging hastig und flach; seine offenen Augen weiteten sich unnatürlich. Er hustete – eine Bewegung, die ihm unerträgliche Schmerzen bereitete.

Hel streichelte die blutbenetzte bärtige Wange.

»Wie ...« Le Cagot erstickte fast an dem Wort.

»Still, Beñat. Nicht sprechen.«

»Wie ... sehe ich aus?«

»Großartig.«

»Hat es mein Gesicht nicht erwischt?«

»Du bist schön wie ein junger Gott.«

»Gut.« Eine Schmerzwelle durchlief seinen Körper, und Le Cagot biss die Zähne zusammen. Einige waren beim Sturz herausgebrochen.

»Der Priester ...«

»Ruhe, mein Freund. Wehr dich nicht.«

»Der Priester!« Der blutige Schaum an den Mundwinkeln verdickte sich schon.

»Ich weiß.« Diamond hatte Le Cagots Beschreibung der Höhle als unergründliches Loch zitiert. Der Einzige, der sie gehört haben konnte, war der Fanatiker, Pater Xavier. Und er musste es auch gewesen sein, der Hannahs Versteck verraten hatte. Seine Informationsquelle, sein Fat Boy, war der Beichtstuhl.

Endlose drei Minuten lang waren Le Cagots gurgelnde Atemzüge das einzige Geräusch in der Höhle. Das Blut, das aus seinen Ohren quoll, begann zu gerinnen.

»Niko?«

»Still. Ruh dich aus.«

»Wie sehe ich aus?«

»Fabelhaft, Beñat.«

Plötzlich versteifte sich Le Cagots Körper, und tief aus seiner Kehle drang ein dünnes Winseln. »Jesus!«

»Schmerzen?«, fragte Hel hilflos, weil er nicht wusste, was er sagen sollte.

Der Anfall ging vorüber, und Le Cagots Körper schien in sich zusammenzufallen. Er schluckte Blut und würgte hervor: »Was hast du gefragt?«

»Ob du Schmerzen hast?«, wiederholte Hel.

»Nein ... danke ... Ich habe alles, was ich brauche.«

»Dummkopf!«, sagte Hel leise.

»Aber nicht schlecht für einen Abgang.«

»Nein, wahrhaftig nicht schlecht.«

»Ich wette, du findest bestimmt keinen so guten, wenn du gehen musst.«

Hel kniff beide Augen fest zu, um die Tränen zurückzuhalten, während er seinem Freund unablässig die Wange streichelte.

Le Cagots Atem stockte und riss ab. Seine Beine zuckten krampfhaft. Dann kehrte der Atem wieder, ein hastiges Keuchen tief in der Kehle. Sein zerschmetterter Körper zuckte in einem letzten wahnsinnigen Schmerz, und er rief laut: »Ah! Bei den vier Eiern von Jesus, Maria und Joseph ...«

Hellrotes Lungenblut schoss aus seinem Mund, und er war tot.

Hel stöhnte vor Erleichterung, als er die schmerzhaft einschneidenden Gurte der Pressluftflasche abstreifte und diese in eine Spalte zwischen zwei schroffen Felsplatten klemmte, die von der Decke der Steigenden Höhle gestürzt waren. Er ließ sich, das Kinn auf der Brust, zu Boden sinken, während er in zitternden Zügen ein- und dann so tief ausatmete, dass es in seiner Lunge stach und er husten musste. Trotz der feuchten Kälte in der Höhle rann ihm der Schweiß aus den Haaren. Er kreuzte die Arme vor der Brust und betastete vorsichtig die wunden Striemen auf seinen Schultern, wo die Pressluftflasche trotz der drei Pullover unter dem Fallschirmspringeranzug die Haut aufgescheuert hatte. Eine Pressluftflasche ist eine unbequeme Last bei engen Durchgängen und schwierigen Kletterpartien. Zurrt man sie fest, behindert sie die Bewegungen und lässt Arme und Finger absterben; sitzt sie zu lose, scheuert sie die Haut auf, schwingt hin und her und stört auf gefährliche Weise das Gleichgewicht.

Als sein Atem wieder ruhig ging, trank er einen großen Schluck mit Wasser verdünnten Wein aus seinem *xahako,* dann streckte er sich auf einer Felsplatte aus, ohne erst den Helm abzunehmen. Er hatte so wenig Gepäck wie möglich: die Pressluftflasche, so viel Seil, wie er tragen konnte, den nötigsten Vorrat an Eisenhaken, zwei Fackeln, seinen *xahako,* die Tauchermaske in einem gummierten Beutel, der außerdem eine wasserdichte Stablampe enthielt, und eine Tüte Traubenzuckerwürfel für schnelle Energiezufuhr. Doch selbst diese allernotwendigste Last war für seinen Körper zu viel. Er war es gewöhnt, unbeschwert durch Höhlen zu klettern, frei zu führen und sich mit möglichst wenigen Dingen zu belasten, während der bärenstarke Le Cagot den Großteil ihrer Ausrüstung schleppte. Jetzt fehlte ihm die Kraft des Freundes; und es fehlte ihm die emotionale Unterstützung durch den ununterbrochenen Fluss seiner Späße, Schimpfkanonaden und Lieder.

Jetzt war er ganz allein. Seine Kraftreserven waren verbraucht, seine Hände zerfetzt und steif. Der Gedanke an Schlaf war köstlich, verführerisch ... tödlich. Wenn er einschlief, das wusste er, würde die Kälte in ihn hineinkriechen, die angenehme narkotisierende Kälte. Nur nicht einschlafen! Schlaf ist Tod. Ausruhen, aber ohne die Augen zu schließen. Die Augen schließen, aber ohne einzuschlafen. Nein! Nur nicht die Augen schließen! Seine Brauen stiegen empor, so sehr strengte er sich an, die Lider nicht über die müden Augen sinken zu lassen. Nicht einschlafen! Nur einen Moment ausruhen. Nicht einschlafen. Nur einen Moment die Augen schließen. Nur die Augen ... schließen ...

Er hatte Le Cagot neben dem Geröllhaufen liegen lassen, wo er gestorben war. Es war nicht nötig, ihn zu begraben; die ganze Höhle würde nun, da Diamonds Leute Steine über die Öffnung gewälzt hatten, ein riesiges Mausoleum sein. Le Cagot würde auf ewig im Herzen seiner baskischen Berge ruhen.

Als das Blut endlich zu fließen aufhörte, hatte Hel ihm sanft das Gesicht abgewischt und ihn mit einem Schlafsack zugedeckt.

Anschließend hatte er sich neben den Leichnam gehockt, sich in eine mitteltiefe Meditation zu versenken und seine aufgewühlten Gefühle zu bezähmen gesucht. Er hatte zwar nur flüchtige Sekunden inneren Friedens erreicht, doch als er sich in die Gegenwart zurückholte, war er frisch genug, um seine Situation zu überdenken. Die Entscheidung fiel nicht schwer; eine Alternative gab es nicht. Die Chance, dass er es allein und viel zu schwer bepackt diesen langen Schacht entlang, um Hels Felsnase herum, durch das Gewirr der Steigenden Höhle, durch den Wasserfall bis in die Kristallhöhle, dann diese ekelhafte Mergelrinne hinunter bis in den Weinkeller schaffte – die Chance, dass er all diese Hindernisse ohne Le Cagots Sicherung und Hilfe überwinden konnte, war gering. Aber es war eine Art Pascalscher Wette. So gering die Chance auch war, seine einzige Hoffnung lag in diesem Versuch. Er würde jetzt noch keinen Gedanken an die Aufgabe verschwenden, durch das Schlundloch am Grund des Weinkellers schwimmen zu müssen, diesen Abfluss, durch den das Wasser mit solcher Wucht schoss, dass es die Oberfläche des Teiches glättete und in eine leichte Krümmung zog. Er würde ein Problem nach dem anderen angehen.

Die Überwindung von Hels Felsnase hätte seinem Unternehmen beinahe ein Ende gesetzt. Er hatte ein Seil an die Pressluftflasche geknüpft und sie vorsichtig auf den schmalen Sims gelegt, der parallel zu dem durch den keilförmigen Einschnitt dahinströmenden Fluss verlief; dann war er die Felsnase mit einem anstrengenden Absatz-Schulter-Stemmschluss angegangen, hatte sich fast in voller Länge zurückgelegt, die

Knie vor Anstrengung zitternd, während das zusätzliche Gewicht des wie ein Bandelier kreuzweise über seine Brust geschlungenen Seils seinen Körper herabzuziehen drohte. Als das Hindernis überwunden war, stand er vor der Aufgabe, die Pressluftflasche nachzuholen. Und es gab keinen Le Cagot, der ihm das Seil nachreichte. Es blieb ihm nichts anderes übrig, als am Seil zu ziehen, bis die Flasche ins Wasser fiel, und, wenn sie auf dem Grund des Flusses aufschlug, das Seil möglichst rasch wieder einzuholen. Aber er war nicht schnell genug; die Flasche schoss unter Wasser an ihm vorbei und wurde mit dem zuckenden, tanzenden Seil weitergetrieben. Er hatte keinen Sicherungspunkt; als sich das Seil plötzlich spannte, wurde er von dem schmalen Sims gerissen. Aber er durfte nicht loslassen! Die Flasche zu verlieren hieß alles verlieren. Breitbeinig überspannte er den schmalen Einschnitt, einen Stiefel auf dem Sims, die Stollen des anderen flach gegen die glatte Wand gegenüber gestemmt, an der es auch nicht die Spur eines Fußhaltes gab. Er brauchte die ganze Kraft seiner Beine, um sich in dieser Stellung halten zu können; die Sehnen an seinem Schritt standen wie Stricke hervor, weit überdehnt und exponiert. Das Seil lief rasend schnell durch seine Hände. Er biss die Zähne zusammen und schloss die Fäuste um die Leine. Ein heißer Schmerz durchzuckte ihn, als seine Handflächen die Reibung des nassen Seils aufnahmen, das sofort tief in sie einschnitt. Hinter seinen Fäusten rann Wasser, vor ihnen Blut. Um den Schmerz verkraften zu können, brüllte er so laut los, dass sein Schrei durch die enge Schlucht hallte. Doch niemand hörte ihn.

Die Flasche kam zum Stillstand!

Gegen den Strom zog er sie Hand über Hand zu sich heran, das Seil wie geschmolzenes Eisen in seinen wunden Handflächen, die Sehnen in seinem Schritt verkrampft und pochend. Als seine Rechte die Gurte der Flasche berührte, zog er sie zu sich herauf und hängte sie sich um den Hals. Mit diesem Gewicht auf der Brust war es freilich mehr als riskant, sich auf den Sims zurückzuschwingen. Zweimal stieß er sich von der glatten Wand ab, zweimal schwankte er, fiel wieder zurück und fing sich mit der flachen Schuhsohle ab, während sein Schritt sich anfühlte, als würde er reißen. Beim dritten Versuch schaffte er es und stand keuchend an die Wand gelehnt, nur die Absätze auf dem Sims, die Zehen über den tosenden Strom hinausragend.

Er schleppte sich zu der nicht weit entfernten Geröllwand hinüber, die den Weg in die Steigende Höhle versperrte, und sank erschöpft, die Flasche vor der Brust, in den Handflächen rasenden Schmerz, in der Ecke zu Boden.

Lange durfte er hier nicht bleiben. Sonst würden seine Hände steif werden, und er könnte sie nicht mehr gebrauchen.

Er hievte sich die Flasche wieder auf den Rücken und überprüfte Verschlüsse und Sichtscheibe der Maske. Wenn die beschädigt wurden, war es aus. Doch die Maske hatte die Stöße der Flasche wie durch ein Wunder überstanden. Nun begann er die mühselige Kletterpartie über die Ecke der Geröllwand, unter der der Fluss verschwunden war. Wie zuvor, fand er zwar auch diesmal zahlreiche Hand- und Fußhalte, aber es handelte sich um poröses, morsches Gestein, von dem ganze Brocken unter seinen Händen abbrachen, während die Steinsplitter sich tief in seine wunden Handflächen gruben. Das Herz klopfte ihm krampfartig in der Brust und drückte Stöße von Blut in seine Schläfen. Als er es schließlich bis zu dem flachen Sims zwischen zwei einander stützenden Felsplatten geschafft hatte, dem Schlüsselloch zur Steigenden Höhle, legte er sich flach auf den Bauch und ruhte sich aus, die Wange auf die Steine gepresst, während der Speichel ihm aus den Mundwinkeln rann.

Er fluchte, weil er sich zu lange ausgeruht hatte. Seine Handflächen wurden klebrig vom Wundwasser und krümmten sich klauenartig wie Hummerscheren. Er rappelte sich auf, blieb stehen, und langsam öffnete und schloss er seine

Hände, um so die Kruste des Schmerzes zu durchbrechen, bis sie wieder beweglich waren.

Eine nicht messbare Zeit lang stolperte er durch die Steigende Höhle, tastete sich um hausgroße Felsbrocken herum, neben denen er wie ein Zwerg wirkte, drückte sich zwischen einander stützenden Felsplatten hindurch – jüngster Verbruch aus dem zerklüfteten Höhlendach weit über der Reichweite seiner Helmlampe –, schob sich vorsichtig über gefährlich hängendes Gestein, das schon längst der Schwerkraft nachgegeben hätte, wäre es der Erosion der Außenwelt ausgesetzt gewesen. Nach dem Fluss konnte er sich jetzt nicht richten, denn der verlor sich tief unter dem Chaos des Verbruchs, aufgelöst in Tausende von Rinnsalen, die sich einen Weg über den Schieferboden der Höhle suchten. Dreimal verlor er vor Ermattung und Müdigkeit die Richtung, und das Furchtbare daran war, dass er mit blindem Herumstolpern kostbare Energie verschwendete. Jedes Mal zwang er sich, stehen zu bleiben und sich zu beruhigen, bis ihm sein Proximitätssinn den Weg zum nächsten Durchgang wies.

Endlich aber gab es ein Geräusch, nach dem er sich richten konnte. Als er sich dem Ende der Steigenden Höhle näherte, vereinten sich die Wasserrinnsale tief unten wieder, und er wurde sich ganz allmählich des Rauschens und Donnerns bewusst, das der große Wasserfall verursachte, der in die Kristallhöhle hinabstürzte. Vor ihm senkte sich die Höhlendecke und vereinte sich mit einer Sperrmauer aus zerklüftetem frischem Verbruch. Diese Wand emporzuklettern, durch das irrwitzige Netzwerk der Risse und Kamine, dann wieder auf der anderen Seite hinab durch den tosenden Wasserfall, und das alles, ohne von Le Cagot gesichert zu werden – das war der gefährlichste und schwierigste Teil des Unternehmens. Davor musste er sich ausruhen.

Hier hatte Hel die Gurte seiner Pressluftflasche abgestreift und sich schwer auf einen Stein niedergelassen, das Kinn auf die Brust gepresst, nach Atem ringend, während der Schweiß ihm aus den Haaren in die Augen rann.

Er hatte einen großen Schluck aus seinem *xahako* getrunken und sich dann lang auf der Felsplatte ausgestreckt.

Sein ganzer Körper schrie nach Ruhe. Aber er durfte nicht einschlafen. Schlaf ist Tod. Nur einen Moment ausruhen. Nicht einschlafen. Nur einen Moment die Augen schließen. Nur die Augen ... schließen ...

»Ahh!« Er fuhr hoch, aus dem leichten qualvollen Schlaf gerissen durch das Bild von Le Cagots Helmlampe, die von der Höhlendecke auf ihn herabgestürzt kam. Er richtete sich auf, fröstelnd und schwitzend zugleich. Der Schlaf hatte ihm keine Erholung gebracht; in seinem Körper akkumulierten sich die Giftstoffe der Müdigkeit, seine Hände glichen zwei steifen Paddeln, seine Schultermuskeln hatten sich verknotet, seine Kehle war von der Übelkeit wiederholter Adrenalinschocks zugeschnürt.

Er saß in sich zusammengesunken da; es war ihm gleichgültig, ob er jetzt weiterging oder nicht. Doch dann brach zum ersten Mal die furchtbare Bedeutung dessen, was Diamond am Feldtelefon gesagt hatte, über ihn herein. Sein Château existierte nicht mehr? Was hatten sie damit gemacht? War Hana ihnen entkommen?

Die Sorge um sie und das Bedürfnis, Le Cagot zu rächen, übten auf seinen Körper die gleiche Wirkung aus, wie Nahrung und Ruhe es getan hätten. Er klaubte die letzten Traubenzuckerwürfel aus der Tüte, kaute sie und spülte sie mit dem Rest seines Wasser-Wein-Gemischs herunter. Es würde einige Minuten dauern, bis der Zucker vom Blutstrom aufgenommen wurde. Er biss die Zähne zusammen und begann mit der Aufgabe, seine Hände wieder geschmeidig zu machen, den frischen Schorf aufzubrechen, den stechenden Schmerz der Bewegung zu ertragen.

Als er wieder zupacken konnte, schnallte er sich die Pressluftflasche um und begann die mühselige Kletterpartie den Berg von Verbruch empor, der den Eingang zur Kristallhöhle blockierte. Ihm fiel ein, wie Le Cagot ihm beim letzten Mal gesagt hatte, er solle es ein bisschen weiter links versuchen, weil er genau in seiner Falllinie säße und sich zu wohlfühle, um weiterzurücken.

Zweimal musste er sich aus den Gurten der Pressluftflasche herauskämpfen, während er sich an prekäre Halte klammerte, weil der Spalt, durch den er sich zwängte, sonst zu eng gewesen wäre, wenn er nicht Gefahr laufen wollte, die auf seiner Brust baumelnde Maske zu beschädigen. Jedes Mal achtete er sorgsam darauf, dass die Flasche sicher gelagert war, denn beim Fallen wäre vielleicht der Verschluss beschädigt worden oder gar der Zylinder explodiert, und ohne Sauerstoff hätte er keine Möglichkeit mehr gehabt, die letzte Strecke zu durchschwimmen, so dass die ganze bisherige Mühe und Qual umsonst gewesen wäre.

Als er den schmalen Sims unmittelbar oberhalb des tosenden Wasserfalls erreichte, lenkte er den Strahl seiner Lampe in die Tiefe, aus der feiner Sprühnebel aufstieg und in der windstillen Luft wogte. Er machte nur eben lange genug halt, um wieder ein wenig zu Atem zu kommen und sein rasendes Herz zu beruhigen. Von nun an durfte er sich nicht mehr längere Zeit ausruhen, durfte weder Beinen und Händen Gelegenheit geben, steif zu werden, noch der Angst gestatten, seine Entschlusskraft zu lähmen.

Das ohrenbetäubende Donnern des Wasserfalls und der wirbelnde Sprühnebel schützten seinen Verstand vor jedem Gedanken, der weiter gereicht hätte als bis zu der unmittelbar vor ihm liegenden Aufgabe. Er schob sich den glitschigen, abgeschliffenen Sims entlang, der einst den Abschluss des Wasserfalls gebildet hatte, bis er den Felsvorsprung fand, von dem aus Le Cagot ihn während des ersten Abstiegs vor dem blanken

Vorhang stürzender Wassermassen gesichert hatte. Diesmal würde es keine Sicherung geben. Er ließ sich zentimeterweise hinab und stieß bald auf den ersten Haken, den er damals eingeschlagen hatte; er ließ einen Karabiner einschnappen, verknotete das doppelt geschlungene Seil und wiederholte diesen Prozess bei jedem Haken, um seinen Sturz abzukürzen, sollte er aus der Wand fallen. Aber wieder, wie beim ersten Mal, dauerte es nicht lange, und die Reibung des Seils in den Karabinerhaken erschwerte das Nachziehen und machte es gefährlich, denn die Anstrengung drohte ihn aus den knappen Fuß- und Fingerhalten, die er in der Wand entdeckte, herauszuheben.

Wasser und Seil marterten seine Handflächen, und er klammerte sich immer fester an die Haltegriffe, als wollte er den Schmerz durch absichtliche Übertreibungen bestrafen. Als er an den Punkt gelangte, wo er den Wasservorhang durchbrechen und sich hinter den Fall schwingen musste, entdeckte er, dass er kein Seil mehr nachziehen konnte. Das Gewicht des Wassers auf dem Seil, die Anzahl der Karabiner, durch die es gezogen war, und seine ständig zunehmende Schwäche machten es ihm einfach unmöglich. Er würde das Seil zurücklassen und von hier aus ungesichert weiterklettern müssen. Wie beim letzten Mal streckte er den Arm durch den silbrig schwarzen Wasservorhang, der sich sofort zu einem schweren pulsierenden Armband um sein Handgelenk schloss. Er tastete herum und stieß auf die unsichtbar hinter dem Wasser liegende kleine scharfe Spalte, in die er damals seine Finger gekrallt hatte. Das Tauchen durch den Wasserfall würde diesmal schwieriger sein. Die Pressluftflasche bot dem Wasser eine zusätzliche Angriffsfläche; seine Finger waren wund und gefühllos; und seine letzten Kraftreserven waren erschöpft. Eine einzige glatte Bewegung. Einfach hindurchschwingen. Hinter der Kaskade liegt ein schöner Sims samt einer Ecke mit einem Geröllhaufen, über den man leicht hinabklettern kann. Er holte dreimal ganz tief Luft und schwang sich durch den Wasservorhang.

Die jüngsten Regengüsse hatten den Wasserfall auf das Doppelte anschwellen lassen und ihn auch doppelt so schwer gemacht. Das Gewicht trommelte auf Helm und Schultern und suchte ihm die Flasche vom Rücken zu schlagen. Seine gefühllosen Finger wurden aus der scharfen Spalte gerissen; und er stürzte.

Als Erstes fiel ihm die relative Stille auf. Und dann das Wasser. Er saß hinter dem Fall, am Fuß des Geröllhaufens, und war bis zur Hüfte nass. Möglicherweise war er eine ganze Weile bewusstlos gewesen, aber er hatte keine Vorstellung von der Zeit. In seiner Erinnerung folgten die Ereignisse dicht aufeinander: das Hämmern des Wassers auf Rücken und Flasche; der Schmerz, als seine wunden Finger aus der Spalte gerissen wurden; Geklapper, Lärm, Schmerz, Schock, als er auf dem Geröllhaufen aufschlug und kopfüber hinabkugelte – und dann dieses relative Schweigen und das hüfttiefe Wasser, wo früher nur nasser Fels gewesen war. Die Stille war keine Einbildung; die Sinne hatte es ihm nicht verschlagen. Er hatte ja schon letztes Mal bemerkt, dass der Wasserfall das Tosen zu dämpfen schien, sobald er sich hinter dem Vorhang befand. Aber das Wasser hier? Bedeutete das etwa, dass kürzlich Regen durchgesickert war und den Boden der Kristallhöhle in einen See verwandelt hatte?

War er verletzt? Er bewegte die Beine; sie waren in Ordnung. Die Arme ebenfalls. Seine rechte Schulter war angeknackst. Er konnte sie zwar heben, doch bei der Bewegung spürte er einen knirschenden Schmerz. Wahrscheinlich eine Prellung. Schmerzhaft, aber nicht weiter schlimm. Gerade hatte er entschieden, dass er den Sturz wunderbarerweise unverletzt überstanden hatte, als er sich plötzlich eines merkwürdigen Gefühls bewusst wurde. Seine Zähne standen nicht richtig aufeinander. Der geringste Versuch, den Mund zu öffnen, verursachte ihm solche Pein, dass er spürte, wie ihm die Besinnung schwand. Sein Kiefer war gebrochen.

Die Atemmaske. Hatte sie den Sturz überstanden? Er nahm sie aus dem Gummibeutel und untersuchte sie im Schein seiner Lampe, der immer gelblicher wurde, weil die Batterien allmählich versagten. Die Sichtscheibe war gesprungen.

Es war ein nadelfeiner Riss; das Glas mochte halten, solange die Gummiverbindungsstücke nicht gezerrt oder verdreht wurden. Aber wie groß war die Chance, dass eben das in der reißenden Strömung am Grund des Weinkellers nicht geschah? Verschwindend gering.

Wenn er aufrecht stand, reichte ihm das Wasser bis zur Mitte des Schienbeins. Er watete in die Kristallhöhle hinaus, wo das Wasser tiefer, der eiskalte Dunstschleier hinter ihm dünner wurde.

Eine der beiden Magnesiumfackeln war bei dem Sturz zerbrochen, die zweite ganz mit dem fettigen Pulver überzogen, das sehr sorgfältig abgewischt werden musste, bevor er sie anzünden konnte, damit die Flammen nicht an der Fackel herabliefen und ihm die Hand verbrannten. Er steckte sie an; sie zischte und erblühte zu grellweißem Licht, illuminierte die fernen, mit glitzernden Kristallen besetzten Felswände und hob die Schönheit der Kalkspatrüschen und der schlanken Stalaktiten aus dem Dunkel. Doch diese führten nicht mehr, wie beim letzten Mal, auf stumpfe Stalagmiten hinab. Vielmehr war der Höhlenboden zu einem seichten See geworden, der die niedrigen Speläotheme völlig verdeckte. Seine Befürchtungen hatten sich also bestätigt: Ein kürzlicher Regen hatte dieses tiefer liegende Ende des Höhlensystems überschwemmt; die gesamte Länge der Mergelrinne am anderen Höhlenende lag unter Wasser.

Hels erster Impuls war, aufzugeben, an den Rand der Höhle zu waten und sich einen Sims zu suchen, auf dem er sich ausruhen und in Meditation versenken konnte. Die vor ihm liegende Aufgabe erschien ihm hoffnungslos, die Wahrscheinlichkeit des Scheiterns überwältigend. Anfänglich hatte er gedacht, diese letzte Aufgabe, durch den Weinkeller zum Ausgang zu schwimmen, würde vom psychologischen Standpunkt aus am einfachsten sein. Ohne jede Alternative, das Gewicht und die Ausdehnung des gesamten Höhlensystems hinter sich, würde er die letzte Strecke von der Kraft der Verzweiflung angetrieben werden. Ja, er hatte sogar geglaubt, die Chance, dass er es schaffte, würde größer sein als mit Le Cagots Hilfe, denn mit dessen Sicherung hätte er nur bis zur Hälfte seines Durchhaltevermögens gekämpft, weil er den Rest seiner Energie, sollte der Weg blockiert oder zu lang sein, zur Rückkehr brauchte. So aber, hatte er gehofft, würden seine Chancen sich beinahe verdoppeln, da es für ihn allein durch diese Wassermassen keine Umkehr gab.

Und jetzt stand die Kristallhöhle unter Wasser, und die Strecke, die er durchschwimmen musste, war doppelt so lang. Der Vorteil der Verzweiflung hatte aufgehört zu existieren.

Würde es nicht besser sein, den Tod mit Würde zu erwarten, anstatt sich wie ein panisches Tier gegen das Schicksal zu wehren? Welche Chance blieb ihm denn noch? Die kleinste Kinnbewegung löste einen Schock unerträglichen Schmerzes aus; seine Schulter war steif und knirschte schmerzhaft im Gelenk; seine Handflächen waren zerfetzt; selbst die verdammte Atemmaske würde der Gewalt jener unterirdischen Wasserströmung nicht widerstehen können. Diese Aufgabe war nicht mal ein Vabanquespiel. Es war, als ob man mit dem Schicksal Münzen warf, und das Schicksal setzte jedes Mal sowohl auf Kopf als auch auf Adler. Er konnte also nur gewinnen, wenn die Münze auf dem Rand landete.

Schwerfällig watete er zur Seitenwand der Höhle hinüber, wo Flussspat wie erstarrtes Karamell herabrann. Hier wollte er sitzen bleiben und auf das Ende warten.

Die Fackel verlosch, und die ewige Höhlenfinsternis umschloss seinen Geist mit erdrückendem Gewicht. Lichtfünkchen zuckten – wie winzige Kristallorganismen unter dem

Mikroskop – bei jeder Augenbewegung durch die Dunkelheit. Dann verloschen auch sie, und die Finsternis war vollkommen.

Nichts auf der Welt würde leichter sein, als dem Tod mit Würde, mit *shibumi*, entgegenzusehen.

Und Hana? Und dieser wahnsinnige Dritte-Welt-Priester, der zum Tod von Le Cagot und Hannah Stern beigetragen hatte? Und Diamond?

Ja, ja. Schon gut, verdammt noch mal! Er klemmte die wasserdichte Stablampe zwischen zwei Aragonitvorsprünge und schloss in ihrem Licht die Atemmaske an die Pressluftflasche an. Er stöhnte vor Schmerz, als er die Verschlüsse mit seinen zerfetzten Fingern befestigen musste. Nachdem er die Gurte vorsichtig über seine verletzte Schulter gestreift hatte, öffnete er das Ventil und tropfte etwas Wasser auf die Sichtscheibe, um sie vom Atemdunst zu befreien. Der Druck der Maske auf seinen gebrochenen Kiefer war schmerzhaft, aber einigermaßen erträglich.

Seine Beine waren unversehrt; also würde er schwimmen und die Lampe in die gesunde Hand nehmen. Sobald es tief genug war, glitt er ins Wasser und schwamm – Schwimmen fiel ihm leichter als Waten.

In dem klaren Wasser der Höhle, von keinem Organismus verschmutzt, holte der Schein der Stablampe die Konturen der Felsvorsprünge auf dem Grund ans Licht, so deutlich, als lägen sie in freier Luft. Erst als er sich der Mergelrinne näherte, spürte er den Einfluss der Strömung – eher ein Sog nach vorn als ein Schub von hinten.

Der Wasserdruck verschloss ihm die Ohren, so dass er seinen Atem überlaut in den Höhlungen des Kopfes vernahm.

Als er in die Mergelrinne eindrang, wurde der Sog stärker, und die Macht des Wassers wirbelte seinen Körper auf das tieferliegende Schlundloch des Weinkellers zu. Von hier aus würde er nicht mehr schwimmen können, sondern die Strömung würde ihn tragen, ihn hindurchreißen; seine Kraft musste sich einzig auf die Verlangsamung des Tempos und das Korrigieren der Richtung konzentrieren. Der Sog der Strömung war eine unsichtbare Gewalt; das Wasser enthielt keine Luftblasen, keine Partikel, keine Anhaltspunkte für die Tonnenkraft, die ihn unwiderstehlich gepackt hielt.

Erst als er sich an einem Sims festhalten wollte, um einen Moment zu verschnaufen und sich zu sammeln, bevor er in den Weinkeller eindrang, bekam er die ganze Wucht der Strömung zu spüren. Seine Finger wurden von dem Sims weggerissen, er selbst auf den Rücken geworfen und unaufhaltsam auf das Schlundloch zugetragen. Er versuchte sich umzudrehen, zu rollen, denn wenn er überhaupt eine Chance haben wollte, musste er unbedingt mit den Füßen zuerst in die Abflussröhre hineinkommen. Würde er mit dem Kopf voran gegen ein Hindernis geschleudert, so war dies das Ende.

Unerklärlicherweise ließ der Sog nach, sobald er sich im Schlundloch befand, und er sank, die Füße gegen die dreieckige Röhre unten gerichtet, allmählich dem Grund entgegen. Er holte tief Luft und spannte all seine Nerven, denn er dachte daran, wie die Strömung die Farbtüten damals so schnell davongerissen hatte, dass ihnen das Auge nicht zu folgen vermochte.

Beinahe träge trieb sein Körper zum Grund des Schlundlochs hinab. Das war sein letzter deutlicher Eindruck.

Die Strömung packte ihn, und er schoss in die Röhre hinein. Sein Fuß stieß gegen ein Hindernis; das Bein knickte ab; das Knie schlug ihm vor die Brust; er drehte sich; die Stablampe war verschwunden; er spürte einen Schlag gegen die Wirbelsäule und einen weiteren gegen die Hüfte.

Und dann hing er an einem Blockstein fest. Das Wasser toste an ihm vorbei und zog mit aller Kraft an seinem Körper. Die Maske verfing sich, die Sichtscheibe flog heraus, und die Scherben verletzten ihn im Vorbeiwirbeln am Bein. Aus Angst hatte er bereits mehrere Sekunden die Luft angehalten, doch nun hämmerte die Atemnot in seinen Schläfen. Wasser strömte ihm übers Gesicht und wirbelte in seine Nase hinauf. Es war die verdammte Flasche! Er war hier eingeklemmt, weil die Öffnung zu eng war für Körper und Flasche zusammen! Seine letzten Kräfte auf die rechte Hand konzentriert, packte er das Messer, das ihm die Strömung sofort zu entreißen suchte. Er musste die Flasche loswerden! Das Gewicht der Strömung, die an ihr zerrte, presste die Gurte eisern an seine Schultern. Er konnte die Klinge nicht darunterschieben, sondern musste das Gewebe von oben her direkt auf seiner Brust durchsäbeln. Weißglühender Schmerz.

Sein Puls hämmerte, sein Kopf drohte zu platzen. Seine Kehle rang krampfhaft nach Luft. Fester schneiden! So schneid doch, verdammt noch mal!

Die Flasche war los; als sie fortgerissen wurde, verletzte sie ihm den Fuß. Aber er war wieder in Bewegung, wurde von der Wasserkraft herumgewirbelt. Das Messer war weg. Mit einem grässlichen knirschenden Geräusch schlug etwas auf seinen Hinterkopf. Sein Zwerchfell hob sich, rang nach Luft. Sein Herz hämmerte im Kopf, während er in einem Chaos aus Schaum und Luftblasen kreiste.

Luftblasen … Schaum … Er konnte sehen! Emporschwimmen! Schwimmen!

Sechster Teil • Tsuru no Sugomori

ETCHEBAR

Hel parkte den Volvo auf dem verlassenen Dorfplatz von Etchebar und stieg schwerfällig aus; er vergaß die Tür hinter sich zu schließen und versäumte es sogar, dem Wagen seinen rituellen Schlag zu versetzen. Er atmete tief ein und stieß die Luft ganz langsam aus; dann schritt er die gewundene Straße zu seinem Château hinauf.

Hinter halbgeschlossenen Fensterläden beobachteten ihn die Frauen des Dorfes und ermahnten ihre Kinder, nur nicht draußen zu spielen, solange Monsieur Hel noch in Sicht war. Acht Tage waren vergangen, seit Monsieur Hel mit Le Cagot in die Berge hinaufgestiegen war, und dann waren diese schrecklichen uniformierten Männer ins Dorf gekommen und hatten Furchtbares im Château angerichtet. Seitdem hatte kein Mensch Monsieur Hel gesehen; es wurde gemunkelt, er sei tot. Und jetzt, da er zu seinem zerstörten Schloss zurückkehrte, wagte niemand, ihn zu begrüßen. In diesem alten Hochgebirgsdorf dominierten noch die primitiven Instinkte; jedermann wusste, wie gefährlich es war, sich mit den vom Unglück Geschlagenen einzulassen, denn das Unglück war ansteckend. Und war es schließlich nicht Gottes Wille, dass dieses Furchtbare geschehen musste? Wurde der Ausländer nicht dafür gestraft, dass er mit einer Asiatin zusammenlebte, womöglich ohne den Segen des Priesters? Und wer konnte wissen, für welche anderen Sünden ihn Gott noch strafte? O ja, Mitleid empfinden durfte man – das verlangte die Kirche sogar von einem Christen –, aber mit denen zu verkehren, die Gott strafte, wäre äußerst unklug gewesen. Man musste barmherzig sein, gewiss, aber nicht bis an die Grenze persönlichen Risikos.

Als Hel über die Allee hinaufschritt, konnte er noch nicht erkennen, was sie seinem Schloss angetan hatten; die weit ausladenden Fichten verbargen es vor seinem Blick. Aber als er den Fuß der Terrasse erreichte, sah er die Zerstörung in ihrem ganzen Ausmaß. Hauptgebäude und Ostflügel waren vollkommen vernichtet, die Wände gesprengt und die Trümmer in alle Himmelsrichtungen verstreut; Granit- und Marmorblöcke hatten sich noch in fünfzig Meter Entfernung tief in den verkohlten Rasen gegraben; eine niedrige, gezackte Mauer umsäumte gähnende Kellerhöhlen voll tiefer Schatten und modrigem Sickerwasser. Der größte Teil des Westflügels stand noch, war aber ausgebrannt. Die Zimmer waren dort, wo die Verbindungswände weggerissen waren, ungeschützt der Witterung preisgegeben; Fußböden waren durchgesackt, verkohlte Balken hingen zerborsten in die darunterliegenden Räume hinab. Fenster und *portes-fenêtres* gähnten leer, und über ihnen wiesen dort, wo die Flammen emporgeschlagen waren, breite Rußstreifen gen Himmel. Ein leichter Wind, der die Vorhangfetzen bewegte, trug den Geruch von verbrannter Eiche herüber.

Als er sich einen Weg durch die Trümmer bahnte, um die noch stehenden Mauern des Westflügels zu begutachten, hörte er keinen anderen Laut als das Flüstern des Windes in den Bäumen. An drei Stellen fand er Bohrlöcher in den Granitblöcken. Die Ladungen, mit denen man sie gefüllt hatte, waren nicht detoniert, doch man hatte sich anscheinend mit der Zerstörung durch das Feuer zufriedengegeben.

Was ihn am schmerzlichsten traf, war der Anblick des japanischen Gartens. Die Eindringlinge hatten offenbar Anweisung gehabt, sich auf ihn besonders zu konzentrieren. Sie hatten Flammenwerfer benutzt. Der Klangbach wand sich durch verkohlte Stoppeln, und auf seiner Oberfläche schwamm selbst jetzt, nach einer Woche, noch ein öliger Rückstand. Das Badehaus und der Bambushain waren verschwunden, doch schon schoben sich wieder neue Sprossen durch den rußgeschwärzten Boden: Bambus, das kräftigste aller Gräser, lässt sich nicht ausrotten.

Das *tatami*-Zimmer und der angrenzende Waffenraum waren verschont geblieben. Dieses zierliche Gebäude hatte sich vor dem Sturm gebeugt und ihn überlebt.

Als er durch den verwüsteten Garten wanderte, stoben unter seinen Schuhen kleine Wölkchen feiner schwarzer Asche auf. Schwerfällig setzte er sich auf die Stufen zum *tatami*-Zimmer und ließ die Beine baumeln. Es war seltsam und irgendwie rührend, dass auf dem niedrigen Lacktischchen das Teegeschirr völlig unversehrt stand.

Als er so dasaß, den Kopf vor tiefer Müdigkeit gesenkt, spürte er, dass Pierre sich ihm näherte.

Die Stimme des Alten klang fast erstickt vor Kummer. »Ach M'sieur! Ach M'sieur! Sehen Sie doch nur, was sie uns angetan haben! Arme Madame! Haben Sie sie gesehen? Geht es ihr gut?«

Während der letzten vier Tage hatte Hel im Krankenhaus von Oloron den Platz an Hanas Bett nur verlassen, wenn die Ärzte es ihm befahlen.

Als Pierre den körperlichen Zustand seines *patron* erkannte, sah er ihn voller Mitgefühl in den tränennassen Augen an. »Aber sehen Sie sich nur an, M'sieur!« Unter Hels Kinn und über seinen Kopf war eine Mullbinde gewickelt, die die Kinnlade während des Heilvorgangs in der richtigen Lage halten sollte; die Prellungen im Gesicht waren noch immer grün und blau; sein Oberarm war unter dem Hemd fest an den Körper gebunden, um die Schulter zu fixieren, und beide Hände waren vom Handgelenk bis zum zweiten Fingerknöchel bandagiert.

»Sie sehen auch nicht viel besser aus, Pierre«, entgegnete er mit durch die geschlossenen Zähne gedämpfter Stimme.

Pierre zuckte die Achseln. »Ach, ich komme schon wieder auf die Beine. Aber sehen Sie? Unsere Hände gleichen sich!« Er hob die seinen und zeigte Hel dicke Mullverbände, die das Gel auf seinen verbrannten Handflächen schützten. Über seinem Auge prangte ein Bluterguss.

Auf Pierres offenem Hemd entdeckte Hel einen dunklen Fleck. Anscheinend war ihm ein Glas Wein aus den ungeschickten bandagierten Händen gerutscht. »Was ist mit Ihrem Kopf passiert?«

»Das waren diese Banditen, M'sieur. Einer von ihnen hat mich mit dem Gewehrkolben niedergeschlagen, als ich sie aufhalten wollte.«

»Erzählen Sie mir, wie alles passiert ist.«

»Ach, M'sieur! Es war einfach grauenhaft!«

»Erzählen Sie nur. Beruhigen Sie sich und erzählen Sie.«

»Wollen wir nicht lieber ins Torhaus gehen? Da könnte ich Ihnen ein Glas Wein anbieten. Und dann werde ich Ihnen alles erzählen.«

»Na schön.«

Als sie zu Pierres Torhäuschen kamen, machte der alte Gärtner den Vorschlag, Monsieur Hel könne jetzt bei ihm wohnen, denn sein bescheidenes Heim hatten die Banditen verschont.

Hel saß in einem tiefen Sessel mit zerbrochenen Sprungfedern, aus dem Pierre zuvor eine Menge Krimskrams entfernt hatte, um für den Gast Platz zu schaffen. Der Alte hatte aus der Flasche getrunken, weil sie wohl leichter zu halten war als ein Glas, und starrte nun von dem kleinen Fenster seines Wohnraumes im ersten Stock über das weite Tal hinaus.

»Ich war bei der Arbeit, M'sieur. Tausend Sachen waren zu erledigen. Madame hatte in Tardets telefonisch einen Wagen bestellt, der sie dahin bringen sollte, wo die Flugzeuge landen, und ich wartete auf ihn. Da hörte ich weit hinten über den

Bergen so ein Brummen. Es wurde immer lauter. Und dann kamen sie wie riesige fliegende Insekten, ganz tief über die Gipfel, dicht über der Erde.«

»Wer kam?«

»Die Banditen! In *autogiros.*«

»In Hubschraubern?«

»Ja. Zwei. Mit fürchterlichem Getöse landeten sie im Park, und dann spuckten die hässlichen Maschinen viele Männer aus. Die hatten alle Gewehre. Sie trugen grüngefleckte Anzüge und hatten orangefarbene Mützen auf. Sie liefen auf das Château zu und riefen dabei einander etwas zu. Ich schrie hinter ihnen her, sie sollten verschwinden. Die Küchenmädchen kreischten und flohen ins Dorf. Ich lief hinter den Banditen her und drohte ihnen, ich würde alles M'sieur Hel erzählen, wenn sie nicht sofort wieder verschwänden. Einer von ihnen schlug mich mit seinem Gewehrkolben, und ich fiel zu Boden. Furchtbares Krachen! Explosionen! Und die ganze Zeit hockten die *autogiros* auf dem Rasen, und ihre Flügel drehten sich immer rund herum. Als ich wieder aufstehen konnte, lief ich zum Château. Ich wollte sie aufhalten, M'sieur. Ich wollte sie wirklich aufhalten!«

»Ich weiß.«

»Ja, aber sie liefen schon wieder zu ihren Maschinen zurück. Und ich wurde wieder niedergeschlagen! Als ich dann zum Château kam … Ach M'sieur! Alles weg! Nur noch Rauch und Flammen! Alles kaputt! Alles! Und dann, M'sieur … Oh gnädiger Gott im Himmel! Dann sah ich Madame in dem brennenden Haus am Fenster stehen. Rings um sie her ein Flammenmeer. Ich rannte hinein. Brennende Trümmer fielen auf mich herab. Als ich sie erreichte, stand sie ganz einfach da. Sie konnte nicht hinausfinden! Die Fenster waren ihr entgegengeborsten, und die Glasscherben … Oh Gott, M'sieur, die Glasscherben!« Pierre konnte die Tränen nicht mehr zurückhalten. Er riss sich die Baskenmütze herunter und bedeckte sein Gesicht damit. Eine diagonale Linie über der

Stirn trennte die weiße Kopfhaut von seinem gebräunten, wettergegerbten Gesicht. Seit vierzig Jahren hatte er die Mütze im Freien nicht abgesetzt. Er trocknete sich die Augen, schniefte vernehmlich und setzte die Mütze wieder auf. »Ich habe Madame bei der Hand genommen und sie hinausgeführt. Überall war der Weg von brennenden Trümmern versperrt. Ich musste sie mit den bloßen Händen beiseiteräumen. Aber ich bin rausgekommen! Ich habe sie hinausgebracht! Nur diese Glasscherben ...« Pierre brach zusammen; er schluckte laut, und Tränen tropften von seiner Nase.

Hel erhob sich und schloss den Alten in die Arme. »Sie waren sehr tapfer, Pierre.«

»Aber ich bin doch der *patron,* wenn Sie nicht hier sind! Und ich habe es nicht geschafft, sie aufzuhalten.«

»Sie haben alles Menschenmögliche getan.«

»Ich wollte sie aufhalten!«

»Das weiß ich.«

»Und Madame? Wird sie wieder gesund werden?«

»Sie wird am Leben bleiben.«

»Und ihre Augen?«

Hel wandte den Blick ab, atmete ganz langsam ein und dann wieder aus. Eine Zeit lang schwieg er. Endlich räusperte er sich und sagte: »Wir haben sehr viel zu tun, Pierre.«

»Aber M'sieur, was denn? Das Château ist hin.«

»Wir werden aufräumen und reparieren, was noch zu reparieren ist. Ich brauche Ihre Hilfe. Sie sollen die geeigneten Männer einstellen und sie bei der Arbeit anleiten.«

Pierre schüttelte den Kopf. Er hatte es nicht geschafft, das Château zu schützen. Er verdiente kein Vertrauen mehr.

»Ich möchte, dass Sie persönlich die Männer aussuchen. Räumen Sie die Trümmer auf. Machen Sie den Westflügel wetterfest. Reparieren Sie, was repariert werden muss, damit wir den Winter überstehen können. Und im nächsten Frühjahr beginnen wir dann mit dem Wiederaufbau.«

»Aber M'sieur! Es wird ewig dauern, das Château wieder aufzubauen!«

»Ich habe nicht gesagt, dass wir damit fertig werden, Pierre.«

Pierre überlegte. »Na schön«, sagte er dann. »Na schön. Ach ja, Sie haben Post, M'sieur. Einen Brief und ein Päckchen. Sie müssen hier irgendwo liegen.« Er wühlte in dem Chaos von Stühlen ohne Sitzfläche, leeren Schachteln und sonstigem, jeder Beschreibung spottenden Sperrmüll, mit dem er sein Heim möbliert hatte. »Ah ja! Das sind sie. Genau dort, wo ich sie hingelegt hatte.«

Päckchen und Brief stammten beide von Maurice de Lhandes. Während Pierre sich mit einem Schluck aus der Flasche stärkte, las Hel den Brief:

Mein lieber Freund!

Meinen ersten Entwurf zu dieser Epistel habe ich zerrissen und weggeworfen, weil er mit einem so melodramatischen Satz begann, dass ich darüber lachen musste und befürchtete, Dir würde er peinlich sein. Doch ich finde keine bessere Möglichkeit, Dir mitzuteilen, was ich Dir sagen möchte. Deshalb also hier jene erste pathetische Formulierung:

Wenn Du dies liest, Nikolai, bin ich nicht mehr am Leben.

(Hier bitte innehalten, bis mein geisterhaftes Gelächter und Deine mitfühlende Verlegenheit abgeklungen sind.)

Es gibt viele Gründe für meine freundschaftlichen Gefühle Dir gegenüber, die ich hier anführen könnte, aber folgende drei werden genügen. Erstens: Genau wie ich, hast Du den Regierungen und Konzernen stets Anlass zu Angst und Sorge gegeben. Zweitens: Du warst außer Estelle der letzte Mensch, mit dem ich im Leben gesprochen habe. Und drittens: Du hast nicht nur niemals auf meine körperliche Absonderlichkeit angespielt, Du hast sie auch nie übersehen oder meine Gefühle verletzt, indem Du von Mann zu Mann mit mir darüber zu sprechen suchtest.

Anbei sende ich Dir ein Geschenk (das Du gieriges Biest wahrscheinlich bereits geöffnet hast). Es enthält etwas, das Dir eines Tages vielleicht von Nutzen sein mag. Erinnerst Du Dich, dass ich Dir sagte, ich hätte etwas gegen die Vereinigten Staaten von Amerika in der Hand? Etwas so Dramatisches, dass die Freiheitsstatue sich hinlegen und Dir jede Öffnung darbieten würde, die Du zu benutzen wünschtest? Nun, hier ist es.

Ich sende Dir nur die Fotokopien; die Originale habe ich vernichtet. Der Feind wird jedoch nie erfahren, dass sie nicht mehr existieren, und ebenso wenig weiß er, dass ich tot bin. (Erstaunlich, wie merkwürdig es mir vorkommt, dies im Präsens zu formulieren!)

Sie werden niemals erfahren, dass sich die Originale nicht, durch den üblichen Druckknopf-Modus gesichert, in meinem Besitz befinden; mit ein wenig schauspielerischem Talent sollte es Dir also möglich sein, sie nach Deinem Belieben zu manipulieren.

Wie Du weißt, hat mich meine angeborene Intelligenz stets vor der Torheit bewahrt, an ein Leben nach dem Tod zu glauben. Aber man kann immerhin auch als Toter noch einen gewissen Störfaktor darstellen – und dieser Gedanke erfreut mich sehr.

Bitte besuche Estelle von Zeit zu Zeit und sorge dafür, dass sie sich begehrenswert fühlt. Und grüße mir Deine wundervolle Asiatin sehr herzlich!

In aufrichtiger Freundschaft,

Maurice.

PS: Habe ich neulich beim Dinner übrigens erwähnt, dass den Morcheln etwas Zitronensaft fehlte? Ich hätte es erwähnen sollen!

Hel zerriss die Verschnürung um das Päckchen und überflog den Inhalt. Eidesstattliche Erklärungen, Fotos, Akten, allesamt Unterlagen in Verbindung mit Personen und Regierungsorganisationen, die in den Mord an John F. Kennedy und in die Vertuschung wichtiger Aspekte des Attentats verwickelt waren. Besonders interessant schienen die Aussagen einer Person, die als der »Mann mit dem Regenschirm« bezeichnet wurde, einer anderen, die als der »Mann auf der Feuertreppe« aufgeführt war, und einer dritten, genannt das »Hügelkommando«.

Hel nickte. Das war allerdings gefährlicher Zündstoff.

Nach einer einfachen Mahlzeit aus Wurst, Brot und Zwiebeln, heruntergespült mit billigem Rotwein in Pierres unordentlichem Wohnzimmer, machten sie einen Spaziergang über das Grundstück, hielten sich aber sorgfältig von dem schmerzhaften Anblick der Ruine des Châteaus fern. Es wurde bereits Abend, lachsrote und violette Federwölkchen sammelten sich an den Bergspitzen.

Hel sagte, er würde für einige Tage verreisen; bei seiner Rückkehr könnte dann mit den Reparaturarbeiten begonnen werden.

»Wollen Sie mir das wirklich anvertrauen, M'sieur? Nachdem ich Sie so im Stich gelassen habe?« Pierre empfand Selbstmitleid. Er war zu der Erkenntnis gekommen, er hätte Madame besser beschützen können, wäre er nüchtern gewesen.

Hel wechselte das Thema. »Was können wir morgen für Wetter erwarten, Pierre?«

Der Alte warf einen lustlosen Blick zum Himmel, dann zuckte er gleichgültig die Achseln. »Keine Ahnung, M'sieur. Ehrlich gesagt, ich kann das Wetter gar nicht vorhersagen. Ich tue nur so …«

»Aber, Pierre! Ihre Wettervorhersagen waren immer zutreffend. Ich verlasse mich auf sie, und bisher haben sie mir immer geholfen.«

Stirnrunzelnd suchte Pierre sich zu erinnern. »Wirklich, M'sieur?«

»Ohne Ihren guten Rat würde ich mich nicht in die Berge wagen.«

»Wirklich?«

»Ich bin überzeugt, dass zur Wetterprophezeiung Weisheit, Alter und baskisches Blut erforderlich sind. Das Alter werde ich mit der Zeit zweifellos erreichen, die Weisheit vielleicht sogar auch. Aber das baskische Blut ...« Seufzend schlug Hel nach einem Strauch am Wegrand.

Pierre dachte eine Weile schweigend über diese Worte nach. Schließlich erwiderte er: »Wissen Sie was? Ich glaube, Sie haben Recht, M'sieur. Es ist wahrscheinlich eine Begabung. Sogar ich tue zwar so, als ob es an den Zeichen am Himmel liegt, aber in Wirklichkeit ist es eine Begabung – eine Fähigkeit, die nur mein Volk besitzt. Sehen Sie zum Beispiel, dass die Himmelsschäfchen dort ein rostbraunes Fell haben? Also, dazu muss man unbedingt wissen, dass der Mond in seiner abnehmenden Phase steht und dass die Vögel heute Morgen sehr tief geflogen sind. Aus diesen Zeichen kann ich mit Sicherheit voraussagen, dass ...«

DIE KIRCHE VON ALOS

Pater Xavier hielt den Kopf gesenkt und hatte die Finger an die Schläfe gepresst, so dass die verschwommenen Züge der alten Frau hinter dem Gitter des Beichtstuhls zum größten Teil von seiner Hand verdeckt waren. Es wirkte wie eine Haltung mitfühlenden Verständnisses, die es ihm jedoch gestattete, seinen eigenen Gedanken nachzuhängen, während die Büßerin monoton weiterplapperte, jeden kleinsten Fehltritt erwähnte und hoffte, Gott durch die ermüdende Banalität ihrer Sünden davon zu überzeugen, dass sie keiner größeren Untat schuldig war. Sie hatte inzwischen den Punkt erreicht, an dem sie begann, auch die Sünden ihrer Mitmenschen zu beichten – Vergebung zu erbitten dafür, dass sie nicht stark genug gewesen war, ihren Mann vom Trinken abzuhalten, dass sie sich den bösen Klatsch von Madame Ibar, ihrer Nachbarin, angehört hatte, dass sie ihrem Sohn gestattet hatte, die Messe zu versäumen und stattdessen an der Wildschweinjagd teilzunehmen.

Automatisch bei jeder Pause einen ermunternden, fragenden Laut von sich gebend, beschäftigte sich Pater Xavier in Gedanken mit dem Problem des Aberglaubens. Heute Morgen bei der Messe hatte der Wanderprediger sich eines uralten Aberglaubens bedient, um die Aufmerksamkeit der Gemeinde zu fesseln und seiner Botschaft des Glaubens und der Revolution Nachdruck zu verleihen. Er selbst war natürlich zu gebildet, um die primitiven Ängste zu teilen, von denen die Frömmigkeit der Gebirgsbasken gekennzeichnet ist; als Soldat Christi jedoch hielt er es für seine Pflicht, jede Waffe einzusetzen, die sich ihm bot, um einen Streich für die militante Kirche zu führen. Er kannte den alten Aberglauben, der besagte, das Schlagen einer Uhr während der *Sagara* (der Wandlung) sei ein unfehlbares Zeichen unmittelbar bevorstehenden Todes. Also hatte er ganz unten neben dem Altar, wo er sie gut sehen konnte, eine Uhr platziert und die *Sagara* so eingerichtet, dass sie genau mit dem Stundenschlag zusammenfiel. Durch die Gemeinde war ein hörbares Raunen gegangen, gefolgt von abgrundtiefer Stille. Und er hatte dieses Vorzeichen eines drohenden Todes aufgegriffen und den Leuten erklärt, es bedeute das Ende der Unterdrückung des baskischen Volkes sowie den Tod gottloser Einflüsse innerhalb der revolutionären Bewegung. Der Erfolg – manifestiert zum Teil durch mehrere Einladungen zum Abendessen und Übernachten in den Häusern einheimischer Bauern, zum Teil durch einen außergewöhnlich starken Besuch der abendlichen Beichte (sogar einige Männer waren gekommen, aber natürlich ausschließlich alte) – hatte ihn durchaus zufriedengestellt.

Würde diese letzte Frau mit ihrem Katalog unwichtiger Übertreibungen denn niemals zu Ende kommen? Der Abend nahte, vertiefte die Düsterkeit der alten Kirche, und er spürte erste Regungen des Hungers. Kurz bevor diese in Selbstmitleid schwelgende Schwätzerin kam und ihren massigen Körper in den Beichtstuhl zwängte, hatte er einen Blick hinausgeworfen und festgestellt, dass sie für heute die Letzte war. Er stieß einen leisen Seufzer aus und unterbrach ihren Strom lässlicher Sünden, indem er sie seine Tochter nannte, ihr versicherte, Christus verstehe und verzeihe alles, und ihr eine Buße von vielen langen Gebeten auferlegte, damit sie sich wichtig genug vorkam.

Als sie endlich aus dem Beichtstuhl trat, lehnte er sich behaglich zurück, um ihr Zeit zum Verlassen der Kirche zu geben. Unziemliche Eile auf dem Weg zu einer Essenseinladung hätte höchst unangemessen gewirkt. Gerade wollte er sich erheben, als der Vorhang abermals raschelte und ein neuer Bußfertiger sich in den Schatten des Beichtstuhls schob.

Pater Xavier seufzte ungeduldig.

Eine sehr leise Stimme sagte: »Sie haben nur noch wenige Sekunden für ein Gebet, Pater.«

Der Priester versuchte durch das Gitter in die Schatten des Beichtstuhls zu spähen und keuchte vor Entsetzen auf. Er sah eine Gestalt mit einer Binde um den Kopf, ähnlich dem Kinnband, das man den Toten anlegte, um ihren Mund geschlossen zu halten! Ein Geist?

Pater Xavier, viel zu gebildet, um abergläubisch zu sein, wich vor dem Gitter zurück, so weit es nur ging, und hielt der Erscheinung sein Kruzifix entgegen.

»Weiche! *I! Abi!*«

Die leise Stimme sagte: »Denken Sie an Beñat Le Cagot.«

»Wer bist du? Was …«

Das Weidengitter barst, und die Spitze von Le Cagots *makila* drang in den Brustkorb des Priesters, durchbohrte ihm das Herz und nagelte ihn an die Wand des Beichtstuhls.

Nie mehr sollte es gelingen, den Glauben der Dorfleute an das Todesurteil der *Sagara* zu erschüttern, denn dieser war ja vollauf bestätigt worden. Und in den folgenden Monaten wurde ein neuer farbiger Faden in die Volkslegende um Le Cagot gewoben – des Mannes, der auf geheimnisvolle Weise in den Bergen verschwunden war, von dem aber die Rede ging, er tauche jedes Mal auf, wenn baskische Freiheitskämpfer ihn am dringendsten brauchten. Aus eigener Kraft, von Rache getrieben, war Le Cagots *makila* bis zum Dorf Alos geflogen, um jenen heuchlerischen Priester zu strafen, der ihn so schnöde verraten hatte.

NEW YORK

Als er in dem eleganten Privataufzug stand – Gott sei Dank ohne Musikberieselung –, bewegte Hel vorsichtig seine Kinnlade von einer Seite zur anderen. In den acht Tagen, die er gebraucht hatte, um diese Zusammenkunft zu arrangieren, war sein Körper gut geheilt. Der Unterkiefer war zwar noch steif, benötigte aber nicht mehr die alberne Mullbinde; seine Hände waren noch empfindlich, die Verbände aber waren verschwunden, genauso wie die letzten gelblichen Spuren des Blutergusses auf der Stirn.

Der Aufzug hielt; die Tür öffnete sich direkt in ein Vorzimmer, wo ein Sekretär sich erhob und ihn mit leerem Lächeln begrüßte. »Mr. Hel? Der Vorsitzende wird Sie gleich empfangen. Der andere Gentleman wartet schon drinnen. Wenn Sie ebenfalls hineingehen wollen?« Der Sekretär war ein hübscher junger Mann mit seidenem, bis zur Brust offen stehendem Hemd und eng geschnittener Hose aus einem weichen Material, unter dem sich die Wölbung seines Gemächts wirkungsvoll abzeichnete. Er begleitete Hel in ein Empfangszimmer, das wie die gute Stube eines komfortablen Landhauses eingerichtet war: behäbige Polstersessel mit geblümtem Bezug, Spitzenvorhänge, ein niedriger Teetisch, zwei Lincoln-Schaukelstühle, Nippes in einer verglasten Etagere, auf einem Klavier gerahmte Familienfotos von drei Generationen.

Der Gentleman, der sich von dem dickgepolsterten Sofa erhob, sprach jedoch mit reinem Oxford-Akzent. »Mr. Hel? Ich freue mich sehr, Sie kennenzulernen. Ich bin Mr. Able und vertrete in Fällen wie diesem die Interessen der OPEC-Länder. Bitte, nehmen Sie doch Platz, Mr. Hel. Der Vorsitzende wird gleich kommen. Es hat sich im letzten Moment noch etwas ergeben, und sie wurde abberufen.«

Hel wählte den am wenigsten geschmacklosen Sessel. »Sie?«, fragte er.

Mr. Able lachte melodisch. »Ach, wussten Sie nicht, dass der Vorsitzende eine Frau ist?«

»Nein. Warum wird sie dann nicht *die* Vorsitzende genannt oder wenigstens mit einer von diesen hässlichen Wortschöpfungen bedacht, mit denen die Amerikaner unter Aufopferung des Wohlklangs ihr soziales Gewissen erleichtern: Geschäftsperson, Milchperson, Verbindungsperson – und so weiter?«

»Oh, Sie werden feststellen, dass der Vorsitzende sich niemals von Konventionen knebeln lässt. Nachdem sie eine der mächtigsten Personen der Welt geworden ist, braucht sie nicht mehr um Anerkennung zu werben; und Gleichberechtigung wäre für sie ein gewaltiger Schritt abwärts.« Mr. Able lächelte und legte kokett den Kopf auf die Schulter. »Wissen Sie, Mr. Hel, ich habe eine Menge über Sie erfahren, bevor Ma mich zu dieser Sitzung einlud.«

»Ma?«

»Jeder, der dem Vorsitzenden nahesteht, nennt sie Ma. Ein

kleiner Familienscherz. Oberhaupt der Muttergesellschaft, verstehen Sie?«

»Ich verstehe.«

Die Tür zum Vorzimmer wurde geöffnet, und ein muskulöser junger Mann mit makelloser Sonnenbräune und goldblonden Locken trug ein Tablett herein.

»Stellen Sie's nur dort hin«, wies Mr. Able ihn an. Dann wandte er sich wieder Hel zu: »Ma wird mich zweifellos bitten, das Einschenken zu übernehmen.«

Der hübsche Beachboy ging wieder hinaus, nachdem er den Teetisch gedeckt hatte: dickes billiges Porzellan mit blauem Weidenmuster.

Mr. Able bemerkte den Blick, mit dem Hel das Geschirr musterte. »Ich weiß, was Sie denken, Mr. Hel. Ma umgibt sich gern mit Dingen, die sie als ›gemütlich‹ bezeichnet. Von Ihrer bewegten Vergangenheit, Mr. Hel, erfuhr ich vor einiger Zeit anlässlich einer Informationssitzung. Selbstverständlich hätte ich nie erwartet, Sie persönlich kennenzulernen – jedenfalls nicht, nachdem Mr. Diamond uns von Ihrem Tod unterrichtet hatte. Bitte glauben Sie mir, dass ich zutiefst bedauere, was die Sonderpolizei der Muttergesellschaft Ihrem Wohnsitz angetan hat. Für mich ist das ein unverzeihlicher Vandalismus.«

»So, ist es das?« Hel wurde ungeduldig wegen der Verzögerung und hatte keine Lust, lange mit diesem Araber zu plaudern. Er stand auf und trat ans Klavier mit dem Arrangement von Familienfotos. In diesem Moment öffnete sich die Tür zum Büro, und der Vorsitzende kam herein.

Eilfertig sprang Mr. Able auf. »Mrs. Perkins, darf ich Ihnen Nikolai Hel vorstellen?«

Sie ergriff Hels Hand und drückte sie herzlich mit rundlichen kurzen Pummelfingern. »Liebe Güte, Mr. Hel, Sie können sich gar nicht vorstellen, wie sehr ich mich darauf gefreut habe, Sie kennenzulernen.« Mrs. Perkins war eine mollige Frau Mitte fünfzig. Klare mütterliche Augen, Hals unter mehreren Kinnschichten verborgen, graues, zum Knoten aufgestecktes Haar, aus dessen Netz sich einige Strähnen gelöst hatten, mächtiger Busen, runde Unterarme mit Grübchen an den Ellbogen, die ganze Leibesfülle in ein purpurnes Seidenkleid gezwängt. »Wie ich sehe, betrachten Sie gerade meine Familie. Mein Stolz und meine Freude, wie ich immer sage. Das da, das ist mein kleiner Enkel. Ein richtiger Racker. Und das ist Mr. Perkins. Ein großartiger Mann. Ein vorzüglicher Koch und ein wahrer Zauberer, was Blumen angeht.« Sie schenkte den Fotos ein zärtliches Lächeln und schüttelte mit liebevollem Besitzerstolz den Kopf. »Nun ja, vielleicht sollten wir uns jetzt doch lieber den Geschäften widmen. Nehmen Sie Tee, Mr. Hel?« Mit einem erleichterten Seufzer ließ sie sich in einem der Lincoln-Schaukelstühle nieder. »Ich wüsste wirklich nicht, wie ich ohne meinen Tee zurechtkommen sollte.«

»Haben Sie sich die Unterlagen angesehen, die ich Ihnen zugeschickt habe, Mrs. Perkins?« Er hob verneinend die Hand in Mr. Ables Richtung, denn er zog es vor, auf einen aus Beuteln bereiteten Tee zu verzichten.

Der Vorsitzende beugte sich vor und legte Hel die Hand auf den Arm. »Bitte, nennen Sie mich doch einfach Ma. Alle Welt tut das.«

»Haben Sie sich die Unterlagen angesehen, Mrs. Perkins?«

Das herzliche Lächeln auf ihrem Gesicht erlosch, und ihre Stimme wurde beinahe metallisch hart. »Das habe ich.«

»Wie Sie sich erinnern werden, habe ich als Vorbedingung für unsere Verhandlungen die Forderung gestellt, Mr. Diamond dürfe nichts davon erfahren, dass ich noch am Leben bin.«

»Und ich habe diese Bedingung akzeptiert.« Sie warf Mr. Able einen kurzen Blick zu. »Der Inhalt von Mr. Hels Akte ist ausschließlich für meine Augen bestimmt. Sie werden sich in dieser Hinsicht meiner Führung überlassen müssen.«

»Gewiss, Ma.«

»Und?«, fragte Hel.

»Ich will nicht leugnen, dass Sie uns da in eine Klemme gebracht haben, Mr. Hel. Aus verschiedenen Gründen ist uns daran gelegen, die Situation nicht ausgerechnet jetzt zu komplizieren, da der Kongress die Energievorlage von diesem Cracker auseinandernimmt. Wenn ich die Lage recht verstehe, wären wir schlecht beraten, einen Gegenschlag gegen Sie zu führen, weil wir dadurch die Freigabe der Informationen an die europäische Presse auslösen würden. Sie befinden sich gegenwärtig in den Händen einer Person, die Fat Boy als den Gnom identifiziert. Ist das richtig?«

»Das ist richtig.«

»Dann ist es also eine reine Geldfrage, Mr. Hel. Was ist Ihr Preis?«

»Mehrere Punkte. Zunächst haben Sie mir einigen Landbesitz in Wyoming genommen. Den will ich wiederhaben.«

Weit erhaben über etwas derart Triviales, winkte der Vorsitzende mit ihrer Pummelhand ab.

»Und ich verlange, dass Ihre Tochterfirmen in einem Umkreis von dreihundert Meilen um meinen Besitz jeglichen Tagebau einstellen.«

Mrs. Perkins' Kinnmuskeln spannten sich vor mühsam beherrschtem Zorn, der Blick ihrer kalten Augen ruhte auf Hel. Dann blinzelte sie zweimal und antwortete: »Gut.«

»Zweitens wurde von meinem Schweizer Bankkonto Geld gestohlen.«

»Aber gewiss doch. Gewiss! Ist das alles?«

»Nein. Mir ist klar, dass Sie jede dieser Aktionen nach Belieben rückgängig machen können. Deswegen werde ich die fraglichen Informationen auf unbestimmte Dauer in Bereitschaft halten. Sollten Sie mich in irgendeiner Form belästigen, wird der Knopf losgelassen.«

»Ich verstehe. Fat Boy hat mir mitgeteilt, dass der Gnom ziemlich schwer erkrankt sein soll.«

»Dieses Gerücht ist mir auch zu Ohren gekommen.«

»Ist Ihnen klar, dass Sie Ihren Schutz verlieren, wenn er stirbt?«

»Nicht ganz, Mrs. Perkins. Denn er müsste nicht nur sterben, sondern Ihre Leute müssten sich auch vergewissern, dass er tot ist. Und ich weiß zufällig, dass Sie ihn bisher nicht finden konnten, ja nicht einmal eine Ahnung haben, wie er überhaupt aussieht. Ich vermute, dass Sie die Suche nach ihm verstärken werden, aber ich zähle darauf, dass er sich an einem Ort versteckt hält, wo Sie ihn niemals aufstöbern werden.«

»Das werden wir sehen. Sonst stellen Sie keine Forderungen an uns?«

»Doch, ich stelle weitere Forderungen an Sie. Ihre Leute haben mein Haus zerstört. Wahrscheinlich kann es nie wieder im alten Zustand aufgebaut werden, da es keine Handwerker mehr von der Qualität derer gibt, die es errichtet haben. Aber ich will es immerhin versuchen.«

»Wie viel?«

»Vier Millionen.«

»Kein Haus ist vier Millionen Dollar wert!«

»Jetzt sind es schon fünf Millionen.«

»Mein lieber Junge, ich habe meine berufliche Laufbahn mit weniger als einem Viertel davon begonnen, und wenn Sie glauben ...«

»Sechs Millionen.«

Mrs. Perkins presste die Lippen zusammen. Es herrschte absolutes Schweigen, während Mr. Able nervös die Augen von den beiden abwandte, die sich über den Teetisch hinweg ansahen, sie mit eiskaltem, starrem Blick, er mit halbgesenkten Lidern über lächelnden grünen Augen.

Mrs. Perkins tat einen langen, beruhigenden Atemzug. »Nun gut. Aber das sollte lieber Ihre letzte Forderung sein.«

»Leider ist sie das aber nicht.«

»Ihr Preis hat die Höchstgrenze erreicht. Von einem bestimmten Punkt an ist das, was für Amerika gut ist, nicht unbedingt auch für die Muttergesellschaft gut.«

»Ich glaube, Mrs. Perkins, meine letzte Forderung wird Ihnen zusagen. Hätte Ihr Mr. Diamond seinen Auftrag exakt ausgeführt, hätte er sein Urteilsvermögen nicht von seiner persönlichen Feindschaft mir gegenüber trüben lassen, dann stünden Sie jetzt nicht vor diesem Dilemma. Meine letzte Forderung lautet: Geben Sie mir Diamond. Außerdem verlange ich diesen CIA-Gangster namens Starr und den PLO-Mann, den Sie Mr. Haman nennen. Betrachten Sie dies bitte nicht als zusätzliche Zahlung. Denn ich erweise Ihnen einen Dienst, indem ich Unfähigkeit bestrafe.«

»Und das ist Ihre letzte Forderung?«

»Das ist meine letzte Forderung.«

Der Vorsitzende wandte sich an Mr. Able. »Wie haben Ihre Leute auf den Tod der Septembristen bei diesem Flugzeugunglück reagiert?«

»Bisher glauben sie immer noch, dass es genau das war: ein Flugzeugunglück. Dass es sich um Mord handelte, haben wir ihnen nicht mitgeteilt. Wir wollten erst Ihre Anweisungen abwarten, Ma.«

»Aha. Und dieser Mr. Haman – der ist, glaube ich, mit dem Führer der PLO verwandt, nicht wahr?«

»Ganz recht, Ma.«

»Wie wird man seinen Tod aufnehmen?«

Mr. Able überlegte einen Moment. »Wir werden möglicherweise noch einmal Konzessionen machen müssen. Aber ich meine, das dürfte sich arrangieren lassen.«

Mrs. Perkins wandte sich wieder an Hel. Sekundenlang starrte sie ihn wortlos an. »Einverstanden«, sagte sie schließlich kalt.

Hel nickte. »Es soll folgendermaßen ablaufen. Sie zeigen Diamond die Informationen über den Kennedy-Mord, die Sie in Händen haben. Sie werden ihm auseinandersetzen, Sie hätten die Spur des Gnoms, wüssten jedoch außer ihm niemanden, dem Sie den Auftrag, ihn zu töten und die Originale zu beschaffen, anvertrauen könnten. Er wird einsehen, wie gefährlich es wäre, anderen Personen Einblick in dieses Material zu gewähren. Sie werden Diamond anweisen, sich in das spanisch-baskische Dorf Oñate zu begeben. Dort wird sich ein Führer bei ihm melden, der ihn ins Gebirge bringt, wo sie angeblich den Gnom finden sollen. Von da an übernehme ich alles Weitere. Ach, und noch eins – etwas überaus Wichtiges. Ich wünsche, dass alle drei gut bewaffnet sind, wenn sie in die Berge gehen.«

»Haben Sie alles verstanden?«, fragte der Vorsitzende Mr. Able, ohne den Blick von Hels Gesicht zu wenden.

»Jawohl, Ma.«

Sie nickte. Dann wich der strenge Ausdruck von ihrem Gesicht, und sie drohte Hel lächelnd mit dem Finger. »Sie sind ein sehr tüchtiger Bursche, junger Mann. Ein echter Rosstäuscher. Sie hätten es auf dem kommerziellen Sektor weit gebracht. Sie haben die Anlagen zu einem wirklich hervorragenden Geschäftsmann.«

»Ich überhöre diese Beleidigung.«

Mrs. Perkins lachte, dass ihre Kinnschichten bebten. »Wie erfrischend es doch wäre, mit Ihnen einen langen Schwatz zu halten, mein Sohn! Aber in einem anderen Büro warten leider schon wieder Leute auf mich. Wir haben da ein Problem mit ein paar Jugendlichen, die gegen eines unserer Atomkraftwerke demonstrieren. Die jungen Menschen sind heutzutage auch nicht mehr das, was sie mal waren, aber ich liebe sie trotzdem, die kleinen Teufel.« Sie stemmte sich aus dem Schaukelstuhl hoch. »Ach Gott, es stimmt schon, was man so sagt: Die Pflichten einer Frau nehmen kein Ende.«

Diamond war nicht nur gereizt und körperlich erschöpft, sondern hatte außerdem das unangenehme Gefühl, dass er ziemlich albern wirkte, wie er da blind durch den grellweißen Nebel tappte und sich gehorsam an ein Stück Seil klammerte, das sich der Führer um die Taille gebunden hatte, dessen geisterhafte Gestalt er in weniger als drei Meter Entfernung nur gelegentlich ausmachen konnte. Ein Seil um Diamonds Taille führte hinab in den grellen Dunst, wo Starr sich an seinem verknoteten Ende hielt; und der Texaner wiederum war mit dem PLO-Lehrling Haman verbunden, der sich jedes Mal bitterlich beschwerte, wenn sie sich zu einer kurzen Rast auf einen der feuchten Felsbrocken des hohen *col* setzten. Der Araber war stundenlange körperliche Anstrengungen nicht gewöhnt; seine neuen Bergschuhe scheuerten ihm die Knöchel wund, und die Muskeln seines Unterarms zitterten vor Anspannung bei dem krampfhaften Griff um das Seil, das ihn mit den anderen verband und das er nicht loszulassen wagte, aus Angst, den Kontakt mit ihnen zu verlieren und blind und allein in dieser wilden Gegend zurückbleiben zu müssen. So hatte er sich das Abenteuer ganz und gar nicht vorgestellt, als er sich vor zwei Tagen in seinem Hotelzimmer in Oñate vor dem Spiegel in Positur gestellt hatte, eine romantische Gestalt in Bergkleidung und Stiefeln, eine schwere Magnum im Hüftholster. Er hatte sogar geübt, die Waffe möglichst schnell zu ziehen, und den hart dreinblickenden Profi im Spiegel gebührend bewundert. Er erinnerte sich noch genau, wie erregt er einen Monat zuvor gewesen war, als er auf dieser Bergwiese sein ganzes Magazin in den zuckenden Körper der Jüdin leerte, nachdem Starr sie umgelegt hatte.

Genauso aufreizend wie das körperliche Unbehagen war

für Diamond das unablässige Summen und Singen des drahtigen alten Bergführers, der sie bedächtig um den Rand zahlloser tiefer, mit dichtem Nebel gefüllter Spalten herumführte, deren gefährliche Natur er ihnen mit ausholenden Gesten klargemacht hatte, indem er – nicht ohne Galgenhumor – Augen und Mund weit aufriss und einen Abstürzenden mimte, der hilflos mit den Armen wedelte, die Hände im Gebet erhob und die Augen in wilder Angst verdrehte. Nicht nur das nasale Winseln der baskischen Melodien nagte an Diamonds Geduldsfaden, sondern auch die Tatsache, dass die Stimme aufgrund des merkwürdigen Unterwassereffekts eines Whiteouts von überall zugleich zu kommen schien.

Diamond hatte versucht, den Führer zu fragen, wie lange sie sich noch durch diesen Nebel tasten müssten, wie weit es noch bis dorthin sei, wo sich der Gnom angeblich versteckt hielt. Aber die einzige Antwort waren ein Grinsen und ein kurzes Kopfnicken gewesen. Als sie von einem spanischen Basken, der sie im Dorf aufgesucht hatte, am Fuß der Berge diesem Führer übergeben worden waren, hatte Diamond ihn gefragt, ob er Englisch verstünde, und der kleine Alte hatte ihm grinsend geantwortet: »*A lee-tle bit.*« Als Diamond einige Zeit später wissen wollte, wie lange es noch dauern würde, bis sie ihr Ziel erreichten, hatte der Führer abermals geantwortet: »*A lee-tle bit.*« Das war eine seltsame Erwiderung, die Diamond veranlasste, den Alten nach seinem Namen zu fragen. »*A lee-tle bit.*« Na fein! Einfach großartig!

Diamond begriff durchaus, warum der Vorsitzende ihn beauftragt hatte, diese Angelegenheit persönlich zu erledigen. Dass Ma ihm eine so explosive Information anvertraute, war eine besondere Auszeichnung und ihm nach der gewissen Kühle in ihren Mitteilungen, seit die Septembristen bei dieser Flugzeugexplosion umgekommen waren, besonders willkommen. Aber sie waren jetzt seit zwei Tagen in den Bergen, angeseilt wie Kinder, die Blindekuh spielen, und stolperten durch dieses grellweiße Whiteout, das ihre Augen mit stechendem Licht blendete. Sie hatten eine kalte unbequeme Nacht auf steinigem Boden verbringen müssen, nachdem sie ein Abendessen aus hartem Brot, fetter, scharf gewürzter Wurst, die ihnen den Mund verbrannte, und saurem Wein aus einem Spritzsack eingenommen hatten, mit dem Diamond nicht umzugehen verstand. Wie lange dauerte es wohl noch, bis sie das Versteck des Gnoms endlich erreichten? Wenn nur dieser blöde Bauer mit seinem ewigen Gesinge aufhören würde!

Und das tat er in just diesem Moment. Diamond hätte den grinsenden Führer fast umgerannt, weil dieser inmitten eines mit Steinen übersäten kleinen Plateaus stehen geblieben war, über das sie sich, stets vorsichtig die gefährlichen *gouffres* meidend, einen Weg gebahnt hatten.

Als Starr und Haman zu ihnen stießen, bedeutete der Führer ihnen, sie müssten hier warten, während er selbst aus irgendeinem Grund vorausgehen würde.

»Wie lange werden Sie fortbleiben?«, erkundigte sich Diamond, jedes Wort, als könnte das helfen, langsam und deutlich artikulierend.

»*A lee-tle bit*«, lautete die Antwort des Führers, und er verschwand im Nebel. Einen Moment darauf schien seine Stimme von allen Seiten zugleich zu kommen. »Machen Sie sich's nur bequem, meine Freunde.«

»Dieser Scheißkerl spricht also doch Englisch«, rief Starr. »Was zum Teufel geht hier vor?«

Diamond schüttelte den Kopf, beunruhigt und verwirrt über die totale Stille ringsum.

Minuten verstrichen; das Gefühl von Verlassenheit und Gefahr wurde so stark, dass es sogar den ewig jammernden Araber zum Schweigen brachte. Starr zog den Revolver und entsicherte ihn.

Scheinbar von fern und nah zugleich kam Nikolai Hels charakteristische leise Stimme. »Ist Ihnen schon ein Licht aufgegangen, Diamond?«

Angestrengt spähten sie in die blendende Helle. Nichts.

»Jesus Christus!«, flüsterte Starr.

Haman begann leise zu wimmern.

Keine zehn Meter von ihnen entfernt stand Hel unsichtbar im weißen Nebel. Den Kopf ein wenig schiefgelegt, konzentrierte er sich, um die drei völlig verschiedenen Energiemuster auseinanderzuhalten, die von seinen Gegnern ausgingen. Sein Proximitätssinn entdeckte in allen dreien panische Angst, jedoch von unterschiedlicher Qualität. Der Araber stand praktisch vor dem Zusammenbruch. Starr war im Begriff, wild in das blendende Whiteout hineinzufeuern. Diamond rang um Selbstkontrolle.

»Verteilt euch!«, flüsterte Starr. Er war der Profi.

Hel spürte, wie Starr sich nach links begab, während der Araber sich auf Hände und Knie niederließ und dann, vor sich nach dem Rand eines tiefen *gouffre* tastend, den er nicht sehen konnte, nach rechts hinüberkroch. Diamond stand wie angewurzelt.

Hel spannte die Doppelhähne der beiden Schrotpistolen, die ihm vor Jahren der holländische Industrielle geschenkt hatte. Die von Starr ausgehende Aura näherte sich von links. Hel packte den Griff, so fest er konnte, zielte auf den Mittelpunkt der Aura des Texaners und drückte ab.

Das Krachen der abgefeuerten Schrotpatronen war ohrenbetäubend. Das Explosionsmuster der achtzehn Kugeln sprengte einen Riss in den Nebel, und sekundenlang sah Hel, wie der Texaner, die Arme ausgebreitet, die Füße in der Luft, Brust und Gesicht völlig zerfetzt, rückwärts geschleudert wurde. Gleich darauf schob sich das Whiteout wieder zusammen, und das Loch war verschwunden.

Hel ließ die Pistole aus der gefühllosen Hand fallen. Der Schmerz des Rückstoßes pochte bis in den Ellbogen hinauf.

Die Ohren des Arabers dröhnten von der Explosion, und er begann leise zu wimmern. Jede Faser in ihm drängte zur Flucht, aber in welche Richtung? Erstarrt hockte er auf Händen und Knien, während sich zwischen den Beinen seiner Khakihose ein brauner Fleck ausbreitete. So dicht wie möglich an den feuchten Boden gepresst, schob er sich vorwärts, spähte angestrengt in den blendenden, weißen Nebel hinein. Vor ihm nahm ein Felsbrocken Gestalt an, dessen graue Geisterform sich jedoch erst dreißig Zentimeter vor seinem Gesicht verdichtete. Trost suchend, lautlos vor sich hin schluchzend, umarmte er den Stein.

Hels Stimme klang leise und nah. »Lauf!«

Der Araber keuchte erschrocken auf und machte einen Satz zur Seite. Sein letzter langgezogener Schrei verhallte, als er in den Schlund eines tiefen *gouffre* stürzte und unten mit dumpfem Klatschen aufschlug.

Als das nachhallende Prasseln gelöster Steine verstummt war, lehnte Hel sich an den Felsbrocken und atmete, die zweite Pistole in der herabhängenden Hand, einmal tief durch. Dann richtete er seine Konzentration auf Diamond, der regungslos ein Stück links von ihm im Nebel hockte.

Nach dem unerwarteten Schrei des Arabers dröhnte die Stille in Diamonds Ohren. Er atmete möglichst flach durch den Mund, um nur ja kein Geräusch zu machen; sein Blick schoss hin und her durch den grellen Nebelvorhang, seine Haut prickelte in Erwartung des Schmerzes.

Eine zehn Sekunden währende Ewigkeit verstrich, dann hörte er Hels leise Gefängnisstimme. »Nun? Ist es nicht genau so, wie Sie es sich ausgedacht hatten, Diamond? Jetzt sind die Machismo-Fantasien eines Konzernlakaien endlich Wahrheit geworden. Der Cowboy Auge in Auge mit dem *yojimbo*. Macht es Spaß?«

Diamond wandte den Kopf von einer Seite zur anderen und suchte verzweifelt die Richtung auszumachen, aus der die Stimme kam. Sinnlos! Jede Richtung schien zu stimmen.

»Ich will Ihnen helfen, Diamond. Sie befinden sich jetzt annähernd acht Meter von mir entfernt.«

In welcher Richtung? In welcher Richtung?

»Sie können ruhig schießen, Diamond. Vielleicht haben Sie ja Glück.«

Nur nicht sprechen! Er wird auf meine Stimme schießen!

Diamond hielt seine schwere Magnum mit beiden Fäusten umklammert und feuerte in den Nebel hinein. Noch einmal nach links, dann nach rechts, dann wieder etwas weiter nach links. »Du Schwein!«, schrie er, immer noch schießend. »Du elendes Schwein!«

Zweimal klickte der Hammer auf leeres Metall.

»Scheißkerl!« Mit Mühe senkte Diamond die Pistole, während sein ganzer Oberkörper vor Frustration und Verzweiflung zitterte.

Mit der Fingerspitze berührte Hel sein Ohrläppchen. Es war feucht und schmerzte ein wenig. Ein Steinsplitter von einer dicht neben ihm in den Felsen geschlagenen Kugel hatte ihn gestreift. Er hob die zweite Schrotpistole und richtete sie auf den Punkt im Whiteout, von dem das rasche Pulsieren einer von Todesangst erfüllten Aura ausging.

Dann hielt er inne und ließ die Waffe sinken. Wozu die Mühe?

Dieses unerwartete Whiteout hatte die Katharsis der Rache, die er geplant hatte, in ein mechanisches Abschlachten hilfloser Kreaturen verwandelt. Eine solche Situation bot keine Genugtuung, erlaubte es nicht, Können und Mut am Gegner zu beweisen. Hel, der wusste, dass sie zu dritt und gut bewaffnet sein würden, hatte absichtlich nur diese beiden Pistolen mitgebracht und sich auf zwei Schüsse beschränkt. Er hatte gehofft, die Begegnung dadurch zu einem echten Kampf werden zu lassen.

Aber so? Und dieser völlig verstörte Kaufmann da draußen im Nebel? Der war einfach zu unwürdig für eine angemessene Strafe.

Hel begann lautlos von dem Felsblock wegzuschleichen; er wollte Diamond allein und verängstigt im Whiteout zurücklassen, gemartert von der bangen Erwartung, dass ihn jeden Moment der Tod durchbohren würde.

Doch dann blieb er stehen. Ihm fiel ein, dass Diamond ein Diener der Muttergesellschaft war, ein Konzernlakai. Hel dachte an Hochsee-Bohrtürme, die die Meere verunreinigten, an Tagebau auf jungfräulichen Böden, an Öl-Pipelines durch die Tundra, an Atomkraftwerke, die gegen die Proteste derer erbaut wurden, die letztlich unter der Verseuchung leiden mussten. Er erinnerte sich an das alte Sprichwort: Wer muss die schweren Dinge auf sich nehmen? Der, der es kann. Mit einem tiefen Seufzer und voller Ekel, der ihm bitter in die Kehle stieg, drehte er sich um und hob den Arm.

Diamonds tierischer Schrei wurde von dem Krachen des Schusses und dessen Echo verschluckt. Durch einen wogenden Riss im Nebelvorhang sah Hel einen zerschmetterten Körper, der sich in der Luft drehte und rücklings in die Dunstwand hineingeschleudert wurde.

CHATEAU D'ETCHEBAR

Hanas Pose verriet maximale Hingabe; ihre einzigen Waffen in diesem Spiel waren genussvolles Stöhnen und die wellenförmigen Vaginalkontraktionen, in denen sie Meisterin war. Hel hatte den Vorteil, abgelenkt und im Durchhalten von der Aufgabe unterstützt zu werden, jede Bewegung strikt kontrollieren zu müssen, da ihre Stellung sehr kompliziert und ausgefallen war und der kleinste Fehler empfindliche Schmerzen auslösen konnte. Ungeachtet dieses Vorteils war er es, der schließlich durch zusammengebissene Zähne murmelte: »Du kleiner Teufel!«

Sofort als sie spürte, dass er den Höhepunkt erreicht hatte, presste sie aufatmend nach außen und vereinte sich, ihrer Freude laut und beseligt Ausdruck verleihend, mit ihm im Orgasmus.

Nach einigen Minuten des Ausruhens in dankbarer, zärtlicher Umarmung schüttelte er lächelnd den Kopf. »Mir scheint, ich habe wieder verloren.«

»Es scheint so, ja.« Sie lachte verschmitzt.

Hana saß, der verkohlten Ruine des Gartens zugewandt, in der Türöffnung des *tatami*-Zimmers; der Kimono bauschte sich um ihre Hüften; ihr Oberkörper war bis zur Taille nackt, um das Massieren und Streicheln zu empfangen, das sie als Preis für dieses Spiel ausgesetzt hatte. Hel kniete hinter ihr, fuhr mit den Fingerspitzen an ihrer Wirbelsäule entlang und schickte kleine, prickelnde Wellen bis in ihren Nacken und in ihre Haarwurzeln hinauf.

Mit lächelnden Augen, alle Muskeln seines Gesichts entspannt, ließ er seine Gedanken in melancholischer Freude und herbstlichem Frieden umherwandern. In der vergangenen Nacht hatte er einen endgültigen Entschluss gefasst und war dafür belohnt worden.

Stundenlang hatte er ganz allein im Waffenraum gekniet und die Lage der Steine auf dem Spielbrett erwogen. Früher oder später würde die Muttergesellschaft unweigerlich seinen schwachen Panzer durchbrechen. Entweder würden ihre hartnäckigen Nachforschungen ergeben, dass de Lhandes tot war, oder die Fakten im Zusammenhang mit Kennedys Tod würden schließlich durch andere Quellen ans Licht kommen. Und dann würden sie ihn jagen.

Er konnte sich wehren, der gesichtslosen Konzernhydra zahllose Arme abschlagen, doch letztlich würde sie ihn besiegen. Und wahrscheinlich mit etwas so Unpersönlichem wie einer Bombe oder etwas so Ironischem wie einer verirrten Kugel. Wo lag darin die Würde? Wo blieb das *shibumi*? Nun waren die Kraniche also in ihrem Nest gefangen. Er würde in Frieden und Einvernehmen mit Hana leben, bis sie kamen. Dann würde er sich aus dem Spiel zurückziehen. Freiwillig. Durch eigene Hand.

Fast unmittelbar, nachdem er zu dieser Erkenntnis über den Stand des Spiels und den einzig möglichen Schritt zu einem würdigen Abschluss gekommen war, spürte Hel, wie Jahre aufgestauten Abscheus und Hasses von ihm abfielen. Sobald sie von der Zukunft getrennt ist, wird die Vergangenheit zu einer unbedeutenden Parade trivialer Ereignisse, die nicht mehr zusammenhängen, nicht mehr wirksam oder gar schmerzhaft sind.

Es drängte ihn, Rechenschaft über sein Leben abzulegen, die Bruchstücke zu untersuchen, die er mit sich herumgeschleppt hatte. Bis tief in die Nacht hinein, während der warme Südwind sich in den Dachbalken wiegte, kniete er vor dem Lacktischchen, auf dem sich zwei Gegenstände befanden: die Go-Schalen, die Kishikawa-san ihm geschenkt hatte, und der vergilbte offizielle Beileidsbrief, mit den vom häufigen Auseinander- und wieder Zusammenfalten ausgefransten Knicken, den er aus dem Shimbashi-Bahnhof mitgenommen hatte, weil er alles symbolisierte, was von dem würdevollen alten Mann, der in jener Nacht starb, übrig geblieben war.

Während all der Jahre, die er ruhelos im Westen umhergezogen war, hatte er drei geistige Rettungsanker bei sich getragen: die Go-Schalen, Symbol der Zuneigung zu seinem Pflegevater, den verblichenen Brief, Symbol für die japanische Geisteshaltung, und seinen Garten – nicht den Garten, den sie zerstört hatten, sondern die Idee des Gartens in seiner Fantasie, deren unvollkommener Ausdruck dieses Stückchen Land gewesen war. Solange er diese drei Dinge besaß, fühlte er sich reich und vom Glück begünstigt.

Sein neu befreiter Geist ließ sich von Idee zu Erinnerung treiben, eine flüchtig wie die andere, und bald darauf befand er sich – wie selbstverständlich – auf seiner dreieckigen Wiese, eins mit dem goldenen Sonnenschein und dem Gras.

Daheim – nach so langen Wanderjahren!

»Nikko?«

»Mhm?«

Sie schmiegte ihren Rücken an seine nackte Brust. Er drückte sie an sich und küsste ihr Haar. »Nikko, hast du mich wirklich nicht gewinnen lassen?«

»Warum sollte ich?«

»Weil du ein sehr seltsamer Mensch bist. Und ein sehr netter.«

»Ich habe dich nicht gewinnen lassen. Und um es dir zu beweisen, werden wir nächstes Mal um die maximale Strafe spielen.«

Sie lachte leise. »Mir ist ein Wortspiel eingefallen – ein englisches.«

»Ach ja?«

»Ich hätte sagen sollen: Du bist dran.«

»Aber das ist ja schrecklich!« Er umarmte sie von hinten und legte die Hände um ihre Brüste.

»Das einzig Tröstliche an allem ist doch dein Garten, Nikko. Ich bin so froh, dass sie ihn verschont haben! Nach all den Jahren, nach all der Liebe und Arbeit, die du hineingesteckt hast, hätte es mir das Herz gebrochen, wenn sie deinen Garten zerstört hätten.«

»Ich weiß.«

Sie brauchte nicht zu wissen, dass es keinen Garten mehr gab.

Und jetzt war es Zeit, den Tee zu trinken, den er für sie bereitet hatte.

›LESEPROBE

Leseprobe aus

Don Winslow

SATORI

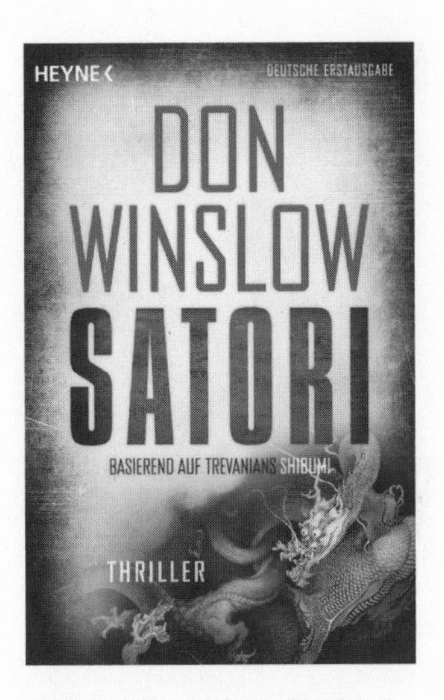

ISBN 978-3-453-40808-1

HEYNE‹

Auf den folgenden Seiten finden Sie eine Leseprobe aus SATORI, in dem Bestsellerautor Don Winslow die Abenteuer von Nikolai Hel im fernen Osten des Jahres 1951 erzählt.

Erster Teil

Tokio, Oktober 1951

1

Nikolai Hel betrachtete ein Ahornblatt, das vom Ast fiel, im seichten Wind segelte und sanft zu Boden schwebte.

Es war wunderschön.

Nach drei Jahren Einzelhaft in einem amerikanischen Gefängnis genoss er den Anblick der Natur, füllte seine Lungen mit der frischen Herbstluft, wartete einige Augenblicke, bevor er wieder ausatmete.

Haverford hielt es für ein Seufzen.

»Froh draußen zu sein?«, fragte der Agent.

Nikolai antwortete nicht. In seinen Augen war der Amerikaner nichts als ein Kaufmann wie alle seine Landsleute, nur dass dieser hier nicht mit Autos, Rasierschaum oder Coca-Cola handelte, sondern mit Spionage. Nikolai hatte nicht die Absicht, sich von diesem Funktionär in ein belangloses Gespräch verwickeln zu lassen, geschweige denn, ihm Einblick in seine privaten Gedanken zu gewähren.

Natürlich war er froh draußen zu sein, dachte er, als er auf die tristen grauen Mauern des Sugamo-Gefängnisses zurückblickte, aber warum hatten die Menschen aus dem Westen nur immer das Gefühl, sie müssten das Offensichtliche aussprechen und Unbeschreibliches in Worte fassen? Es gehört zum Wesen eines Ahornblatts, im Herbst vom Baum zu fallen. Ich habe General Kishikawa getötet, der wie ein Vater für mich war, weil es meinem Wesen entsprach – und ich als Sohn die Pflicht dazu hatte. Die Amerikaner haben mich eingesperrt, weil sie nun einmal so sind und ihnen gar nichts anderes übriggeblieben war.

Und jetzt bieten sie mir die »Freiheit«, weil sie mich brauchen.

Nikolai setzte seinen Gang über den von Ahornbäumen gesäumten Kiesweg fort. Überrascht spürte er, wie eine leichte Panik in ihm aufstieg, und er kämpfte das Schwindelgefühl nieder, das der weite Himmel in ihm hervorrief. Diese Welt außerhalb seiner kleinen engen Gefängniszelle war groß und leer; er war vollkommen auf sich gestellt. Drei Jahre lang war er sich selbst die einzige Gesellschaft gewesen, und nun kehrte er in eine Welt zurück, die er mit seinen sechsundzwanzig Jahren nicht mehr kannte.

Haverford hatte das vorausgesehen. Er hatte einen Psychologen über die Probleme befragt, mit denen ehemalige Gefangene sich bei ihrer Rückkehr in die Gesellschaft konfrontiert sehen. Der klassische Freudianer – inklusive des typischen Wiener Akzents – hatte Haverford erklärt, »das Subjekt« würde sich an die Beschränkungen der Haft gewöhnt haben und sich von der scheinbar unbegrenzten Welt außerhalb seiner Gefängniszelle überwältigt fühlen. Klug wäre es, erklärte er weiter, den Betreffenden zunächst in einem fensterlosen Raum mit Zugangsmöglichkeit zu einem Hof oder Garten unterzubringen, damit er sich allmählich akklimatisieren könne. Offene Räume oder gar eine überfüllte Stadt mit geschäftigen Menschen und unablässigem Lärm würden ihn wahrscheinlich verstören.

Also hatte Haverford in einem ruhigen Tokioter Vorort ein kleines Zimmer in einem sicheren Haus herrichten lassen.

Nach dem zu urteilen, was er über Nikolai Hel wusste – dem wenigen, das über ihn bekannt war –, konnte er sich allerdings nicht vorstellen, dass dieser verstört reagieren würde. Hel legte eine fast übermenschliche Selbstbeherrschung an den Tag, eine Ruhe, die beinahe herablassend wirkte, eine Zuversicht, die oft an Arroganz grenzte. Oberflächlich betrachtet wirkte er wie die perfekte Mischung aus seiner aristokratischen russischen Mutter und dem Samurai, der sein Ersatzvater gewesen war, dem Kriegsverbrecher Kishikawa, den er mit einem einzigen Fingerhieb gegen die Luftröhre vor der Schmach der Henkersschlinge bewahrt hatte.

Trotz seiner blonden Haare und strahlend grünen Augen, dachte Haverford, wirkt Hel eher asiatisch als westlich. Er geht sogar wie ein Asiate – die Arme hinter dem Rücken verschränkt, um möglichst wenig Raum einzunehmen und einem Entgegenkommenden keine Unannehmlichkeiten zu bereiten. Seinen großen, schlanken Körper hielt er demütig gebeugt. Äußerlich Europäer, beschloss Haverford, doch vom Wesen her Asiate. Das kam hin – er war bei seiner Mutter aufgewachsen, die nach Schanghai ausgewandert war, und als die Japaner die Stadt besetzt hielten, hatte Kishikawa sich seiner angenommen. Nach dem Tod der Mutter schickte Kishikawa den Jungen nach Japan, wo er bei einem Meister des äußerst komplizierten und nuancierten Brettspiels Go – einer Art japanischen Schachspiels, nur sehr viel schwieriger – lebte und in die Lehre ging.

Auch Hel war Go-Meister geworden.

Ist es da ein Wunder, wenn er denkt wie ein Asiate?

Nikolai spürte, dass sich die Gedanken des Mannes mit ihm beschäftigten. Diese Amerikaner sind leicht zu durchschauen, ihre Gedanken so greifbar wie Steine am Boden eines klaren, unbewegten Teichs. Es war ihm egal, was Haverford von ihm hielt – wen interessierte schon die Meinung eines Kaufmanns? –, aber es ärgerte ihn. Er lenkte seine Aufmerksamkeit auf die Sonnenstrahlen in seinem Gesicht und spürte, wie sie seine Haut wärmten.

»Was möchten Sie?«, fragte Haverford.

»Wie meinen Sie das?«

Haverford schmunzelte. Die meisten Männer wollten drei Dinge, wenn sie nach langer Haft entlassen wurden: etwas zu trinken, etwas zu essen und eine Frau, nicht unbedingt in dieser Reihenfolge. Aber er hatte nicht vor, sich Hels herablassende Art bieten zu lassen, und entgegnete auf Japanisch: »Ich meine, was möchten Sie?«

Mittelmäßig beeindruckt, dass Haverford Japanisch sprach, und auch einigermaßen interessiert aufgrund dessen Weigerung, einen so unbedeutenden Stein auf dem Spielbrett aufzugeben, antwortete Nikolai: »Ich gehe nicht davon aus, dass Sie eine annehmbare Tasse Tee organisieren können.«

»Tatsächlich«, sagte Haverford, »habe ich bereits ein bescheidenes *cha-kai* vorbereiten lassen. Ich hoffe, es wird Ihre Zustimmung finden.«

Eine formelle Teezeremonie, dachte Nikolai.

Wie interessant.

Am Ende des Wegs wartete ein Wagen. Haverford öffnete die hintere Tür und ließ Nikolai einsteigen.

2

Das cha-kai war nicht nur annehmbar, es war exzellent.

Nikolai saß im Schneidersitz auf dem *tatami*-Boden neben dem Lacktisch und genoss jeden einzelnen Schluck des *cha-noyu*. Der Tee war hervorragend, ebenso wie die Geisha, die nicht weit von ihm kniete, diskret und gerade außer Hörweite der kargen Unterhaltung.

Schockiert bemerkte Nikolai, dass dieser Funktionär Haverford sich auskannte, den Tee mit makelloser Höflichkeit servierte und das Ritual fehlerlos zelebrierte. Bei der Ankunft im Teehaus hatte Haverford sich zunächst dafür entschuldigt, dass es aufgrund der Umstände keine weiteren Gäste gäbe, und Nikolai anschließend in den *machiai*, den Warteraum, geführt, wo er ihm eine außerordentlich anziehende Geisha vorstellte.

»Das ist Kamiko-san«, sagte Haverford. »Sie wird heute als meine *hanto* fungieren.«

Kamiko verneigte sich. Sie reichte Nikolai einen Kimono und bot ihm *sayu* an, eine Tasse des heißen Wassers, mit dem der Tee aufgegossen werden sollte. Nikolai nahm einen Schluck, und als Haverford sich entfernte, um den Tee zuzubereiten, führte Kamiko ihn nach draußen in den *roji*, den »Tauboden«, einen kleinen Garten ohne Blumen, nur aus Steinarrangements. Sie setzten sich auf eine steinerne Bank und genossen die Stille, ohne sich zu unterhalten.

Wenige Minuten später ging Haverford, inzwischen in einen Kimono gewandet, zu einem Steinbecken und wusch sich zeremoniell Mund und Hände mit frischem Wasser. Dann trat er durch das mittlere Tor in den *roji*, wo er Nikolai formell mit einer Verneigung willkommen hieß. Auch Nikolai reinigte sich im *tsukubai*.

Um in das *cha-shitsu*, das Teehaus, zu gelangen, mussten sie eine Schiebetür von nur einem Meter Höhe passieren und sich dabei zwangsläufig bücken, was den Übergang von der physischen Welt in das spirituelle Reich des Teehauses symbolisierte.

Das *cha-shitsu* war exquisit, elegant in seiner Schlichtheit, ein perfekter Ausdruck des *shibumi*. Der Tradition folgend begaben sie sich zuerst in eine Nische, an deren Wand das *kakemono* hing, eine Rolle mit gemalten Schriftzeichen, abgestimmt auf den jeweiligen Anlass. Wie es sich für den Gast gehörte, bewunderte Nikolai die gekonnt ausgeführten Pinselstriche, die das japanische Zeichen für *satori* darstellten.

Interessante Wahl, dachte Nikolai. *Satori* bedeutet im Zen-Buddhismus eine plötzliche Erleuchtung, eine Erkenntnis des Lebens, wie es wirklich ist. Sie war kein Ergebnis von Meditation oder bewussten Gedanken, sondern stellte sich mit einem Windhauch, dem Knistern einer Flamme, oder dem Fallen eines Blattes ein.

Nikolai hatte *satori* nie erlebt.

Auf einem kleinen Holzständer vor dem *kakemono* befand sich eine Schale mit einem einzelnen kleinen Ahornzweig.

Sie traten an ein niedriges Tischchen, auf dem ein Kohlebecken und ein Kessel standen. Während Nikolai und Kamiko sich im Schneidersitz auf die Matte am Tisch setzten, verneigte sich Haverford und verließ den Raum. Wenige Augenblicke später erklang ein Gong, und er kehrte mit der *cha-wan*, einer roten Keramikschale, zurück, die einen Teebesen, einen Schöpflöffel und ein Tuch enthielt.

Als *teishu*, Gastgeber, kniete sich Haverford an den ihm vorgeschriebenen Platz neben der Kochstelle und Nikolai direkt gegenüber an den Tisch. Er wischte alle Utensilien mit dem Tuch ab, füllte die Schale mit heißem Wasser, spülte den

Teebesen, goss das Wasser in ein anderes Becken und wischte die Teeschale erneut sorgfältig aus.

Nikolai genoss das alte Ritual, wollte sich aber nicht einlullen lassen. Der Amerikaner hatte offensichtlich seine Hausaufgaben gemacht und wusste, dass Nikolai in den wenigen Jahren, in denen er vor seiner Gefangenschaft in Tokio gelebt hatte, einen formellen japanischen Hausstand mitsamt Gefolge gegründet und die alten Rituale befolgt hatte. Sicherlich setzte er darauf, dass Nikolai das *cha-kai* als nostalgisch und beruhigend empfinden würde.

Und so ist es auch, dachte Nikolai, aber bleib wachsam.

Haverford präsentierte den Schöpflöffel, öffnete einen Leinenbehälter und hielt einen Augenblick inne, damit seine Gäste das Aroma prüfen konnten. Nikolai stellte erstaunt fest, dass es sich um *koi-cha* handelte, aus hundertjährigen Pflanzen, die nur im Schatten und nur in bestimmten Gegenden von Kyoto wuchsen. Er hatte keine Vorstellung, was dieser *mat-cha* gekostet haben musste, und fragte sich, was er ihn selbst wohl kosten würde. Die Amerikaner betrieben einen solchen Aufwand sicherlich nicht umsonst.

Nachdem Haverford eine angemessene Pause eingelegt hatte, tauchte er jetzt einen kleinen Löffel in den Behälter und gab sechs Einheiten des feinpulvrigen blassgrünen Tees in die *cha-wan*. Mit der Bambuskelle schöpfte er heißes Wasser in die Schale, nahm den Teebesen und verquirlte beides zu einer dünnflüssigen Paste. Er begutachtete das Ergebnis seiner Arbeit und reichte Nikolai zufrieden die Schale über den Tisch.

Wie es das Ritual vorsah, verneigte sich Nikolai, nahm die *cha-wan* mit der rechten Hand entgegen, übergab sie seiner Linken und balancierte sie in der Handfläche. Er drehte sie dreimal im Uhrzeigersinn und nahm dann einen langen Schluck. Der Tee war hervorragend und Nikolai bekundete dies höflich mit lautem Schlürfen. Dann wischte er den Rand der *cha-wan* mit seiner Rechten ab, drehte die Schale einmal im Uhrzeigersinn und gab sie an Haverford zurück, der sich verneigte und seinerseits davon trank.

Nun begann die weniger formelle Phase des *cha-kai*. Haverford wischte die *cha-wan* erneut aus, und Kamiko füllte Kohle in das Becken, um weitere Tassen mit schwächerem Tee zu kochen. Trotzdem gab es auch hier Formalitäten zu beachten, und um seiner Rolle als Gast gerecht zu werden, begann Nikolai eine Unterhaltung über die bei der Zeremonie verwendeten Utensilien.

»Die *cha-wan* stammt aus der Monoyama-Zeit, nicht wahr?«, richtete er das Wort an Haverford, denn er hatte die charakteristische rote Färbung erkannt. »Sie ist wunderschön.«

»Ganz recht, Monoyama«, erwiderte Haverford. »Aber es ist nicht das schönste Stück.«

Beide wussten, dass die Schale aus dem siebzehnten Jahrhundert unbezahlbar war. Der Amerikaner hatte ungeheure Kosten und Mühen auf sich genommen, um diese »bescheidene« Teezeremonie zu veranstalten, und Nikolai fragte sich unwillkürlich weshalb.

Haverford konnte seine Zufriedenheit über die gelungene Überraschung kaum verbergen.

Ich kenne dich nicht, Hel, dachte er, als er sich wieder in den Schneidersitz hinabsenkte, aber du kennst mich auch nicht.

Ellis Haverford war in der Tat anders als die firmeneigenen Rowdys, die Nikolai während seines dreitägigen brutalen Verhörs windelweich geprügelt hatten. Obwohl er auf der Upper East Side von Manhattan geboren war, hatte er Yale und Harvard zugunsten der Columbia ausgeschlagen, weil er sich nicht vorstellen konnte, freiwillig aus Manhattan fortzuziehen. Als Pearl Harbor bombardiert wurde, studierte er gerade asiatische Sprachen und Geschichte und schien somit prädestiniert für einen Schreibtischjob beim Geheimdienst.

Doch Haverford weigerte sich, ging stattdessen zu den Marines, befehligte einen Zug in Guadalcanal und eine Kompanie in Neu-Guinea. Als ihm Purple Heart und Navy Cross an die Brust geheftet wurden, musste er sich schließlich eingestehen, dass er seine Ausbildung verschwendete. Also erklärte er sich bereit, verdeckt zu arbeiten und trainierte in den Dschungeln von Französisch-Indochina einheimische Widerstandsbewegungen für den Krieg gegen die Japaner. Haverford sprach fließend Französisch, Japanisch und Vietnamesisch und konnte sich auch in einigen Teilen Chinas verständlich machen. Auf seine Weise war Ellis Haverford ebenso aristokratisch wie Hel – wenngleich er aus bedeutend reicheren Verhältnissen stammte –, und er gehörte zu jener seltenen Spezies, die sich an jedem Ort der Welt wohlzufühlen scheinen, auch in einem exklusiven japanischen Teehaus.

Jetzt servierte Kamiko schwachen Tee und brachte *mukozuke*, ein Tablett mit leichten Gerichten – *sashimi* und eingelegtem Gemüse.

»Das Essen ist gut«, sagte Nikolai auf Japanisch, als Kimoko servierte.

»Lediglich Abfälle«, antwortete Haverford der Form halber, »aber ich fürchte, etwas Besseres habe ich nicht zu bieten. Es tut mir sehr leid.«

»Das ist mehr als genug«, sagte Nikolai und verfiel unbewusst in japanische Umgangsformen, wozu er schon seit Jahren keine Gelegenheit mehr gehabt hatte.

»Sie sind überaus gütig«, erwiderte Haverford.

Nikolai, der sich Kamikos passiver Aufmerksamkeit bewusst war, fragte: »Sollen wir die Sprache wechseln?«

Haverford wusste bereits, dass Hel Englisch, Französisch, Russisch, Deutsch, Chinesisch, Japanisch und auch ein bisschen Baskisch sprach, so dass ihnen genug Sprachen zur Auswahl standen. Er schlug Französisch vor, und Nikolai ging darauf ein.

»Also«, sagte Nikolai, »Sie bieten mir hunderttausend Dollar, meine Freiheit, einen costaricanischen Reisepass und die Privatadressen von Major Diamond und seinen Mitarbeitern, wenn ich Ihnen einen Dienst erweise, bei dem es sich vermutlich um Mord handelt.«

»›Mord‹ ist ein hässliches Wort«, entgegnete Haverford, »aber Sie haben die Eckdaten des Deals korrekt umrissen, ja.«

»Warum ich?«

»Sie verfügen über ein paar außergewöhnliche Eigenschaften«, sagte Haverford, »sowie gewisse, für den Auftrag erforderliche Fähigkeiten.«

»Zum Beispiel?«

»Das müssen Sie vorläufig noch nicht erfahren.«

»Wann fange ich an?«, fragte Nikolai.

»Die Frage ist eher wie.«

»Na schön. *Wie* fange ich an?«

»Zunächst«, antwortete Haverford, »reparieren wir Ihr Gesicht.«

»Gefällt es Ihnen nicht?«, fragte Nikolai. Die Fäuste und Knüppel von Major Diamond und dessen Leuten hatten sein einst ansprechendes Antlitz in eine schiefe, geschwollene und zusammenhanglose Masse verwandelt.

Nikolai hatte bis zum Mord an Kishikawa-san für die Amerikaner als Übersetzer gearbeitet; dann hatten Diamond und seine Gorillas ihn zunächst verprügelt und anschließend grausamen Experimenten mit bewusstseinsverändernden Psychopharmaka unterzogen. Der Schmerz war schlimm genug gewesen, die Entstellungen noch schlimmer, aber am meisten quälten Nikolai der Kontrollverlust, die entsetzliche Hilflosigkeit und das Gefühl, von Diamond und seinen widerlichen Handlangern um sein Selbst beraubt worden zu sein, mit dem sie dann spielten wie verzogene, dumme Kinder mit Tieren.

Wenn die Zeit gekommen ist, werde ich mich um sie kümmern, dachte er. Um Diamond und seine Schläger, um den Arzt, der seinem »Patienten« die Spritzen verabreicht und deren Wirkung er mit kaltblütigem, klinischem Interesse verfolgt hatte – sie alle werden mich wiedersehen, wenn auch nur kurz und unmittelbar vor ihrem Tod.

Zuerst aber muss ich mich mit Haverford einigen, denn ich brauche ihn, um Rache zu üben. Immerhin ist er interessant – elegant gekleidet, zweifellos gebildet und offensichtlich ein Spross der sogenannten amerikanischen Aristokratie.

»Ganz und gar nicht«, entgegnete Haverford. »Ich denke nur, wenn man etwas beschädigt hat, sollte man es auch wieder reparieren. Das erscheint mir nur fair.«

Haverford will mir auf recht unamerikanisch subtile Art weismachen, dachte Nikolai, dass er nicht zu denen gehört. Aber natürlich tut er das, seine Kleidung und der Columbia-Abschluss sind nur die Patina auf demselben rissigen Gefäß. Er fragte: »Was, wenn ich es vorziehe, nicht ›repariert‹ zu werden?«

»Dann, fürchte ich, würden wir unsere Vereinbarung lösen müssen«, erwiderte Haverford gut gelaunt und froh, dass die französische Sprache das in Englisch viel unerbittlicher klingende Ultimatum abschwächte. »Ihr derzeitiges Erscheinungsbild würde Fragen aufwerfen, deren Antworten nicht zu der Tarnung passen, die wir unter Aufwendung großer Mühen für Sie gefunden haben.«

»›Tarnung‹?«

»Eine neue Identität«, antwortete Haverford, dem wieder einfiel, dass Hel zwar ein effizienter Killer, auf dem Gebiet der weltweiten Spionage aber noch ein Neuling war. »Mitsamt einer konstruierten persönlichen Biografie.«

»Und die wäre?«, fragte Nikolai.

Haverford schüttelte den Kopf. »Das müssen Sie jetzt noch nicht wissen.«

Nikolai beschloss, es darauf ankommen zu lassen, und sagte: »Ich war in meiner Zelle ganz zufrieden. Ich könnte auch wieder zurückgehen.«

»Das könnten Sie«, gab Haverford ihm Recht. »Und wir könnten Sie wegen Mordes an Kishikawa vor Gericht stellen.«

Geschickt gespielt, dachte Nikolai und beschloss, im Umgang mit Haverford vorsichtiger zu sein. Da er sah, dass es hier keine Möglichkeit zum Angriff gab, zog er sich zurück wie eine allmählich weichende Flut. »Die Operationen an meinem Gesicht – ich nehme an, wir sprechen von Operationen …«

»Ja.«

»Und ich vermute, es wird schmerzhaft sein …«

»Sehr.«

»Wie lange wird es dauern, bis alles verheilt ist?«

»Einige Wochen«, antwortete Haverford. Er schenkte Nikolai nach, dann sich selbst und nickte Kamiko zu, damit sie eine frische Kanne brachte. »In denen Sie nicht untätig bleiben werden. Sie haben sehr viel Arbeit vor sich.«

Nikolai zog eine Augenbraue hoch.

»Ihr Französisch zum Beispiel«, sagte Haverford, »Ihr Wortschatz ist beeindruckend, aber der Akzent ganz falsch.«

»Meine französische Kinderfrau wäre jetzt zutiefst beleidigt.«

Haverford schaltete wieder auf Japanisch um, das sich besser für den Ausdruck höflichen Bedauerns eignete. »*Gomen nosei*, aber Ihr neuer Akzent muss südlicher klingen.«

Warum wohl?, überlegte Nikolai. Er fragte jedoch nicht nach, denn er wollte nicht zu neugierig oder zu interessiert wirken.

Kimoko wartete in einigem Abstand. Als sie hörte, dass Haverford fertig war, verneigte sie sich und servierte den Tee. Sie war hübsch frisiert, hatte Haut wie aus Alabaster, und ihre Augen funkelten. Nikolai ärgerte sich, als Haverford seine Blicke wahrnahm und versicherte: »Alles schon arrangiert, Hel-san.«

»Danke, nein«, sagte Nikolai, der nicht bereit war, dem Amerikaner die Genugtuung zu gönnen, seine körperlichen Bedürfnisse richtig gedeutet zu haben. Damit würde er nur Schwäche zeigen und Haverford zu einem Sieg verhelfen.

»Wirklich?«, fragte Haverford. »Sind Sie sicher?«

Sonst hätte ich es nicht gesagt, dachte Nikolai. Er beantwortete die Frage nicht, sondern erwiderte stattdessen: »Noch was …«

»Ja?«

»Ich werde keine Unschuldigen töten.«

Haverford schmunzelte. »Die Chance ist gering.«

»Dann nehme ich an.«

Haverford verneigte sich.

3

Nikolai kämpfte gegen die Bewusstlosigkeit an.

Die Kontrolle zu verlieren war für einen Mann, der sein Leben lang nach den Prinzipien strenger Selbstbeherrschung gelebt hatte, ein Gräuel und brachte ihm die Erinnerung an die pharmakologische Folter zurück, die die Amerikaner an ihm verübt hatten. Also rang er um sein Bewusstsein, doch der Wirkung des Anästhetikums konnte er sich nicht widersetzen.

Als Junge hatte er häufig spontane Augenblicke völliger Entspannung erlebt, in denen er sich des Moments entrückt auf einer frischen Wiese mit Wildblumen liegen sah. Er wusste nicht, wie es geschah oder warum, nur dass es friedlich war und wunderschön. Er bezeichnete diese Intermezzi als seine »Ruhephasen« und konnte sich nicht vorstellen, dass ein Mensch ohne sie leben könnte.

Aber die Bombardierung von Tokio, der Tod seiner Freunde, dann Hiroshima, Nagasaki und die Verhaftung seines Ziehvaters, General Kishikawas, als *Kriegsverbrecher* – dieser kultivierte Mann, der ihn das Go-Spiel gelehrt und ihm gezeigt hatte, wie man ein zivilisiertes, diszipliniertes und umsichtiges Leben führt – hatten ihn seiner kostbaren »Ruhephasen« beraubt, und egal wie sehr er sich bemühte, er konnte diesen Zustand völliger Entspannung, der einst Teil seiner Selbst gewesen war, nicht mehr wiedererlangen.

Als man ihn in ein Flugzeug mit geschwärzten Fenstern setzte, in die Vereinigten Staaten flog und beim Aussteigen das Gesicht verband, als wäre er verwundet, war es ihm nicht möglich gewesen, Ruhe zu finden. Und noch schwerer fiel es ihm, seinen Gleichmut zu bewahren, als man ihn auf einer

Trage ins Krankenhaus rollte, ihm Nadeln in die Arme stach und eine Maske über Nase und Mund zog.

Panisch wachte er auf, weil seine Arme an der Trage festgezurrt waren.

»Alles gut«, sagte eine weibliche amerikanische Stimme. »Wir wollen nur nicht, dass Sie sich herumwälzen oder Ihr Gesicht berühren.«

»Das werde ich nicht.«

Sie schmunzelte, glaubte ihm nicht.

Nikolai hätte weiter gestritten, doch der Schmerz war stechend, wie ein grelles Licht, das ihm direkt in die Augen strahlte. Er blinzelte, zwang sich, ruhig zu atmen und schickte das Licht auf die andere Seite des Raums, wo er es teilnahmslos betrachten konnte. Der Schmerz existierte noch, aber jetzt handelte es sich lediglich um ein von ihm losgelöstes Phänomen, interessant aufgrund seiner Intensität.

»Ich gebe Ihnen eine Spritze«, sagte die Schwester.

»Nicht nötig«, entgegnete Nikolai.

»Oh«, sagte sie, »wir können nicht zulassen, dass Sie zucken oder die Zähne zusammenbeißen. Die Operation an den Gesichtsknochen war sehr kompliziert.«

»Ich versichere Ihnen, dass ich absolut still liegen bleibe«, antwortete Nikolai. Durch die Schlitze, die seine Augen waren, konnte er jetzt sehen, wie sie die Spritze vorbereitete. Sie war der keltische Typ, mit einer robusten Gesundheit, blasser Haut, Sommersprossen, rostroten Haaren und dicken Unterarmen. Er atmete aus, entspannte seine Hände und entwand sie den Bandagen.

Die Schwester wirkte schrecklich verärgert. »Wollen Sie, dass ich den Doktor rufe?«

»Tun Sie, was Sie für richtig halten.«

Der Arzt kam wenige Minuten später. Mit viel Aufhebens prüfte er den Verband, der Nikolais Gesicht schützte, gluckste zufrieden wie eine Henne, die gerade ein besonders gelungenes Ei gelegt hat, und sagte: »Die Operation ist sehr gut verlaufen. Ich rechne mit einem ausgezeichneten Ergebnis.«

Nikolai machte sich nicht die Mühe, eine entsprechende Banalität zu erwidern.

»Lassen Sie die Hände aus dem Gesicht«, sagte der Arzt. An die Schwester gewandt, setzte er hinzu: »Wenn er nichts gegen die Schmerzen will, dann will er nichts. Er wird Sie schon rufen, wenn er keine Lust mehr hat, den Stoiker zu spielen. Und falls Sie sich ein bisschen an ihm rächen wollen, lassen Sie sich Zeit, darauf zu reagieren.«

»Ja, Doktor.«

»Ich mache meine Arbeit gut«, sagte der Arzt zu Nikolai. »Sie werden sich vor den Frauen kaum noch retten können.«

Nikolai brauchte eine Weile, bis er die Redensart entschlüsselt hatte.

»Einige kleinere Gesichtsmuskeln werden gelähmt bleiben, fürchte ich«, fuhr der Arzt fort, »aber nichts, womit man nicht leben könnte. Es wird Ihnen sogar helfen, Ihre undurchdringliche Miene aufrechtzuerhalten.«

Nikolai rief nicht nach der Schwester.

Und er bewegte sich auch nicht.

4

Im Schutz der Nacht und des peitschenden Monsunregens kauerte die Kobra bewegungslos am Boden.

Sie sah die Füße des Mannes in den Matsch platschen und auf den Trampelpfad klatschen, der zu den Büschen führte, hinter denen er sein persönliches Geschäft verrichten wollte. Es gehörte zu seinem festen Tagesablauf, und deshalb erwartete die Kobra ihn dort. Sie hatte viele Nächte lang ausgeharrt und die Gewohnheiten ihrer Beute studiert.

Der Mann kam näher und befand sich jetzt nur wenige Schritte von der Stelle entfernt, an der die Kobra neben dem schmalen Pfad im Bambus lauerte. Allein auf sein Ziel fixiert, sah der Mann nichts, als er sich den Regen aus dem Gesicht wischte.

Diesen Moment wählte die Kobra, um sich blitzartig zu strecken und zuzuschlagen. Die Klinge – silbrig wie der Regen – schoss hervor und schlitzte den Oberschenkel des Mannes auf. Er spürte den seltsamen Schmerz, sah hinunter und presste die Hand auf den blutigen Riss in der Hose. Aber es war zu spät – die Oberschenkelarterie war durchtrennt und das Blut strömte unter seiner Hand und zwischen seinen Fingern hervor. Geschockt setzte er sich und sah zu, wie das Leben aus ihm herausfloss und eine Lache um ihn herum bildete.

Die Kobra war längst weg.

5

Obwohl Major Diamond sich freute, dass Nikolai Hel auf den Handel eingegangen war, ließ er sich seine Begeisterung nicht unbedingt anmerken.

»Hel ist ein irrer Halb-Japse«, sagte Diamond, »mit verschmortem Hirn.«

»Ja«, antwortete Haverford, »und daran sind Sie ja nicht ganz unschuldig, oder?«

»Er war ein Agent der Kommies«, entgegnete Diamond schulterzuckend. Klar, er hatte Hel ein bisschen aufgemischt, ihn als Versuchskaninchen für neue pharmazeutische Methoden benutzt. Na und? Sie befanden sich im Krieg mit den Kommunisten, ein schmutziger Krieg noch dazu. Außerdem war Hel ein arroganter kleiner Scheißer – er ließ so viel Überlegenheit und Herablassung raushängen, dass man einfach Lust bekam, ihm wehzutun.

Diamond dachte, er hätte all das weit hinter sich gelassen, als er zur neuen CIA gewechselt war und Japan für einen Auftrag in Südostasien verlassen hatte, aber dieser nervige Hel hing an ihm wie der Schweif eines Papierdrachen. Sie hätten ihn hinrichten sollen, als sie die Gelegenheit dazu hatten – und jetzt sollte er als Spion eingesetzt werden?

Genau wie dieser schwule Sozi Haverford, noch so ein verzogenes, besserwisserisches kleines Arschloch. Scheiße, Mann, Haverford hatte im Krieg für die Viet Minh gekämpft, und was zum Teufel war Ellis überhaupt für ein Name?

Jetzt sagte Haverford: »Hel war weder ein kommunistischer Agent noch ein Agent der Sowjets oder sonst irgendein Agent. Wie übrigens das von Ihnen geführte ›Verhör‹ ergeben hat.«

Haverford verachtete Diamond, angefangen von seinem Aussehen bis in den Kern seiner nicht vorhandenen Seele. Mit seinen schmalen Lippen und den hängenden Lidern ähnelte der Mann einer viel zu hoch gestimmten Gitarre, und innerlich war er noch hässlicher. Ein kleinbürgerlicher Schläger, der einen begeisterten Nazi abgegeben hätte, wäre er nicht – zu seinem Leidwesen – zufällig als Amerikaner auf die Welt gekommen. Diamond gehörte zu der Sorte Gemeindienstler, wie sie die Armee massenweise hervorbrachte – phantasielos, brutal und voller Vorurteile, die von keinem Gedanken oder intelligenten Zweifel geschmälert wurden.

Haverford hasste ihn, die gesamte gesellschaftliche Klasse, aus der er stammte, und was diese in Bezug auf die amerikanischen Beziehungen nach Fernost anzurichten drohte.

John Singleton, Leiter der für Asien zuständigen Abteilung der CIA, saß an seinem riesigen Schreibtisch und verfolgte den Schlagabtausch. Weißes Haar fiel in sein zerfurchtes Gesicht wie Schnee auf ein zerklüftetes Felsmassiv, seine hellblauen Augen hatten die Farbe von Eis.

Er war im wahrsten Sinne ein ›kalter Krieger‹; genau genommen der kälteste Mensch, den Haverford je kennengelernt hatte.

Singletons Skrupellosigkeit hatte ihn zur Legende gemacht. Er wurde als graue Eminenz der Washingtoner Geheimdienstgemeinde respektiert – sogar gefürchtet –, von Foggy Bottom bis Capitol Hill, sogar bis in die Pennsylvania Avenue hinein.

Und das aus gutem Grund, dachte Haverford. Im Vergleich zu Singleton war Machiavelli ein naiver Chorknabe und die Borgias Modelle für ein Gemälde von Rockwell. Neben Singleton sähe selbst der Teufel aus wie der Engel Lucifer – vor seinem Fall.

Singleton war während des Krieges Leiter der Abteilung für Asien beim OSS, dem Amt für strategische Dienste, und man sagte ihm nach, für Guerilla-Operationen in China und Vietnam verantwortlich gewesen zu sein sowie die Entscheidung, Bomben über Hiroshima und Nagasaki abzuwerfen, maßgeblich beeinflusst zu haben.

Nach dem Krieg hatte er den »Verlust« Chinas, die überraschende Invasion Koreas und sogar die Angriffe von McCarthy und seinen Gefolgsleuten politisch überlebt.

Tatsächlich war Singleton jetzt wahrscheinlich mächtiger als je zuvor, ein Umstand, den seine zahlreichen Feinde, wenn auch stillschweigend, seiner engen Beziehung zum Teufel zuschrieben.

Jetzt blickte er die beiden rivalisierenden Beamten über seinen Schreibtisch hinweg an.

»Ist Hel instabil?«, fragte er Haverford.

»Im Gegenteil«, entgegnete dieser. »Ich habe noch nie einen so selbstbeherrschten Menschen erlebt wie Nikolai Hel.«

»Was ist los, haben Sie sich in den Kerl verknallt oder was?«, mischte Diamond sich ein und grinste anzüglich.

»Nein, ich bin nicht in ihn verknallt«, gab Haverford müde zurück.

»Blasen Sie die Aktion ab, Sir«, sagte Diamond zu Singleton. »Es ist zu riskant und Hel ist eine tickende Zeitbombe. Ich habe sehr viel zuverlässigere Auftragskiller in Südchina, die wir losschicken kö…«

»Hel ist perfekt«, sagte Haverford.

Lesen Sie weiter in:

SATORI
von
Don Winslow
ISBN 978-3-453-40808-1
Erschienen im Wilhelm Heyne Verlag